GEOGRAFIA DOS MITOS BRASILEIROS

LUÍS DA CÂMARA CASCUDO

GEOGRAFIA DOS MITOS BRASILEIROS

São Paulo
2022

© Instituto Câmara Cascudo e
Eduardo Luís da Câmara Cascudo, 2019
1ª Edição, José Olympio, 1947
2ª Edição, Itatiaia, 1983
5ª Edição, Global Editora, São Paulo 2022

Jefferson L. Alves – diretor editorial
Daliana Cascudo Roberti Leite – estabelecimento do texto e revisão final
Flávio Samuel – gerente de produção
Juliana Campoi – coordenadora editorial
Nair Ferraz – assistente editorial
**Alessandra Biral, Edna Gonçalves Luna,
Sandra Lia Farah e Rosalina Siqueira** – revisão
Fabio Augusto Ramos – capa
Valmir S. Santos – diagramação
Coulanges/Shutterstock – foto de capa

Dados Internacionais de Catalogação na Publicação (CIP)
(Câmara Brasileira do Livro, SP, Brasil)

Cascudo, Luís da Câmara, 1898-1986.
  Geografia dos mitos brasileiros / Luís da Câmara Cascudo.
— 5. ed. — São Paulo : Global Editora, 2022.

  ISBN 978-65-5612-172-7

  1. Animais mitológicos – Brasil 2. Folclore – Brasil 3. Indígenas da América do Sul – Religião e mitologia – Brasil 4. Mitologia I. Título.

21-77643   CDD-398.40981

Índices para catálogo sistemático:
1. Brasil : Mitologia : Folclore 398.40981
Cibele Maria Dias - Bibliotecária - CRB-8/9427

Obra atualizada conforme o
NOVO ACORDO ORTOGRÁFICO DA LÍNGUA PORTUGUESA

Global Editora e Distribuidora Ltda.
Rua Pirapitingui, 111 — Liberdade
CEP 01508-020 — São Paulo — SP
Tel.: (11) 3277-7999
e-mail: global@globaleditora.com.br

Direitos reservados.
Colabore com a produção científica e cultural.
Proibida a reprodução total ou parcial desta
obra sem a autorização do editor.

Nº de Catálogo: **2266**

Sobre a reedição de Geografia dos Mitos Brasileiros

A reedição da obra de Câmara Cascudo tem sido um privilégio e um grande desafio para a equipe da Global Editora. A começar pelo nome do autor. Com a concordância da família, foram acrescidos os acentos em Luís e em Câmara, por razões de normatização bibliográfica. Foi feita também a atualização ortográfica, conforme o Novo Acordo Ortográfico da Língua Portuguesa; no entanto, existem muitos termos utilizados no nosso idioma que ainda não foram corroborados pelos grandes dicionários de língua portuguesa nem pelo Volp (Vocabulário Ortográfico da Língua Portuguesa) — nestes casos, mantivemos a grafia utilizada por Câmara Cascudo.

O autor usava forma peculiar de registrar fontes. Como não seria adequado utilizar critérios mais recentes de referenciação, optamos por respeitar a forma da última edição em vida do autor. Nas notas foram corrigidos apenas erros de digitação, já que não existem originais da obra.

Mas, acima de detalhes de edição, nossa alegria é compartilhar essas "conversas" cheias de erudição e sabor.

Os editores

SUMÁRIO

Prefácio (Luís da Câmara Cascudo) 13

GEOGRAFIA
DOS MITOS BRASILEIROS

A RELAÇÃO ÉTNICA NOS MITOS BRASILEIROS 17
    Acre 17
    Alagoas 18
    Amazonas 19
    Bahia 21
    Ceará 24
    Espírito Santo 25
    Goiás 26
    Maranhão 27
    Mato Grosso 28
    Minas Gerais 29
    Pará 30
    Paraíba 31
    Paraná 33
    Pernambuco 34
    Piauí 38
    Rio de Janeiro (Cidade) 39
    Rio de Janeiro (Estado) 41
    Rio Grande do Norte 42
    Rio Grande do Sul 44
    Santa Catarina 44
    São Paulo 45

Sergipe 47
A relação étnica nos mitos brasileiros 47
Migração 54

MITOS PRIMITIVOS E GERAIS

DIFERENCIAÇÕES REGIONAIS 57
   Tupã 57
   Jurupari 69
      Jurupari-Diabo. Tupã-Deus 69
      Quando Jurupari era Deus... 75
      Que quer dizer Jurupari? 88
      A lenda de Jurupari 89
      Jurupari é brasileiro? 93
      Documentário 94
   Anhanga 97
   Curupira 105
      Documentário (Vale do Rio Doce – Espírito Santo) 110
   Caapora 113
      Caapora e Caipora 116
      Caipora anão ou gigante 116
      Transformações do Caapora 117
      O Caipora chileno e argentino 119
      Caipora, caiporismo 119
      Documentário 119
   Saci-pererê 122
      Saci, ave 122
      Saci-pererê e Matintapereira 126
      O Saci fora do Brasil 128
      Elementos clássicos 130
      Uma explicação da viagem do Saci 133
      Documentário 137
      Notas ao documentário do Saci-pererê 142
   Mboitatá 143
      Documentário 146

Ipupiaras, botos e mães-d'água... ... 147
Os mitos nos cronistas estrangeiros ... 169
Documentário ... 171
Lobisomem ... 172
A tradição clássica de Licaon ... 172
A tradição romana das lupercais ... 173
A tradição erudita da metamorfose vulpina ... 174
O tema em equação ... 175
A metamorfose por castigo ... 177
A expansão do mito ... 177
Na Europa ... 177
Na África. Ásia ... 178
O Lobisomem em Portugal ... 179
Forma e processo de encantamento ... 180
O Lobisomem feminino ... 182
O Lobisomem na América ... 182
O Lobisomem no Brasil ... 183
O processo do encantamento e da cura ... 186
Duas estórias de Lobisomem ... 188
As duas explicações populares da licantropia ... 189
Documentário ... 190
Mula sem Cabeça ... 191
Documentário ... 194

CICLO DA ANGÚSTIA INFANTIL ... 197
Tutu ... 197
Documentário ... 199
Coca e Cuca ... 200
Documentário ... 206
Mão de Cabelo (Minas Gerais) ... 207
Chibamba (Sul de Minas Gerais) ... 209
Cabra-Cabriola (Pernambuco, Alagoas, Sergipe, Bahia) ... 210
A Bruxa (todo o Brasil) ... 212
Documentário ... 213
Alma-de-Gato (Rio Grande do Norte, Paraíba) ... 213
Documentário ... 215

CICLO DOS MONSTROS 217
   Mapinguari 222
      Documentário 224
   Capelobo 225
      Documentário 227
   Pé de Garrafa 228
      Documentário 231
   Labatut 232
      Documentário 234
   Quibungo 235
      Documentário 239
   Papa-figo 239
      Documentário 243
   Gorjala 243
      Documentário 244
   Bicho-homem 245
      Documentário 246

MITOS SECUNDÁRIOS E LOCAIS

MITOS SECUNDÁRIOS E LOCAIS 251
   Alamoa (Ilha de Fernando de Noronha) 251
      Documentário 252
   Angoera (Rio Grande do Sul) 254
   Anta-cachorro (Pará – Goiás) 256
   Anta esfolada (Rio Grande do Norte) 257
      Documentário 258
   O Arranca-língua (Sertões do Araguaia – Goiás) 259
   Barba-ruiva ou Barba-branca (Piauí) 261
      Documentário 264
   O Bradador (São Paulo, Minas Gerais, Paraná, Santa Catarina) ... 266
   Cabeça de Cuia (Piauí) 268
      Documentário 270
   A Cachorra da Palmeira (Alagoas) 272
      Documentário 273

Canhambora (Rio de Janeiro, São Paulo, Minas Gerais) 279

O Carbúnculo (Rio Grande do Sul) 281

A Casa de M'Bororé (Rio Grande do Sul) 283

Cavalo-Marinho (Amazônia) 285

Cavalo sem Cabeça (São Paulo, Mato Grosso,
Fronteiras de Minas) 287

Cavalo de Três Pés (São Paulo) 288

A Cobra de Asas (Bom Jesus da Lapa, Bahia) 288

As cobras da lagoa de Estremoz (Rio Grande do Norte) 290

Documentário 292

A Cobra-Norato (Pará) 292

Documentário 294

Corpo-seco (São Paulo, Minas Gerais, Paraná, Santa Catarina,
Nordeste do Brasil) 298

Curacanga ou Cumacanga (Maranhão e Pará) 299

Os filhos de Chico Santos (Paraná) 303

A dança dos Tangarás 304

O Gogó de Sola (Acre) 305

Guará (fronteira do Pará-Maranhão) 307

Jacaré, Mãe do Terremoto (Amazonas) 308

João Galafuz (Pernambuco, Alagoas-Sergipe) 309

Juruti-pepena (Pará) 311

A Mãe do Ouro (Rio Grande do Sul, Santa Catarina, Paraná,
Minas Gerais, São Paulo, todo o Sul do Brasil) 311

Documentário 313

Mão-Pelada (Minas Gerais) 316

Documentário 319

Matintapereira (Pará, Amazonas, Acre) 321

Documentário 322

Minhocão 324

Documentário 325

O Negrinho do Pastoreio (Rio Grande do Sul) 328

Onça-boi (Amazonas, Acre) 334

Onça-Maneta (São Paulo, Minas Gerais) 335

Pisadeira (São Paulo, fronteiras de Minas Gerais) 335

Documentário 338

A Porca dos Sete Leitões (São Paulo, fronteiras de Minas Gerais)... 338

Documentário 340

A Princesa encantada de Jericoacoara (Ceará) 340

Documentário 342

Tibarané (Mato Grosso) 344

Documentário 345

Vaqueiro misterioso (tradição em todas as regiões
brasileiras de pastoreio) 346

Documentário 349

Zaoris (Rio Grande do Sul) 350

Zumbi (Bahia, Sergipe, Rio de Janeiro) 352

ADENDOS

ADENDOS 359

O fabulário poético 359

A cabeça errante 370

Um documento inédito de Gonçalves Dias 372

As Amazonas 374

Mitos paraibanos 376

Documentário (algumas lendas locais) 377

Mitos de Alagoas 382

Mitos de Santa Catarina 388

Mitos de Sergipe 390

Von Martius e os mitos amazônicos 392

PREFÁCIO

Las cosas hay que hacerlas,
mal, pero hacerlas.

SARMIENTO

Depois dessa viagem, legitimamente maravilhosa, pergunto como vou colocar, simétrica e ritmicamente, a bicharia fantástica que campeei e reuni neste livro. Depois de tanto material lido e ouvido, em anos e anos de amorosa curiosidade, descubro a obrigação de filiar-me a uma escola, escolher um caminho, marchar numa direção, sob as penas da lei folclórica. Habituado a provocar depoimentos de vaqueiros e cantadores, gente que cortou seringa na Amazônia e caucho na Bolívia, apanhou castanha no Pará e cacau na Bahia, vigiou os "baldes" nas salinas de Macau e cortou madeiras no Acre, imobilizo-me perante juízes, por minha vez interrogado.

Parece-me que a melhor e mais alta valia desse livro é a perfeita ausência de "explicação" quando recolhi o fabulário. Nenhuma onça maneta nem cavalo de três pés troteia nos riscos preestabelecidos de uma "picada" doutrinária. Batia Kodak fiel e naturalmente. Sem retoque trouxe meus "instantâneos". Os leves traços que precedem ou se alinham, fingindo estudos, são reminiscências de leituras teimosas sempre no rumo de cotejar e esclarecer. Os rótulos que preguei na testa do Lobisomem ou do Saci- -pererê podem ser arrancados facilmente. Fixei-os apenas com a mais matuta e leal das sinceridades...

A classificação que elegi, com modificações pessoais, é a mais velha e clássica, a mais simples, primitiva e lógica das classificações.

Assim, divido em dois quadros gerais o mundo espantoso em que vivi. Mitos primitivos e mitos secundários e locais. Os primeiros subdividem-se em mitos gerais indígenas (Jurupari, Curupira, Anhanga, Mboitatá, Tupã, Ipupiaras etc.) e os europeus diversificados pelo elemento colonial brasileiro (amerabas, negros mestiços) e que vêm a ser Lobisomem, Mula sem Cabeça, Mães-d'água etc. Só. Não há nenhum que se arrogue a ter imunidade. Mito negro apenas atino com o Quibungo. Europeu puro, não avistei. Indígena 100%, idem. No máximo, ou no mínimo, são continentais.

Fiz o possível para incomodar intensamente amigos e desconhecidos. Mendiguei estórias de bichos e de homens assombrosos em todos os Estados. O silêncio ilustre de alguns destinatários responde pela omissão neste trabalho. É de esperar que se compreenda que Folclore é no Brasil atual a urgência de salvar material, o mais avultado, o mais longínquo, para livrá-lo da influência do cinema e do rádio propagador da Favela e Morro da Viúva. Depois, estudar-se-á.

Não termos no Brasil um instituto, uma associação, um clube, uma coisa que reúna os malucos que amam o Folclore, é um elemento negativo e afastador de qualquer possibilidade de realização sistemática e geral.

A consequência é ouvirmos "folclorista" como palavra pejorativa e vagamente insultuosa. Um amigo meu, residente no Rio de Janeiro, homem de livros por fora e ideias por dentro, perdeu meia hora explicando as razões de não ser folclorista. Também Santos Chocano dizia que ahora soy poeta, soy divino, soy sagrado, e nas praias do Rio Grande do Norte, poeta é sinônimo de bicho-de-pé. "Estou aqui vendo se tiro esse poeta", respondeu um pescador a Henrique Castriciano que lhe perguntara por que estava escavando os dedos com uma ponta de faca.

Peço licença para citar o português Eugênio de Castro. Prefaciando sua tradução dos versos de Goethe, afirmou não conhecer bufarinheiro sem louvor às agulhas que vende. Com razões dobradas, sem que seja perguntado, informo que esse livro foi moldado originalmente sem referência. Não sabia existir semelhança orientadora em idioma português, falado no Brasil.

Estudei nesses capítulos os mitos ainda vivos, correntes e crentes na imaginação popular. Os que se articulavam aos acidentes geográficos ou fenômenos meteorológicos, aos fatos sociais (família, trabalho, educação, amor) ou religiosos, foram excluídos por pertencerem a uma "Etnografia Tradicional do Brasil" que estou perpetrando com injustificado entusiasmo. A parte poética, nos limites do possível para mim, estudei nos Vaqueiros e Cantadores. *Fecharão a série uma nota à nossa literatura oral. E se Deus ainda mantiver em minha pessoa tais desígnios tão laboriosamente inúteis, sacudirei o pingo final no encargo.*

Como, preparando minha "Etnografia Tradicional do Brasil", ia sendo compelido a cruzar com todos esses bichos e seres espantosos, senti-me na disposição de prendê-los num campo, bem pobre e curto, mas enfim um campinho onde poderão ser vistos em maior número que no meio das matas, dos capoeirões e das várzeas brasileiras, dos rios, dos ares e das montanhas da Pátria.

Era uma tarefa difícil, áspera e longa, mas devia hacerla, mal, pero hacerla...

Natal, XII, 1940.

Luís da Câmara Cascudo

GEOGRAFIA DOS MITOS BRASILEIROS

MITOS PRIMITIVOS E GERAIS
MITOS SECUNDÁRIOS E LOCAIS
ADENDOS

A Relação Étnica nos Mitos Brasileiros

ACRE

*E*screve Joaquim Ribeiro prefaciando o *Folclore Acreano* de Francisco Peres de Lima (1938):

> A vida étnica acreana está condicionada a dois fatores, de grande valor "determinante" de sua feição regional. De um lado, o Acre, situado na rede fluvial da bacia amazônica, é uma terra quase submergida nas águas; daí o seu caráter "lacustre", que V. mais uma vez comprova. De outro lado, a órbita das fronteiras tende a provocar influências, nem sempre neutralizadoras, dos povos hispano--americanos sobre o Brasil, e do povo brasileiro sobre a Bolívia e Peru; daí a penetração, no folclore acreano, de algumas usanças dalém fronteiras (a "cueca", a "marinera", a "caisuma", "chicha", etc.). Resultante dessas duas forças, por assim dizer, modeladoras, o folclore acreano distinguiu-se, com nitidez, do "folclore amazônico" em geral (Amazonas e Pará).

A influência do Peru e da Bolívia se reflete mais nos costumes que nos mitos e superstições. Dinheiro boliviano e peruano corre no Território do Acre, no curso dos rios, sendo Humaitá a cidade do câmbio, subindo o Madeira, pelo Purus até Labreia, pelo Juruá quase até a entroncadura do Solimões. Desta forma sobem pelos rios amazônicos decisiva porção de estórias e hábitos. As duas entidades positivas do Folclore acreano são: Amazonas e Nordeste do Brasil. A primeira com os mitos primitivos e gerais, agora quase diluídos. A segunda pela ativíssima população de cearenses, norte-rio-grandenses, paraibanos, pernambucanos que se fixaram, desde tantíssimos anos, no "território".

Dos mitos amazônicos, primitivos e divulgados pelos tupi-guaranis, já não se fala em Curupiras, nem Anhangás, nem Mboitatá, nem Jurupari. O Anhangá é apenas um veado que assombra. Curupiras e Caaporas fundiram-se no Caipora, ou melhor, na Caipora que os habitantes do Acre descrevem, igualmente os sertanejos nordestinos o fazem, caboclinha pequena, escura, robusta, cabeluda, ágil, com a cabeleira cobrindo o sexo, dando caça a quem lhe dá fumo e tendo amores ciumentíssimos. Os mitos mais vivos são os que foram levados, em torna-viagem, pelos "retirantes" do Nordeste e se conservam nítidos porque se expandem dentro de um ambiente espiritualmente imutável, o espírito conservador dos homens do nordeste.

Assim encontramos o Lobisomem, a Burrinha (Mula), o Batatão, a Caipora. Do ciclo amazônico há a Cobra-grande, a Boiuna espalhando lendas nos rios, em todos os rios, mas, como registrou o Sr. Francisco Peres de Lima, claramente confundida com o mito europeu das Ondinas. No restante, sendo povo de trabalhadores nas florestas, há a predominância dos animais fabulosos, como no Amazonas e Pará, onças-bois, gogó-de-sola, insetos fulminantes (como a inofensiva Jequitiranaboia, *Fulgura lanternaria*)[1] etc. Surge também, vindo das matas amazônicas, o Mapinguari, derradeira encarnação do "Bicho-Homem", o homem selvagem, antropófago e faminto, espiando, de longe, o fulgor das cidades iluminadas à luz elétrica.

Curiosamente, tendo o Peru uma extensão de fronteiras de tamanho duplo à da Bolívia, é esta mais influenciadora que aquele. Nas anedotas, estórias tradicionais de caçadas, valentias, casos picarescos, certos hábitos e mesmo superstições, estas em menor quantidade, sente a Bolívia. O elemento de ligação foi menos o boliviano que o mestiço brasileiro, eterno viajante, traficando, cortando "seringa", tirando caucho, rio acima, rio abaixo, e semeando o que ouvira em seu sertão longínquo.

ALAGOAS

Alagoas, destacada de Pernambuco, conservou as sementes do seu passado. Durante séculos foi comum a história em guerras, conquistas, colonização. Seus mitos são os mesmos da região, idênticos pelo processo de divulgação e explicáveis pelos valores étnicos de sua população.

Do lado sul, limitando com Sergipe, devia ter sofrido a influência da Bahia, mas tal não se deu. Pernambuco era tudo, com seus "engenhos", escravaria, senhores de mando, lutas políticas.

---

1 Péricles de Morais contradiz a "inocência" da Jequitiranaboia. Ver Osvaldo Orico — *Vocabulário de Crendices Amazônicas*, p. 132.

Para a fronteira sergipana, margens do rio São Francisco, o povo era raro e pobre. Zona rica, o gado dizia seu valor, mas a gadaria não exige número avultado de braços, como o açúcar, a mineração, o café. A água do rio era mesmo uma barreira. As lendas demoraram a vencer-lhe o curso límpido.

Para Pernambuco os elementos convergiam. Interesses, povoamento, tribos indígenas, meios industriais, tudo irmanado, contínuo, prolongado. Os mitos vieram, ou melhor seria dizer, se estenderam sem perder a ligação original.

Vivem, por isso, em Alagoas, os mitos gerais, portugueses e amerabas, comuns a Pernambuco. Os mitos locais são apenas diferenciações que o povo se encarrega de regionalizar, introduzindo-lhes a cor ambiental.

Lobisomem, Mula de padre, Fogo-corredor, Pai do Mato, representando o Mapinguari amazônico ou o Olharapos português, Caipora, correm paralelos aos mitos secundários, coloridos pela imaginação local, Cachorra da Palmeira, bicho da usina Uruba, o buraco-feito, o Anjo-corredor, e os entes do ciclo da angústia infantil, o Papa-figo, o homem do surrão, o Galafoice.

Alagoas é, historicamente, produtora de açúcar e este denuncia o negro escravo. Os mitos africanos, e mesmo mestiçados, com matiz mais carregado, são raríssimos e sem popularidade. O Zumbi alagoano, o que tem prestígio, não é o Zumbi baiano, nem o que recorda o título do chefe gloriosamente vencido no "quilombo" de Palmares, a Troia negra do século XVII. O Zumbi que se vulgarizou, além do lado heroico, foi um ente que tomou forma inteiramente nova no Folclore brasileiro: um *zumbi* que significa a materialização do espírito dos animais mortos.[2] Como o vemos nas estradas baianas ou nas várzeas de Sergipe, não o encontramos na terra das Alagoas.

AMAZONAS

Como nenhuma outra região do Brasil, o Amazonas está estudado e revisto. Os olhos mais ilustres fixaram-se na majestade de uma natureza espetacular e complexa. Recolhendo material etnográfico, fizeram viajantes e naturalistas estudos antecipados de Folclore.

---

2 O livro de Ernest Bozzano, *Manifestations Métapsychiques et les Animaux* (segunda edição, Ed. Jean Meyer. 8-Rue Copernic. Paris-16), traz nada menos de 130 aparições de animais mortos ou fenômenos mediúnicos determinados por eles. É curiosa leitura. Alguns "casos" registrados têm réplicas conhecidas. Qualquer comentário é dispensável.

Na população branca e mestiça vivem os mitos europeus, com suas nuanças locais. A massa gigantesca das tribos vem, continuamente, carreando modificações que se divulgam, assimiladas, noutros mitos. Estórias da catequese confundem-se com tradições religiosas amerabas. O Mapinguari, invulnerável, morre com um tiro de cera de vela de altar onde se tenha rezado a Missa do Galo, a Missa do Natal. A cruz feita com a palha benta do Domingo de Ramos afugenta do casebre todos os duendes da mata. De toda a parte descem rumorejando as águas que avolumam o rio do Pavor. Os medos de cem tribos se espalham na noite quente e capitosa povoando de assombros a floresta sem fim e os rios enormes.

A incrível facilidade com que o indígena ouve, retém e transmite, já inconscientemente modificada, qualquer estória, multiplica o mundo fantástico, alargando as fronteiras móveis da imaginação criadora.

Barbosa Rodrigues possuía uma pedra-de-chefe, a nefrite verde, *muiraquitã* rara e disputadíssima, *tuixáua-itá* dos Tupis, a *nanaci* dos Tucanos, falsificada pela indústria da Inglaterra, vendida através das Guianas. Era um cilindro de louça, imitando perfeitamente o ornato das supremas autoridades indígenas. Esse sucedâneo viera aos índios Chirianás por troca com os Macuxis do rio Branco. (*Vellosia*, 2º vol. p. 97, segunda ed. Imprensa Nacional. Rio de Janeiro, 1892.) Assim muitos mitos correm, substituindo os legítimos, mas de fabricação longínqua... Com os mitos levados pelos portugueses povoadores e caldeados com o turbilhão dos existentes nalma selvagem, forma-se a multiformidade mítica do Amazonas.

Nenhum mito, entretanto, escapou à influência contagiante do elemento nordestino, o grande desbravador das matas, descobridor de rios e vencedor de assombrações. O nordestino, velho enamorado da Amazônia, procura-a, fugindo das secas, com a mais singular das bagagens; o braço incansável e a mente inesgotável de fantasmas. Semeia-os em quantidade superior aos golpes desferidos nas árvores ou número de animais abatidos. Com suas mãos rudes modifica tudo quanto lhe passa ao alcance da compreensão. Apara, endireita, amplia, encurta, forma, enfim sacode para mil memórias sedentas aquele outro ser estranho, poderoso e terrível que ele ajudou a criar e fazer viver. O Caapora como foi visto, gigantesco, guiando a caça, orgulhoso de poder, inacessível ao pedido humano, protegendo os bandos escuros de porcos, a mancha negaceante dos veados, as cutias ariscas, as antas de corrida pesada, castigando o matador, esse Caapora que briga com o jabuti, égide ameríndia dos animais da mata virgem, ninguém o conhece em toda a Amazônia. Quem manda, conversa, pune e surra é a Caipora, caboclinha ameninada, com os cabelos duros e negros descendo até o sexo, amando o fumo e adorando o caçador a quem, a troco de fidelidade, entrega a caça inerte, como a CaaManha do Paraguai e Uruguai com os colhedores de mate. Essa Caipora feminina, íncubo poderoso, é um trabalho nordestino, de deturpação e de popularidade.

Paraíba, Rio Grande do Norte e Ceará, que exportaram milhares e milhares de homens, numa sangria aberta e permanente à própria economia social interna, tiveram a compensação ideal de mandar com seus filhos, seus mitos. No esplendor amazônico os mitos vicejaram, robustos, reconhecíveis, mas ainda com a seiva quente das terras de origem.

Estabelecendo uma relação nas diversas influências étnicas na região amazônica, podemos arriscar algumas afirmativas: Os brancos com o contingente nordestino fazem o primeiro núcleo.[3] Os indígenas, pelo volume, impõem o segundo, com intensa interdependência com o primeiro. Os negros estão dando vestígios, colorações, traços, em todos os dois centros anteriores.

BAHIA

A Bahia não assistiu apenas ao descobrimento oficial do Brasil, mas presidiu a fusão inicial da raça em todas as suas variedades étnicas. Nenhuma região deve merecer maiores atenções nem mais altos cuidados na verificação e colheita de material etnográfico.

Com um volume de escravos proporcional à sua grandeza econômica, a Bahia possuiu no africano um fator eficaz e doce, a um tempo humilde e tenaz. O negro aparece na história baiana como um dos mais legítimos responsáveis por sua glória.

Há meio século ainda a população negra na Bahia era de 20,39 para 25,59 de brancos e 46,19 de mestiços, não falando nos 7,86 de caboclos. Esses 46,19 podem, perfeitamente no ponto de vista religioso, ser somados aos 20,39 pretos. São a ressonância, a repercussão ampliadora da ideia religiosa. Desta forma, o negro seria um dominador em qualquer manifestação de espírito coletivo.

---

3   Ver Artur Cezar Ferreira Reis — *A Política de Portugal no Vale Amazônico*. Belém, 1940.

Não se encontra, curiosamente, essa amplidão na influência negra.[4] Todo-poderoso na religião, com liturgia, dogmas, tradições, protocolos, tendo uma área desmarcada de prestígio nos espíritos ávidos pelo sobrenatural que se pressente sob formas acessíveis e familiares ao sentimento individual do devoto, sendo parte magna nas estórias populares, nos contos infantis, nas danças, ritmos e melodias, o Negro não o é na parte restrita aos mitos.

Nenhum ente fabuloso, animal fantástico ou ser amedrontador, é positivamente um documento africano, como o Lobisomem que nos veio da Europa ou o Curupira que encontramos na Pindorama. Também se diga que raro será o mito em que não lhe corra nas veias sangue da gente Negra. Serão mestiçadas adaptações, mas o pigmento desmentirá as afirmativas de predominância espiritual.

Fui o primeiro a demonstrar as correlações entre o Anhangá túpico e o mito fraterno em Angola. Sei quanto é profunda a impressão da pegada africana nas nossas estórias, mas também não excluo a possibilidade de uma ignorância de nossa parte noutros documentários, inclusive no português, o menos lido de todos... Também lembro que não conservamos as intermináveis *porandubas*, narrativas de caça, pesca, guerras, assombrações, com que os guerreiros Tupis amavam gastar as primeiras horas da noite evocando e descrevendo aos curumins. A generalização dos arianos é tão pouco honesta quanto o exagero dos *africanistas*.

---

4 Uma prova dessa predominância enganosa tive pessoalmente. Meio saturado das leituras que ao Negro entregam o domínio mental da nossa psicologia religiosa e popular, dificilmente me fui desenganando entre as positivas demonstrações contrárias. Estudando os feiticeiros e seus processos de macumba (Notas sobre o Catimbó, in *Novos Estudos Afro--Brasileiros*. Bib. de Divulgação Científica, Vol. IX, Rio, 1937, p. 120), escrevi, convencido, que a *semente* era do negro catimbozeiro. A *semente* é uma espécie de quisto que o "mestre" possui debaixo da pele da mão ou no lóbulo da orelha. Não há "Mestre" sem a exibição da *semente*, dada por um "Mestre do Além". Registrei o que sabia na espécie. Dois anos depois, lendo Teófilo Braga (*O povo português*, vol. II, p. 65) deparei essa afirmativa insofismável: *"... a pedra que se emprega no pacto com o diabo, da feitiçaria do século XVI, ainda se conserva nos costumes de Cabo Verde, na Ilha de São Tiago; dá-se ali o nome de* fetal *a uma pedrinha mágica, do tamanho de um grão de mostardeira, que as pessoas que fazem pacto com o diabo recebem no sítio chamado 'Água da Má Marta'. A pedrinha é metida debaixo da pele, e aquele que traz em si, o fetalista, fica para sempre livre de desgraças embora não chegue a ser rico."* A influência africana em Portugal não seria, no século XVI, capaz de determinar essa popularidade...

Há quem recuse a verdade meridiana de ciclos coexistentes nos dois continentes, do jabuti, do macaco, para dizê-los uma incisiva prova do indiscutível molde africano. Já não é mais possível aceitar o "negro monstro", a fatalidade bestial do africano, rezando pelo velho brocardo de que *semper aliquid novi Africam afferre.*[5] Mas também não será base e cúpula do Brasil.

Depois dos livros de Nina Rodrigues, Artur Ramos, Manuel Querino, Edison Carneiro, a religião dos afro-brasileiros baianos está sendo clareada e podemos calcular o infinito de seu alcance na psicologia do mestiço. Mas o mito, na relação de seu processo de presença e finalidade, deve, rara, fortuita, parcamente, ao Negro, na própria terra baiana.

Um elemento de prova é o *Folclore no Brasil*, onde o Sr. Basílio de Magalhães comentou o material deliciosamente fixado pelo Dr. João da Silva Campos. O contingente negro, entre os mitos recenseados, é o menor no volume. Escapa o Quibungo, mas este, ignorado pelas populações negras de Minas Gerais, Rio de Janeiro, São Paulo, todo o nordeste e extremo norte do país (Pará), limitou à Bahia sua mesma área de denominação assombradora. E ainda: silenciam sobre o Quibungo todos os coletaneadores de estórias africanas, de Ellis a Chatelain, de Callaway a Junod. Uma característica do Quibungo é sua bocarra aberta verticalmente da garganta ao estômago. O ameraba Mapinguari surge, nalguns depoimentos, com essa disposição teratológica. Quem nos dirá ter o Mapinguari recebido a posição da boca do Quibungo ou este daquele? Estórias negras, contadas há velhíssimos anos por "mães pretas", estão no "Hitopadexa" hindu. Onde começa uma figura mítica? Como se forma? São perguntas sem respostas leais. Sabemos, e já é bastante, como se processam desenvolvimento, convergência, diluição e fim de certos mitos.

Na Bahia os mitos de maior divulgação pertencem aos europeus e indígenas. São o Lobisomem, a Mula sem Cabeça, o Batatão, Batatá ou Biatatá, as Mães-d'Água, confundidas com os cultos iurubás, o Zumbi que é uma espécie de Curupira ou de feiticeiro etc. Os mitos locais e secundários são mosaicos, reconhecíveis as procedências na coloração complexa do entalhado.

---

5 Plínio — *Historia Naturalis,* VII, 17.

CEARÁ

O Ceará possuiu elementos brancos de forte atuação colonizadora. A conquista do território foi uma sucessão de guerrilhas. A capital ainda recorda, com o nome sonoro e bélico, o aparato militar que firmava a posse, cidade da Fortaleza! No litoral, praias imensas e brancas, com recursos limitados para a fixação demográfica, viviam os Tupis, vindos do sul, fazendo recuar para o interior os Cariris. Esses, retraídos, refratários ao contato da violência lusitana, aliada ao inimigo racial, foram desaparecendo, em guerras ininterruptas, exaustão, diluídos na raça povoadora. Raras reminiscências sobrenadaram nos mitos conhecidos. Restou-lhes a honra do sinal antropológico que é um signo de tenacidade e de nomadismo, a platicefalia.

Os Cariris, evaporados no cadinho bárbaro onde a raça se formou, não foram estudados como o tinham sido Tupis litorâneos. Nem a catequese se fez como nos tempos evangélicos de Nóbrega e Anchieta. Ao padre acompanhava o sesmeiro, capitão-mor da ribeira, com sua escolta de bacamartes e sua tropa de flecheiros. A guerra ao índio era um estado normal, a suprema razão para a petição da terra. Acusavam o selvagem de destruir o gado. Plantava-se a "fazenda de criar" como uma cidadela, com seu mundo de agregados, vaqueiros, índios mansos, negros fiéis. Esse centro era autônomo, independente, autárquico. Daí a persistência dos mitos, a continuidade das histórias velhas, a fidelidade aos costumes de duzentos anos. As rodovias, articulando o sertão a toda a parte, dissiparam o ar respirado há dois séculos.

Ceará foi povoado lenta e continuamente. Seus caminhos foram os do sul. Do Rio Grande do Norte, pelos rios Jaguaribe e Acaraú, assim como Pernambuco pela chapada do Araripe; gente de Sergipe e da Bahia, veio também para a ribeira do Salgado e vale do Cariri,

> subindo pelas margens do Jaguaribe e do riacho dos Porcos, que corre entre as serras do Icó e do Araripe, e pelas cabeceiras do rio do Peixe, na Paraíba (Cruz Filho — *História do Ceará*, p. 74).

O clima folclórico é o mesmo do nordeste. São os mitos idênticos, diferenciações, variantes, adaptações, inteiramente semelhantes.

A população do interior, quase imóvel durante longo tempo, manteve a maioria dos mitos talqualmente os recebera. Como a influência negra não é preponderante, mas apenas sensível e também mais aproximada do oceano, encontramos os mitos de origem europeia e os indígenas, diversificados pela mestiçagem, quase em estado de pureza.

Não será possível dizer-se que esse material permaneça como há vinte anos. O sertão respira pelas mil bocas das estradas e paga o conforto da eletricidade com o esquecimento das estórias antigas e saborosas.

Os mitos gerais são sempre lembrados. Os indígenas vêm segundamente. Os negros podem ter dado elementos para a construção. Nenhum mito lhes autentica influência decisiva.

ESPÍRITO SANTO

Espírito Santo lembra um paralelogramo em que são lados maiores o Atlântico e Minas Gerais e os menores, Bahia e Rio de Janeiro. Sua história lhe vem pelo mar e a colonização começou das margens salgadas onde a terra era conquistada a preço de sangue. A face ampla de Minas Gerais não foi relativa em sua influência. Espírito Santo recebeu pouco do que muito parecia ganhar. Ainda hoje essa é a região mineira pouco vitoriosa em população. A província fluminense, ao contrário, sacudida no ritmo da escravaria e do açúcar, preponderou em Espírito Santo, na zona sul. Nesta, onde Cachoeiro de Itapemirim é capital, negros e trabalhadores de pequenas indústrias, açúcar, madeiras, agricultura, se processou intensa penetração de mitos. Os núcleos inquistados no litoral espalharam, numa lentidão infiltradora de azeite fino, lendas de Portugal. O lado baiano, quase nulo, defendido pela dupla muralha das serras Itaúna e Topázios, deixou passar vestígios tênues do mundo interior que vivia nas almas dos colonizadores e nas gentes africanas que sofriam as longas tarefas de vencer a terra. Aí, durante o século XIX, ficaram restos de tribos desanimadas do futuro, levando existência precária, quase desmemoriadas, obedecendo maquinalmente às necessidades do dia a dia. O príncipe Max. zu Wied-Neuwied, que os visitou, viajando por terra do Espírito Santo para Bahia, através da fronteira, apesar de meticuloso e pormenorista como todo observador alemão, colheu dados inferiores de religião e mentalidade, se os comparamos com o que registra noutros aspectos.

Espírito Santo tem os mitos europeus entrados por suas praias. Esses são os maiores e mais nítidos. O povo indígena que enchia o interior, especialmente os chamados "Botocudos", tinha tal renome de ferocidade contínua que afastou, durante muito tempo, estudiosos pacatos. Não possuímos dados seguros sobre seus mitos, naturalmente, e em linha geral, idênticos aos de sua raça, mas é lógico que, combatidos até o enfraquecimento, não puderam, como os Tupis, divulgar seus pavores na mesma intensidade. Basta lembrar que a figura mais conhecida e citada no interior do Espírito Santo é o Curupira, duende tupi.

Desta forma os mitos em Espírito Santo são os de caráter geral. Lobisomem, Mulas, Boitatás, Curupira. Não aparece o negro Zumbi na linde baiana, mas na fluminense, assim como o Saci-pererê, ambos emigrados do sul para o norte e não ao inverso. O Zumbi, com raras estórias, deve ter vindo pelos escravos do Rio de Janeiro, porque só se faz notar nas proximidades dessa região.

GOIÁS

Goiás é uma conquista dos últimos anos do século XVII para os primeiros de XVIII. Povoada, não densamente, pelos indígenas Gês com os Caiapós, Xavantes, Xerentes, Xicriabás, a terra dos Goiases foi possuída pela atração do ouro descoberto e ampliado pela imaginação adoidada dos aventureiros. O faiscar das pepitas endoideceu todos os bandos que correram à luta.

> Por isso, de S. Paulo, Minas, Pernambuco, Bahia e Rio de Janeiro, estabeleceu-se para a região dos Araez, uma verdadeira corrente emigratória, que a fama de riquezas e tesouros fabulosos, ia aumentando, progressivamente (Collemar Natal e Silva — *História de Goiás*, 1º vol., pp. 131/132, Rio de Janeiro, 1935).

Os mitos de origem indígena foram divulgados pelos mestiços arrastados no delírio das "bandeiras". Bororos[6] e Gês não tiveram influência apreciável na formação dos mitos popularizados. Mais depressa se aclimataram nos chapadões "cerrados" o Lobisomem, a Mula sem Cabeça, o Fogo Corredor. Os elementos povoadores levaram suas crendices e estas floresceram no esquecimento das primitivas e locais.

---

6   Bororo e não Bororó. A clara explicação gramatical do Padre Antônio Colbacchini, mestre legítimo no idioma, é concludente e definitiva. Ver *Heróis Autênticos,* do Padre Dr. E. Carletti, Petrópolis, Editora Vozes, 1937, p. 86.

O predomínio é dos mitos tupis e europeus.

Sobre os mitos regionais não me foi possível recolher senão raros e fortuitos documentos.

MARANHÃO

O Maranhão, como a Bahia, o Rio de Janeiro, São Paulo, teve cronistas nos primeiros anos de sua vida social. Os capuchinhos franceses, Claude d'Abbeville e Ives d'Evreux, registrando a existência dos Tupinambás, foram os folcloristas iniciais. O *hiterland*, na forma clássica, povoava-se de Gês. O litoral estava entregue aos Tupis, a raça histórica, sacrificada e plástica. Com o colono branco, o indígena constituiu a primeira ligação étnica e a formação divulgadora dos mitos que assim foram europeus e amerabas. Daí datariam, em comissão íntima, o nascimento e as adaptações lógicas do Lobisomem, Mula sem Cabeça, Batatão, Mãe-d'Água, Caapora, Cumacanga, e as pequeninas manifestações do medo assumindo coloração local, determinando os mitos desta espécie.

O indígena maranhense possuiu longamente um domínio sereno. Em metade do século XVIII a *língua geral,* o nhengatu, era muitíssimo mais falada que o português.

A língua portuguesa começou a ser geral ou, para melhor dizer, a ter uso em 1755 [informa Aires do Casal em sua *Corografia Brasílica,* IIº tomo, p. 73].

Ainda em 1890, no quadro da proporcionalidade das raças, acusavam-se com 15,22% na população sobre 31,63 brancos. Os mitos gerais indígenas são, desta forma, popularíssimos em toda a região e formaram a base, com o elemento branco, das tradições mais conhecidas.

O Negro chegou posteriormente, já o Maranhão em fase ativa de desenvolvimento. Mas o número duplicou cada ano.

"Data de 1761 a primeira introdução de africanos no Maranhão" [escreve o Sr. José Ribeiro do Amaral, no *Dicionário Histórico, Geográfico e Etnográfico do Brasil,* 1º vol. p. 270].

Um século depois a massa negra era imponente.

Em 1872, era o Maranhão, com o Rio de Janeiro, Bahia, Minas Gerais, Espírito Santo e São Paulo, uma das províncias em que o elemento africano mais condensado se achava [idem].

Em 1890, davam 15,16% da população geral.

Quando o indígena, rareado na orla que se ia adensando, foi desaparecendo, o Negro assumiu-lhe o posto tremendo no trabalho sem paga. O indígena era mais ou menos homogêneo em raça. O africano viera de várias procedências, falando idiomas diversos. O meio repercussor era mais intenso para os indígenas. Chegaram a mudar nomes de mitos europeus, chamando a Mula sem Cabeça, Cavala-Canga, ou Cavala-Acanga. A influência negra, poderosa e informe, fixou-se nas superstições, bruxedos, desdobrando o que recebera do ameraba. Hoje ainda, o "negro do Maranhão" é famoso como sabedor de segredos terapêuticos, fiel às religiões complexas onde se misturam tradições dos Pajés e falas roucas dos Babalorixás. O Negro, na maioria dos casos, é uma estação ampliadora. Raramente irradia programa individual.

MATO GROSSO

Não tenho dados precisos sobre o Folclore mato-grossense. O padre Dr. Antônio Colbacchini informou-me que a zona mais intensa em mitos era a da fronteira amazonense com o Pará. Dominado outrora por indígenas da raça Gês, com Bororos, tem ainda os Guanás, que são Nu-Aruacos. Como o Tupi não deixou vestígios, sabemos parcamente, porque os aborígines são pouco comunicativos para um depoimento fiel e, não sendo estudados outrora, hoje darão apenas um enxadrezado de mitos, um *puzzle* de estórias, ainda mais disfarçadas, com a eterna mania que tem o indígena em concordar, para livrar-se do interrogatório ou agradar o interlocutor. O próprio e pacientíssimo Karl von den Steinen recolheu colheita menor se a cotejarmos com a imensidão dos dados etnológicos e antropológicos. As lendas, estórias, os mitos ouvidos, com ouvido de mestre, no descer do rio Xingu, desde as cabeceiras mato-grossenses, são de valor relativo.

Terra de ouro, possuiu escravaria bastante para morrer enricando os donos. Como os três elementos ali se uniram, com a mesma atração do resto do Brasil, e o estrangeiro-colono ainda não constitui atualmente percentagem que influa espiritualmente, Mato Grosso, pelo que me foi dado deduzir, é o mesmo mapa de Goiás em sua acepção miti-histórica. Nenhum mito indígena e negro é original nem sobreleva aos conhecidos noutras paragens.

MINAS GERAIS

A história de Minas Gerais está em seu nome. É a região onde há montanhas com esmeraldas, rios cobrindo diamantes, terras riscadas pelos filões de ouro. Desce-se a bateia nas águas não para o peixe, mas procurando a pepita dourada. As cidades nasceram dos acampamentos, cortados de guerras, acesos de cisões, gloriosos de conquistas. Milhares de homens morreram curvados, lavando ouro, batendo diamantes, arrancando joias brutas das pedras escuras e feias. Uma região encantada, com todos os climas e aspectos, serras imponentes, chapadões silenciosos, várzeas serenas, amplidões de sonho.

Para as Minas Gerais correram as forças do Brasil colonial. Foi preciso defender a terra cobiçada com a dupla muralha dos "dragões" e das leis severas.

O Folclore mineiro é, naturalmente, um prolongamento, enorme, assimilado, com traços próprios, mas um prolongamento, do Folclore paulista. Mas prolongamento, se exprime uma continuação, inclui a dependência que não é verdadeira. Se os mitos gerais europeus e indígenas, especialmente dos Tupis, foram levados e plantados pelas "bandeiras", o trabalho de mineração trouxe outros elementos distantes e sacudiu-os no bojo fervente da imaginação mineira. O "ciclo do Ouro" se confundiu com os "mitos do fogo" e estes com o Mboitatá. A explicação era a reminiscência clássica do axioma: — *ubi est ignis est aurum*.

Assim a "Mãe do Ouro" reuniu vestígios de outros mitos. Convergem para ela a "Mãe-d'Água", o Batatá, chamado em Minas Gerais Batatal, Bitatá, como na Bahia é o Biatatá. Sacis-pererês e Mãos-peladas rodam as casas. Dez fantasmas noturnos povoam a insônia infantil. Monstros de várias furnas arrastam o imenso corpanzil pelas montanhas. O Minhocão, deixando as águas cristãs do São Francisco, perdendo as asas no santuário da Lapa, mergulha pela terra e vai explicar, com a passagem subterrânea de seu dorso gigantesco, desnivelamentos imprevistos ou sulcos de que a erosão se esqueceu de reivindicar a paternidade.

O Folclore do rio da Prata deixou emigrar alguns dos seus filhos diletos. Os negros, reunidos em multidão, deram cor aos seres fabulosos que se confundiam com a noite.

Naturalmente Minas Gerais permite divisão, arbitrária e convencional, em seus mitos. A zona do São Francisco, a zona limítrofe, que é longa e complexa, com Goiás, a zona sul com as mil portas da influência fluminense e justamente uma das mais densamente povoadas, são ligeiros rumos que não desnortearão um estudioso. Essas zonas não têm, que me conste, mitos peculiares, originais, mas os possuem em número mais acentuado, desta e daquela espécie, facilitando uma determinante.

Os mitos gerais de origem europeia são predominantes. A influência negra é muito mais sensível embora não positive a criação de um ser sobrenatural, exceto alguns do ciclo da angústia infantil.

O Caapora, onipotente, perde seu prestígio ante o Saci-pererê. Já o encontramos vivendo em São Paulo e Minas Gerais, mas é contrabando, escondido na bagagem nortista.

Os mitos secundários e locais são, em maioria, comuns a São Paulo. Outros já se articulam com os grandes Estados centrais, Goiás e Mato Grosso. Os do "ciclo do Ouro" vieram através das "bandeiras" e, como encontraram ambiente acolhedor, ficaram e estão florescendo.

PARÁ

O Pará sempre possuiu um aspecto étnico peculiar à sua História. A massa indígena, toda de raça Tupi, desde Guajará até as costas maranhenses, de onde continuava para o sul, foi a base de intensa e contínua miscigenação. O elemento colonial português nunca rareou, sempre renovado em novas levas sucessivas, trazendo um contingente de sangue forte. Beirões, minhotos, açorianos vieram em retiradas seguidas, em sua maioria diretamente de Portugal. O "mameluco", o mestiço indo-lusitano, foi o primeiro e maior produto da terra, dada a inferioridade normal no número das mulheres brancas.

As outras raças amerabas nunca puderam ter uma influência semelhante aos Tupis. Esses determinam poderosos vestígios no idioma, na culinária, nos mitos, nos costumes. Pelo interior do Pará, os indígenas católicos aceitam a religião católica e quase a adaptam aos ritos aborígines, com seus bailados, sairés, bailes de festa cristã etc. Os Caraíbas, Gês e Aruacos ficam em segundo ou terceiro plano, subalternos nas afeições que nunca conseguiram impor aos conquistadores, avessos ao contato, diluindo-se nas aproximações antes de receber resultados positivos da civilização. Os Tupis impregnaram fortemente a psicologia paraense. Mesmo na parte mítica os Negros, onipotentes noutras paragens do Brasil, foram derrotados pelo ameraba. O "catimbó", o "candomblê" vitoriosos no Recife, Bahia, Rio de Janeiro, cedem praça ao mestiço que caricaturiza as mímicas dos pajés misturando o baixo-espiritismo com superstições africanas e determinando a *Pajelança*, o rito, a doutrina terapêutica e religiosa do Pajé.

O Negro chegou em último lugar e em porção minguada.

> Escassa importância é a do negro na etnografia paraense, resumida a ter, por seu cruzamento com o índio, produzindo as variedades étnicas, o curiboca e o cafuz. Foi relativamente diminuto o seu concurso na população do Pará, que por ocasião da abolição do elemento servil, segundo o eufemismo adotado, era uma das províncias que menos escravos possuía. Prova da insignificância é não haver deixado no povo paraense impressões que mereçam notadas pela Etnografia. Quase nenhum sinal do africano, ao contrário do que sucede no centro e sul do país, existe seja na língua, seja nos costumes, seja nas crenças populares do Pará [escreveu José Veríssimo em 1910].

Em 1890, o Negro era 6,76% da população. Concomitantemente sua área de domínio é menor.

No Pará o elemento indígena, por seu sangue nas veias dos homens que viajam à Europa e falam idiomas vários, continua, decisivo, reinando nas crenças, superstições, mitos, costumes, culinária. O branco vem em plano secundário, se o tomarmos isoladamente, no critério folclórico da "presença". O negro desfila em terceiro lugar. Sua atuação é um pouco maior que a vislumbrada pelo grande José Veríssimo. O escravo fugitivo das cidades deixou filhos nas indígenas de tribos velhas, no fundo das matas. Tanto os traços antropológicos acusam o *homo-afer* como o folclorista sente a passagem de mitos seculares cujo caminho só podia ter sido a memória negra.

De 1877 em diante, acossados pelas secas, os nordestinos, especialmente cearenses, norte-rio-grandenses e paraibanos, emigraram às dezenas de milhares, para o Pará. Subiram os rios, fixando-se nos seringais. Constituíram-se inevitáveis e naturais núcleos irradiantes dos mitos do Nordeste.

PARAÍBA

A Paraíba estava povoada pelo litoral pelos Tupis (Tabajaras e Potiguaras) e o interior era domínio dos Cariris, subdivididos em dezenas de tribos que se tornaram famosas na guerra tremenda do século XVII. Os portugueses vieram ao longo do mar e durante anos a conquista ficara nas vizinhanças do Atlântico. A penetração foi lenta e as "bandeiras", partidas das praias ou vindas pelo São Francisco e Piauí, encontravam-se, batendo o indígena. Como para o Ceará e o Rio Grande do Norte, a Paraíba esteve com sua população do interior relativamente insulada pela falta de estradas. Cidades e cidades viviam sem ter a menor comunicação com a capital. Centenas de milhares de homens morriam sem ter olhado o mar.

A população fixava-se, mais ou menos homogeneamente, pelo litoral, brejos, o *arisco* ou "capoeira" e o sertão. Em princípios do século XVIII o indígena desaparecera praticamente. O negro penetrara muito superficialmente o sertão, demorando especialmente na zona dos engenhos, com a fabricação do açúcar. Quanto mais *alto* o sertão, mais o tipo apresentava características de colonos portugueses, desde sinais antropológicos até a conservação de arcaísmos, prosódia, timbre, etc., na linguagem. Era mais comum e natural o filho de branco com índia, o mameluco, que o filho de branco com negra, o mulato. O mestiço sertanejo, em sua maioria, vem da primeira miscigenação.

Desta forma, é fácil deduzir que a Paraíba apresenta zonas comuns para o estudo do Folclore. No litoral há uma incessante modificação nos costumes e mesmo nas superstições, mas as figuras míticas permanecem fiéis na memória coletiva. A zona açucareira guarda maiores resquícios da escravaria negra, com as danças, cantos de trabalho, autos populares, sincretismo religioso. Na capital há o negro que pouco, ou muito retardadamente, se despoja de hábitos ou crenças, preferindo misturá-las com as que vai adquirindo.

Os mitos europeus estão mais ou menos vivos na capital e no alto sertão, mas sempre acompanhados pelos indígenas de origem tupi. Os Cariris deram pouco ou nada porque constituíam a gente inimiga, guerreada e batida em cem encontros. As vilas surgiam nas ruínas das aldeias cariris, destroçadas pelos Oliveira Ledos, pelos fazendeiros baianos, pelos piauienses e pernambucanos, condutores de boiadas e chefes de grupos armados a bacamarte.

Os mitos tupis foram, como em toda a parte, os mais conhecidos e rapidamente assimilados no espírito da raça que se forjava. As mulheres cariris, caçadas a casco de cavalo, enroladas a laço, eram fêmeas submissas e muito pouco creio terem confidenciado aos filhos para que se salvasse um clarão das ideias religiosas da tribo. Ao acreditar-se que a braquiplaticefalia nordestina provenha dos Cariris, seria curioso verificar que a *constante* desse sinal antropológico permanente não é acompanhada doutros elementos que constituiriam o "facies" inevitável para uma caraterização.[7] Fossem os Cariris tão decisivamente preponderantes na formação de um dos tipos e não de todos (o Nordeste não tem um, mas vários tipos antropológicos, com São Paulo), esse produto guardaria outros traços, além da forma achatada do crânio. Na ordem folclórica, interessantemente, o Cariri é paupérrimo, inferior a outra qualquer influência. Possivelmente se dirá que a afirmativa vem de ignorarmos o "estado" espiritual do Cariri. Mas nenhuma força é possível, em matéria biogenética, transmitir uma *constante*, através de séculos, desacompanhada de outro qualquer elemento de feição moral. Assim como as mulheres Aruacas mantinham o idioma vivendo no meio das populações Caraíbas, a mulher Cariri transmitiria aos filhos vestígios que fossem, mas vestígios de suas crenças. Entretanto, o indígena duma outra raça, o Tupi, influi mesmo onde nunca pisou, pela única comunicação dos colonos portugueses, portadores das estórias ouvidas nos acampamentos, nas horas de cordialidade, ao calor das coivaras, nas ante-horas da "bandeira" partir. A braquiplaticefalia não seria a herança única que os Cariris haviam de deixar nas terras heroicas do setentrião do Brasil.

PARANÁ

A situação do Paraná foi a mesma das outras unidades federativas do Brasil no aspecto de sua formação étnica. A vida social começou no litoral e espalhou-se para o planalto de Curitiba. Depois para os "campos gerais". Rocha Pombo informa que

> Os indígenas do litoral eram todos Tupis (Carijós). No primeiro planalto e nos campos gerais predominavam também os Tupis (*História do Paraná*, p. 39).

As famílias-tronco foram portuguesas e brasileiras, nascidas em São Paulo, especialmente nas praias, pontos iniciais de fixação demográfica. Sua população, há meio século, apresentava a seguinte proporção: Brancos, 63,80, Pretos, 5,17, Caboclos, 12,37, Mestiços, 18,68. Esses elementos indicam o domínio dos mitos europeus e indígenas.

---

7   Alfredo Ellis Júnior — *Pedras Lascadas,* São Paulo, 1928.

O folclorista paranaense Dr. Francisco Leite amavelmente ensinou-me que não andava eu distante da verdade deduzindo o que anteriormente se disse. Escreve Francisco Leite:

> Estado novo, o mais novo da Federação, é natural que o Paraná não tenha lendas originais, além das que adotou, com pequenas variantes. É assim que nas selvas paranaenses o Saci faz diabruras e o Lobisomem e a Boitatá atropela os notí-vagos. O Saci ora é pássaro, ora é molecote, claudicando de uma perna. A Mula sem Cabeça também galopa em nossas campinas, arrepiando o cabelo aos matutos. [E noutro ponto, acrescenta]: Como acima lhe disse, temos várias lendas, variantes das que correm o Brasil de sul a norte, como a da Caapora, Jurupari, Iara, Urutau, etc., etc.

Há, entretanto, lendas curiosas e lindas, algumas participadas mesmo pelo meu ilustre informante, mas que não cabem no plano deste livro e figurarão noutro trabalho. No tocante aos mitos propriamente ditos, o Paraná se inclui nos "mapas de extensão", dando apenas a cor local, mudando nome aos personagens, substituindo toponímia, ambientando a vida da "assombração".

PERNAMBUCO

Pernambuco, uma das raras colônias vitoriosas, não foi apenas um centro de irradiante povoamento. Constituiu a colmeia de onde os enxames voaram para o sul e o norte, plantando a vida social, organizando o trabalho, fixando as famílias, vencendo a indiaria, erguendo fortes, derrubando as matas. Essa incessante energia construtora formou à sua imagem e semelhança as regiões próximas, com a lição de tantos séculos e a coragem ininterrupta de criar um nova Pátria na "Nova Lusitânia".

Os portugueses chegaram em bom número e de boa estirpe. Eram fidalgos de linhagem conhecida, filhos-segundos ávidos de batalha e riqueza, espadas sempre prontas para a luta. Beirões, especialmente minhotos, encheram Pernambuco. Eram os habitantes de Viana tão orgulhosos do número e da prosápia que Fernão Cardim lhes registou o grito de "Aqui de Viana" em vez do ritual "Aqui del-Rei!" Desta maneira identificamos a percentagem altíssima dos mitos do Minho ainda vivendo na memória pernambucana. Nas superstições estão, as lembranças minhotas são dominantes e seguidas quase fielmente. O Minho ainda é uma força assimiladora da Espanha, Galícia, e suas histórias e mitos viajaram nas recordações e frutificaram na "Nova Lusitânia".

Os indígenas que encontraram foram os inevitáveis Tupis. Não falo das outras raças, Gês e Cariris, posteriormente debatidas, vivendo pelo interior. O indígena que se deparou com o donatário e seus homens d'armas, combateu e terminou aliado, foram Tabajaras e Caetés. A mestiçação começou intensa e natural, dada a ausência das mulheres brancas e os amavios do clima, da alimentação e o contato de tantas nudezas acessíveis. Menos de meio século depois do descobrimento oficial do Brasil, já os mamelucos pernambucanos eram muitos e decididos. O fundador da cidade do Natal, primeiro capitão do forte dos Santos Reis Magos, o vencedor dos franceses em Guaxenduba, é Jerônimo d'Albuquerque Maranhão, filho de branco de Portugal e de índia tabajara. O fidalgo mameluco falava o português e o nhengatu e tanto eram seus parentes Dona Brites d'Albuquerque, senhora de Pernambuco, como os guerreiros soberbos empenachados em seus enduapes de campanha. De Jerônimo d'Albuquerque, o Torto, pai desse soldado vitorioso, e da indígena Arco-Verde (*Ubiraubi*) vêm quase todas as famílias do Nordeste.[8]

Alagoas, Paraíba, Rio Grande do Norte, Ceará, Maranhão, para o sul, Sergipe, parte do rio São Francisco foram os campos de formosa ação militar de Pernambuco, frutos da árvore pernambucana, em sua transbordante e álacre fecundidade generosa.

Brancos e indígenas andaram juntos, batalhando, aliados ou inimigos, durante três séculos.

O Negro era indispensável. Pernambucano, desde primeiros anos, fundou a indústria açucareira. O poeta holandês Joost van den Vondel chamava Pernambuco a "terra do Açúcar", *Suikerland*. O Negro veio aos milhares para os engenhos de cilindros verticais, movidos aos pares de bois ou a roda d'água, como Koster e Tollenare descrevem, como Fernão Cardim os viu e louvou. Em 1585, Pernambuco moía cana em sessenta e seis engenhos, dando 200.000 arrobas. Tinha cerca de dois mil escravos de Guiné, nome genérico para todos os mercados na África.[9] "Os índios da terra já são poucos", reparava Fernão Cardim. Para os trinta e seis

---

8   Ver *Nobiliarquia Pernambucana,* de Antônio José Victoriano Borges da Fonseca, dois volumes. Edição da Biblioteca Nacional, Rio de Janeiro, 1935.

9   Nota do senador Cândido Mendes de Almeida, às *Ordenações do Reino,* parág. 7, título XVII, Livro 4º.

engenhos que gemiam no recôncavo da Bahia, o mesmo informante indicava "três ou quatro mil escravos de Guiné". Parece engano do padre Cardim quanto ao número de Pernambuco. O Venerável Anchieta anotara, no mesmo 1585, os "escravos que de Guiné serão até 10.000 e dos índios da terra até 2.000".

Essa multidão negra, avolumada ano por ano com o desdobramento econômico, ainda acrescida durante o domínio holandês que os importou em considerável porção (de 1636 a 1645 foram 23.163 pretos mandados vir da África, segundo Wätjen), teve indiscutível influência espiritual no Folclore pernambucano. Mas, relendo a documentária recolhida, ouvindo depoimentos, convivendo em Recife, nota-se que o Negro não escapa ao juízo que dele obtive. Nas danças, cantos, estórias, ritos, cerimônias, enfim religião, culto, hierarquia, ornamentação foram e são inexcedíveis. A função religiosa continua fervorosa e completa. O Negro vive dentro de sua fé. Frobenius demonstrara esse dado em suas viagens pelo continente africano. Examina-se o Folclore pernambucano e chega-se à conclusão de que o Negro influi, mas não determina a criação de um mito que se popularize como os emigrados da Europa ou viventes sob os indígenas.

Naturalmente o Negro, susceptível, crédulo, impressionável, é a melhor e mais ativa caixa de ressonância que pode existir para os mitos assombrosos, os pavores noturnos, os animais da fábula. A todos descreve com as tintas sensíveis de um medo sem fim. É um retocador magnífico, magistral, insubstituível. Demais, pela voz sonolenta das "Mães pretas", recebemos o condão de ver e saber da existência terrível de todos os monstros, fadas, príncipes e encantos.

A influência negra é, em parte, devida a sua inevitável solidariedade com os pavores que evoca. Ele narra com a "escapação aberta", em pleno rumor, enchendo de barulho misterioso, de explicações sinistras, de justificações maravilhosas, os episódios mais simples, claros e naturais.

Um fato dirá da profundeza dessa crença vertical, inamolgável, maciça. Um chofer de praça, em Recife, dizia-me, anos passados, que o bandido Virgolino Ferreira, o "Lampião", era invulnerável por ter recebido um "patuá" da mão de um feiticeiro baiano. "Não há bala que não derreta como manteiga e faca se dobra como arame ao chegar em sua pele", afirmava o negro motorista, sisudo e convencido. Quando Lampião morreu, casualmente encontrei meu informante e inquiri das virtudes miríficas do "patuá". Não se perturbou.

Lampião morreu porque deixara o "patuá" (oração-forte, amuleto, etc.) na barraca, quando fora tomar banho pela manhã. Não tivera tempo de recolocá-lo ao pescoço. Por isso morreu...

Como obteve essas informações precisas? Ninguém lhe dissera. Ele sabia. E a fé continuava límpida, sem uma nódoa que empanasse o prestígio dos "patuás". Esse chofer é, entretanto, um conhecedor habilíssimo dos motores de explosão, sabendo seu ofício como raros. A cultura profissional não lhe alterou em coisa alguma a mentalidade. E como ele, vivem milhares.

O Folclore pernambucano, riquíssimo, não apresenta materiais que o permitam excluir-se do quadro geral do Brasil, com as consequências e processos idênticos aos demais Estados, sem predominância positiva desta raça ou deste fator social, religioso ou local.

Um elemento cuja ausência no Folclore nordestino desnorteará os estudiosos é o holandês nada ou quase nada ter influído na vida da região em que dominou 24 anos. Aqueles que apontam o holandês como responsável pelas lendas das mulheres altas e brancas, "alamoas", com olhos azuis e cabelos de ouro, ignoram a velhice de mitos semelhantes em Portugal e com os mesmos processos de ação e presença. Debalde, nos costumes, no idioma, nas crendices, procurar-se-á um vestígio seguro duma influência batava. Na vastidão do vocabulário apenas uma palavra ficou, no linguajar nordestino, *brote*, de *"brot"*, pão. Parece ser muito restrito.[10]

O holandês, entretanto, para o nordeste, ficou como sabedor de supremos segredos mecânicos. Era capaz de erguer uma fortaleza numa só noite, destruir uma cidade em minutos, cavar subterrâneos de léguas e léguas, túneis que furavam cordilheiras. A casa-forte dos "Reis Magos", cuja construção sabemos pormenorizadamente por Frei Vicente de Salvador (*História do Brasil*, capítulos XXXI/XXXII, livro quarto), é tida como feita durante uma noite, noite de véspera de "Reis", 6 de janeiro. E sabemos que eles nada deixaram. Bem ao contrário...

---

10 Frei Manuel Calado já o empregara. *Valeroso Lucideno*, 1648. Sobre o assunto geral, *Geografia do Brasil Holandês*. Rio de Janeiro: José Olympio Editora, 1956. Coleção Doc. Bras., v. 79. 303p.

PIAUÍ

Piauí lembra um estômago cujo piloro está voltado para cima e cai no Atlântico. Seu litoral, de extensão reduzida a noventa quilômetros, não constituiu, como para outras regiões, a velocidade inicial do povoamento. O Piauí foi conhecido do centro para a periferia, com os mansos trabalhos da pecuária. No século XVII alguns bandeirantes paulistas andaram preando indígenas e queimando aldeias para arrebanhar "peças" que levavam aos engenhos e "currais de gado" pelo São Francisco, o grande rio brasileiro. Domingos Jorge Velho passou por seus campos como uma tormenta. Sua figura máxima é Domingos Afonso Mafrense, o Sertão, patriarca tangedor de gado, descendo com suas boiadas lentas, seus escravos fiéis, as famílias humildes e situando trinta fazendas, trinta sedes de futuras cidades.

Naturalmente a base dessa população primitiva, chamada "branca", era muito *bigarré*, mestiça em sua maioria. Afonso Mafrense não deixou descendência e suas fazendas foram doadas aos jesuítas e confiscadas pelo marquês de Pombal.

A pecuária não exige tantos braços como a agricultura ou mineração. Seis homens apascentam milhares de cabeças e um vaqueiro dirige uma fazenda. No norte a gadaria não é conduzida como nos pampas sulistas, ao galope, com estúrdia e alacridade. Conduz-se por aqui a boiada a passo, vagarosamente, em fila cerrada, na sedução melopaica dos aboios intermináveis e sugestivos, de incrível poder sobre os animais.

Para os trabalhos maiores, grandes derrubas de mato, aproveitamento de plantios, enchentes alagadoras ou a luta contra o fogo no pasto, o conhecido "bater o fogo", fazia-se um apelo geral à solidariedade instintiva e gratuita, soprando um búzio cujo som reunia todos os moradores de dez léguas derredor.

A indiada existente, em maioria de raça Gês, os Tapuias da época colonial, era arredia, impulsiva e bruta. Espavorida pelos processos de Domingos Jorge Velho, o esmagador do "quilombo" dos Palmares, guardou para com o branco uma irrefreável repulsa, traduzida em assaltos bruscos, inexplicáveis e bárbaros. Não nos consta o hábito das "bandeiras" de percurso interno para apanhar índios ser comum em Piauí. Mas a indiaria se mantinha feroz e, durante anos e anos, recordavam os fazendeiros as tropelias do chefe Mandu que morreu afogado e, tempos depois, as guerras com os Pimenteiras, gente belicosa.

Dizião os habitantes de Piauhi que nenhum motivo de queixa havião dado àqueles Indios senão o de lhes terem morto por acaso um cão numa caçada; é porem natural que outro fosse o motivo que fez que aquelles Indios se abalassem das cabeceiras do Gurguêa e do Piauhi, onde até então havião vivido em paz, para vir atacar os colonos (Milliet de Saint-Adolphe, *Dic. Geog. Hist. Desc. do Brasil*, tomo 2º pág. 300. Paris. 1845).

Esse estado de alarme durou muito tempo e retardou o desenvolvimento da terra. Demais todos os esforços se radicavam no cuidado aos bois, novilhos e touros, e o litoral longínquo, abandonado, foi sendo dominado pelos maranhenses e cearenses, num *uti possidetis* inadiável.

Sua população apresentava, em 1890, o seguinte quadro: Brancos 28,34, Pretos 15,18, Caboclos 20,19, Mestiços 36,29.

Os mitos mais populares no Piauí são os do rio Parnaíba, constantes de Mães-d'Água, homens encantados, filhos de Iaras etc. Todos refletem a convergência entre os mitos europeus e indígenas, estes mais possivelmente trazidos pelos mestiços colonos que surgidos pela herança dos aborígines. Vários mitos locais recordam símiles europeus e identificam a persistência da crendice no setentrião brasileiro.

São comuns os mitos gerais, Lobisomem, Mulas, Boitatás ou Batatão, Pé de Garrafa (como em Mato Grosso), Caipora. Não há Curupira nem Saci.

RIO DE JANEIRO (CIDADE)

Todos os estrangeiros que visitaram o velho Rio de Janeiro notaram a abundância dos mestiços e dos negros. Estavam em toda a parte e constituíam a primeira impressão. Sir George Staunton, Lord Macartney, julgava, em 1792, apenas 3.000 brancos para 40.000 habitantes. 200.000 brancos para 600.000 escravos. Jacquemont, ainda em 1818, afirmara existir 20.000 brancos para 100.000 escravos pretos. O príncipe Maximiliano zu Wied--Neuwied, em 1815, sentira identicamente. A cidade estava cheia de mulatos, mamelucos e moleques, *ächte Niger aus Afrika, auch Muleccos genannt,* escreveu sua alteza. Von Martius observava igualmente. Ministros e representantes diplomáticos, em correspondência reservada, dão essa nota crioula ao Rio colonial. Também os brasileiros de puro e meio-sangue fidalgo, nenhuma distância opunham aos seus irmãos de pigmento colorido densamente. Não havia festa pública em que todos não se misturassem.

Um colono francês e inglês jamais permitiram as intimidades com um negro liberto ou um mulato rico. No Brasil nunca se deu essa política social de diferenciação hierárquica. Os que acusavam o Brasil das nódoas clássicas da escravidão sempre se esqueceram de tratar os seus negros no mesmo pé de igualdade com que o Brasil escravocrata os tratou. São observações de estrangeiros.

Esses negros e mestiços, assim numerosos e ágeis, foram a massa plástica e comunicativa, deformadora e contínua, do espírito religioso e dos mitos fabulosos. Eram ondas de sucessiva força repercutora, levando estórias e entes miríficos aos confins da cidade que se alastrava, tentacular e famosa.

A presença del-Rei D. João VI no Rio de Janeiro melhorou-o em todos os aspectos. O Rei-velho era a Corte e esta determinava a aglomeração dos funcionários e candidatos aos empregos ou às honras de medalhas e títulos. Os europeus vieram em maior número, com a sedução de um comércio regular. A segurança militar estabeleceu a regularidade dos transportes. O Brasil convergia, lentamente, para o Rio de Janeiro. Negros e mestiços foram sendo substituídos nas atividades sociais, de humildes às mais ilustres, pelos filhos dos titulados, os filhos dos altos comerciantes, os protegidos de ministros. A Corte foi mudando de cor.

Mas o Rio de Janeiro espiritual manteve fisionomia quase igual aos princípios do século XIX até início do XX. O Rio que Vieira Fazenda evocou, Melo Morais assistiu, o Rio das procissões, entrudos, festas populares, assombrações e bruxedos, o Rio com tipos comuns que toda a gente conhecia, talqualmente foram fixados em águas-fortes, o Rio pinturesco de Debret e Rugendas permaneceu muito tempo. Com as transformações materiais, avenidas, ruas, praças, iluminação, exigências fiscais, estética arquitetônica, o povo recuou para os arrabaldes e aí se demorou, vagarosamente modificado em suas superstições pelo atrito incessante das novidades que a vida trazia.

O Rio de Janeiro, entretanto, não é a Cidade Maravilhosa, com sua claridade deslumbradora, haloada de paisagens magníficas, convulsa pela ambição de mil sonhos, cega ao silencioso apelo dos dois braços abertos do Cristo Redentor, imóvel na montanha ornamental. Há diversos Rio de Janeiro. Um noturno e elegante. Outro misterioso e negro de bruxarias, macumbas, feiticeiros que enriquecem,[11] médiuns com vastos prontuários

---

11 Vide na *A Noite*, de 21 e 23 de março de 1935, as aventuras prestigiosas de Hermínio Rizzo, o Maneta, cujas consultas eram pagas na taxa mínima de 500$000.

policiais, negros que "estudaram em Loanda" etc. Há outro Rio fiel às suas religiões africanas, num sincretismo consciente com as solenidades católicas, as festas marítimas, as orações fortes, os "médicos" de curso ignorado, revelados por João do Rio, não em *Pall Mall Rio,* mas no *Religiões do Rio.* Há ainda um "sertão carioca", com vida autônoma, com hábitos e horizontes diversos, desenrolando existência à vista da cidade imensa. Magalhães Corrêa mostrou esse outro mundo no *Sertão Carioca* (Rio, 1936).

No Rio de Janeiro dos arrabaldes, Irajá, Madureira, Jacarepaguá, Campo Grande, Guaratiba, Santa Cruz, Rio de Janeiro das ilhas, há muito de "sertão" e de "colônia". O afluxo incessante de novos moradores, vindos de regiões onde os mitos estão vivos, traz sangue forte à perpetuidade dos existentes. Ainda corre o Lobisomem, relincha a Mula sem Cabeça, assobia o Saci-pererê, surge a Caipora, fulgura o Boitatá. Nos rios e lagoas ouvem-se vozes encantadas e há sedução de sereias que esconderam riquezas. Não apenas no domínio das superstições sociais no trabalho, amor, morte, negócios, ficou o Homem articulado à grande noite passada. Aproximando-se das luzes da cidade, substitui uma por outra superstição, um pavor por outro. Os monstros mudam a forma, nunca a substância maléfica.

RÍO DE JANEÍRO (ESTADO)

A conquista e a conservação do Rio de Janeiro pôs em segundo plano que fossem as terras do outro lado da Guanabara utilizadas devidamente. A história fluminense é lenta. Suas páginas mais vivas ainda são as da luta contra os viscondes de Asseca (Clodomiro Vasconcelos — *História do Estado do Rio de Janeiro,* cap. VII). A população era, como a de todo o Brasil, branca, indígena e negra. Os íncolas foram depressa anulados pelas guerrilhas, vícios e maltratos duma servidão incompatível com a índole e temperamento livres. Os negros, importados desde Salvador Corrêa de Sá, cresceram sempre na proporção do progresso industrial da província. No fim do século XVI iam a 20.000. Em 1822, para 244.000 habitantes havia um volume de 133.000 escravos. Ainda em 1856 a proporção era de 45%. Com a campanha abolicionista, a lei de 13 de Maio alcançou ainda 160.000 para 800.000 livres (Clodomiro Vasconcelos, opus cit.). Em 1890, os pretos são 26,79% da população.

Primeiramente os indígenas, dizimados nas caçadas oficiais, desapareceram, morrendo ou fugindo para as matas e as montanhas. Os prisioneiros sofriam mal o encargo e se libertavam, morrendo o mais depressa que lhes era possível. O Negro foi chamado para a substituição. Substituiu-os na fase inicial dos plantios de roçaria. Depois na época do açúcar e, com o século XVIII, no esplendor do café. Também eram os homens de confiança dos ricos e os encarregados de animais de cargas, os comboios de centos de burros e jumentos, que batiam, terra adentro, para São Paulo e Minas Gerais, levando e trazendo compras. São as figuras populares que encontramos comumente nos desenhos de Debret, Ribeyrolles, Rugendas, Hercules Florence, evocadas pelos naturalistas e viajantes, von Martius, St.-Hilaire, Mawe, zu Wied-Neuwied, em todos os tempos.

Esse elemento devia ter um poder impressionante, decisivo, sobre a imaginação popular. Mas não o tem, curiosamente. O volume de milhares de escravos, fervilhando nas fazendas, do açúcar e café, reduz a incontida atividade nas festas católicas, forma de alegrar os *santos* pretos sob indumentos vistosos, os coroamentos dos "Reis de Congo", "Reis de Angola", as procissões de Nossa Senhora do Rosário dos Pretos, o batuque infindável, as cerimônias sonoras de São João, São Pedro, do Santo Padroeiro da fazenda e, escondidos, em menor número, vagos, fortuitos, heroicos momentos de reunião, em louvor dum *orixá* longínquo.

O indígena, expulso, exilado depressa da terra de velha posse, cravou sinais indeléveis no espírito coletivo. Ele e o branco continuam unidos na sucessão dos monstros e dos espantos que correm dentro da noite tropical.

RÍO GRANDE DO NORTE

O Rio Grande do Norte, conquistado pelos portugueses, com o auxílio dos Tabajaras, aos Potiguares auxiliados pelos franceses, apresenta aspecto igual aos seus vizinhos. O povoamento escorregou pelo litoral, rumo ao sul, porque ao norte as areias defendiam. Em fins do século XVII, com a guerra dos índios, que pôs em fogo o interior do Ceará, Paraíba e Rio Grande do Norte, o *hinterland* se tornou conhecido. Fundaram "casas-fortes", com alguns soldados. Os álveos dos rios eram caminhos naturais na estiagem. O indígena, tocado a bala, dispersou-se nos aldeamentos, sob a bênção dos jesuítas, carmelitas, capuchinhos. Os brancos, sesmeiros, furavam sertão, com escravos índios, alguns negros, plantando os mourões das porteiras em fazendas que hoje são cidades. Os Negros começaram a vir e foram ficando nos vales onde ondulavam os canaviais, Ceará-Mirim, Capió. Para o sertão do Seridó e oeste abria-se a zona pastoril, pedindo raros braços.[12]

Até a primeira década do século XX o sertão esteve isolado, tendo existência conservadora nos hábitos, idioma, superstições. As estradas eram raras. Os produtos desciam no lombo de animais e, em maioria, seguiam para os dois escoadores naturais, Campina Grande, na Paraíba, e Aracati, no Ceará. No litoral, a capital dormia, pequenina, insignificante, cheia de títulos.

Os negros ficaram no litoral mais de oitenta por cento. A seca dos dois sete (1877) expulsou-os do Seridó. Foram vendidos em Mossoró que, revoltado com o mercado humano, começou a libertar quanto podia. Em viagem longa que fiz a todo interior do Estado, em maio de 1934, notei quanto era raro um negro.[13] Predomina o branco ou o mestiço de duas e mais decantações, que chamamos "alvarinto".

Os mitos do litoral são de todo nordeste, de todo Brasil. No mar há Sereia e não se conhece a Mãe-d'Água senão em época de inverno, nas enxurradas dos rios sertanejos. Corre o Lobisomem, chocalha a Burrinha de Padre, clareia o Batatão. A Caipora chibateia os cães dos caçadores descuidados no oferecimento de fumo e, às vezes, de cachaça. Vivem os mitos locais de cobras, antas, vozes, visões luminosas que passam, assombrando. As praias estão cheias de lendas, contadas na sombra dos coqueirais, quando as jangadas dormem nos rolos amarelos na areia resplendente. Para o sertão e alto sertão, ou sertão de pedra, os mitos são ásperos, bem portugueses. Ainda ouvi vocábulos que lera em Gil Vicente, sinônimos arcaicos, verbos esquecidos, como "espiritar", que Antônio Ferreira usara.[14] Tanto mais descemos para a "pancada do mar", mais os mitos se deformam, enrolados e confundidos em várias procedências.

---

12 Ver, na *Revista Nova*, São Paulo, março de 1931, um ensaio "A Escravaria na evolução econômica do Rio Grande do Norte", onde evidencio que tivemos, desde meados do século XIX, a maioria do trabalho realizado por homens livres.

13 "Viajando o Sertão" (*Imprensa Oficial*, Natal, 1934), cap. V. "Os Negros", p. 12. [Edição atual – 4. ed. São Paulo: Global, 2009. (N.E.)]

14 Idem. Capítulo XII — *Classicismo sertanejo*, p. 33.

RÍO GRANDE DO SUL

Convém recordar que o primeiro povoamento branco do Rio Grande do Sul foi espanhol; seu poder e influência estenderam-se até depois da conquista das Missões; provém disso que as velhas lendas rio-grandenses acham-se tramadas no acervo platino de antanho. Vêm da Ibéria, a topar--se com a ingênua e confusa tradição guaranítica (v. g. a lenda da M'boitatá), a mescla cristã-árabe de abusões e misticismo, dos encantamentos e dos milagres; desses elementos, confundidos e abrumados (p. ex. a salamanca do serro do Jarau), nasceram idealizações novas e típicas, adaptadas ou decorrentes do meio físico e das gentes ainda na crassa infância das concepções.

Com a entrada dos mamelucos paulistas, outras e doutra feição vieram do centro e do norte do Brasil; o saci, o caapora, a oiara, que esfumaram--se no olvido.

Por último uma única se formou já entre gente lusitana radicada e a incipiente, nativa: a do Negrinho do Pastoreio.

> J. Simões Lopes Neto — *Lendas do Sul*, Nota.
> Pelotas, Rio Grande do Sul, 1913.

SANTA CATARINA

O território de Santa Catarina era domínio dos Guaranis na costa. Para o interior, eriçado de serras e aclives, enovelavam-se tribos Gês, estendendo correrias para São Paulo, através do Paraná, para o sul em terras platinas. O núcleo inicial do povoamento europeu foi constituído por onze náufragos duma nau de João Dias de Solis. Desses homens sabemos o nome de alguns. Henrique Montes, português, Melchior Ramirez, castelhano, Francisco Pacheco, negro ou mulato, Aleixo Garcia e Francisco Fernandez, possivelmente castelhanos também, e a meia dúzia de companheiros, foram a força povoadora. Casaram com mulheres guaranis,

dando origem a uma nova sub-raça conhecida entre os silvícolas pelo apelido de Carijó (Caraí-yoc), que significa, arrancado do branco, mestiço (Lucas A. Boiteux — *História de Santa Catarina*, p. 47).

Terra de ação paulista, Santa Catarina foi teatro de lutas para o fornecimento do gentio à escravaria bandeirante. Mas os mansos encargos agrícolas absorviam a vida dos colonos. Vieram muitos, de São Paulo e, no século XVIII, levas de açorianos e madeirenses que fundaram povoações. A história local, fortemente ligada aos acontecimentos militares da Colônia do Sacramento, sofria o fluxo e o regresso das grandes ondas políticas da época.

Durante o século XIX fortes contingentes de alemães foram localizados nas encostas dos montes sempre verdes. As cidades surgiram e o idioma áspero se tornou familiar. O baseamento econômico era a agricultura, depois tornada extrativa com a erva-mate, madeiras, criação de gado. Santa Catarina, livrando-se do ciclo do açúcar e dos sortilégios das minas de ouro e cascalho diamantino, não possuiu tantos escravos. Em 1890, a percentagem negra era de 4,80 para 84,79 de brancos, 7,16 de mestiços. A vinda incessante de poloneses, alemães e austríacos, maior índice de arianização apresenta, de ano a ano.

A multidão indígena, anulada pelas fugas e mortes ou repelida para os confins da região, raros traços deixou. Os mitos indígenas são os de caráter geral assim como os europeus. Os mitos locais apresentam maior aproximação com os deixados pelos colonos portugueses em suas terras de origem. Como para o Paraná, alemães e poloneses não mudam a direção da torrente. Engrossam-lhe o volume das águas com a tributação dos mitos nacionais. Assim, em terra de homens brancos, com a menor percentagem de sangue africano, o mito mais prestigioso e falado é o Boitatá.

> Das abusões catarinenses é a do "boitatá", aliás nacional, a mais generalizada. A mais generalizada e mais assustadora [escrevia Crispim Mira].

Esse vestígio indígena, ainda dominante, demonstra maior aproximação entre os dois povos na manhã da formação étnica. Ante os atuais 90% de brancos, o Boitatá resiste, espalhando assombros como um dragão das estórias de Grimm.

SÃO PAULO

Quando a expedição colonizadora de Martim Afonso de Souza chegou às praias do futuro São Vicente, encontrou gente branca, falando português e já com alianças amorosas com vasta indiaria. Tebiriçá e Piquerobi foram sogros de homens europeus e avós de mestiços incontáveis. Policiados sexualmente na Europa, davam rédea livre à capacidade procriadora, com haréns baratos e huris gratuitas. *Ultra equinoctialem non peccavi.* Branco era o português e branco o filho do português. Essa massa brasileira arrojou-se para a conquista dos indígenas, farejando montes de esmeraldas, rios de ouro e estradas empedradas de diamantes.

> E deve notar-se que em regra as Bandeiras se compunham de mamelucos e índios mansos. Raramente iam a tais aventuras portugueses reinóis. É, pois, aquela casta nova, formada de sangues tão diferentes, que se mostrou capaz de semelhantes façanhas, [ensina Rocha Pombo] (*História de São Paulo,* p. 72).

São esses mestiços, com processo quase semelhante de formação, que se espalham nas florestas amazônicas, povoam as solidões equatoriais e lutam, desajudados e furiosos, para que o Acre seja brasileiro.

No caso em espécie, com os mestiços e negros nas "bandeiras", a repercussão dos mitos europeus e indígenas, coloridos pela emoção africana, teve uma área de irradiação ainda maior que a própria superfície geográfica vencida a oeste.[15]

Com o contato diário e obrigatório com os indígenas, o paulista saturou-se de suas tradições, confundindo-as com as ouvidas dos pais. O Folclore paulistano é mais ou menos padrão para Minas Gerais, Paraná, Santa Catarina, Mato Grosso e Goiás. Os mitos são idênticos, sem impressão de fronteiras, batendo mato e subindo serra, num destino obstinado de manter o terror secular.

Cornélio Pires (*Quem conta um conto...* pp. 26/27) resume nitidamente o montão dos assombros que domina o espírito do caipira paulista e mineiro. Em citação rápida passam todos os monstros espantosos. Na geografia paulistana vive essa fauna fantástica:

> — Eu juro! Quando fui buscá remédio na vila, tive de cortá vorta... eu vi úa porca deste tamanho, sortando fogo p'ros óios e p'ro nari e do mermo jeito sete leitãozinho...
> — Nas noite de vento, do arto do Samambaiá, a gente óve uns grito à meia-noite... É o Caipora... Deus te livre!

---

15 Sobre mestiços e negros em São Paulo, ver os estudos de Cassiano Ricardo, "O Negro no Bandeirismo Paulista" *(Revista do Arquivo Municipal,* vol. XLVII. São Paulo, maio de 1938), e *O elemento negro na população de São Paulo* (idem, volume XLVIII, São Paulo, junho de 1938), do prof. Samuel Harman Lowrie.

— O majó Lucio tamêm jura que viu lubizome p'raquelas banda...

— Na sexta-feira-maió, um tropêro vortô; disque tava ansim de saci dançano cúa perna só in roda de uma véia dos óios vermeio e do nari arcado. Dis-que é a Véia-de-máqualidade...

— Num sei quem foi que viu um Cavalo sem cabeça pinoteando c'o Demonio in riba no meio dos bitatá e sortano fogo p'ras venta...

— Defunto Nhô Thomé, que era home de sangue-de-peixe, pôco ante de morrê, contô que ua feita viu o Cuiza-ruim tocano viola, num catira, dançando infrente à cruis, por ua Mãe-d'Água, a Mãe-de Oro, a Pisadera, o Currupira, o Canhimbora, o Caipora, o Lubizome, o Lobo-do-Mato, a Arma-do-Padre-Aranha, a Mãozinha-Preta e um bandão de sacizinho assanhado.

SERGIPE

Sergipe, o menor Estado do Brasil, possui todos os mitos gerais. Sua população se divide nas três regiões que marcam, idealmente, zonas distintas de trabalho e mesmo de tipo étnico. O litoral com a capital, Aracaju, medeia entre o mar e a zona açucareira, cortada pelo Cotinguiba, terra onde os escravos negros se avolumaram. Segue-se o "agreste", coberto de plantios, com Itabaiana como sede natural, habitada por homens de trabalho, marcados, como em todo norte, pelos epítetos zombeteiros de "agresteiro-amarelo", "comedor de cebola", "impambado". O sertão, com a cidade de Simão Dias, feira de gado e ponto de reunião, tem duas partes. O alto sertão, chamado *catinga*, moradia dos "catingueiros", de fala cantada e vagarosa, guardando leve prosódia castelhana, dizendo *otcho*, por "oito", e o sertão propriamente dito. Maior número de negros no Cotinguiba e litoral. Mestiços e caboclos no "agreste". No sertão vivem os descendentes das velhas famílias-tronco, gente de sangue forte, serenos na desgraça, impetuosos na cólera, conservadores nos hábitos. Aí rareia o negro e vivem poucos mulatos.

No sertão vivem os mitos seculares, quase em estado de pureza. Descendo para o mar vêm os mitos sofrendo as influências confusas e multiformes. Não há, pelo que me foi dado ler e ouvir, nenhum mito original. Os locais guardam as cores ambientais, sem maiores modificações.

A RELAÇÃO ÉTNICA NOS MITOS BRASILEIROS

Os mitos brasileiros vêm de três fontes essenciais: — Portugal, Indígena e África. A colocação é proposital e na ordem da influência.

De Portugal os conquistadores eram do Minho, das duas Beiras, menos da Estremadura que do Alentejo. O Minho, inicialmente, deu maior porção, mais poderosa e dominadora. Para o norte, logo no século do descobrimento, os minhotos dispunham das melhores terras, os engenhos famosos e vasta escravaria vermelha e negra. Assim em Pernambuco, o jesuíta Fernão Cardim, que o visita em outubro de 1585, regista o luxo teatral, o fausto da elegância maior que a da metrópole.

> Os vianeses são senhores de Pernambuco, e quando se faz algum arruido contra algum vianês dizem em lugar de: ai que del-Rei, ai que de Viana, etc. (*Tratados da Terra e Gente do Brasil,* p. 335).

O nordeste se povoou sob essa égide. A toponímia mais rica, especialmente na denominação das cidades, é alentejana. As três primeiras vilas do Rio Grande do Norte, Estremoz, Arês, Portalegre, são homenagens ao distante prestigio rincão. Para o extremo norte os exemplos são às dezenas.

Para o sul do país pesaram também a Estremadura e as Beiras, inesgotáveis de homens e de mitos. O Minho trazia lembranças da Galícia e com elas o informe de lendas que já estavam esvaecidas no próprio século XVI. Naturalmente raro foi o mito que se conservou fiel à sua origem. Trabalhava-o a incontida imaginação do colono ante a estranha natureza a que era chamado a vencer. Mas o elemento judaico, aproveitando as facilidades, emigrou e com ele superstições e pavores. As "denunciações" que conhecemos de Bahia e Pernambuco são atestados da extensão das crenças e o incrível alastramento das "busões" israelitas, já assimiladas e confusas na psique ibero-tropical.

O elemento branco, colonial, foi o responsável pela maioria dos mitos. Senão em volume mas em força modificadora, em ação contínua. Nenhum mito se imunizou do prodigioso contato e todos trazem vestígios, decisivos ou acidentais, sempre vivos, do "efeito" português.

Portugal era, geográfica, histórica e etnologicamente, um resumo da Europa. Suas conquistas na Ásia e África trouxeram-lhe mais lendas que especiarias. Mas tudo era entregue a uma constante elaboração popular que desfigurava o material longínquo. Quando o reexportava já levaria o invisível *made in Portugal.* Com o colono branco vieram mitos de quase toda a Europa, diversificados e correntes no fabulário lusitano.

Para toda formação mítica não é possível fixar a fórmula inicial. Milagre será a lenta determinação de sua área e maior andança a identificação de suas peças constitutivas. Como se reuniam? Não é possível saber-se. Para que se criaram? As escolas, dada a palavra aos estudiosos, falam. A "explicação", racional e linda, é mais complexa e tremenda que as próprias aventuras de um herói popular. É preciso, inicialmente, crer, conceder dados imediatos, aceitar convenções. A fé não é básica apenas em assuntos religiosos...

O português plantou as estacas da fazenda de criar, do "sítio", do "roçado". Fez a família, multiplicou os mestiços, amou as índias e negras e fundou, com seu imenso abraço amoroso, a raça arrebatada, emocional e sonora. Cada noite, metendo os pés na terra fria, olhando as estrelas claras, erguia a voz, contando estórias... Povoava a noite com seus assombros, os assombros que tinham vindo com ele nos galeões, com o Governador-Geral. Lobisomens, Mulas sem Cabeça, Mouras-tortas, animais espantosos, cavalos-marinhos, zelações que furam a treva numa brusca chicotada de fogo, lumes errantes, gigantes, anões, mágicos, reis do mato, das águas e dos ares surgiam, evocados do mistério. E foi,Y insensivelmente, aformoseando, enfeitando, com o prestígio de tantos séculos de beleza milagrosa dos mitos. Assim o mboitatá disforme e matador virou o lume azulado dos Sant'Elmos, a boiuna esfomeada e repelente tornou-se senhora de palácios fluviais, e o ipupiara informe e bruto vestiu a cabeleira loira de Loreley, teve pele resplandecente e, do fundo dos rios, onde vive para devorar cadáveres, ergueu a magia irresistível duma voz miraculosamente suave.

Mas, ao tom monocórdio dos urucungos monótonos, o Negro contava sua gesta milenar. E também animais e homens esplêndidos ressurgiram para a vida americana, perdendo-se nas florestas, enleados nos cipós e abraçados nas lianas, sob a chuva de flores que não tinham nome.

A vastidão dos matos, dos rios, dos chapadões desolados, as catingas de vegetação rala do litoral, cheiroso de cajueiros, não estava vazia de entidades poderosas e ardentes. Deuses e duendes, sem processo litúrgico, sem oblação ritual, sem certeza em sua finalidade, infixos e terríveis, protetores e maus, invisíveis e presentes, corriam entre os troncos de cem anos, deixando rastos nalma assombrada dos indígenas.

No cadinho das florestas e das águas tropicais, o Olharapos se tornava Mapinguari. O Bicho-Homem era o Capelobo. As cobras encantadas convergiam para o reino das mboiaçú e das boiunas. Angústias noturnas amalgamavam-se em chibambas, negras-velhas, mãos de cabelo, de palha e de fogo. Koboldes caprípedes apostavam velocidade com os Curupiras de cabeleira rubra, olhos verdes e pés ao avesso como seus irmãos clássicos, citados em Aulo Gelo. As lendas ornitomórficas floriam. Não mais em Filomelas românticas, mas na revoada dos Sacis de carapuça vermelha, unípedes e travessos como lutinos. Todas as águas-vivas, ardentes e eternas do Medo, do Pavor sem contorno e da Imaginação, desceram, por três boqueirões raciais, para a vertente de onde sairia o brasileiro...

O português, batendo todo o Brasil com seus sapatões de bandeirante, carregava, em maior percentagem, seus mitos, herança inarredável e perpétua. Os mitos verdadeiramente "gerais", que se mantêm com as linhas mestras, são de origem peninsular. Nenhum Saci-pererê, ignorado no norte e nordeste, nenhum Caapora, pouco definido em São Paulo e Minas Gerais, pode aceitar o desafio de medir-se com o Lobisomem que trota, cada sexta-feira, por todos os Estados do Brasil. O Mboitatá, verdade seja, acende seu clarão pelas cidades, vilas e caminhos, mas aceito normas europeias dos *feux-follets*, do Sant'Elmo, tendo estórias desencontradas, não se desenha, não se fixa, não se materializa. Os mitos portugueses, ou por eles trazidos, têm direito às prerrogativas do domínio.

Seguem-se as de origem indígena. Os Tupi-guaranis deram a parte preponderante. Estavam em situação social e geográfica capaz de lutar, aliar-se, combater e fundir-se com o português. Subindo do sul para o norte, empurrando os Gês para leste, batizando quase dois terços da terra brasileira, foram os primeiros homens para o contato. Assistiram à primeira missa, testemunhas inconscientes do auto de posse, tropas auxiliares que ajudaram a destruição de si mesmos. Bateram, arrolados nas "bandeiras", sul e norte, matando e morrendo. O idioma tupi era a língua de entendimento, o nhengatu, a língua-boa, plástica e musical, codificada nas gramáticas, gabada nos púlpitos, recitada nos autos festivos, nas orações milagrosas, nos bailes tradicionais. Foram até o labirinto amazônico, escorregando pelas margens, deixando as pegadas nas madeiras que dariam nome ao rio, em quase todas as orlas, rumando as cabeceiras, num impulso constante e cego, procurando uma terra onde não se morria e que era perto do céu. Ensina Teodoro Sampaio:

> Até o começo do século XVIII, a proporção entre as duas línguas faladas na colônia, era mais ou menos de três para um, do tupi para o português.

O padre Antônio Vieira notava, no século XVII, que se falava o tupi comumente, naturalmente. O português estudava-se como elemento cultura, necessário, indispensável, mas secundário ao nhengatu, sonoro e dúctil.

Aires do Casal informa que a língua portuguesa "começou a ser geral ou, para melhor dizer, a ter uso em 1755". E disto se dava no Maranhão, lugar privilegiado.

Acompanhando o bandeirante, cavando a terra nas granjearias, seguindo o dono nos "currais", o indígena foi dando nomes aos rios, às matas, às montanhas, cidades, caminhos, árvores e pedras. Ao despedir-se de sua função histórica, sacudia seu idioma como uma imensa bandeira incorruptível, cobrindo o esplendor da terra, marcando-a com as sílabas melódicas da língua, como um sinal heráldico de passagem, de posse e de domínio. A toponímia brasileira deve ao tupi sua percentagem esmagadora. Companheiro do conquistador, condenado ao desaparecimento, o Tupi ia deixando, nas regiões onde não havia tribos de sua raça, os nomes que celebrariam para o futuro a caminhada intérmina, seguindo seu enterro, festejando-o porque sabia a perpetuidade de seu esforço.

Seus mitos, logicamente, foram os primeiros catalogados e logo confundidos com os dos portugueses. Confundiram-se uns, ajustaram-se outros, completando-se aqui, avivando características além.

Nos mitos indígenas, Tupis, melhormente estudados, a influência portuguesa não consegue deformar por inteiro, mas os populariza velozmente. Os portugueses aceitaram os duendes das florestas tupis como seres normais e capazes de façanhas idênticas às dos seus trasgos e olhapins. A teogonia tupi alargou o âmbito de seus adeptos. Nas noites escuras o pavor passava das malocas indígenas para as casas-grandes, onde os colonos abriam os olhos espavoridos para a treva cheia de Curupiras e Lobisomens.

O negro escravo veio com sua humilhação e seu amor infinito. A força dos seus mitos era religiosa, pedindo cerimonial, ritos, danças, comidas protocolares, indumentária. Um culto que seria clandestino, incompleto pela impossibilidade duma exata observância aos processos religiosos. Ainda hoje quando se estuda o negro brasileiro depara-se com a festa religiosa, com seus orixás e bailados, seus dias de preceitos, a crônica aventureira e valente dos deuses africanos, vencedores dos raios e das mulheres.

Os mitos, na acepção folclórica do vocábulo, independendo de ritual, de religiosidade inata, são raros. Ninguém os vence no domínio do cerimonial, da religião hierática, severa, com dogmas, roupas, cores, passos, tradições. Frobenius ensinava que o africano só podia ser compreendido através da sua crença. A religião para ele não era um caminho, um liame, como o vocábulo significa, mas a razão, o "estado" do espírito, a própria duração da vida material. E como todas as coisas derredor participavam desse *pathos*, não é possível isolar do clima religioso negro um mito como os vemos saídos de europeus e indígenas.

No Folclore brasileiro a influência negra se positiva nas danças, nas diversões de conjunto, em certos autos populares, numa parte musical, em determinadas danças de roda para homens, especialmente as de parelhas soltas ou coletivas, nas estórias e na parte infantil. Nesse mundo dos meninos, o Negro é todo-poderoso. Contou estórias, ressuscitou animais monstruosos, explicou tesouros, mostrou as estrelas, casamento de astros, pavores noturnos, recalques que ficam vivendo na recordação da meninice.

Bem rara será a figura do ciclo da angústia infantil que não tenha muito dos negros. Nenhum mito geral, porém, resistiu aos anos nem foi registado, partindo dos velhos escravos. O próprio Quibungo é o negro velho preador de crianças, gênero universal. Nas estórias em que o Quibungo não assombra crianças e aparece como um antropófago, creio já ter sido sua ação modificada por um outro mito, o de um gigante ou homem devorador de carne humana, cujo nome se perdeu. Mesmo assim não há originalidade nessa inusitada ação faminta. Todo o ciclo dos monstros é antropófago.

Se o Negro é onipotente nas almas infantis, não o é nos espíritos maduros, afora a sedução dos ritos religiosos. Devemos sempre recordar que o Quibungo foi "justificado" pelos estudiosos brasileiros. Peça por peça, armaram-no no Brasil, com deduções, pesquisas, rastejando documentos, interpretando vocabulários. Em livro que nos tenha vindo da África, através de ingleses, portugueses, norte-americanos ou franceses, não se avista o vulto do Quibungo... Nenhuma aparição negra tem a extensão prestigiosa do Lobisomem, do Caipora, do Saci, da Mula sem Cabeça, sabidos em todos os lábios brasileiros. O Quibungo surge na Bahia, centro de densidade africana, mas não emigra. As regiões vizinhas não conhecem. A faixa da sua influência é limitada e para que a transponha é preciso mudar aspecto e técnicas, ingressando no ciclo de outros pavores.

*

Em relação aos mitos, como os tentei recensear, a distância entre os três elementos étnicos é a que medeia entre cinco, três e um, Portugal, Indígenas e Negro-africanos. O afro-brasileiro já é outro aspecto. Num ensaio sobre o catimbó aqui pelo nordeste mostrei como era sensível e alta a influência indígena, cognominada "pajelança"[16]. O Negro brasileiro não é determinante mas uma *constante* em perpétua modificação. Ele não se

---

16 *Novos Estudos Afro-Brasileiros, Notas sobre o Catimbó,* Biblioteca de Divulgação Científica. Volume IX. Dirigida pelo Doutor Artur Ramos. Civilização Brasileira Editora, Rio de Janeiro, 1937, p. 77.

imobiliza como um foco irradiante, superior ao ambiente onde atua. Participa dos mesmos processos que o cercam e sua criação está em interdependência espiritual com as formas que vão tomando outras criações semelhantes ou paralelas às suas. Como o negro é mais receptível que o indígena, vemos que a influência aborígine é poderosa na Amazônia e a influência negra não é decisiva na Bahia. Decisiva toma aqui a expressão de relativa à massa demográfica e antiguidade de sua presença étnica. Com o mesmo critério e com idênticas conclusões, dir-se-á igualmente de Minas Gerais e Pernambuco.

A mão do negro, mão de escravo que tudo fazia, passou por inúmeros desses mitos brancos e amerabas. Rara será a aparição assombrosa que inda mais terrível não ficasse através dos lábios africanos, balbuciadores de estórias maravilhosas. O papel das "tias" e dos "tios" portugueses aqui lhes coube, por um direito de servidão e de devotamento. A nossa Scheherazada foi a Mãe Preta...

*

Como toda classificação é arbitrária, ainda mais convencional e difícil seria uma classificação dos mitos brasileiros e sua localização geográfica. A influência da terra é rareada pelos fatores morais que animam todos os mitos.

*

Uma característica dos mitos e das tradições fabulosas no Brasil é o *fáceis* ambulatório, infixo, irregular. Nenhum mito de presença, sedentário, com atribuições determinadas, inamovíveis. Se esta peculiaridade aparece nos mitos secundários, e os chamo "regionais", dando-lhes assim um foro jurídico para demandá-los em matéria de Folclore, analise-se que nenhum mito regional guarda traços que o vinculem ao local de sua atuação. O sinal distintivo é apenas a exigência de meios físicos, águas, árvores, terras ou ares. Nunca solicitam a um determinado lugar a razão de sua existência miraculosa. Os nossos são mitos de movimentos, de ambulação, porque recordam os velhos períodos dos caminhos, dos rios, das bandeiras, de todos os processos humanos de penetração e vitória sobre a distância. Quase sempre são mitos cuja atividade é apavorar "quando passam" ou "correm". Curupiras, Caiporas, Mapinguaris, Sacis, Lobisomens seriam ineficazes em atitude hirta, como uma parada de monstros. Mesmo nos rios, lagoas e mar, os seres assombrosos não têm pouso fixo. Nadam para aqui e para além. A Loreley não deixa seu rochedo no Reno. A nossa Iara é campeã de distância a nado livre...

Vivem os nossos mitos, como na teoria dos vasos comunicantes, em viagem ininterrupta, do Acre ao Rio Grande do Sul, dos araxás goianos à sombra dos pinheiros de Santa Catarina e Paraná, das montanhas de Minas Gerais aos tabuleiros do Nordeste, do sertão da Bahia aos buritizais maranhenses.

Se houvesse uma égide para o nosso Folclore, nesse particular, não seria a esfinge de Gizé, imóvel e serena, desafiando a explicação humana, mas o Mboitatá, clareando e fugindo, atração e pavor, enchendo o próprio mistério de seduções imprevistas e de convites irresistíveis.

*

MIGRAÇÃO

O melhor condutor dos mitos foi incontestavelmente o mestiço. O "mestiço" não é tomado aqui em sua acepção étnica rigorosa. É o filho de pais de raças diversas. Mestiço é o "misturado". O mameluco, mamaluco dos cronistas paulistanos, que, no século XVII Marcgrave explicava aquele *quinatus est patre Europae et matre Brasiliana*, companheiro inseparável das "bandeiras", levou com sua coragem as estórias incríveis que ouvira nas raras horas de tranquilidade. Esse elemento, plástico, impressionável, com maior mobilidade espiritual que o próprio negro, foi o agente articulador dos mitos nos extremos do Brasil que ele conheceu e batalhou.

Sendo sempre o homem que emigra, o mestiço está sempre em forma para irradiar, com sua volubilidade verbal, tudo quanto pensa e crê. Levou para a Amazônia como para São Paulo o que sabia nas tradições nordestinas. Como por um imperativo psicológico, o mestiço realizava inconscientemente a miscigenação dos mitos, como prolongando no mundo invisível os princípios que o haviam formado.

Nas regiões de maior fixação de colonos estrangeiros, italianos, alemães, poloneses, lituanos, japoneses, a influência não é considerável sobre os mitos regionais. Mais facilmente os colonos recebem, com as deformações decorrentes de cada mentalidade, os mitos existentes, do que, por sua presença, determinam a criação de um novo. Os gaúchos e catarinenses, filhos de alemães, veem sempre o Boitatá e não a Irrlicht, o Saci e não o Coboldo, a Iara e não as ondinas renanas. O fator racial, no âmbito folclórico, não é positivo se tomado isoladamente, sem uma inteira sequência de elementos concordantes. Falta-lhes a decoração mental, a paisagem do espírito. O ambiente brasileiro é impregnante e desvia a possível fidelidade aos mitos nacionais em presença da ductilidade dos existentes, fáceis de ouvir, reter e acreditar.

MITOS PRIMITIVOS E GERAIS

INDÍGENAS – EUROPEUS – AFRICANOS

Diferenciações Regionais

TUPÃ

Quando os primeiros padres chegaram ao Brasil, tiveram o mais desmarcado campo de ação que catequistas haviam podido sonhar. Milhões de quilômetros povoados por centenas de milhares de homens. A tarefa inicial era identificar os objetos da adoração. Esses constituíam os inimigos à propagação da Fé.

Observaram logo que a maior autoridade pertencia aos velhos que os indígenas chamavam "Pajés". Eram incapazes de ação física, enrugados, cheios de tatuagens, colares e pulseiras, pintados com urucu (*Bixa orellana*) e jenipapo (*Genipa brasiliensis*) e dominavam todos os homens fortes da terra. Eram médicos que curavam pelo sopro e pela sucção. Faziam profecias e augúrios, cheirando o pó do paricá (*Piptadenia colubrinna*) e fumando cigarros enrolados na entrecasca do tauari (*Curataria tavari*), fazendo esgares, dando saltos, tendo convulsões, mudando a fala.

Os indígenas não oravam nem faziam sacrifícios humanos. Jejuavam em certas festas e o Pajé era o intermediário único entre eles e a divindade.

O Jesuíta, lido em clássicos, recordou que, há séculos passados, um grande povo que se assenhoreara do Mundo e cobrira todas as estradas com suas legiões, tivera costumes religiosos parecidos com aqueles. Tivera pitonisas, sibilas e áugures para antecipar a palavra dos deuses antes de todas as iniciativas. Lembraram-se de que as pitonisas, que interpretavam a vontade de Apolo, de Júpiter ou de Vênus, jejuavam antes da cerimônia, mascavam folhas de loureiro e, ao sentir a vinda do deus, eram possuídas de convulsões, soltando uivos animais.

Não havia dúvida. O deus pagão de Roma, Satanás com seus enganos, batido por São Pedro, ali estava dominando a terra *noviter trovata*.

Com tais práticas, só o Demônio ousaria cercar-se de tanto poder. E o ente a quem a indiaria dessa veneração seria a mesma entidade maléfica, encarnação dos vencidos deuses pagãos na pele de bronze de um ídolo bárbaro.

Jurupari, o senhor do culto mais vasto, comum a todas as tribos, filho e embaixador do Sol, nascido de mulher sem contato masculino, reformador, de rito exigente e de precauções misteriosas, foi depressa identificado como sendo o Diabo. Cinquenta anos de catequese espalharam para Jurupari o renome satânico. Além das crianças ensinadas nas escolas, os catecúmenos, os índios de serviço, a população europeia, acordes em ver no velho deus indiano uma grandeza infernal, a multidão dos mestiços, mamelucos, curibocas, massa plástica, sugestionável e de imaginação ampla, divulgou o novo papel de Jurupari. No século XVII já o Filho do Sol, o Dona dos Instrumentos, o Senhor dos Segredos, evocado ao som dos maracás simbólicos, era, da cabeça aos pés e definitivamente, o Diabo, o Cão, o Belzebu, o Satanás, o Demônio.

Achado o inimigo, faltava o aliado. Ao mesmo tempo que o combate se dava aos seguidores de Jurupari, surgia um trabalho intenso e admirável para assimilação de um deus amereba nas condições de corresponder à noção católica do Deus-Pai, o Iavé dos hebreus. Era preciso encontrar na teogonia ameríndia um ser incolor, sem cultos e ritos que o tivessem comprometido às exigências teológicas, sem fazer mal nem bem, infixável, informe, nebuloso, ignorado em sua doutrina, um legítimo "Deus Desconhecido" dos gregos na decadência, esperando, nas alturas do infinito, a voz de São Paulo para defini-lo e dizer-se embaixador de seu nome.

Os jesuítas da catequese, todos os elementos religiosos do Brasil colonial, localizaram esse Ser providencial, para que o indígena o amasse e não fosse obrigado a adorar um deus alienígena, em Tupã. Para o índio, Tupã começou a ter culto prestigiado pela força dos brancos enquanto Jurupari era perseguido por todos os meios e maneiras. O Pajé recuava batido e com ele a crença se dissolvia no âmago das matas para conservar-se, até hoje, atestando sua espantosa vitalidade espiritual. Tupã fez parte de todas as orações e aulas. O padre Manuel da Nóbrega, Anchieta, Aspilcueta Navarro, Abbeville, Thevet, d'Evreux compõem versos, catecismo, peças dramáticas, hinos, em louvor exclusivo de Tupã, Deus verdadeiro, aparecido para contrapor-se ao falso Jurupari dos infernos e salvar as almas para a eternidade paradisíaca.

Como compreendia o indígena a Tupã, e como este se tornou Deus-Pai dos cristãos? A impressão que me ficou de todas as leituras feitas nos documentos dos séculos XVI e XVII, lendas e tradições indígenas, vocabulários e relatórios, é que Tupã é unicamente um trabalho de adaptação da catequese. O Deus cristão tomou a forma ou melhor, deu a forma a uma entidade que nunca possuíra significação religiosa para nenhuma tribo do Brasil.

Colocado no *index,* Jurupari, o deus selvagem oportuno, foi uma questão premente. E em todas as batalhas da catequese na América, Ásia e África, os deuses locais foram rebatizados. Os mais populares em demônios e os mais vagos, e por isso mais puros porque estavam incontaminados das práticas litúrgicas, passaram a uma categoria superior.

Não é preciso recorrer-se ao padre Schmidt para admitir a universalidade da ideia de Deus, o Deus-Único, Supremo, o *Urmonotheismus* do sábio de St. Gabriel-Mödling *bei Wien.* Em todas as religiões primitivas há sempre um personagem abstrato, superior a todos os ídolos, inacessível às súplicas humanas, distanciado da piedade terrestre, pairando sobre todos os ritos e sem possuir nenhum.

O grande deus popular, deus intermediário, para os índios do Brasil era Jurupari, que foi crismado em Diabo, o Princípio do Mal. Tupã é uma criação erudita, europeia, branca, artificial. Seu culto foi dirigido pelos padres da catequese. É o Princípio do Bem. Nada mais lógico que essa tática dos jesuítas, por todos os títulos admiráveis, em frente ao absorvedor prestígio de Jurupari.

Tupã, deus que fala pelos trovões e vê pelo caracol dos relâmpagos e raios, é tão literário como o Júpiter-tonante, acastelador de nuvens e marido de Juno.

No Brasil, pelo que sabemos, o culto indígena mais espalhado e seguido, o verdadeiro culto nacional, era o de Jurupari. A catequese religiosa foi obrigada a transformá-lo em Demônio. Não era possível converter-se Jurupari porque os pajés seriam alistados na classe sacerdotal. Achado o Princípio do Mal, havia a necessidade do Princípio do Bem, o Deus-bondade e Criador, uma égide indígena onde a concepção do Iavé hebreu e do Deus-Pai católico pudesse caber e ser entendida. O indígena assimilaria a religião nova se esta viesse por intermédio de formas suas conhecidas. Em todos os processos divulgatórios a adaptação é o primeiro e maior fator de vitória. Quando o missionário enfrentou o africano, explicou que

Olurum (o céu), forma dúbia e vaga que não possuía liturgia,[1] era Deus que ele vinha anunciar. Elegbá,[2] o nume carnal, protetor da junção amorosa, anteriormente tido como uma força, um deus invisível, depois manifestado pelas festas fálicas, foi identificado, sendo devasso e lascivo, no próprio Diabo.

Muito mais vago que o Olurum dos negros nagôs, era o Tupã dos ameríndios brasileiros.

Era como o Sita dos árias, o Ma dos egípcios, o Tau dos chineses, o Morai dos gregos, entidade acima das contingências humanas, inacessível às súplicas, indiferente aos destinos terrenos. Não tinha a manifestação inicial dos cultos primitivos, que é a lenda explicativa, o conto etiológico. Não fazia milagres nem tinha forma.

Era Tupã o que os folcloristas ingleses chamam *Nature God*, personificação abstrata de forças cósmicas, com atuação meteórica, sem interferência na vida sublunar. Pertencia à fase inicial das religiões. Era um elemento que Durkheim dizia *préanimiste*. Lévy-Bruhl escreve que, nas sociedades primitivas, todas as funções de relação são funções de presença de seres sobrenaturais. E como toda participação tende a ser representada nos fenômenos meteorológicos, que deviam impressionar maiormente aos indígenas, era natural que certos seres fossem apontados como dirigindo o trovão, o raio, o relâmpago e a chuva. Antes, esses

---

1 *"Comme le faisait remarquer à propos du Nyankupan, de la nation Oji, on peut affirmer d'OLURUM que les idées que l'on fait de ce dieu comme esprit suprême sont obscures et incertaines; on le confond souvent avec la voute celeste et avec le monde superieur (sorro) qui est au-delà de l'atteinte des hommes; aussi ce même mot est-il employé pour désigner le ciel et même aussi indiquer la pluie et le tonnerre"* (TYLOR).
"J'ai vu des africains incapables de faire cette distinction, et en tous cas l'idée qu'ils se font tous d'OLURUM est toujours peu claire et fort vague. De même qu'à Yoruba, OLURUM n'a pas, à Bahia, de culte spécial ni d'image qui le représente, et cette absence de représentation matérielle ne doit pas peu contribuer à ce qu'il soit si ignoré même des africains" (Nina Rodrigues).
Ver Artur Ramos — *O Negro Brasileiro,* p. 31, *O Folclore Negro do Brasil,* p. 14.

2 Elegbá, Legba, Elegbará, na mítica dos negros Ewes correspondente ao Exu dos Iorubás. Ver Artur Ramos, *As Culturas Negras no Novo Mundo,* pp. 298/319. — Fernando Ortiz, *Los Negros Brujos,* pp. 50/64.

fenômenos seriam deificados intrinsecamente. Na fase atual é que a diversificação se completa.[3]

O trovão podia ser um simples fenômeno, o trovão mesmo, sem deixar de representar outra entidade, possivelmente o espírito diretor do fenômeno. É a aplicação da lei da participação que Lévy-Bruhl enunciou.[4]

Quando o padre Manuel da Nóbrega, o grande catequista, chegou ao Brasil em 1549 e o estudou, sua impressão, lealmente expressa numa carta ("Informação das Terras do Brasil", nas *Cartas do Brasil*, Rio, 1931, p. 99), revela a perfeita ausência de culto e de personalidade das trovoadas:

> Essa gentilidade nenhuma cousa adora, nem conhecem a Deus; somente aos trovões chamam Tupane, que é como quem diz cousa divina. E assim nós não temos outro vocábulo mais conveniente para os trazer ao conhecimento de Deus que chamar-lhe Pai Tupane.

O huguenote francês Jean de Léry tivera a mesma observação e praticara processo idêntico:

> Quando o trovão ribombava, a que chamavam Tupã, assustavam-se e nós aproveitávamos o lance para dizer-lhes que era Deus que assim fazia tremer o céu e a terra, a fim de mostrar sua grandeza e poder.

Gandavo notara o mesmo:

> Nam adoram a cousa alguma, nem têm para si que há depois da morte gloria par bons, e pena para maus.

---

3 Lévy-Bruhl — *L'Âme Primitive*, p. 130, *Les Fonctions Mentales dans les Sociétés Inférieures*, p. 431. Os deuses do trovão, do raio, das tempestades, do relâmpago vivem espalhados no terror dos fiéis. Era Tor dos escandinavos, Júpiter-tonante, Kostchee dos australianos, Hananui, da Coreia, Poluga nas Ilhas de Andaman. É o pássaro Tootooch dos Aths de Vancouver, o Savacu dos Caraíbas. Ver Sir James Frazer, Lévy-Bruhl nos volumes citados, Paul Sébillot, in *Le Folk-Lore* (Paris, 1913) pp. 119/129, Lehmann-Nitsche: *La Constelación de la Osa Mayor y su concepto como Huracán o dios de la tormenta en la esfera del mar caribe* (Buenos Aires, 1924).

4 ... *"dans les représentations collectives de la mentalité primitive, les objets, le êtres, les phénomènes peuvent être, d'une façon incompréhensible pour nous, à la fois eux-mêmes et autre chose qu'eux-mêmes. D'une façon non moins incompréhensible, ils émettent et ils reçoivent des forces, des vertus, des qualités, des actions mystiques, qui se font sentir hors d'eux, sans cesser d'être où elles sont"*. Lévy-Bruhl — *Les Fonctions Mentales dans les Sociétés Inférieures*, p. 77.

O padre Fernão Cardim alude que:

... não têm nome próprio com que expliquem a Deus, mas dizem que Tupã é o que faz os trovões e relâmpagos, e que este é o que lhes deu as enxadas e mantimentos, e por não terem outro nome mais próprio e natural, chamam Deus Tupã.

O padre Cláudio de Abbeville rezava pela mesma cartilha:

... os tupinambás não tinham espécie alguma de religião, pois não adoravam um Deus, celeste ou terrestre, nem o ouro e a prata, nem a madeira e pedras preciosas ou outra qualquer cousa.

O franciscano André Thevet endossa o depoimento:

Elle a esté habitée et est habitée pour le iourd'huy, outre les Chrestiens, qui depuis Americ Vespuce l'habitent, de gens merueilleusement estranges et sauuages, sans foy, sans loy, sans religion, sans ciuilité aucune, mais viuans comme bestes irraisonnables, ainsi que nature les a produit.

Ivo d'Evreux escreve:

Estes selvagens sempre chamaram Deus — *Tupã*, nome que dão ao "trovão" (*Viagem ao Norte do Brasil,* Rio de Janeiro, 1929, p. 291).

O padre José de Anchieta (*Cartas, informações, etc.* Rio, 1933, p. 331) na *Informação do Brasil e de suas Capitanias,* datada de 1584, registra a crença inalterável quase. Mas, 34 anos são passados em ensinança religiosa intensa e já surge um indício de adaptação. Os trovões significam alguma coisa:

Nenhuma criatura adoram por Deus, somente os trovões cuidam que são Deus, mas nem por isso lhes fazem hora alguma, nem comumente têm ídolos nem sortes, nem comunicação com o demônio, posto que têm medo dele, porque às vezes os mata nos matos a pancada, ou nos rios e, porque lhes não faça mal, em alguns lugares medonhos e infamados disso, quando passam por eles, lhe deixam alguma flecha ou penas ou outra coisa como por oferta.

Essa identificação dos trovões com Tupã e este com um deus vai se destacando, vagarosamente. Já em 10 de agosto de 1549, no mesmo ano de sua chegada, o padre Nóbrega escreve ter encontrado um Pajé que se dizia amigo pessoal de Deus e que aquele Deus dos céus era seu amigo e lhe aparecia frequentes vezes nas nuvens, nos trovões e raios (*Cartas do Brasil*, p. 59).

Quando o mito de Tupã conseguiu infiltrar-se no espírito do selvagem, não pôde ficar imune de influências estranhas. O próprio Thevet dá várias interpretações ao Tupã naquele começo do século XVI. Nas *Les Singularitez de la France Antarctique* (ed. Gaffarel, Paris, 1878, p. 134) nega a presença da religião. À p. 138 fala em Tupã:

> *Noz Sauuages font mention d'un grand Seigneur, et le nommét en leur langue, Toupan, lequel, dissent-ils, estant là haut fait plouuoir et tonner: mais ils n'ont aucune maniere de prier ne honnorer ne une fois, ne autre, ne lieu à ce propre.*

São as palavras de Anchieta. Mas o franciscano, nos inéditos de que Alfred Métraux revelou alguns trechos (*La Religion des Tupinamba*, Lib, Ernest Leroux, Paris, 1928, p. 52), confidencia deduções novas:

> *Ils appellent Toupan, et ne croyent point qu'il aye puissance de faire pleuvoir, tonner, ou donner beau temps, ny mesmes leur faire venir aucun fruit.*

É, evidentemente, um *Nature God*....

O Tupã, mesmo batizado pela mão venerável do Jesuíta, ficou com sangue bárbaro, cheirando às crendices locais e nem sempre conservando hábitos católicos. Com o passar dos tempos, mesmo para tribos que souberam do trovão deificado ou de Tupã consciente, o mito tomou forma de crença, mas o culto nunca chegou a ser praticado.

Em abril de 1837 o engenheiro Pedro Vitor Reinault informava ao presidente de Minas Gerais sobre os rios Mucuri e Todos os Santos, e sobre os indígenas Botocudos, e dizia:

> As ideias religiosas são poucas ou nenhumas; apenas eles supõem a existência de um Ente Superior, que chamam em sua língua Krenton Jissa Kiju (chefe grande), mas não lhe rendem culto algum, pelo contrário, quando troveja, supondo pelo cará-ter adiante relatado que se não pode aplacar a ira senão pelo medo, lançam flechas ao ar com muitos gritos dizendo que o Krenton Jissa Kiju Jak (que o chefe grande está bravo), e que precisa amansá-lo ou atemorizá-lo.

O padre Antonio Ruiz de Montoya (*Primeira Catequese dos Índios das Missões*, tradução de Batista Caetano de Almeida Nogueira. *Anais da Biblioteca Nacional*, VI) alude apenas a uma possibilidade de convergência entre o trovão e Deus:

... a existência de Deus (Tupã) e que ele é o único também parecem saber.

O padre Simão de Vasconcelos (*Notícias do Brasil*, cap. XX) registrou piamente o trovão como o único objeto respeitado:

> Não adoram certos deuses, nem reconhecem certas divindades mais do que em geral e em confuso um estrondo espantoso que assombra os homens.

Gaspar Barléu quase traduziu o padre Simão de Vasconcelos:

> *Numina nulla, deos nullos colunt, nisi tonitrua forte aut fulmina quorum magna animos incessit veneratio.*

Marcgrave escreve na metade do século XVII. Já encontra o trovão, o relâmpago, o raio como expressões duma excelência divina. Não é um deus mas a voz de Deus. Tupã emparelhava-se com Wotan, Odin e Júpiter:

> *Brasilienses Barbari nullum pene habent religionis sensum... neque deum aliquem noverunt, neque proprie adorant quicquam, unde nec illud nomen in ipsorum idiomate reperire est quod deum exprimat; nisi forte* Tupa, *quo excellentiam aliquam supremam denotant: unde tonitrua vocant* Tupacununga, *id est streptum factum a suprema excellentia, a verbo* acunung, strepere. *Fulgur autem* tupaberaba, *id est esplendorem excellentiae a verbo* aberab *resplendere... Deum vocant* tupa & tupana.[5]

O mito de Tupã se foi ampliando e não houve solução de continuidade em sua evolução ascensional. O padre Aspilcueta Navarro pregou em tupi e compôs catecismos para o uso dos índicos batizados. Catecismos, vocabulários, gramáticas, livros de orações, peças de teatro foram material abundantemente empregado pelos jesuítas e sempre no idioma nhengatu, que estudaram primeiro que toda a gente. Navarro morreu em 1557 e Thevet em 1577, já publicava três orações em tupi. Em todos esses trabalhos Tupã está figurando como Deus. No formulário do frei Ivo d'Evreux (1614) lemos uma versão do Símbolo dos Apóstolos — *arobiar Tupan tuue opap katu maeté tiruan*, Creio em Deus, Pai todo-poderoso...

Assim, até hoje, Deus, o Senhor, o Pai, o Criador, é para todos os índicos cristãos o velho Tupã, estrondeador das tempestades, morando nas alturas, com os raios na mão onipotente.

---

5 Piso & Marcgravius — *Historia Naturalis Brasiliae*, cap. XI, pp. 178/9. Lugdum Batavorum apud Franciscum Hackium et Amstelodam, apud Lud. Elzevirium, 1648.

A confusão entre Tupã-deus e Tupã-trovão existirá na linguagem tupi? Teodoro Sampaio aclara definitivamente o possível problema:

> Tupã, s. nome adotado pelos catequistas católicos para exprimir Deus entre os Tupis. Do ponto de vista linguístico, o vocábulo *tupã*, no guarani, ou *tupana* no tupi, é o composto *tu-pã* ou *tu-pana*, significando golpe ou baque estrondante, referência ao trovão. Assim entendido, Deus é aqui o *tonante*. Mas o vocábulo ainda admite outra interpretação, se o tomarmos como composto de *Tup-ã*, o Pai Alto, o Altíssimo (Teodoro Sampaio — *O Tupi na Geografia Nacional*, terceira ed., Bahia, 1928).

A forma contrata *Tub-ã* é evidentemente convencional. A sinonímia tupi para exprimir o substantivo Pai possuía, outrora, Tupá, Tubá, Rubá, Rubá. O som nasalado que é característico em *tupã* mostra insofismavelmente que ele é apenas, e exclusivamente, *tu*, o verbo soar, bater, e *pã*, que pode ser sonoro, estrondeante, barulhoso. É a palavra que expressava para o indígena o trovão, como pancada ou golpe sonoro. Curt Nimuendaju, depois de tantos anos de convivência com os nossos aborígines, ainda está convicto de que o vocábulo Tupã é uma voz onomatopaica, exprimindo e descrevendo o estrondo do trovão. Tastevin registra "Tupana" como Deus, mas recolheu *tupá* como sendo "o trovão quando estala com fragor". A ligação mental é tão visível que dispensa comentário. Nos *Dicionários Kainjgang-Português* e *Português-Kainjgang*, frei Mansueto Barcatta de Val Floriana (*Revista do Museu Paulista*, XII) achou *tope'n* para Deus e *top'en* para o verbo "arrebentar, romper". No quichua o radical *tu* é o mesmo. *Tupa* é chocar, bater, atritar. O radical sânscrito *tup* diz identicamente: ferir, chocar-se, bater.[6]

Nas lendas que Brandão de Amorim recolheu no Amazonas, todas as vezes que ocorre "tupá" é significando "trovão" e jamais "Deus".[7] Os índios brasileiros só conheceram "tupã" como exprimindo a trovoada. Nenhuma noção de divindade aliavam a este vocábulo. Todos os cronistas do Brasil colonial recensearam os mitos venerados pela indiaria. Debalde procuraram Tupã entre os conhecidos. Apenas Thevet (numa página que Métraux divulgou) alude a Tupã sem emprestar supremacia e excelência. Brandão de Amorim publicou (no próprio nhengatu) narrativas indígenas em que Tupã figurava em situações humilhantes e

---

6 Matienzo, citado em *Calchaqui*, de Adán Quiroga, p. 40. Buenos Aires, 1923.
7 Brandão de Amorim, "Lendas em Nheengatu e em Português", *Revista do Instituto Histórico Brasileiro*, tomo 100, Vol. 154, 2º de 1926, p. 191, Rio de Janeiro, 1928.

cômicas, expulso de bailes, ferido nas nádegas, enganado por Massaricado, sua mulher, etc. (opus cit.)

Stradelli registrou em seu *Vocabulários* (*Revista do Instituto Histórico Brasileiro*, Tomo 104, Vol. 158) 55 vocábulos traduzindo ideias e objetos do culto católico e nos quais *tupana* diz sempre "deus". São palavras artificiais, exprimindo noções de coisas ignoradas pelos amerabas. Purgatório é *tupana-tatá-catu*, o bom fogo de Tupã. O Inferno é *tupana-tatá-puxi*, o mau fogo de Tupã.

O indígena nunca pensou no fogo como elemento punitivo para seus escravos e prisioneiros quanto mais para a purificação de suas almas. Calculo o lento, custoso e infindável trabalho de dialética, os milagres de paciência evangélica, para um *tuixaua* compreender o que vinha a ser o bom ou o mau fogo de Tupã...

O padre Constantino Tastevin, em longa e proveitosa viagem de estudos ao continente africano,[8] citou os vários deuses negros do trovão, do raio e da chuva, que a catequese assimilou para melhor compreensão dos negros catecúmenos.

Nas ilhas de Andaman o deus do trovão é Puluga. O professor A. Trombetti, justamente aclamado o maior glotólogo do mundo, publicou em Bolonha, em 1921, uma monografia sobre *Puluga: Il Nome piu diffuso della Divinità,* e numa outra subsequente estudou a origem e a difusão do nome. Puluga quer dizer "trovão", trovejar, rumorejar, os sinônimos de Tupã.[9]

Poderíamos saber da impressão causada aos indígenas pelo Deus-Tupã através das lendas. Mesmo recolhidas três séculos depois do descobrimento, com uma atenção mais cuidada, sentimos o lugar dos personagens que passam no enredo das tradições miraculosas.

Não sendo as lendas que, por seu entrecho e finalidade, são facilmente identificadas como trabalhos da catequese, não encontraremos, na maioria restante, senão um Tupã muito pouco compatível com as suas altíssimas prerrogativas celícolas.

---

8 C. Tastevin — *Les idées religieuses des Africains.* Separata do número 5-6 de *La Géographie*, tomo LXII, nov.-dez., Paris. 1934.

9 Jorge Bertolaso Stella tem sido o erudito divulgador de Trombetti. No caso de Puluga, ver o seu estudo "A Glottologia e a Pre-Historia", p. 35. Separata da *Revista do Instituto Histórico de São Paulo*, Vol. XXXI. 1936 é o ano da publicação. O autor tem publicado muitos outros, todos eles de solidez cultural.

Nas lendas colecionadas por Antonio Brandão de Amorim, no rio Negro e rio Branco, Tupã está em posição inferior a Uansken e a seu filho Sam, à própria mulher Amao que ensinou a fazer tapioca, farinha e beijus, ao misterioso Sufari, ao herói, Poronominare, filho de virgem. Tupã ou Tupana aparece, mas bem mesclado ao ambiente. Na formação do mundo ele tira a pele para fazer a terra e quando, depois do dilúvio, veio com Papá e Piá, tão poderosos quanto ele, fez uma mulher de tabatinga (barro branco), mas esta se quebrou no amplexo sexual do deus. Tupana fez outra mulher, desta vez de samaumeira (*Eriodendrum samauma*, Mart.). Dela descendemos todos. Papá e Piá refizeram os animais, aves, peixes e árvores. Noutra lenda a ação de Tupana é tentar apagar o fogo que o seu igual Ndué acendeu. No rio Uaupés, afluente do rio Negro, Tupana conquista a fácil e linda Tibiari. O marido de Tibiari transforma a mulher em pássaro e flechou Tupana nas nádegas de tal forma que o obrigou a emigrar. Noutras regiões Tupana é casado com Massaricado e tem relações amorosas com outra mulher. Para vingar-se dele, Massaricado cede aos pedidos de um índio que tinha a faculdade de virar arara. Tupana surpreendeu-os e matou o índio. Massaricado tornou-se pedra.

Nas lendas registradas por Barbosa Rodrigues (*Poranduba Amazonense, Anais da Bibl. Nac.*, XIV) em Pará e Amazonas, uma das coleções mais completas e típicas, não há a menor alusão a Tupã.

Quem tenha estudado detalhadamente os mitos indígenas do Brasil, ouvido o silvícola, deduzidas as tradições de sua história complexa, terá a conclusão de que eles foram quase sempre observados através da lua europeia, da alma europeia e da mentalidade branca. Nós, inconscientemente, fazemos da nossa moral e costumes, dos nossos dogmas religiosos e padrões estéticos, outros tantos pontos de referência para ajuizarmos o nosso irmão da mata. O resultado é conseguirmos um ser deturpado, misto de malícia e pavor, de bestialidade feroz e de ingenuidade encantadora. Creio que é erro. O índio não é problema desde que o olhamos com os olhos indígenas.

Um desvio inicial que retarda tanto a compreensão da psique ameríndia é sua teogonia que julgamos complexa e pueril.

Nós começamos a orar, venerar, temer e amar, a sabermos a origem da espécie e do mundo, dirigindo-nos continuamente a um Pai, Deus-Pai. O primeiro Ser, o Supremo Ser, o Que sempre Foi e Será, é um Homem.

Com os índios é isso mesmo às avessas. É um ser feminino, a Mãe, Ci. Acreditavam os índios que tudo no mundo, vegetal, animal, mineral, possui sua criadora, protetora e guiadora eterna. Têm a Mãe do vento, das pedras, dos frutos, de cada tipo de peixe, de insetos, de aves, árvores, estrelas, vermes, cobras, fantasmas. Há a mãe da mandioca como há a mãe da coceira. Tudo tem Mãe e esta gerou seus filhos sem a necessidade do elemento viril. Todos os indígenas sabem de cor a Mãe disto e daquilo, mas ninguém sabe o nome do Pai. O Pai é um detalhe inútil. Ci sempre desconheceu o segredo da reprodução sexuada.

Eis por que na teogonia tupi todos os grandes deuses são femininos. O Sol é Goaraci, Mãe deste Dia, mãe dos viventes. A Lua é Mãe-nossa, mãe dos vegetais. A tradição das virgens-mães é contínua na América como na África e Ásia. O fecundador desses Ci é um ser que ainda não preocupou a inteligência selvagem. Indicar o aéreo Tupã para esse mister é apenas uma hipótese sem a mais longínqua documentação lendária ou erudita.

Devia haver, abstrata e vaga, a noção de um Ser Supremo. Mas, como Olurum vive através dos seus "orixás", bem podia esse Criador atuar por um de seus atributos, o sol, o trovão, a luz, a chuva. Infelizmente nenhum Pajé acedeu em conceder uma entrevista detalhada. Tido como ministro de Satanás, aderiu, fugiu ou morreu, levando seu segredo para o silêncio perpétuo. Devia haver o Ser Supremo, mas este pertenceria a uma classe minoritária, restrita, de eleitos, capazes do entendimento, velhos iniciados nos meandros do suprarreal. Tupã, deus longínquo e sem a indispensável moldura do sacerdócio, só teve as honras das oblatas quando os abaúnas desceram das naus e plantaram, no solo vermelho da Pindorama, a cruz de Cristo.

Tupã era primitivamente o trovão e depois o ente que o governava. Na teogonia brasileira não era citado e quando aparecia era em lugar secundário. Não encontraram mais sua história nem suas aventuras, além das burlescas e trágicas de Brandão de Amorim. Não tinha Pajé, nem dança, nem festa, nem cerimônia, nem crentes, nem tradições. Foi aproveitado pela inteligência catequista, como noutros países o fizeram, para antepor-se à religião local e dominante. Os elementos colonizadores e posteriormente o curiboca, além da população aborígine cristianizada, aceitaram e propagaram o mito artificial de Tupã e ele foi o único a ser tolerado e prestigiado. Popularizado nas orações feitas pelos jesuítas, passou para a literatura como o Deus dos Índios Brasileiros.

O Sr. Gabriel Gravier, Presidente da Sociedade Normanda de Geografia, publicou um *Étude ser le Sauvage du Brésil* (Paris, 1881). À p. 47 escreve:

Tupan *est um Dieu excellent, puissant et terrible, Il se manifeste, comme le Jehovah d'Israel, par le tonnerre et l'eclair. Il est partout, il a tout fait. Son nom signifie* qu'est-ce. *C'est le* Deus Incognitus *des Latins.*

Essa foi a mentalidade que divulgou Tupã para os eruditos da Europa. Findo o impulso cristianizador o movimento não se deteve e Tupã continuou, deformado e canhestro, no seu trono inexpressivo. Nunca merecera do indígena um gesto espontâneo de pavor ou respeito. Isto basta. Não há Deus sem liturgia.

JURUPARI[10]

Nos autores que estudaram a religião indígena há dois nomes para Jurupari: Diabo e Pesadelo. Os cronistas padres do Brasil colonial fizeram convergir para Jurupari todas as ações maléficas do Novo Mundo. A luta da catequese desenrolava Tupã das vacuidades nebulosas em que sempre vivera para fazê-lo sinônimo teológico de Deus e arrolava Jurupari na lista dos deuses mais bárbaros, hediondos e depravados. Os estudiosos deduziam que o nume selvagem era o Pesadelo. Nenhuma pesquisa. Nenhuma dedução. Nenhum exame. Há uns cinquenta anos Jurupari emergiu do silêncio e retomou seu lugar na primeira fila dos temas ameríndios.

Fora ele o deus máximo, o deus-popular, a maior tradição socioguerreira do Brasil colonial. Quando sua religião não estava integral, vivia modificada, mas vivia no ritmo de cada maracá estrugindo nos silêncios rituais da ocara. Prescrições do seu ritual passam de tribo em tribo assimiladas nas crenças locais, determinando outra direção religiosa na vida tribal.

Jurupari-Diabo. Tupã-Deus

Naquele tempo a crença no poder do espírito maligno era tão grande, que Satanás representava na vida humana um papel quase tão importante como o do próprio Deus [escrevia Couto de Magalhães].

Os conquistadores vieram encontrar o Demônio reinando nas terras descobertas. *Miserrimi nostri Barbari in hac etiam vita misere ab Cacodaemone*

---

10 Documentário: Stradelli e dom Frederico Costa, bispo do Amazonas.

torquentur, gemia Jean de Léry para os tupinambás cariocas. Frei Ivo d'Evreux batiza o capítulo XIII de sua *Viagem ao Norte do Brasil* com o dístico "Claros Sinais do Reinado do Diabo no Maranhão". O irmão Antônio de Sá, em carta de 13 de junho de 1559, narrava episódios assombrosos aos irmãos do Espírito Santo:

> O caso é o seguinte: Tinha Vasco Fernandes, nosso Principal, um filho por nome Manemuacu, o qual estava mui doente na aldeia da vila. Estando ele assim, uma noite de grande tempestade o tomaram os demônios em corpo, e com grande estrondo o levaram arrastando e maltratando.
>
> O padre Braz Lourenço foi consolar (ao pai do Manemuacu) dando-lhe esperança que, se não era morto, que ele apareceria, como de feito daí a três dias apareceu... O pobre Índio contava que, depois de havê-lo posto no porto de João Ramalho, o levaram a Santo Antônio com tanto ímpeto e clamor que a si mesmo não se podia ouvir nem entender; daqui o puseram no porto de Jaravaia e por concluir diz que o puseram entre muitos outros onde se fizera muito mal. Aqui viu muitos fogos e mui horríveis. Finalmente, depois de todos estes martírios, o arrojaram entre uns mangues, onde se maltratara muito e ficara fora de si com tantos tormentos como passara, que por isso não conhecia aos seus quando deram sobre ele e fugia deles como se foram demônios. Tudo isto permite o Senhor para que venham a conhecimento da sua Lei, considerando perverso o domínio do Demônio (*Cartas Avulsas*, XXVIII, Edição da Academia Brasileira de Letras, Rio de Janeiro, 1931, pp. 214/215).

Todos creem que os Pajés falam comumente com o Diabo, a viva voz, ou sob a forma de corujas e morcegos. D'Evreux conheceu um Pajé que confabulava longamente com Satanás que tomava o corpo de um andira (morcego), que o bom frade dizia ser um pássaro noturno. Cláudio d'Abbeville narra outros fatos alusivos ao predomínio satânico na França equinocial.

O Diabo estava em toda a parte. Aconselhava, dirigia, trabalhava como servo, ajudava. Sabiam até *fazer* um demoniozinho e alimentá-lo de sangue humano, sugado pelo dedo mínimo, ou sustentá-lo com azeite doce. As judias e ciganas tinham o monopólio desse fabrico assombroso. As bruxas podiam tanto quanto os bispos e os ricos mercadores. Com as trevas da noite as cidades coloniais eram sacudidas pelos uivos dos bichos assombrosos, nascidos pela vontade dos feitiços, no fundo do mistério.

Para ter-se uma visão da mentalidade, basta a leitura das atas e depoimentos de Visitação do Santo Ofício na cidade do Salvador e Pernambuco. Paulo Prado publicou dois tomos e a Sociedade Capistrano de Abreu um outro. São "instantâneos" sem retoque da época e dos meandros por onde escorria uma fé detalhista, sinuosa, pragmática e hirta. Fernão Cardim, ex-provincial, jesuíta culto, inteligente, cronista delicioso e claro, reitor do Colégio da Companhia de Jesus, denunciou Jorge Martins pelo crime de ter dito que Deus tinha mão direita. O vigário de Tassuapina, padre João Fernandes, denunciou a João Batista por este ter dito que *justo só Deus*, esquecido que a Virgem Maria, São João Evangelista foram justos e o são assim como o velho Simeão é tido pela Igreja como *vir justus et timoratus*. A feiticeira Maria Gonçalves, conhecida por "Arde-lhe o rabo", estava convencidíssima de conversar todas as noites com os diabos. Toda a Europa tremia com medo do Senhor das Trevas. Ainda na primeira metade do século XVIII, dom João V de Portugal e o cardeal da Mota, secretário de Estado, mandavam as negras da Guiné fazer amuletos contra o mau-olhado.

O "monitório" do bispo inquisidor geral, dom Diogo da Silva, bispo *in partibus* de Ceuta, datado de Évora em 18 de novembro de 1536, denuncia a extensão dos poderes satânicos e sua estreita convivência com cristãos. O Diabo fornece material para amplos "itens" que devem ser trazidos à barra do Santo Ofício por quem saiba ou ouça dizer. Aqui está um "item" expressivo:

> ... se sabeis, vistes ou ouvistes, que algumas pessoas, ou pessoa, fizerão ou fazem certas invocações dos diabos, andando como bruxas de noite em companhia dos demonios, como os maleficos feiticeiros, maleficas feiticeiras costumão fazer, e fazem, encomendam-se a Belzebu, e a Satanás, e a Barrabás, renegando a nossa santa Fé Católica, oferecendo ao Diabo a alma ou algum membro, ou membros de seu corpo, e crendo em ele, e adorando-o, e chamando-o, para que lhes diga coisas que estão por vir, cujo saber só Deus todo poderoso pertence.

Sabemos de processos longos em que os réus confessam comunicação noturna com o Diabo, negócios, as festas do Sabat, relações sexuais, minuciando os aspectos físicos de Satanás.[11] Com todas as doutrinas negativistas que lhe dão o domínio da terra, o Homem, exilado do Céu, procura-o sempre, pelos melhores ou piores caminhos da esperança ou da materialidade.

Na luta da catequese os jesuítas se convenceram de que a argúcia dos Pajés e seus conhecimentos médicos, meteorológicos e topográficos,

---

11 Os processos sobre as relações com o Diabo são inúmeros. Um dos mais curiosos e expressivos é o *Procès faict en 1616 à des sorciers en la chastellenie de Brecy*. Ver o interessante livro de B. Warée — *Curiosités Judiciaires*, pp. 366/8, etc. Paris, 1859.

deviam vir do Demônio, padroeiro dos irreligiosos. O indígena não tinha oração nem tributo pessoal para a divindade. Tudo se fazia coletivamente e sob a direção do Pajé decrépito. A campanha catequizadora orientou-se contra o Pajé como para uma vertente lógica por onde todas as águas malsãs escoavam envenenando os ares limpos. Não conheciam Deus. Era o depoimento unânime dos cronistas. Nem uma fé têm, nem adoram a deus algum (frei Vicente do Salvador). Esta gentilidade nenhuma coisa adora, nem conhecem Deus (padre Manuel da Nóbrega). Além de não revelarem conhecimento nenhum do verdadeiro Deus, não adoram nem confessam deuses falsos, celestiais ou terrestres (Jean de Léry). Nenhuma criatura adoram por Deus (padre Anchieta). Este gentio não tem conhecimento algum de seu Criador, nem de coisa do céu (padre Fernão Cardim). Não adoram coisa alguma (Pero de Magalhães Gandavo). Não tinham espécie alguma de religião (Cláudio d'Abbeville). Sem fé, sem lei, sem religião (André Thevet).

Religião subentendia rito, cerimônias, liturgia. Assistindo às danças, cantos e reviravoltas, o catequista convenceu-se de presenciar uma seita de contorcistas endemoninhados sob o maracá estrugente do Pajé. Desmoralizar Jurupari era tão urgente quanto arredar o culto absorvente de Xangô, para os nagôs. Jurupari foi sendo apresentado, indiciado, denunciado, como um legítimo sinônimo de Satanás. Tanto d'Evreux o chama demônio vivo, encarnação autêntica das Trevas, como o protestante Marcgrave irmanava-o ao Anhanga e ambos diziam apenas um sinônimo diabólico, *Jurupari et Anhanga significant simpliciter diabolum.*

Era necessária a existência de um *Deus Ignotus* para a completa compreensão da palavra heroica dos missionários. Devia haver, existir e agir algum "morai" indígena, um ser vago, sem contorno e ortodoxia, sem fixação doutrinária, deus imóvel e sem atuação, sinônimo impreciso das trovoadas tropicais, possível confusão verbal que pedia a atenção de um Max Müller ou Alfredo Trombetti. Essa vacuidade luminosa e reboante nunca pertenceu ao hagiolário ameríndio anterior à vinda dos católicos às terras verdes da Pindorama brasileira.

As orações em tupi, escritas pelos padres, mencionam sempre Tupã como Deus. É a mesma história cristã. Filho de mulher virgem, de nome Maria, Tupã não casou, é puro, simples e bom, ama o pobre e está morando acima das estrelas, no alto dum trono, cercado de Maratás (santos). As prédicas do franciscano Ivo d'Evreux no Maranhão, como as orações e autos populares de Nóbrega e Anchieta, da Bahia a São Paulo, conduziram

Tupã a uma canonização apressada e definitiva. Onde influiu o prestígio da catequese aí caminhou Tupã. Como o idioma tupi, o nhengatu ou o abanhenga, foram igualmente uma espécie de língua diplomática, estudada pelos padres, falada pelos colonos, Tupã, única divindade no bojo sonoro da linguagem, andou por todos os lábios. Sua área de influência é a maior do continente. Abrange toda América do Sul.

Curioso é não ter o Pajé astutíssimo procurado reter nas mãos engelhadas o domínio religioso que lhe escapava. Nunca tratou Tupã como um deus familiar ao seu conhecimento, tentando opor-se ao avanço poderoso do abaúna. Nóbrega, além de criar um deus bárbaro que falava pelos trovões como Iavé no cimo relampejante do Sinai, enfrentou o Pajé com identidade de tática. Orava e pregava aos catecúmenos e indiaria simpatizante, cantando e saltando, com o maracá estridente na forte mão que os santos óleos haviam sagrado para sempre.

Definida a noção de Deus era inevitável a compreensão antônima do Diabo. Essa concepção só aparece quando um dos elementos se define claramente. Teodoro Sampaio observou entre os Craôs do rio Preto, na Bahia, *Rev. Inst. Hist. Bras.* LXXV:

> Nos primeiros tempos, antes de reduzidos, os Craôs não davam mostras de terem um culto ou religião; mas depois de submetidos e em contacto com os brancos parece que adquiriram noções de um Ente Supremo, a que denominam *Ipana*, gênio bom, em oposição a um gênio mau, a quem chamam *Om'Tuí*.

Pela impetuosidade do combate medimos o valor do inimigo atacado. Jurupari foi escolhido para encarnar a personalidade demoníaca e responder por todos os malefícios causados às tribos. A impressão dos historiadores eruditos é que Jurupari é tudo. Ele é o Diabo desviador. Somente a ele temiam, mas não adoravam mais a nada até que a catequese revelou Tupã do alto das nuvens reboadoras.

> Se porém os Tupis não adoravam a nenhum Deus, não deixavam de temer supersticiosamente a influência de mais outros entes malignos, a que davam os nomes de Anhangá, *Jeropari*, Curupira, Caipora e outros (Varnhagen — *História Geral do Brasil*, 1º tomo, 2ª ed.).

No Diálogos das Grandezas do Brasil (edição da Academia Brasileira de Letras, eruditamente dirigida pelo sábio Rodolfo Garcia), *Juruparim* aparece como sendo a única entidade assombradora para os índios naquele remoto século XVII. Gaspar Barléu chama-o *Irupari* e, na forma de Marcgrave, rotulou-o de Diabo. Em 1613, *Jurupari* assumira o posto de Diabo com todas as honras e prerrogativas intrínsecas. Havia, naturalmente, a fusão do mito ameríndio com os detalhes europeus que cercam a figura de Lusbel:

> Pesam que os diabos estão sob o domínio de *Jeropary*, que era criado por Deus, e que por suas maldades Deus o despresou, não querendo mais vel-o e nem aos seus. Dizem também que *Jeropary* e os seus tem certos animaes, que nunca se vê, que só andam a noite, soltando gritos horriveis, que abala todo o interior (o que ouvi infinitas vezes) com os quaes convivem, e por isso os chamam *Soo Jeropary*, "animal de Jeropary", e creem que estes animaes servem aos diabos ora de homens ora de mulheres, e por isso nós o chamamos Succubes e Incubes, e os selvagens Kugnam Jeropary, *a mulher do Diabo*, Aua Jeropary, *o homem do diabo*.
>
> Há tambem certos passaros nocturnos que não cantam, mas que tem um piado queixoso, enfadonho, e triste, que vivem sempre escondidos, não sahindo dos bosques, chamados pelos indios Uyara Jeropary *passaros do diabo*, e dizem que os diabos com elles convivem, que quando põem é um ovo em cada lugar, e assim por diante, que são cobertos pelo Diabo, e que só comem terra (Ivo D'evreux — *Viagem ao Norte do Brasil*, pp. 292/293. Cap. VIII, Rio de Janeiro, 1929).

Esse espantoso pássaro que era macho e fêmea do Diabo, de canto lúgubre e hábitos solitários é o Urutau, a Mãe-da-lua do nordeste brasileiro (*Nyctibius griseus*, Gm), ave que fornece largos temas ao fabulário sul-americano.[12]

Ainda no século XVIII um outro caprimulgus era dado como sobrenatural e adorado pelos índios. Falando da pacificação dos Orizes, indígenas ferocíssimos do sertão baiano, escrevia Joseph Freyre de Monterroyo Mascarenhas em 1716 ("Os Orizes Conquistados" *Revista do Instituto Histórico Brasileiro,* VIII):

> ... reconhecem e adoram por Deus a coruja chamada na linguagem *Oitibócupuaâba*; e o motivo da sua adoração consiste no benefício que recebem desta ave, que, naturalmente inimiga das cobras, numerosíssimas naquele país, as espia nos matos e lhes tira a vida.

---

12 Lehmann-Nitsche compendiou no seu *Las Tres Aves Gritonas* (Buenos Aires, 1928) o melhor das tradições, cotejos e comentários sobre o Urutau, o Carau (*Aramus scolopaceus caráu,* Vieill), que é o nosso Carão, e o Crispim (*Tapera naevia chochi,* Vieill) é a nordestina Peitica, no sul do Brasil, Sem-fim e Saci.

Esse Oitibó é o Noitibó (*Caprimulgus grandis*, Mart). Todas as Strix eram dadas a Satanás porque voavam à noite e viviam na solidão do mato virgem. Jurupari, naturalmente, figurava como chefe.

Ainda em 1834, Muniz e Souza, em viagem pelo Brasil central, notava, sobre os índios:

> Quanto à religião duvido qual adotem e só sei que seguem uma seita oculta denominada *Juruparim*.

Fiado Satanás em Jurupari cunhou-se moeda idiomática para os atributos demoníacos que passariam como fazendo parte do ex-deus dos aruacos. No nhengatu surgiram vocábulos que os primeiros catequistas desconheciam. Foi necessário arranjar expressões que desenhassem a crença nova de Tupã. O indígena não sabia o que vinha a ser inferno. Ignorava o fogo satânico, o demônio, os tormentos causados pela combustão do enxofre. Foi preciso adaptar tudo. Jurupari ficou sendo um radical. *Jurupari-tatá*, Fogo de Jurupari, é o fogo eterno. *Jurupari-tatá-pora*, morador do fogo de Jurupari, era o Diabo. O circunlóquio denuncia a inexistência do termo e sua ideia para a mentalidade indígena. Para Inferno o trabalho inda devia ter sido maior. Arranjou-se *Jurupari-tatá-retama*, a região, o lugar do fogo de Jurupari. O enxofre era apenas *Jurupari tepoti*, o ecremento de Jurupari. Esse vocabulário (registrado em Stradelli) é trabalho intelectual, erudito, artificial. Surgiu para a função religiosa. Não pertencera ao linguajar de nenhuma tribo.

Quando Jurupari era Deus...

O culto era vasto e complexo. Devia sofrer modificações locais de religiões anteriores. Conservado em relativo estado de pureza por algumas tribos, estava em maioria de todas suas cerimônias alguns detalhes do ritual, instrumentos, as danças sagradas. Quando, ainda hoje, uma tribo fala nos seus velhos deuses é Jurupari o nome citado. Falar em Tupã é fase intermediária para a cristianização. Certos aspectos do culto de Jurupari vêm passando os séculos sem alteração. No *Diário* do jesuíta Samuel Fritz, de São Joaquim a Belém do Pará (*Revista do Instituto Histórico Brasileiro*, LXXXI), o missionário dos Omaguas descreve uma cena de flagelação religiosa em 1689:

Notável foi o que então averiguei nesta aldeia dos Jurimaguas, e foi que em um festim que celebravam, ouvi, do rancho onde pousava, tocar uma flauta que me causou tal susto que não pude sofrer seu som; mandei que deixassem de tocar aquela flauta; perguntei que era aquilo, e me responderam que dessa maneira tocavam e chamavam à Guaricana, que era o Diabo, o qual desde o tempo de seus antepassados, visivelmente vinha e assistia em suas aldeias, e lhe faziam sempre sua casa separada da aldeia, dentro do bosque, e ali lhe levavam bebidas e os enfermos para que os curasse. Fui perguntando com que cara ou figura vinha. Respondeu-me o curaca chamado Mativa: "Padre, não o posso explicar, só sei é que é horrível, e quando vinha todas as mulheres e meninos fugiam, somente ficavam os grandes, e então tomava o Diabo um açoite, que para o fim tínhamos preparado, de uma correia de couro de Vaca-Marinha, e nos açoitava no peito até tirar muito sangue. Na ausência do Diabo o açoitador era um velho, do que nos ficaram grandes cicatrizes nos peitos. Fazíamos isto, dizem, para sermos valentes.

Numa reportagem publicada em fins de 1934 na *Revista da Semana* (Rio de Janeiro) pelo Cel. Lima Figueiredo, intitulada "Nas raias colombianas", alude-se à cerimônia que o padre Fritz vira em 1689:

Os índios costumam vergastar-se reciprocamente com o adabi nas festas de Jurupari.

O Coronel Boanerges (Boanerges Lopes de Souza) notou, em todos os sítios do Uaupés e em alguns do Içana, feixes de açoites presos ao teto das choças. Todos se sujeitam ao sacrifício do adabi; até as mulheres, que apresentam fortes lanhos no busto.

Era interessante sabermos por que os íncolas fazem uso de tão bárbaro costume. A nossa curiosidade foi em parte satisfeita. Dizem os índios que se sujeitam à surra para adquirir a virtude e o poder de Jurupari, o deus da floresta. Outros arengam que o sacrifício é um legado de honra que receberam de seus antepassados, uma penitência que Jurupari exige de seus adeptos. Finalmente uns terceiros entram na sova somente por tradição, sem saber o motivo por que se martirizam.

O cotejo responde pela continuidade da prática religiosa. A festa em 1934 deve ser um dabucuri, onde mulheres e homens se podem reunir, beber, dançar e flagelar-se mutuamente, com finalidades religiosas que não excluem o erotismo. Numa cerimônia ritual, com audição dos instrumentos sagrados, nenhuma mulher se atrevia a arriscar um pé fora das choupanas, sob pena de morte.

Maracás — Quando estudaram o tosco ritual dos Pajés, o primeiro que feriu a curiosidade europeia foi o infalível maracá, sacudido furiosamente pelos empenachados feiticeiros amerabas.

Os padres Nóbrega e Fernão Cardim dizem que o Pajé chegando, depois de recepções festivas de toda maloca, trazia uma cabaça e a levava para um quarto escuro. Aí cantava e dançava e profetizava, fazendo crer que a cabaça ("que traz em figura humana em parte mais conveniente para seus enganos", afirmava Nóbrega) é quem falava. O Pajé devia ser um pouco ventríloquo. Não é menos explícito o depoimento de Anchieta:

> ... costumam pintar uns cabaços com olhos e boca, e os têm com muita veneração escondidos em uma casa escura para que aí vão os índios levar suas ofertas (*Informação do Brasil e de suas Capitanias*).

Os maracás (*marã*, falsa, cá, cabeça, a cabeça falsa, a cabeça fingida, de fingimento, de imitação, segundo Teodoro Sampaio) eram a representação das cabaças onde o Pajé tentava evocar os traços de Jurupari. As cabaças não podiam sair à luz, ao passo que os maracás eram conduzidos solenemente e presidiam, com seu ritmo, a perfeição dos cânticos e das danças votivas.

O padre Simão de Vasconcelos (*Crônica da Companhia de Jesus*, Liv. IIº cap. C) descreve um maracá como tendo a conformação duma cabeça humana, com orelhas, cabelo, olhos, boca, nariz. Dentro punham folhas de tabaco ou outras aromáticas. Com o maracá na mão o Pajé saltava e cantava diante dos índios guerreiros reunidos em círculos. O maracá era a suprema inspiração e, tomando o efeito pela causa, o altar pelo orago, o índio tinha tanto respeito ao maracá quanto ao Pajé.

Quando Hans Staden foi feito prisioneiro e levado para Ubatuba, conduziram-no imediatamente a uma cabana e deixaram-no aí, com mulheres e crianças. Os homens foram a outra cabana:

> ... para beber cauin diante do maracá, deus em cuja honra entoaram cantos por lhes ter proporcionado a minha captura. Durante meia hora ouvi tal música sem que nenhum homem surgisse em minha cabana; só havia ali mulheres e crianças.
> ....
> ... os maracás lhes haviam profetizado a captura de um português.
> ....
> ... me declararam melhor profeta que seus maracás.

Jean de Léry não difere em suas observações:

> ... adornam com as mais belas penas que encontram os seus vários maracás.
> ... Costumam trazer esses maracás sempre nas mãos, e dizem que quando soam algum espírito lhes vêm falar.

Os Carnijós de Águas-Belas, Pernambuco, foram visitados por Mário Melo, que os descreveu (*Rev. Inst. Arqueológico Pern.*, V-XXIX. Recife, 1930) chamam a si mesmos Fulniôs, e Carlos Estêvão de Oliveira identificou-os como pertencendo ao grupo Gê, assim como o Sr. Tomaz Pompeu Sobrinho (*Rev. Inst. Hist. Ceará, tomo* XLIX, p. 189). Os Fulniôs têm um culto misterioso que realizam em reuniões denominadas *ouricuri* e onde Jurupari é venerado. Os Fulniôs usam maracás. Informa Mário Melo:

> Esses maracás são sagrados, passam de geração a geração e vivem sob a guarda de dois carnijós legítimos, eleitos no ouricuri. Não há preço para comprá-los e nenhum profano pode tocá-los.

O que o conde Stradelli observara no rio Negro nos fins do século XIX, Mário Melo encontrou no sertão pernambucano de 1928. Ainda ardem os velhos numes pró-coloniais no ouricuri dos Fulniôs. Ausências de mulheres em certas festas, instrumentos-tabus, necessidade de iniciação, mistério para os brancos e profanos. Naturalmente exotismos veiam a passada crença. Já não mais existe o Pajé. Atua um chefe civil, o Iaticá, o sinônimo dos tuixauas no idioma nhengatu.

Facilmente esses maracás têm sido indicados como sendo ídolos. "Seguramente o maracá era um ídolo", escreveu o professor Angione Costa fiado em Hartt. O engano é secular. Antônio Pires de Campos, desbravador dos sertões mato-grossenses, assim descrevia, em 1723, uma cabana de *ídolos* Parecis. A citação vale ainda para mostrar a persistência de Jurupari onde sua existência inda não foi sequer suspeitada:

> ... também usam estes índios (*Parecis*) de ídolos; estes tais têm uma casa separada com muitas figuras de vários feitios, em que só é permitido entrarem os homens; as tais figuras são mui medonhas, cada uma tem sua buzina de cabaço que dizem os tais gentios, serem das figuras, e o mulherio observa lei tal, que nem olhar para estas tais cousas usam, e só os homens se acham nelas naqueles dias de galhofa, e determinados por eles em que fazem suas danças e se vestem ricamente (*Rev. Inst. Hist. Bras.*, XXV, p. 443).

Evidentemente os ídolos eram apenas máscaras e as buzinas, de cabaço maracás. Karl von den Steinen retificou: "Antônio Pires interpretou a máscara naturalmente como ídolo e a taba de festa como templo". Roulox Baro, o holandês que foi representante da Companhia das Índias Ocidentais entre os Janduís nordestinos, substituindo o torvo e famoso Jacob Rabi, dizia, assombrado, que o maracá era o diabo dentro de uma cabaça... *le Diable, qui fe faifoit porter dans vne calebaffe.*

La maracá n'était pas une chose sacrée en elle-même, escreveu A. Métraux estudando a religião dos Tupinambás. Sua literatura é longa e compreende todos quantos se dedicaram ao registro das festas rituais indígenas. Magnificamente Métraux sintetiza a *history* do maracá passando de *simple réceptacle de l'esprit* a uma figuração material da divindade evocada. Hans Staden é peremptório. Confessa que os indígenas creem nos *Tammaraka* que são deuses. O Pajé consagra cada *tammaraka* (ita-maracá, maracás de pedra) com exalações demoradas de *bittim, petym, petum* (tabaco). Depois desta cerimônia cada maracá vale um deus (Hans Staden — *Viagem ao Brasil,* parte segunda, cap. XXII, pp. 153/154 da edição da Academia Brasileira de Letras). Ver ainda os dois livros de Métraux, *La Religion des Tupinamba, etc.* (Paris, 1928, pp. 72 e segs.) e *La Civilisation Matérielle des Tribus Tupi-Guarani* (Paris, 1928, pp. 224 e 259/60). Erland Nordenskiold, estudando o material geográfico e etnográfico das culturas de duas tribos do *gran Chaco,* os Ashluslay e Choroti, analisou definitivamente a área do maracá, com bibliografia e mapa de influência. Ver o *Eine Geographische und Ethnographische analyse der materiellen Kultur zweier Indianerstämme in el Gran Chaco* (Göteborg, 1918, p. 117, mapa 31).

O maracá, além de sua função precípua que é ritmar a dança sagrada cuja importância visceral e completa é conhecida pelos americanistas, é ainda um *complexus,* reminiscência dos sacrifícios rituais dos prisioneiros, dando a redução naquele símbolo, a falsa-cabeça, *mara-acá.* Nenhum culto estava ligado intrinsecamente ao maracá. É um instrumento insubstituível dos dabucuris e forçosamente sua antiguidade e extensão do uso o fazem mais venerado. De conhecimento quase universal, popular em três continentes, nunca mereceu as honras idólatras dos seus manejadores. Sempre foi um recordador de compasso, um animador de ritmos, trazendo para o poracé das festas um sonido que lembrava as horas sagradas de Jurupari. É um emblema. Nunca uma materialização.

Máscara de Dança. Foi outro elemento desnorteador. Os Tupis desconheceram e nas tribos onde a máscara aparece já se sabe que foi o aruaco quem a levou e introduziu. Creio que ela, entretanto, surgiu num período relativamente recente, séculos XV-XVI. Outrora a cerimônia era puramente evocativa, cerimônia religiosa a Jurupari ou oblacional de pesca e caça, sem que se lançasse mão de formas brutas de corporização. A máscara já denuncia o período antropomórfico com trabalho premeditado para a representação de alguma coisa reverenciada. Koch-Grünberg estudou as danças mascaradas dos índios do rio Negro e Japurá e mostra como havia grande número significando animais. De animais também foram as vistas pelo naturalista Rodrigues Ferreira. Não fio serem zoolatria mas apenas danças evocando cenas de caça e de pesca nas quais um índio vive o papel do animal caçado. Essas danças existem em toda a parte do mundo sem que o animal abatido tenha culto. Nem a máscara signifique ídolo. A dança do veado, a dança da paca, a dança da cutia, a dança do pirarucu, correspondem ao "passo do camelo", à marcha do Canguru, ao *fox-trot*, ao passo da raposa.

Jurupari possuiu máscaras. O barão de Santana Neri fala numa máscara de Jurupari feita com pelo de macaco *et qui doit être probablement le symbole de la cuirasse portée par le guerrier vainqueur des femmes*. Stradelli viu no rio Uaupés (rio Negro, Amazonas) máscaras tecidas com cabelo feminino. Nas lendas indígenas o cabelo feminino é o mais forte de todos os liames.

No rio Negro, Santana Neri lembra que a máscara não podia ser vista por mulher sob pena de morte. Mesmo os homens necessitavam de iniciação no rio Içana. No Uaupés, independia, o que deve ser engano de Santana Neri. A máscara ficou sendo uma ideia positiva da possível fisionomia do endeusado tuixaua ameraba. As mulheres, que não podiam ouvir sequer os sons dos instrumentos sagrados, estavam obrigadas a fugir desde que lhe fosse exibida a máscara de Jurupari. Stradelli conta que o franciscano frei F. Coppi escapou milagrosamente de ser massacrado em Ipanoré por ter mostrado, do púlpito, a máscara do nume aterrador. Esse fato é de 1883. Há poucos anos sucedeu o mesmo numa missão salesiana no rio Negro.

Maracás e máscaras não são elementos privativos do culto de Jurupari. Acredito que o maracá seja um dos mais antigos instrumentos. A máscara devia ter vindo posteriormente e figurado nas danças sagradas depois de haver simplesmente servido para os bailados de caça, alegria de muitas peças abatidas, abundância, esperança de ampla carnagem. Salvo melhor juízo...

Instrumentos sagrados do culto de Jurupari parecem uma característica. São tidos como tabus. Jurupari é dado como "deus musical", "deus dos sons". Alf. Russel Wallace dizia-o *devil-music*. Só os homens iniciados podem ouvir e tocar. A mulher que lhes escutar o som está condenada à morte pelo veneno, sendo homem não iniciado, morrerá a golpes de tacapes, cuidaru e bordunas.

Na lenda que Max. J. Roberto recolheu (Roberto era descendente de tuixauas Tarianas e foi um grande sabedor dos idiomas nativos) e que Ermano Stradelli publicou (*Leggenda dell'Jurupary*, Bollettino della Societá Geografica Italiana, luglio, Roma, 1890, pp. 37/38), enumera-os a todos.

É a relação mais completa de meu conhecimento. São quatorze. Cada qual está ligado a uma passagem na vida do herói e recorda aspectos de sua odisseia. Cada qual tem um nome num idioma diverso. Assim falou Jurupari:

> Ualri, *do meu tamanho*. Ualri é um tamanduá.
> Yasmecerené, *do tamanho de minha perna*. É jaguar, em tariana.
> Bêdêbo, *do tamanho do meu peito*. Lontra, em cabéua.
> Tintabri, *longo como meu braço*. Urupigio, em uaupés.
> Mocino, *é como a minha coxa*. Grilo em arapazo.
> Arandi, *como dois braços*. Ara, papagaio, em pira-tapuia.
> Dasmae, *tem dois pés de comprimento*. Em língua aruaca é turturilha.
> Piron, *largo como três das minha mãos*. Em Jurupixuna é águia.
> Dianari. Em uinambí-tapuia é um pássaro negro.
> Tití. É paca no idioma baníua.
> Ilapay. Em cueuana é tarchyra, formiga.
> Peripinacuári. Em uaupés é um pequeno pássaro cantor, Ten-ten.
> Buê. Em cobéua é o aguti.
> Canaroarro. Saúva, na língua dos índios Manau.

Parece que nem todos esses instrumentos foram usados.[13] A crônica indígena e as lendas se referem sempre a duas espécies de trombetas,

---

13 O bispo do Amazonas, Dom Frederico Costa, estudou claramente o culto de Jurupari em Carta Pastoral, 1909. As mulheres que têm a desgraça de ver um só dos instrumentos sagrados estão perdidas. Escreve S. Excia... *é sabido que os índios absolutamente não dispensam a mulher que vê o tal instrumento: cedo ou tarde, violentamente ou por veneno, matam-na* (p. 55).
Sobre os instrumentos informa o prelado (p. 54):
"Há diversas espécies de Juruparis que variam segundo diversas tribos. O primeiro, comum a todas, é uma vestimenta feita de pelo de diversos animais, de várias cores, representando um verdadeiro demônio. A tribo Piratapuia tem os seguintes: Acoti, Suruquã e Acotipuru. Os Tucanos têm o Tariira, que imita o ronco do trovão; o Maçarino, o Uirapuru, o Arara e o Dopero. Entre os Baniuas encontra-se os seguintes: Uari, no qual tocam peças diferentes e até falam, feito de três pedaços, o primeiro de três palmos, o segundo de três palmos e meio e o terceiro de quatro palmos; Depa, Mamanga, Suaçu, Jacamim, Uacari, Cuido, Tucano, e Mana. É célebre e digno de atenção este último. É pequenino e tem a voz fina. Conversa e adivinha quando a donzela se há de casar, se o marido há de ser moço ou velho, se há de ser feliz ou infeliz, e se é homem ou mulher a criança que vai nascer. Embora não se realizem as predições, nem por isso deixam de acreditar piamente em tudo quanto diz este Jurupari. Existem também o Surubim e o Manaré. Os Macus, embora sejam os mais atrasados na escala da civilização, têm também o seu Jurupari denominado Inambu. Estes instrumentos são guardados preciosamente, ou no centro das florestas ou no fundo dos rios, em lugares completamente ignorados das mulheres."

feitas de madeira, quase sempre pachiúba, passiúa (*Iriartea oxorrhiza,* Mart) com 30, 50, 70 e mais de metro de comprimento, dando um som cavo e profundo. Essa música surgida no negror da floresta é inesquecível e penetrante. Liga-se indelevelmente ao culto de Jurupari. Dão a esse instrumento o nome de *Jurupari.*

> *On donne encore le nom de Jurupary à divers instruments de musique, et particulièrement à une espèce de longue trompette faite de pachiuba* (Santana Neri —*Folk--Lore Brésilien,* p. 244, Perrin. Paris, 1889).

Mário Melo descreve o instrumental dos Carnijós (Fulniôs) de Águas--Belas (Pernambuco):

> ... uma espécie de tuba de um metro ou mais de comprimento, a que chamam *iakitxá.* De diâmetros diferentes, a mais grossa, no diapasão de contrabaixo, serve para a marcação nos primeiros tempos do compasso, enquanto a outra, adequada à escala de barítono, faz o papel do trombone no acompanhamento, em notas mínimas, sempre as mesmas, que os instrumentos não permitem mais de uma.

É um tabu como o *aidje* dos Bororos, que Karl von den Steinen chama *schwirrholz,* traduzido por Teodor Yahn como *sonidor* e identificado pelo professor Basílio de Magalhães como o *berra-boi,* de irritante memória auditiva. A tuba do Jurupari, Alfredo Russell Wallace ouviu em 1852 no alto rio Negro. Stradelli em 1881. Coudreau em 1885.

O Dr. Jorge Hurley conta que em 1880, na povoação de Taracuá, no rio Uaupés, frei José Maria Vilar mandou o índio Ambrósio fazer secretamente um jurupari (instrumento) e exibiu-o do púlpito. Os índios não o mataram porque o missionário se refugiou na sacristia e dificilmente pôde fugir para São Gabriel. O índio Ambrósio morreu envenenado. Em 18 de outubro de 1883 novamente os índios ficaram em revolta pela exibição dos instrumentos sagrados feita por frei Mateus em Ipanoré. Depois de luta, arrancaram o jurupari de pachiúba e o dilaceraram.[14]

As características do culto do Jurupari são: a) Iniciação masculina. b) Exclusão de mulheres e crianças das festas sagradas, iniciatórias e, nalgumas partes, fúnebres. c) Festas para mulheres e crianças. d) Flagelação com

---

14 Ver *Itarãna* (Belém, Pará, 1934, p. 100), cit. Coudreau, cap. "Os mistérios de Jurupari, Deus legislador e da música sob o céu da Amazônia". O autor, com excelente bibliografia, expõe, com argumentação de longos anos de vida local e leituras seguras, a mesma tese deste ensaio.

finalidades disciplinares e rituais. Naturalmente houve deturpação para fins orgiásticos. e) Instituição dos dabucuris, festas de cordialidade entre tribos ou famílias e que, em certas ocasiões, podiam ser assistidas e participadas por mulheres. Wallace assisitiu a um dabucuri privativo de homens. f) O sigilo completo sobre os assuntos da iniciação.

Quando esse conjunto de práticas não se encontra numa tribo, quase sempre um ou mais, estão assimilados.

O local das festas é intransponível para estranhos e pessoas do sexo feminino. Jean de Léry narra as festas em que todos os Tupinambás tomavam parte animada, mas nenhuma mulher, nenhuma criança apareceu. Mário Melo informa que não há *cetissónquia* (moça) fulniô que tenha o atrevimento de passar por debaixo do juazeiro onde os índios fazem o ouricuri (reunião) sagrado. Quando Hans Staden foi levado para a prisão, ouviu o canto dos homens mas nenhuma mulher ousou sair da cabana para assistir à festa masculina. Naturalmente, com o tempo, certas tribos, ou restos de tribos que se amalgamaram, num *colluvies gentium* tendem para a tolerância e com esta o espargimento dos traços outrora essenciais. Assim nos índios que o Dr. Carlos Estêvão de Oliveira estudou no Brejo dos Padres, as mulheres tomam parte em tudo, especialmente nas festas religiosas, inclusive na fabricação e consumo do *ajucá,* a bebida de jurema, segredo do Pajé. A religião estará, possivelmente, como um jogo de *puzzle*, um rosto que é feito de mil rostos despedaçados e coloridos.[15]

Gonçalves Tocantins (*in* Rocha Pombo — *História do Brasil*, Tomo IIº, p. 303) estudando os índios Mundurucus registra a existência dos instrumentos-tabus, tomados sob medida do corpo de Jurupari, defesos ao olhar feminino.

> Durante estas cerimônias (fúnebres), os pajés tocam uma instrumento especial: é uma espécie de corneta a que chamam *caruquê*. Para isto, os pajés se ocultam numa pequena cabana, expressamente construída para este fim, na qual é rigorosamente vedado às mulheres entrarem. Por outro lado, as mulheres supersticiosas evitam por todos os meios a seu alcance lançar a vista sobre aquele instrumento sagrado e misterioso; estão intimamente convictas de que se chegassem a ver, por um instante sequer, o *caruquê*, teriam cometido um sacrilégio, que as tornaria infelizes por toda a vida.

---

15 Carlos Estêvão de Oliveira, diretor do Museu Goeldi, de Belém do Pará, é um perfeito etnógrafo, com a honestidade, a prudência, a cultura e a modéstia de um sábio, de espécie rara quanto a esta última virtude. Seus estudos acima citados foram publicados em resumo na revista pernambucana *Fronteiras*, janeiro-fevereiro de 1938. Manuel Lubambo e Vicente do Rego Monteiro, seus diretores, prestaram mais este serviço às boas letras.

Os Mundurucus são, como se sabe, Tupis. Numa publicação feita em 1916 (*Jornal do Comércio,* Rio de Janeiro) intitulada *Missão Rondon,* às pp. 270/271, há estes trechos onde não se fala em Jurupari nem era preciso:

> Destas festas algumas são privativas dos homens e, enquanto elas se realizam, as mulheres devem estar fechadas em suas casas, com todos os cuidados possíveis para não lhes acontecer a desgraça de verem o que se está passando; noutras, porém, são comuns aos dois sexos (p. 270).
>
> Crença igual existe em relação a uma casa onde os Parecis guardam os instrumentos e enfeites de que usam nas suas festas. Para o interior dessa casa as mulheres nem olham; e é em parte em torno dela e parte no seu interior que se realizam as danças privativas dos homens (p. 271).

Os Parecis, como os Mundurucus, cultuam Jurupari? No mínimo possuem certas cerimônias, certos respeitos, os instrumentos-tabus, pelo exposto, que fazem parte do rito.

Em 1912, Roquette-Pinto visitou os Nambiquaras e encontrou o mesmo cerimonial. Roquette-Pinto diagnosticou "fetichismo-panteísta" sem demorar seu claro espírito de observador na continuidade de certas práticas que o levariam a localizar o "juruparismo", talvez, e muito possivelmente, vindo através dos Parecis. Escreve Roquette-Pinto em *Rondônia* (pp. 6/7 da edição do Museu Nacional, Vol. XX, Rio de Janeiro, 1917):

> Ídolos encontrou ele (*Antônio Pires de Campos, o desbravador do noroeste de Mato Grosso*) também guardados como ainda hoje em casa especial onde só entravam varões.
>
> Nem olhavam as mulheres para tais cabanas; e este costume se manteve. Nesses verdadeiros templos parecis (Iamacá) não mais residem os ídolos do século XVIII; guardam-se neles os instrumentos sagrados da tribo, cada qual filiado em uma função exorcística. Hoje, porém, como outrora, as mulheres se livram de olhar a Iamacá.
>
> Minhas canastras onde, muito em segredo, eram conduzidos os instrumentos de música das coleções, conseguidas, mercê do prestígio de Rondon, para o Museu Nacional, durante todo o tempo em que estiveram em território pareci mereceram o mesmo respeito. De Utiariti, onde eu as obtive, até Aldeia Queimada, último ponto onde encontrei, na volta, índios dessa tribo, sofreu minha bagagem vigilância apurada, para impedir que alguma pobre mulher visse as santas avenas.
>
> Morre a mulher que põe os olhos em tais buzinas; e, se não morre, arranjam sempre os sacerdotes do seu rito, meios e modos para que morra.
>
> Esse, e outros costumes, tão radicados se apresentam que, lendo as páginas de 1723, parece que foram escritas há alguns dias.

Não mudara, de 1713 para 1912, como de 1856 e 1929, em pontos distantes e no seio de tribos diversas. Wallace anotara:

From the moment the music was first heard not a female, old or young, was to be seen; for it is one of the strangest superstitions of the Wapés Indians, that they consider it so sangerous for a woman ever to see one of these instruments, that having done so is punished with death, generally by poison (A. Russell Wallace — *A Narrative of Travels on the Amazon and Rio Negro etc.*, segunda ed., p. 241, Londres, 1889).

Camuano Nindé, Mahcanaca Basare, Cariamã, são as três grandes festas de Jurupari: a primeira é a iniciação masculina, a segunda é o batismo, a terceira é a festa da puberdade das moças.

A Camuano Nindé divide-se em duas fases. Aos oito anos fazem a primeira, a segunda quando o rapaz é considerado apto para fecundar.

Jejua a criança durante uma lua, comendo apenas beiju. No dia da festa, pela manhã, os Pajés sopram-no e dão-lhe várias vergalhadas. Aconselham-no acompanhando cada conselho com uma cipoada. À noite, na sala grande, reúnem-se os homens, e as crianças são trazidas pelo braço dos padrinhos. Fora, tocam os instrumentos sagrados de Jurupari. O Pajé dirige a palavra aos iniciandos. Explica que Jurupari um dia aparecerá a todos e aqueles são os seus mandamentos. Levanta os braços dos meninos e começa a bater-lhes. Os mais velhos dos presentes repetem os conselhos e os açoites. Isto mesmo Jurupari fizera aos homens quando lhes ministrou os ensinamentos. À meia-noite entram na sala os instrumentos de Jurupari. O padrinho leva o afilhado e mostra os instrumentos, dando-lhe com o vergalho ao mesmo tempo que lhe explica o uso e nome de cada um. Depois há uma dança. Todos volteiam derredor dos meninos e marcam o compasso da dança, ao som dos instrumentos sacros, açoitando os iniciados. Vão, nesta flagelação, até o romper do dia. Pela manhã os instrumentos são escondidos cuidadosamente e os meninos banham-se na água do rio, lavando o sangue da noite inesquecível. Esta festa significa que a vida lhes trará combates e que precisam enfrentá-los sem temor e sem murmúrio.

A segunda parte do Camuano Nindé é mais terrível. Jejuam duas luas fechados num quarto especial sob a vigilância dos velhos. Não podem ver mulher senão o jejum está quebrado. Na terceira lua preparam as bebidas e alimentos e afastam as crianças e mulheres. Durante um dia só podem beber. Ficam numa sala, cercados pelos Pajés que fumam e sopram, falando dos assuntos de Jurupari. À noite distribuem os adabis e todos os presentes se postam em duas filas ao longo da sala. Saem os iniciados do jejuário e passam entre açoites até o banco, colocado na extremidade. Esses açoites são a purificação. Vem a cerimônia do banho do rio. Ao voltarem repassam sob açoites até o banco onde sentam. Entregam a cada um um adabi, igual ao que lhes acoitaram, e levam todos para a dança de roda. Os homens põem a mão esquerda, passando por detrás, no ombro de outro, e assim ligados agitam no ar os adabis ao ritmo dos maracás e cantam louvores a Sen, o Sol, a Lua e ao Sete-Estrelo (Itapiontara):

> Olha, oh Sol!
> Olha, oh Lua!
> Olha, oh Sete-Estrelo!
> Vejam nossos filhos,
> Eles vão entrar
> Nos nossos costumes
> Que Mahsankeró ensina.
>
> Sol, aquece seus corações!
> Lua, esfria suas raivas!
> Sete-Estrelo, faz as suas falas doces
> E que saibam guardar
> Tudo que Mahsankeró ensina.
>
> Sol, faz valentes seus corações!
> Lua, adoça as suas falas!
> Sete-Estrelo, ensina-os a fugir
> De um dia contar tudo.

Mahsankeró é o nome de Jurupari em uanana. Depois da dança entram para o centro da roda onde voltam a receber açoites, de todos os presentes. Regressam ao jejuário onde um Pajé lhes narra tudo quanto podem saber naquela idade. Os tocadores dos instrumentos de Jurupari vão ao jejuário mostrar-lhes os instrumentos e baterem ainda uma vez para que jamais contem aos profanos o que lhes foi confidenciado no Camuano Nindé. O final é o banquete.

Mahcanaca Basare é a primeira festa pública para a criança.

Pedem que a mulher seja fecunda e o homem valente, as duas virtudes que Jurupari ama nos seus filhos. Os Pajés sentam em filas e o primeiro recebe um jarro cheio e caldo de mandioca misturado com leite materno. Sopra sobre ele e entoa: "Meu coração, meu coração, faz valente esta criança, faz bonito este caldo, para ela beber"... Fingindo retirar a alma da criança e levá-la para um píncaro de serra, o Pajé canta outro versinho, dando o nome escolhido para o recém-nascido: "O nome dele é Pato, quando em terra e nágua há de ser valente como ele, até morrer." Cada um dos velhos recebe o jarro e repete a cerimônia até que o vaso percorre todas as filas. No final, a criança bebe.

Crescendo, se for menina, vem a cerimônia de furar as orelhas, que é simples e vem narrada em quase todos os cronistas do Brasil colonial. Na puberdade é a festa da mocidade, o banho de sangue da donzela, o *Camon-numian-cosôa,* a *Cariamã.*

Ao virem os inícios do catamênio, a donzela é encerrada num quartinho e nada come. Bebe apenas água que o Pajé soprou. Terminado o mênstruo é levada pelas velhas, com fumigações aromáticas e sem ser vista pelo olhar dos homens, até o rio onde toma banho. Volta para o quarto e até findar a lua sua alimentação é parca e especial. No princípio da lua seguinte os velhos vêm ao quarto, onde se conservou a moça e, do lado de fora, dão início às cerimônias. Um Pajé canta longamente e leva, mentalmente, o espírito da moça aos cimos das serras próximas. Quando termina o canto, passa o cigarrão ao mais próximo e este recomeça o canto. Todos os Pajés jejuaram e oraram também. À tardinha levam a moça para a sala onde fazem uma grande roda. No centro ficam dois rapazes e a moça. Um Pajé defuma-a com o fumo do cigarro. Os dois rapazes erguem-na ao ar, um pelos pés e outro pelos braços. A moça fica alteada, de costas para cima. O Pajé faz uma volta completa e dá duas chibatadas fortes. Todos os presentes imitam. Não deve a iniciada soltar o menor gemido. Descem-na e cortam-lhe o cabelo. Rompe grande alarido de alegria por possuírem na tribo mais uma moça digna de casar. Volta para o quarto e daí para o rio, com novas fumigações das velhas matronas. Depois é que regressa à sala onde se serve da comida ritual, carne de teiú ou de tatu.

Brandão de Amorim, de quem copiei estas notas, completa-as informando que a cerimônia é igual para todas as moças. Há uma diferença se é filha de tuixaua. Terá o corpo coberto por penugens de gavião e a festa durará cinco luas.

Essa instituição do segredo, do esoterismo tribal, foi a essência do rito e as cerimônias da iniciação, açoites e ameaças visavam colocar o neófito a par de sua responsabilidade, consagrando-o como um dos herdeiros da tradição secular. Assim tem sido nas religiões primitivas. Para os Onas da Terra do Fogo a iniciação no *Kloketen* é ambicionada e terrível. O *pivot* é o sigilo absoluto.

El Kloketen *ha pasado a ser un secreto de los hombres y cuya revelación a mujeres y niños se paga con la muerte. Quieren, como me lo han asegurado muchas veces* [dice Gusinde] *que el último Ona sobreviviente lo lleve consigo a la tumba* (Antonio Serrano — *Los Primitivos habitantes del territorio argentino* —, pp. 167/168, Ed. La Faculdad, Buenos Aires, 1930).

Que quer dizer Jurupari?

Batista Caetano de Almeida Nogueira ensina que vem de *y-ur-upári*, o que nos vem à rede, o pesadelo, o mau sonho. Teodoro Sampaio afirma ser apenas *iuru-pari*, boca fechada, uma alusão ao silêncio do ritual empregado. Couto de Magalhães diz significar tirar da boca ou mão sobre a boca, *jurupoari*. Coudreau lembra a versão do *jurupará-i*, saído da boca do rio. Para Stradelli era simplesmente *iuru*, boca, e *pari*, a grade de talas com que se fecham as saídas dos igarapés para obstar a fuga dos peixes. Traduz bem a necessidade de segredo, punido a morte em caso de traição. Tastevin enveredou pelo caminho real quando escreveu no seu "Vocabulário tupi-português" (*Revista do Museu Paulista*, tomo XIII, São Paulo, 1923):

> *Iurupari* — nome próprio de um antigo legislador índio, de quem conservam ainda os usos, leis e tradições, lembradas nas danças mascaradas de Jurupari. O nome parece significar *máscara, pari,* da boca ou do rosto, *rua: iu-ru-pari,* meter um pari no próprio rosto. O Demônio para os cristãos, e, por extensão, animal feroz, pessoa malvada.

Não sei como Teodoro Sampaio, Stradelli, Tastevin, o missionário ilustre, com os depoimentos de Coudreau, Wallace, do próprio mestre Barbosa Rodrigues, não determinaram uma reação lógica na mania de inscrever Jurupari entre os demônios da selva brasileira, confundindo-o com Curupira, Anhanga e o inquieto Saci-pererê, nenhum deles capaz de materializar em efeito e causa a figura satânica.[16]

---

16 Oswaldo Orico — *Mitos Ameríndios* — reagiu contra o diabolismo de Jurupari, dando-o, inteligentemente, como um reformador indígena. Identicamente, Ângelo Guido no seu *Reino das Mulheres sem Lei* — Livraria do Globo, 1937, III parte.

A lenda de Jurupari

Maximiano José Roberto reuniu a lenda de Jurupari ouvindo-a de centenas de índios em vários anos de amorosa audição ao passado de sua raça. Era, pelo pai, dos índios Manau, e pela linha materna, um Tariana. Falava o nhengatu e muitos idiomas selvagens. Morava em Turumã-mirim onde hospedava os mais prestigiosos tuixauas da região. Era, além do mais, sobrinho de Mandu, chefe tariana de Jauareté, terra famosíssima pelas lendas maravilhosas e possuidora dos melhores segredos do hierodrama de Jurupari. Pôde, numa paciência exemplar, coligir um material precioso e puro, como nenhum outro homem possuiu, e que Stradelli, seu amigo íntimo, conseguiu articular sem perda do perfume bárbaro.

As muitas lendas reunidas em mãos ilustres são outros tantos fundamentos. Retina de civilizado deforma ao mirar as histórias incompreensíveis. Felizmente para essas gestas sonoras tivemos a plêiade humilde e gloriosa de J. Barbosa Rodrigues, Ermano de Stradelli, M. J. Roberto, Antônio Brandão de Amorim, Berardo da Silva Ramos e outros faiscadores de *iipirungauas* misteriosas.

Jurupari é filho de uma virgem Tenuiana que comeu a fruta do Pücã[17] sem notar que o sumo escorria por suas partes mais secretas. Nascido,

---

17 Pücã, Cucura do Mato, Porumã foi estudada pelo botânico Fusée d'Aublet. Consultei o Dr. Carlos Estêvão d'Oliveira, diretor do Museu Goeldi, do Pará, e eis sua resposta amável:

"*Algumas Moráceas* são conhecidas vulgarmente pelo nome de *Poruma* ou *Poramã*. Esta circunstância foi, com certeza, a causa ocasional da criação do gênero *Pourouma*, por Aublet para certas e determinadas espécies daquela família. Segundo Martius e Engler, existem na parte norte da América do Sul dezoito a vinte *Moráceas* pertencentes àquele gênero, florescendo, ao que se sabe, no Rio Negro as cinco espécies seguintes: — *Cecropiaefolia, Heterophylla, Cinerascens, Tomentosa* e *Bicolor*. Que os frutos de todas as espécies de *Porumas* sejam ou não comestíveis, faltam-me elementos para afirmar ou negar. Sei, porém, que os da *Cecropiaefolia* são grandemente cobiçados pelos caboclos e brancos que habitam a região onde se desenvolveu o culto do Jurupari. Possível é, portanto, que a fruta a que a lenda se refere pertença à árvore a que me reporto. Convém lembrar que a *Pourouma cecropiaefolia*, afora o nome vulgar de *Puruma* ou *Purumã*, tem ainda o de *Cucura*.

O ano passado plantei no "Horto Botânico" do nosso Museu, uma *Cecropiaefolia*. Infelizmente, acabo de verificar que, na minha ausência, a "pobrezinha" morreu. Por isso, não posso, como desejava, fotografá-la a fim de lhe proporcionar, pela fotografia, o conhecimento direto da referida planta.

Os frutos da *Pourouma cecropiaefolia* são arroxeados, doces, de polpa branca e presos em cachos; fermentados, produzem vinho. Daí, também o nome de *Imbaúba de vinho*, que, em alguns lugares, o povo dá àquela planta.

No que fica escrito, resume-se tudo quanto lhe posso dizer sobre a pergunta que me fez."

desapareceu e sua mãe senti-o à noite sugar-lhe o seio, brincar derredor sem que lhe pudesse ver a figura. Quinze anos depois apareceu. Era alto, forte e lindo. Elegeram-no tuixaua. A falta de homens dera a maioria às mulheres e estas governavam a tribo. Jurupari arrebatou-lhes o poder, restituindo-o aos homens.

Entre os Onas, selvagens argentinos da Terra do Fogo, há a mesma tradição, citada por Antonio Serrano (opus cit., p. 167):

> *Según una tradición ona, antes las mujeres ejercían sobre los hombres un poder tiránico, debiendo éstos ocuparse de los menesteres más penosos y desagradables. Para mantener este poder invetaron el* kloketen, *institución destinada a atemorizar a los hombres con apariciones de espiritus malignos, fingidos por ellas mismas. Los hombres descubrieron el secreto y después de apoderarse de él mataron a todas las mujeres, dejando solo a las criaturas. Desde entonces los hombres gobiernan a la tribu con los mismos recursos con los que antes gobernaban a ellos.*

O Des. Jorge Hurley (*Itarãna*, p. 102) cita o argentino Carlos A. Aldao, que alude a uma cerimônia na Polinésia furtada à vista de mulheres e crianças (*A través del Mundo,* 1913). Lembro que esses *Onas* da Terra do Fogo falam o mesmo idioma dos Tehuelches, chamado o grupo *Shon* ou *Tshon,* dado como linguagem de origem australiana pelo Dr. Paul Rivet, que estudou a formação gramatical e diversos costumes dessas tribos, inteiramente iguais às suas congêneres áustralo-pacífico.

O barão de Santana Neri acreditava piamente que Jurupari fora o guerreiro vencedor das Amazonas, deificado posteriormente. Certos pormenores de sua indumentária foram sagrados depois, e daí a máscara de pelo de macaco ou cabelo de mulher, os instrumentos musicais e as festas secretas.

Vencedor das mulheres, Jurupari reuniu os homens e ensinou-lhes sua doutrina. Instituiu as festas e ritos iniciatórios, os "costumes do Sol". As mulheres não podiam assisti-los sob pena de morte. As crianças chegadas à puberdade seriam recebidas sob ritos dolorosos que são o *camuano nindé*. Homens devem ser sólidos, fortes, resignados, obedientes, impassíveis à dor, resistentes, fiéis aos compromissos. Há um jejum indispensável, as dietas sagradas, as purificações. Ceuci, mãe de Jurupari, escondeu-se para ouvir a palavra do filho. Ficou transformada em pedra. A Jurupari não se pede perdão. Não há súplica que o abrande. Só a obediência aos seus ritos fará o guerreiro imortal. Todos devem casar cedo e ter uma só mulher. O tuixaua é obrigado a divorciar-se da mulher estéril. Não tendo filhos a chefia passará ao melhor guerreiro. Ele é um legítimo *tecô-munhangaua,* legislador, soldado e reformador dos costumes. Austero e puro, Jurupari nunca permitiu que uma mulher tocasse seu corpo. Carumá, numa volta de dança, abraçou-o.[18] O deus mudou-a em montanha. Jurupari ama os homens fortes e as mulheres fecundas. O espírito de sacrifício é total. Daí o uso do adabi, a chibata, indispensável nas festas de iniciação e mesmo nas reuniões públicas. Instituiu o *iacuacua*, jejum ritual, antes das danças. Deu os quatorze instrumentos, medidos de seu corpo, e obrigou aos tocadores tomar vomitório para executarem a música que atraía até as feras. O vomitório ritual, *ueenaiua*, é também indispensável. Os instrumentos são tabus. Proíbe-se a sedução das donzelas antes que a Lua as deflore (vinda do catamênio), condena à morte o adultério e regula o choco (couvade) ordenando que o pai do recém-nato fique em repouso e com alimentação especial durante uma lua, para que a criança adquira a força que o pai perderá. Deu regimento para as festas sagradas. São cinco: 1) Quando uma *cunhanquira* (mocinha) for deflorada pela Lua. 2) Quando se comer a fruta do pücã. 3) Quando se comer caça da floresta. 4) Quando se comer peixe grande. 5) Quando se comer caça de pena.

Haverá sempre o dabucuri de fruta, caça ou pesca, festa de fraternidade, entre os membros da mesma tribo ou vizinhos. Nestas festas as mulheres podem e devem tomar parte. Usam o adabi,[19] chicoteador e, às vezes, transformam o dabucuri em orgia. Permite-se o dabucuri depois de trabalhos grandes, plantios de roçados, derrubas de matas, construção de casario. Come-se e bebe-se nos dabucuris a fruta da estação; peixes ou caça em época são aproveitados. A finalidade social e política do dabucuri é a aproximação fraternal das tabas nas alegrias das danças.

---

18 *C'est dans cette seule occasion* (durante as festas da bebida) *qu'elles dansaient côte à côte avec les hommes, en leur posant la main sur l'épaule,* escreveu Claude d'Abbeville, *Histoire de la Mission des Pères Capucins en l'Isle de Maragnan,* etc., p. 299.

19 Dom Frederico Costa, bispo de Amazonas (1909), em sua famosa Carta Pastoral estudou nitidamente o culto tradicional do Jurupari, identificando-o com um remoto herói reformador e jamais com um demônio (veja no documentário).

Sobre o uso do adabi escreveu S. Excia:

"Quanto ao uso do adabi, espécie de chicote com que se batem em certas circunstâncias, não é somente no Uaupés que existe, mas até mesmo em São Gabriel e até mesmo nas vizinhanças de Barcelos. Infelizmente, aqui havemos de desagradar a muitos: esse uso bárbaro e que facilmente poderia desaparecer, é alimentado pelo prazer que sentem certos brancos civilizados, negociantes ou empregados públicos, em tomar parte nessa festa, tendo assim a ocasião de divertir-se um pouco em chicotear e ser chicoteado por mulheres..." (p. 52).

Não se deve matar mulheres senão por veneno ou afogamento. Poupa-se o velho, o vencido, a criança (Veja-se *O Ciclo das Guerras de Buopé*, que Brandão de Amorim traduziu).

Depois de uma longa pregação, de tribo em tribo, de várias aventuras miraculosas, sujeitando povos à sua lei e reformando hábitos, Jurupari confidenciou ao seu discípulo fiel, Cárida, o mistério de sua vinda ao Mundo. Jurupari é filho e embaixador do Sol e baixou à Terra para melhorá-la e procurar uma esposa para o Sol. Essa mulher privilegiada e sem defeitos, só terá três virtudes. Jurupari percorrerá o Mundo para encontrá-la e levá-la ao seu luminoso Pai. Qual é a perfeição que o Sol deseja em sua eleita? Quer uma mulher que seja paciente, saiba guardar um segredo e não tenha curiosidade... E, melancólico, Jurupari dizia ao dileto Cárida: "Nenhuma mulher existente na Terra reúne essas qualidades. Uma é paciente, mas não sabe guardar um segredo; se sabe guardar segredo não é paciente, e todas são curiosas, querendo tudo saber e tudo experimentar..."

Depois, Jurupari sentou-se à beira de um lago, mirando-se nas águas serenas. Deviam separar-se. Cárida para oeste e o herói para o levante. Anoiteceu e o luar pintou de prata a solidão. Súbito, ergueu-se uma voz estranha e límpida, cantando a canção de Jurupari. Cárida reconheceu Carumá, a virgem dos Narunas, que cingira o corpo do Reformador e fora mudada em montanha. Carumá cantou a noite inteira, embalando o sono de Cárida. Pela madrugada este despertou. A montanha refletia-se no lago imóvel. Jurupari desaparecera para sempre. Cárida, com o Sol vivo, rumou o caminho do poente...

Esta é a lenda.[20]

---

20 Carlos Estêvão de Oliveira registrou outra versão, sobre o Jurupari dos Aruacos, o Koia dos Baniuas, o Kwei dos Barés: "Outrora certa mulher aparecera grávida. As suas companheiras, abrindo-lhe o ventre, dele retiraram um ser que foi levado para a montanha. Lá chegando, notaram que os dedos de suas mãos, nas extremidades, eram furados. Agitando contra esses furos um abano, tiraram sons. Daí por diante, sob os influxos daquele ente, começaram a dominar os homens. Certo dia, um irmão daquela que deu origem ao *Kóai*, descobriu a causa da predominância. Não podendo por suas próprias forças destruí-la, de um modo estranho, fez nascer o *Tabaco*. (Masturbara-se e o tabaco brotara do esperma.) Auxiliados pelas propriedades dessa planta, os homens atacaram as mulheres e, transformando-as em *Mulungus*, apossaram-se do seu protetor. Desde esse momento, voltaram a predominar sobre elas. Acontece, porém, que, com o correr dos tempos, o *Kóai* tornou-se muito prepotente, chegando até a devorar os seus adeptos. Em vista disso, os homens tomaram a resolução de fazê-lo desaparecer queimando-o. E queimaram-no. Todavia, começaram a render-lhe culto. Das cinzas do *Kóai* nasceu a *Pachiúba*. Por esse motivo é que os *Aruaque* fazem desta palmeira as

Jurupari é brasileiro?

Barbosa Rodrigues, embora afastasse Jurupari de sua sinonímia diabólica, explicou-o sempre de maneira confusa. Mas sempre clareou bastante a tese para que outros, com material novo, pisassem caminho certo em defesa do herói ameraba. Barbosa Rodrigues (opus cit., 98) dividiu o Jurupari em dois. O ogre da floresta amazônica, bestial, cômico, informe, amedrontador, o pesadelo enfim, e o outro seria o reformador, o influente dos Pajés, identificado pela catequese no Demônio sedutor.

> Tudo isso me leva a crer que o segundo iurupari nos veio por imigração pré-histórica e não é autóctone [escrevia o mestre].

Subscrevo e dou fé. Apenas os dois Juruparis são uma única e perfeita entidade. O ogre é uma soma das estórias terríficas que a catequese diluiu. A divulgação é rápida e nunca se pode conhecer os limites de seu percurso.

O Jurupari que se conhece como figura venerada pela indiaria parece ser trazido pelos Aruacos, em vinda do norte. Muitas lendas, trazidas pelo conde de Stradelli e Brandão de Amorim, narram episódios militares de tribos que vieram combatendo e impondo o culto de Jurupari. Na lenda *Erem*, dos cubéuas, que Stradelli divulgou, diz-se que os guerreiros procuravam os povos que ainda não conheciam a religião de Jurupari para vencê-los, mas todos aceitavam os "costumes do Sol" e a doutrina se alargava diariamente pelo rio Negro que sempre foi um fervedouro de índios.

Creio que Jurupari, espalhado pelos Pajés, substituiu o vago animismo que agitava as almas amerabas. As primeiras materializações se fazem sob a influência de Jurupari e o número maior das pedras de letreiros, as itacoatiaras, com desenhos misteriosos, rumam-se na pista do rio Negro, Orenoco, para o norte, na direção da Venezuela, sabido centro da dispersão aruaca.

---

flautas que tocam quando da iniciação dos rapazes no mencionado culto."
Carlos Estêvão de Oliveira — *Uma lenda tapuia. Os Carnijó de Águas-Belas*, p. 523. Separata do tomo XVII, parte Iª, da *Revista do Museu Paulista*, São Paulo, 1931. Confira-se com *Izy* ou *yurupari*, lenda Yauí ou Tarianá, recolhida por Barbosa Rodrigues e publicada na *Poranduba Amazonense*, p. 105, tradução à p. 114, *Anais da Biblioteca Nacional*, Vol. XIV, fase. nº 2, Rio de Janeiro, 1890. O queimado não é Jurupari, mas um seu adepto exigente.

Pela velha lei da convergência, muitos episódios locais desaparecem adaptados no novo ciclo de Jurupari. Assim o Poronominare dos barés como o Macunaíma do Orenoco cedem temas para Jurupari. Também não é impossível ter-se dado uma enxertia do anedotário de Jurupari nas histórias de Poronominare e Macunaíma, filhos de virgem *sine concubitu*, senhores de animais e árvores, falando todas as línguas. Mas ambos têm traços de malícia, de desenvolta sem-cerimônia, de alegria irresponsável, incompatíveis com a severidade de Jurupari. Vários episódios de Poronominare e Macunaíma estão figurando no ciclo de Pedro Malazartes, confundido pelos seringueiros do nordeste brasileiro com os dois entes sobrenaturais cuja moral eles não compreendem. Jurupari parece, realmente, emigrado do norte.

Não posso igualmente aceitar que a viagem de Jurupari se tenha dado em tempo pré-histórico. Cuido ter-se sucedido em época histórica, menos de século, quando da chegada dos portugueses.

U mumbáu tekó poranga... acabou-se a vida bonita...

Documentário

IURUPARI — JURUPARI — O demônio, o espírito mau, segundo todos os dicionários e os missionários, exceção feita do padre Tastevin.[21] "A palavra jurupari parece corruptela de *jurupoari"*, escreve Couto de Magalhães em nota (16) da segunda parte do *Selvagem*, que, ao pé da letra, traduziríamos — boca mão sobre; tirar da boca. Montoia (*Tesoro*) traz esta frase — *che jurupoari* — tirou-me a palavra da boca. O Dr. Batista Caetano traduz a palavra — ser que vem à nossa rede — isto é, — ao lugar onde dormimos. Seja ou não corrupta a palavra, qualquer das duas traduções está conforme a tradição indígena e, no fundo, exprime a mesma ideia supersticiosa dos selvagens, segundo a qual este ente sobrenatural visita os homens em pleno sonho e causa aflições tanto maiores, quanto, trazendo-lhes imagens de perigos horríveis, os impede de gritar, isto é, tirar-lhes a faculdade da voz.

------

21 O padre Dr. Constantino Tastevin fez duas viagens (1934 e 1937) à África, estudando religiões negras. Por uma velha e assídua correspondência epistolar, posso dar testemunho de sua sempre viva e alerta curiosidade para todos os aspectos da etnografia do Brasil, onde viveu quase 25 anos.

Esta concepção que poderá ser a que criaram as amas de leite, amalgamando as superstições indígenas com as de além-mar, tanto vindas da África como da Europa, não é a do nosso indígena. Para ele Iurupari é o Legislador, o filho da virgem, concebido sem cópula, pela virtude do sumo da cucura do mato, e que veio mandado pelo Sol para reformar os costumes da Terra, a fim de poder encontrar nela uma mulher perfeita, com o Sol possa casar-se. Iurupari, conforme contam, ainda não a encontrou, e embora ninguém saiba onde, continua a procurá-la e só voltará ao céu quando a tiver encontrado. Iurupari é, pois, o antenado lendário, o legislador divinizado, que se encontra como base em todas as religiões e mitos primitivos. Quando ele apareceu, eram as mulheres que mandavam e os homens obedeciam, o que era contrário às leis do Sol. Ele tirou o poder das mãos das mulheres e o restituiu aos homens, e, para que estes aprendessem a ser independentes daquelas, instituiu umas festas em que somente os homens podem tomar parte, e uns segredos, que somente podem ser conhecidos por estes. As mulheres que os surpreendem devem morrer, e em obediência desta lei morreu Ceuci, a própria mãe de Iurupari. Ainda assim, nem todos os homens conhecem o segredo; só o conhecem os iniciados, os que chegados à puberdade deram provas de saber suportar a dor, serem seguros e destemidos. Os usos, leis e preceitos ensinados por Iurupari e conservados pela tradição ainda hoje são professados e escrupulosamente observados por numerosos indígenas da bacia do Amazonas. Embora tudo leve a pensar que o de Iurupari é mito tupi--guarani, todavia tenho visto praticadas suas leis por tribos das mais diversas proveniências, e em todo o caso largamente influíram e, pode-se dizer, influem ainda em muitos lugares do nosso interior sobre os usos e costumes atuais; e o não conhecê-las tem decerto produzido mais mal--entendidos, enganos e atritos do que geralmente se pensa. Ao mesmo tempo, porém, tem permitido, como tenho tido mais de uma vez ocasião de observar pessoalmente, que ao lado das leis e costumes trazidos pelo Cristianismo e a civilização europeia, subsistem ainda uns tantos usos e costumes que, embora mais ou menos conscientemente observados, indicam quanto era forte a tradição indígena.

Quanto à origem do nome, aceito a expedição que dele me foi dada por um velho tapuio, a quem objetava me ter sido afirmado que o nome de Iurupari quer dizer "gerado da fruta" — *intimãã, Iurupari céra onheên putáre o munha iané iurú pari uá.* — Nada disso, o nome de Jurupari quer dizer que fez o fecho da nossa boca —. Vindo, portanto, de *iuru* boca e *pari* aquela grade de talas com que se fecham os igarapés e bocas de lagos para impedir que o peixe saia ou entre. Explicação que me satisfez, porque de um lado caracteriza a parte mais saliente do ensinamento do Iurupari, a instituição do segredo e do outro lado, sem esforço se presta à mesma explicação nos vários dialetos tupi-guaranis, como se pode ver em Montoia as vozes *iuru* e *pari* e as mesmas vozes em Batista Caetano.

> Stradelli — *Vocabulários da Língua Geral, português-nhengatu e nhengatu--português* — pp. 497-498. *Revista do Instituto Histórico Brasileiro*, Vol. 158, Tomo 104, Rio de Janeiro, 1919.

A questão do Jurupari é um pouco mais complicada. Em dado momento da festa, à meia claridade das luzes, apresenta-se um indivíduo ridiculamente vestido, um palhaço ou demônio, com uma varinha na mão. Aparece fazendo trejeitos e batendo com a varinha em todos os assistentes; depois desaparece de repente. É o Jurupari. Os instrumentos, a que dão esse nome, representam a voz, a palavra de Jurupari. As mulheres não os podem ver sob pena de morte. É que os índios querem fazer crer às suas mulheres que aqueles roncos do instrumento são produzidos pelo próprio Jurupari que lhes havia aparecido anteriormente... Entretanto, pensamos que, sob o nome de Jurupari, esteja a lembrança de algum herói antigo que haja existido entre os nossos selvagens; uma espécie de legislador filósofo como Buda, Confúcio, etc., que lhes haja ensinado uma espécie de filosofia muito rudimentar, e algumas noções de vida prática. O que nos leva a esse pensamento são as seguintes leis atribuídas a Jurupari, pelas quais governam-se praticamente os nossos índios, tanto do Uaupés como do Içana e do rio Negro: 1º) a mulher deverá conservar-se virgem até a puberdade; 2º) nunca deverá prostituir-se e há de ser sempre fiel ao seu marido; 3º) após o parto da mulher, deverá o marido abster-se de todo trabalho e de toda comida, pelo espaço de uma lua, a fim de que a força dessa lua passe para a criança; 4º) o chefe fraco será substituído pelo mais valente da tribo; 5º) o tuixaua poderá ter tantas mulheres quantas puder sustentar; 6º) a mulher estéril do tuixaua será abandonada e desprezada; 7º) o homem deverá sustentar-se com o trabalho de suas mãos; 8º) nunca a mulher poderá ver Jurupari a fim de castigá-la de algum dos três defeitos nela dominantes: incontinência, curiosidade e facilidade de revelar segredos. Essas leis dão-nos a explicação de umas tantas coisas que nos parecem estranhas e contêm uma certa moralidade. Parece também que houve erro em identificar Jurupari com o Demônio... Os índios não adoram

Jurupari; consideram-no como alguma coisa de grande e misterioso porque como tal o receberam dos seus antepassados, porém não oferecem-lhe sacrifícios, nem dirigem-lhe preces.

> Dom Frederico Costa, Bispo do Amazonas — *Carta Pastoral* (Manaus, 11 de abril de 1909). Tipografia Minerva, Fortaleza, Ceará, 1909, pp. 52/54.

ANHANGA

Nas Cartas dos padres José de Anchieta, Manuel da Nóbrega e Fernão Cardim fala-se em *Anhanga* como de um espírito malfazejo, temido pelos indígenas. O alemão Hans Staden chamou-o *Ingange*. O franciscano André Thevet registrou-o também. São todos do século XVI. Thevet (1558) notou que o *Anhangá* não tinha forma positiva. O certo era atormentar os viventes.

> ... *voyent souuent un mauvais esprit tantost en une forme, tantost en une autre, lequel ils nomment en leur langue* Agnan *et les persecute bien souuent jour et nuit, non seulement l'ame, mais aussi le corp* (*Les Singularitez de la France antarctique*, p. 168, Paris, 1878).

Jean de Léry, o huguenote macio e doce, anotou o seu complicado *Aygnhan*, irmão do *Agnan* de Thevet, atormentador das gentes tupinambás. Até a lembrança do *Aygnhan* os fazia sofrer:

> ... *quand ils se ressouviennent de ce qu'ils avaient souffert le passé, frapant des mains sur leurs cuisses, voire de détresse la sueur venant au font, en se complaignant...* (*Voyage etc.*, p. 236).

Hans Staden (1557) diz que

> os indígenas não gostam de sair das cabanas sem luz, tanto medo têm do Diabo, a quem chamam *Ingange*, o qual frequentemente lhes aparece.

Gonçalves Dias (*O Brasil e a Oceania*, pp. 102 e seg.) fala sobre o *Anhangá* como entidade inteiramente espiritual, responsável por todos os males selvagens. Gonçalves Dias ensina que *Anhangá* ou *Mbaaíba* quer dizer "cousa má". Parece, escreve o douto maranhense, que houve uma confusão entre os primeiros historiadores coloniais. O verdadeiro gênio do Mal era Jurupari e não *Anhangá*.

De minha parte creio firmemente que Jurupari nunca esteve perto de ser Demônio. É trabalho puramente adaptacional da catequese. Qual seria a função desse *Anhanga* (e não Anhangá) entre os índios brasileiros? Couto de Magalhães, que chegou a fazer uma teogonia tupi, explica:

> Anhangá é o deus da caça do campo; Anhangá devia proteger todos os animais terrestres contra os índios que quisessem abusar de seu pendor pela caça, para destruí-los inutilmente (p. 128).
>
> O destino da caça do campo parece estar afeto ao *Anhangá*. A palavra *Anhangá* quer dizer sombra, espírito. A figura com que as tradições o representam é de um veado branco, com olhos de fogo. Todo aquele que persegue um animal que amamenta, corre o risco de ver o *Anhangá*, e a sua vista traz febre e às vezes a loucura (p. 136) (*O Selvagem*, edição de 1876).

Teodoro Sampaio estuda o vocábulo no seu magnífico *O Tupi na Geografia Nacional* (3ª edição, Bahia, 1928):

> ANHÃ, s. c. Ã-nhã, a alma errante, o espírito que anda vagando; o gênio andejo, o diabo. Alt. Inhan, Inhang. Aignan, segundo J. de Léry.
>
> ANHANGA, s. o diabo, o mau espírito.
>
> ANHANGABA, s. a ação do diabo, a diabrura, o malefício. Alt. Anhangá.

O conde Ermano de Stradelli que não somente estudou o idioma nhengatu, mas igualmente hábitos e mentalidade de várias tribos amazônicas, escreveu no seu *Vocabulário:*

> ANHANGA, ANANGA. Espectro, fantasma, duende, visagem. Há trambém o pirarucu-anhanga, iurará-anhanga, etc., isto é, haga, isto é, visagem de gente, de tatu, de veado, de boi. Em qualquer caso e qualquer que seja visto, ouvido ou pressentido, o Anhanga traz para aquele que o vê, ouve ou pressente certo prenúncio de desgraça, e os lugares que se conhecem como frequentados por ele são mal-assombrados. Há também o pirarucu-anhanga, jurará-anhanga, etc., isto é, duende de pirarucu e tartaruga, que são o desespero dos pescadores como os de caça o são do caçador.

Um conhecedor dos assuntos americanistas, sabedor do folclore e etnografia do norte brasileiro, o Des. Jorge Hurley narra um episódio endossando a acepção de Stradelli quanto aos vários Anhangas para as muitas espécies animais:

Na excursão que fiz do alto Guamá ao alto Gurupi, em 1919, através de 93 quilômetros de floresta, certa noite, no centro da floresta, ouvimos um assobio prolongado, estridente e feio... e os Tembês, impressionados, disseram-me que era a *Paca-Anhanga* que havia passado perto do nosso acampamento e cada um pôs à fogueira seu punhado de tirama para afastá-lo do nosso pouso e todos murmuraram: — "juáca-tupãna! juáca-tupãna!" Deus do Céu! Deus do Céu! ("Itarãna", p. 119. Separata da *Revista do Instituto Histórico do Pará*, Vol. IX, Belém, dezembro de 1934).

O padre Tastevin não discrepa da opinião clássica quanto à etimologia do vocábulo:

ANHANGÁ. — Etim. — *anhu,* só alma; espírito maligno. Designava também as almas dos finados como consta da expressão — *Anhanga y yora,* viúva (Mt) i.e. o marido dela é Anhanga ("Vocabulário Tupi-português", *Revista do Museu Paulista,* Vol XIII, São Paulo, 1923).

O Sr. Gustavo Barroso num livro esplêndido, em que divulgou no idioma francês as mais expressivas lendas indígenas do Brasil, sintetiza *Anhanga* da seguinte forma:

Anhangá *qui apparait sous la forme d'un cerf blanc aux yeux de feu est la divinité protectrice du gibier pouchassé par les Indiens. Quand ceux-ci s'abandonnent avec trop de passion à leur gout cynégetique, massacrant le gibier en trop grand nombre,* Anhangá *les châtie. C'est aussi un Dieu des cauchemars (Mythes, Contes et Légendes des Indiens. Folk-Lore Brésilien,* Paris, 1930, p. 2).

A tradição seguida por todos os estudiosos do Folclore indígena do Brasil é incidir no mesmo erro e laborar na confusão que Gonçalves Dias notava, há mais de setenta anos, embora não a quisesse corrigir. Evidentemente existe uma égide de caça e um ser invisível, amedrontador, apavorante. São entidades perfeitamente diversas e até aqui teimosamente identificadas como uma só. Gustavo Barroso somou Anhanga como o Deus dos pesadelos. O Deus dos pesadelos sempre foi Jurupari. Basílio de Magalhães, um legítimo sabedor, acha Jurupari e Anhanga como sinônimos, com diferenças meramente verbais ou de forma de materialização. Era, no século XVIII, a opinião da Laet, anotando Marcgrave: *Juripari et Anhanga significant simpliciter diabolum.* Jurupari, entretanto, não tem forma. Anhanga, o Anhanga clássico de Couto de Magalhães e de Barbosa Rodrigues, é um veado branco com os olhos de fogo. Alf. Métraux também se alistou nessa versão:

*Les définitions ou les anecdotes que l'on peut glaner à pleines mains dans l'ancienne littérature au sujet d'*Agnan, *nous confirment l'identité de nature existant entre cet être surnaturel et le ou les* Yurupari. (*Religion des Tupinamba,* etc. Paris, 1928, p. 60).

Barbosa Rodrigues é indispensável em seu depoimento, sempre nítido, original e saboroso. Na *Poranduba Amazonense* (*Anais da Biblioteca Nacional,* Vol. XIV, pp. 94/95) assim depõe o mestre:

... se tem querido que o *Anhanga* amazonense seja por isso o mesmo Jurupari, quando não é aquele mais do que um núncio da desgraça, uma alma perdida, penada, que não foi para o céu, que vagueia no espaço sem que para isso Jurupari concorresse ou dela se apossasse, ou então é um duende que não é mau e antes protetor e conservador (no Pará); somente algum mal comete quando se vai de encontro ao que ele quer, isto é, que se poupe, na caça, o animal que mama ou amamenta e o pássaro que choca ou cria.

O Jurupari não tem encarnação alguma e o Anhanga tem. A encarnação deste quando aparece ao homem é sempre sob a forma de um veado, de cor vermelha, de chifres cobertos de pelos, de olhar de fogo, de cruz na testa, conhecido por *Suassu Anhanga,* que não é mais do que o *Suassu Caatinga,* do Sul, ou *Cervus simplicicornis,* de Illeger, conhecido hoje por "Catingueiro" e que Azara denomina *Guazu'Birá.*

O que se deduz é ter o indígena brasileiro dois vocábulos homófonos designando funções sobrenaturais perfeitamente diferenciadas. *Anhan* e *Anhanga* querem dizer alma, sombra, espírito. Tastevin, Stradelli, Batista Caetano estão de acordo. O que atormentava interiormente o ameraba era a "alma do outro mundo" que ainda arrepia os fracos e predispostos. A "coisa-má" de Gonçalves Dias, *aiua, aiba,* má e *anga,* alma ou espírito, é, justamente, a alma penada que amedronta e terrifica. Barbosa Rodrigues ainda propõe *aná,* parente, e *onga,* alma, a alma dos antepassados. A superstição brasileira referente aos mortos da família era vasta e profunda. Estavam os indígenas sempre dispostos a ouvir-lhes a voz longínqua, trazida pelas aves de agouro. O indígena teme imensamente, como o nosso matuto, a *mbai-aib,* a coisa má, a visagem, o fantasma, e para não vê-lo é capaz de todos os sacrifícios.

Ao mesmo tempo existia o Suaçu-anhanga, protetor da caça, castigador dos caçadores impiedosos e égide dos animais em gravidez. Era esta a outra entidade que perseguia a tranquilidade dos brasileiros no século XVI. O Veado-fantasma, como todas as outras espécies animais que possuíam defensores (Couto de Magalhães, Stradelli) constituíam uma galeria suprema de ameaça e de respeito anormais.

O indígena, entretanto, sempre flechava o veado, mesmo o "Catingueiro", tido por encantado. *Pochi uassu suacuera suassu ananga*, dizia um tuixaua a Barbosa Rodrigues, — "a carne do veado-ananga é muito má". Karl von del Steinen lembra que os Bororos não matavam nem comiam o veado-campeiro, o Suçuapara (*Cervus campestris*). A crença geral é que um veado, saindo inopinadamente do mato, anuncia um acontecimento grave... se não for abatido com tiro certeiro. Essa superstição se mantém a mesma entre a população mestiçada que trabalha na extração da borracha, caucho, cravo, madeira, e naturalmente se infiltrou para os moradores brancos.[22]

Um caçador profissional, muito conhecido nos sertões do Rio Grande do Norte e da Paraíba, percorridos ininterruptamente, chamado Mandaí, atirava maravilhosamente, mas não caçava em noite de sexta-feira, especialmente havendo luar. Explicava que aquele era o dia da caça e não do caçador. Durante aquela noite o caçador se apavoraria,

---

22 "Há, por exemplo, a crença de que as pessoas que veem um veado no dia de suas núpcias morrerão; não incluí no capítulo, pelo motivo de não ter longo curso esta "sobrevivência".

Entre os nossos indígenas era muito arraigado este modo de pensar, mas vemo-lo igualmente na Europa!

"... com efeito eles cuidam que, em entrando algum veado num lugar em que está a gente e a gente não no matando, algum dos que estão aí tem de morrer; e às vezes o diabo faz com que se cumpra o pensar deles, a fim de que matem as gentes o veado que for saindo.

Casou-se um cristão um dia, e pelo terreiro estando a espairecer a cavalo junto com os seus companheiros, veio de repente um veado do campo escapando da morte que lhe queriam dar; entrou naquele terreiro onde se achava o homem que se tinha casado, e se bem que a gente quisesse apanhá-lo para o matar, contudo o veado safou-se e foi-se.

Então um índio que se achava aí entre os cristãos perguntou com grande tristeza: 'Qual de nós que estamos aqui é que tem de morrer esta noite?'

Assim disse o homem, e de noite faleceu o cristão que se tinha casado." (Padre Antônio Ruiz — *Conquista Espiritual*.) Interessante é a grande analogia entre esta e da Bretanha. *"En Bretagne, on croit à l'apparition fantastique de la biche blanche de sainte Nennoch; elle court, dit-on, la Bretagne à la tombée du jour, et c'est en vain que les chiens lui montrent les dents, que les chasseurs lui lancent des balles... Les marides*

fatalmente. Aparecia um veado branco[23] com os olhos de fogo e que mastigava o cano da espingarda como se fosse cana-de-açúcar. Não é preciso muito raciocínio para mostrar que o Suaçu-anhanga, protetor, está definitivamente identificado na população do nordeste brasileiro e com a intercorrência católica da sexta-feira.

No Morro Branco, nos arredores de Natal, há uma lenda em que um marinheiro (estrangeiro) morreu de pavor, perseguido por três veados que ele não conseguiu matar.[24]

Uma lenda dos índios do rio Uaupés, afluente do rio Negro, Amazonas, recolhida por Brandão de Amorim,[25] diz que uns veados estavam comendo as plantações e os donos mataram. Carregaram os corpos para casa a fim de moqueá-los. Pela manhã vieram ver e encontraram, em cima do moquém, carne humana. Jogaram no rio toda a moqueada, horrorizados. Isto sucedeu no Iaureté-Cachoeira. "Duas luas depois, apareceram do Papuri pessoas que procuravam seu avô e mulher que se tinham daí sumido. Já então essa gente soube que aqueles dois veados que estragavam suas roças eram gente! Assim, contam, lhes sucedeu, por isso hoje em dia a gente não moqueia mais veado dentro de casa."

O padre Tastevin recolheu uma estória semelhante em substância. Os negros Ba Kamba contam que um caçador encontrou dois antílopes que estragavam sua roça, e matou a fêmea e levou-a para a aldeia. Apesar de morta, esfolada, preparada, levada para o fogo, a antílope conserva a voz humana e pergunta para onde a levam. Assando, ainda fala. Quem comeu da antílope morreu. Sacudiram o resto no mato. Imediatamente o corpo se

---

qui l'aperçoivent le jour de leurs noces, sont surs de mourir dans la nuit." (Pitré Chevalier — *Voyage en Bretagne,* citado por Sebillot.) Daniel Gouveia (*Folclore Brasileiro,* pp. II/III, Rio de Janeiro, 1926).

Se esta tradição se mantém entre caçadores e seringueiros amazonenses, não é possível indicar sua origem, americana ou europeia.

23 Hartt registra uma lenda em que um caçador na serra do Ereré encontrou uma veada que era *uiara.* Não a pôde matar e acabou casando com ela depois de várias peripécias. Uiara não seria aí uma mera acepção de *encanto?* O Anhanga não se "desencanta" nem casa...

24 Luis da Camara Cascudo — *Histórias que o Tempo Leva...* pp. 31 e seg. São Paulo, Ed. Monteiro Lobato, 1924. [Edição atual – Mossoró: Esam, 1991. Coleção Mossoroense, série C, v. 757. (N.E.)].

25 Brandão de Amorim. As lendas em nhengatu e português foram publicadas na *Revista do Instituto Histórico Brasileiro,* Tomo 100, Vol. 154. A citação é das pp. 463 e segs.

recompôs e a antílope, sã e completa, reganhou, numa carreira veloz, a floresta.[26]

As lendas que Couto de Magalhães e Barbosa Rodrigues publicaram são referentes ao Anhanga da caça. Numa, ele ilude o caçador fazendo-o abater a própria mãe em castigo de matar animal em via de parto. Essa mesma lenda Stradelli a citou como pertencendo ao Curupira. Noutra estória, um veado, devorando as roçarias dos índios, ameaçou comer umas mulheres que diziam mal dele. Um Anhanga devorando mulheres seria novidade. Não há a menor notícia da antropofagia entre os seres sobrenaturais das crendices indígenas. Jurupari, Curupira, Anhanga, todos os outros, matam, quando matam, não tocam no cadáver. Os animais fabulosos comendo carne humana já me parecem influência negra, como o Quibungo e mesmo as tintas gerais com que o seringueiro desenha verbalmente o Mapinguari.

O *Anga*, o *Anhanga* que sacudia de desespero o selvagem, *Anga*, era a alma sem pouso, o espírito errante, significando diabrura, malefício, feitiçaria. Todos os povos tiveram essa mesma assombração para o espírito de seus mortos. Assim gregos, romanos, persas, chineses têm o mesmo sentimento dos nossos amerabas. Em todas as religiões do mundo as almas dos finados sem sepultura são demônios atormentadores. A bibliografia a respeito é longa e sabida...

A *Anga*, alma dos mortos, não tem corporificação. É o pesadelo, é coisa má, é o medo sem forma e sem nome possível. O *Anhanga* que toma o aspecto de um veado branco, com os olhos de fogo, é outra personalidade. É um nume protetor da espécie, superstição indígena, mito local. Para este é que se dirige o respeito da tradição cinegética. O Anhanga da caça é que, respeitado pelos Bororos, fazia pavor às mulheres, comia o cano da carabina dos caçadores insaciáveis e, mesmo morto, não podia ser alimento, como disse a Barbosa Rodrigues o indígena amazonense sobre o "Catingueiro". Vimos que os Ba Kambas pensam o mesmo de certo gênero de antílopes.

Muitas vezes desaparece a liturgia de uma crença e sobrevive apenas o respeito instintivo, a reminiscência esvaecida do rito, vivendo numa proibição

---

26 *L'Antilope enchantée, in Bulletin de la Société de Recherches Congolaises,* nº 21, Paris, 1935. O resumo foi gentilmente enviado para mim pelo rev. padre Dr. Constantino Tastevin. Os Ba Kamba são negros da margem esquerda do rio Nyari, na altura de Mandinga, estação do Congo-Oceano, entre Ponto Novo e Brazzaville.

de uso ou de renúncia, de reverência ou de obediência a determinadas restrições. A escola do "Tabu" como é muito vaga, plástica e complexa, serve para explicar atos inexplicáveis que são automatismos seculares, restos de cerimônias de cultos mortos. O Orongo (*Antilope hodgsonii*) é um animal sagrado para os Mongóis, mas o coronel Prejevalski não mais encontrou justificativa dessa veneração.[27] A pele de Nébi (*Dendrohyrax emini*) só pode ser usada pelos soberanos africanos, mas o explorador Casati nada pôde saber que explicasse o hábito.[28]

O *Anga* ou *Anhanga* incorpóreo, atormentador dos ameríndios, bem poderá ser, verdadeiramente, o primitivo mito, único a ser compreendido pelos aborígines durante dilatados anos. O *Anga* assombrador, tido como Jurupari, como o pesadelo, parece-me ser o *ur-mythus*, o terror inicial. O *Anhanga*, mito zoomorfo, induz-me a julgá-lo de influência aloctônica. Esse nume, protetor, égide, guia defensor da caça, leva-me a suspeitar da criação africana com adaptação posterior e confusão natural com o preexistente *Anhanga* invisível.

Um "Vocabulário do idioma N'bunda"[29] entremostra um possível caminho. O substantivo *caça* em n'bunda é *n'hanga*, justamente como Teodoro Sampaio, o indiscutido mestre tupilólogo, ensinava a pronunciar-se o *Anhanga* brasileiro, o da caça. O verbo *caçar* é, nessa língua africana, *cu-nhanga*, e caçador é *ri-nhangá*.

O mito do Batatão (mboitatá) que era tido como pura criação indígena, registrado em 1560 pelo venerável Anchieta, hoje não mais se discute a influência negra ou, no mínimo, a coexistência de estória idêntica nos dois continentes. A *Mboi* tanto é africana quanto brasileira.

Poder-se-á insofismavelmente dar processo igual ao mito do *Anhanga*. O africano *N'hanga*, emigrado, converge para o *Anhanga* existente no Brasil e os dois nomes, com acepções diversas, fundem-se.

Os nossos dois *Anhangas* tão desiguais em ação e teimosamente reunidos como sendo uma só expressão sobrenatural, para mim nada mais representam que um daqueles casos que o velho Max Müller chamava "mitos de confusão verbal".

---

27 *Mongolie et Pays des Tangoutes*, tradução de G. du Lourens, Paris, 1880, p. 269.
28 *Dix Année en Equatoria. Le retour d'Emin Pacha et l'expedition Stanley*. Tradução de Louis de Hessan, Paris, 1892.
29 *De Banguela às terras de Iacca* (Dois tomos). H. Campelo e R. Ivens, Lisboa, 1881. O vocabulário n'bunda está à p. 377 do segundo volume.

CURUPÍRA

O Curupira é o deus que protege as florestas. As tradições representam-no como um pequeno Tapuio, com os pés voltados para trás, e sem os orifícios necessários para as secreções indispensáveis à vida, pelo que a gente do Pará diz que ele é *muciço*. O Curupira ou Currupira, como nós o chamamos no sul, figura em uma infinidade de lendas, tanto no norte como no sul do Império. No Pará, quando se viaja pelos rios e ouve-se alguma pancada longínqua no meio dos bosques, os remeiros dizem que é Curupira que está batendo nas sapupemas, a ver se as árvores estão suficientemente fortes para sofrerem a ação de alguma tempestade que está próxima. A função do Curupira é proteger as florestas. Todo aquele que derriba, ou por qualquer modo estraga inutilmente as árvores, é punido por ele com a pena de errar tempos imensos pelos bosques, sem poder atinar com o caminho da casa, ou meio algum de chegar entre os seus.

Assim explicava Couto de Magalhães, em *O Selvagem* (ed. de 1876, pp. 138/139), a dignidade do Curupira e sua autoridade suprema nas matas do norte e oeste do Brasil.

Couto de Magalhães arquitetara uma teogonia ameraba e dera uma escala hierárquica aos deuses e subdeuses, providos e obedientes a uma tríade, *Guaraci* (Sol), *Jaci* (Lua) e *Rudá* ou *Perudá* (o instinto amoroso, o Amor, a ligação), um *Cupidon* de bronze, animando os desejos das cunhãs brasileiras. Os subdeuses protegiam espécies animais e vegetais para proibir ao indígena a destruição total e desnecessária.

Curupira foi o primeiro duende selvagem que a mão branca do europeu fixou em papel e comunicou aos países distantes. Em carta de São Vicente, em 31 de maio de 1560, José de Anchieta o citava. A maioria dos cronistas coloniais inclui seu nome entre os entes mais temidos pela indiaria. Os guerreiros, aliados aos portugueses, no convívio dos acampamentos nas marchas, conversavam, confidenciando pavores. Curupira aparecia nos lábios com assustadora frequência. Começando a dominar as árvores, terminou estendendo o reino aos animais, submissos ao seu gesto. Anhanga que devia dirigir a caça de porte, Caapora, a caça miúda, Mboitatá as relvas e os arbustos, cederam caminho ao Curupira que ficou chefiando, indiscutivelmente, todos os assombros da floresta tropical.

O erudito Barbosa Rodrigues filia-o aos mitos asiáticos, vindos nas invasões pré-colombianas. Dos Nauas passara aos Caraíbas e destes aos Tupis-Guaranis. Desceu da Venezuela, pelas Guianas, Peru e Paraguai alastrando-se na terra brasileira. Os homens letrados de todos os séculos se detiveram ante sua inquieta figura dominadora. Anchieta em 1560 escrevia que o Curupira ataca e mata indígenas e estes, para apiedarem o duende, deixavam ofertas, "rogando fervorosamente que não lhes façam mal". Fernão Cardim em 1584 repete Anchieta. Johannes de Laet, anotando Marcgrave, alinha-o na primeira fila religiosa dos indígenas conhecidos dos holandeses:

> *Caeteros ignavos et socordes qui nihil in vita digni gesserunt credunt a Diabolo statim post mortem cruciari. Vocant autem Diabolum Anhanga, Jurupari,* Curupari [e adiante (p. 278) define-o Macgrave]: *Curipira significat numen mentium (Historia Naturalis,* caput XL. De *Brasiliensium religione).*

O padre Simão de Vasconcelos (1663) chama-os "espíritos dos pensamentos", como Gonçalves Dias escreveria: "Curipira, vagando solto no espaço, era o gênio do pensamento", nume exótico das "mentiras" e dos "enganos", porque *mentium* pode ser ambos os vocábulos. O padre João Daniel (1797) diverge. Para ele o *Coropira* anda nu como um Tapuia, com a cabeça raspada, faz barulho no mato e, quando os indígenas ouvem, dizem que o Coropira lhes quer oferecer qualquer coisa, mata de cacau, de cravo ou o que buscavam na caminhada. E confessam receber ordens do Coropira *e se não lhes obedecião lhes davão muitas pancadas: se porem fazião o que elles querião, lhes mostravão o que os Indios buscavão.* É, ensinava Barbosa Rodrigues, o Máguare da Venezuela, o Selvage na Colômbia, o Chudia-chaque no Peru para os Incas, o Cauá dos índios Cocamas bolivianos, o Pocai dos macuxis do Roraima, o Iuorocô dos Pariquis do rio Iatapu.

Infixo, onímodo, veloz, o Curupira é desenhado de várias formas pela imaginação das populações mestiças e indígenas.

Resumindo Barbosa Rodrigues:

> No Amazonas, geralmente, é um tapuio pequeno, de 4 palmos (Santarém) calvo ou de cabeça pelada (piroca), com o corpo todo coberto de longos pelos (Rio Negro); com um olho só (Rio Tapajós); de pernas sem articulações (Rio Negro); muciço e sem ânus (Pará); de dentes azuis ou verdes e orelhas grandes (Solimões); e sempre com os pés voltados para trás e dotado de uma força prodigiosa. Para experimentar a resistência das árvores bate-lhes com o calcanhar, no alto Amazonas, e em Óbidos, com o pênis.[30] Mostra e esconde a caça. Dizem que quando o indivíduo vê-se perdido no

---

30 Na *Anthologie Nègre* de Blaise Cendrars, no conto ouolof *Hammat et Mandiaye* (p. 237), fala-se de um falo descomunal. *Hammat reprend sa route. Au bout d'une heure, il aperçoit un homme qui, brandissant son bengale comme un bâton, en frappe un boabab qu'il jette bas du coup.* Há menções de *bengalas* maiores, carregadas por cem animais (p. 238), mas não são atributos constantes de um duende da mata africana. São apenas atributos de um ou mais personagens de um conto de aventuras.

mato, encantado pelo Curupira, para quebrar o encanto que faz esquecer completamente o caminho, deve fazer três pequenas cruzes de pau e colocá-las no chão triangularmente (Rio Negro); ou fazer outras tantas rodinhas de cipó que colocará também no chão (Rio Juruá e Solimões) e que o Curupira dá-se ao trabalho de desfazer ou então fazer ainda pequenas cruzes de cauré (leguminosa de casca aromática, empregada em banhos) que atira pelas costas (Rio Tapajós). O Curupira também persegue os caçadores em casa com os seus assobios (Rio Negro) e para o fazer calar-se basta bater-se em um pilão.

Em sua viagem para o sul, o Curupira vai tomando o nome de Caapora, Caiçara, Zumbi, tendo cães e porcos-do-mato por amigos inseparáveis. Em Pernambuco só tem um pé. Nos velhos cronistas e tradições registradas há séculos só sabemos que o Curupira é um índio pequeno, ágil, de pés ao avesso, cabelo vermelho, ou de cabeça pelada, poderoso senhor da caça e dono das matas cujos segredos sabe e defende.

Seu prestígio cresce sempre sob pseudônimos fiéis. Parece muito mais um mito Tupi-Guarani que um vestígio doutro povo. No Paraguai o *Curupi* é o *espiritu de la sensualidad, dominador de las selvas y de los animales silvestres. Tenía la afición de secuestran mujeres y criaturas. Su miembro viril era tan largo como um lazo. En los montes existe una especie de liana con el nombre de* curupi rembo (Narciso R. Colma. *Nuestros Antepasados*, pp. 126/127, São Lorenzo, Paraguay, 1937).

Ambrosetti descreve o Curupira na região das Missões na Argentina:

> El Curupi *es un personaje de cara overa, fortacho y para algunos petiso. Anda por el monte, casi siempre a la hora de la siesta; según otros, camina em cuatro pies y se caracteriza por poseer un desarollo exagerado en su órgano viril que le permite enlazar com él a las personas que quiere llevar: cortando éste, el Curupi se vuelve inofensivo y se salva la persona enlazada. Persigue generalmente a las mujeres que a esas horas van al monte a buscar leña, y que sólo a su vista se vuelven locas (Superticiones y Lengendas,* pp. 97/98).[31]

Oswaldo Orico sugere, inteligentemente, que certas tribos amazônicas resguardam o pênis com estojos vegetais de exagerado comprimento. Os Parintintins, por exemplo.

---

31 O Curupi paraguaio e argentino tem o membro viril alongado de tal forma que envolve o corpo da vítima. Em Óbidos, no baixo Amazonas, o Curupira percute as árvores com seu falo. Mas esses traços, comuns noutros países vizinhos, não são persistentes no Brasil. Leo Frobenius (*Histoire de la Civilisation Africaine*, tradução de H. Bach e Ermont, 7ª edição, p. 135, Paris, 1936) reproduz um relevo de Kirsch, na Babilônia, de fins do século III, representando um casal. O falo abraça a cinta feminina.

Esse uso bem pode ter servido de influência para a caracterização do Curupira nessa região (*Vocabulários de Crendices Amazônicas*, p. 75, São Paulo, 1937).

Mas esse elemento existe na Argentina e Paraguai e as bainhas indígenas não são usadas. Creio, entretanto, que esse ornamento influiu, de certo modo, para a fixação do Curupira de falo descomunal, como Barbosa Rodrigues registrou em Óbidos, no baixo Amazonas.

Saindo da Amazônia, o Curupira perde o nome ao pisar terras do Maranhão. Daí em diante é o Caipora ou a Caipora, até Espírito Santo onde reaparece, íntegro, numa página, hoje clássica, de Graça Aranha. Encanta-se novamente, passando despercebido em São Paulo e Minas e surgindo nos Estados onde os espanhóis dominaram. No Rio Grande do Sul reassume seu aspecto de indiozinho astuto, cabelo rubro, dentes azuis, pés ao contrário, atrapalhando cavaleiros e viandantes.

A característica dos pés tornados ao avesso, "de pés virados, marcha avessa e rude, dedos atrás, calcâneos para frente", como Olavo Bilac evocou no soneto magnífico, está nos fabulários distantes e na velha literatura histórica europeia, asiática. Horácio dizia-os *scaurum* na sátira terceira do primeiro livro. Aulo Gelo fala nas *Noite Áticas* (Livro IX, cap. IV, vol. Iº, p. 384):

> *Alios item esse homines apud eamdem coeli plagam, singulariae velocitatis, vestigia pedum habentes retro porrecta, non, ut caeterorum hominum, prospectantia.*

Santo Agostinho, em *De Civitate Dei* (Livro XVI, cap. VIII, p. 510, da edição Nisard, Paris, 1845), alude, nas monstruosidades acreditadas pelos antigos, à mesma raça espantosa: *quibusdam plantas versas esse post crura*.

No Brasil colonial essa raça assombrosa que Aulo Gelo registrara, vivia também. Cristóvão de Acunha, o sacerdote que acompanhou Pedro Teixeira, em 1639, em sua descida do rio Amazonas, de Quito a Belém, de fevereiro a dezembro, ouviu dos Tupinambás relatos estupefacientes. Viviam, para o lado do sul, seus vizinhos, os Matuicés, com os calcanhares para diante, deixando rastro às avessas. O jesuíta missionário Simão de Vasconcelos não esqueceu essa gente estranha em sua *Crônica da Companhia de Jesus no Estado do Brasil* (Livro Iº, cap. 31), e explicou que essa

"casta de gente" nasce com os pés às avessas de maneira que quem houver de seguir seu caminho há de andar ao revés do que vão mostrando as pisadas; chamam-se Matuiús.

O livro do padre Simão de Vasconcelos é de 1663.

O mito, com esses detalhes, viveu de tribo em tribo. Atualmente, desde os Sipaias, estudados por Curt Nimuendaju, e que são tupis, até os Xerentes (acuãs) que são gês, Curupira, em nome ou pseudônimo, agita pavores. Entre os Xerentes, Urbino Viana ouviu que

> o *Bicho do Mato*, rei ou governador das caças, é um caboclo grande e cinzento, que não permite se mate *bicho novo*, nem que esteja amamentando; interdita a caçada das fêmeas, e, se isso acontecer, é preciso um voto propiciatório: levar-lhe um *beiju* e deixá-lo no mato para o *Bicho*, ao contrário o caçador será sempre infeliz ("Os Xerentes", p. 46. *Revista do Instituto Histórico Brasileiro*. Tomo 101, Vol. 155, Rio de Janeiro, 1928).

Assim, o *Coropio* que Anthony Knivet ouvia nas queixas indígenas no distante Brasil colonial, afronta o rádio e a luz elétrica, protegendo árvores e guiando caça.

Das pegadas invertidas que o Matuiú imprime na estrada, hábito do Curupira, retirou ainda o Xerente um calçado dissimulador de suas andanças. Informa Urbino Viana:

> Vimos entre eles um certo calçado, muito próximo de alpercatas, feito de palha entrançada, de forma que a parte da frente servia de descanso ao calcâneo; o rastro era, pois, impresso no solo em sentido inverso da marcha. Inquerido do motivo, responderam-nos: "É para cristão não saber da viagem". Edificamos-nos com a resposta (opus cit. p. 39).

Luís Mandrin, o *capitaine général des contrebandiers de France*, executado a 26 de maio de 1755, empregava o mesmo truque para desorientar inimigos.[32] Os cavalos do seu grupo eram ferrados com *les fers à rebours*, deixando pisadas diametralmente opostas à verdadeira direção, tomada pelo bando.

Vigiando árvores, dirigindo as manadas de porcos-do-mato, arrancadas de veados e de pacas, assobiando estridentemente, passa a figura esguia e torta do Curupira, o mais vivo dos deuses da floresta tropical, presente às estórias infantis, aos episódios de caça, aos acidentes da luta do homem na Amazônia. É o explicador dos mistérios, passando seus cabelos de fogo, seus pés virados como os Enotocetos de Mégasthènes,

---

32 Os cavalos ferrados ao revés são mencionados nos romances espanhóis do século XIII (Menendez y Pelayo. *Origenes de la Novela*, vol. II, p. 18).

registrados em Estrabão, seus dentes azuis, seus assobios açoitantes, na memória de todas as recordações.

Documentário
(Vale do Rio Doce — Espírito Santo)

Lá no fundo da mata havia uma aberta e me parecia que um vulto caminhava para mim. Não dei importância ao sujeito e disse comigo: — Há de ser o filho do Zé Marinheiro, que se recolhe, porque o pai não o deixa ir à festa. De repente, ouço um assobio fino que vinha de trás. Pensei: — É algum camarada que vai se divertir e me chama. Voltei a cabeça e não vi ninguém. Assuntei de novo, nada. Continuei a andar... Outro assobio me passava, cortando os ouvidos, outro, outro, de toda a parte se apitava, do fundo do mato, da boca da estrada, por cima das árvores. — Que bandão de corujas por esta noite... Há de ser agouro. — Tive assim um arrepio de frio, e para me sossegar quis me valer do encontro com o filho do Zé Marinheiro. Mas olhei firme para a frente e não vi ninguém. — Onde se meteu o diabo do pequeno? — Os assobios iam me rodeando sempre, eu já estava com a cabeça tonta, o coração me batia a galope. Outra vez vi o pequeno na minha frente; reparei bem, porque ele estava perto e vi que não era o filho do português. — A modo que não conheço este caboclinho. Nós estávamos assim a umas cem braças um do outro, quando o pequeno se sumiu de novo. Os assobios de coruja não largavam. Eu resmunguei: — Que faz esse sujeitinho que desaparece de vez em quando? Isto não é coisa boa. — E ele torna a repontar. Então gritei com voz de susto, bem alto para intimar o cabra: — Olá, amigo, que conversa é essa? Você anda me fazendo visagens? — Não digo nada; boca, para que falaste? A mataria toda passou a assobiar como Demônio, e eu comecei a ficar apavorado com a matinada. O caboclinho estava agora a umas dez varas de mim. O sangue me fervia, a cabeça me queimava. Não digo nada; o certo é que avancei para o pequeno com raiva de cego. — Ah! seu Diabo, tu me pagas. — Armei o pau para cima... Mas quando eu me vi, estava seguro pelos pulsos. — Larga! berrei. O caboclinho com olhos de sangue me encarava. — Larga! — e eu sempre seguro. Fiquei como um garrote ferroado. Avancei para o cabra com mais zanga do que quando me atraquei com o Antônio Pimenta, uma feita numa vaquejada. Lembrei-me de quanto boi valente deitei por terra, e agora ali zombado por um caturra! Nós lutamos para baixo, para cima; eu dava de cabeça na cara do bicho, metia-lhe os pés na canela, e ele sempre duro, o mal-encarado! Com o cabo de poucos minutos, eu ouvi um berro de estrondo, um berro de onça; ah! pensei que o malvado me deixava. Mas foi pior, porque outros berros se repetiram, caitetu vinha batendo queixo, gatos bravos miavam; ouvi cascavel tocar seu chocalho... Com poucas eu estava no chão com o caboclo em cima de mim. Toda a bicharia se agitava no mato e caminhava para nós; as árvores mesmo se curvavam me abafando, os gaviões desciam, os urubus cheiravam minha carniça... Eu senti um medo mole e abandonei as forças. Comecei a tremer de frio, o suor me alagava a roupa, e eu disse: — Vou morrer, meu São João. E os olhos se me fecharam como de morto... Levei um tempão desacordado sentindo os bichos me rodeando, comandados pelo endiabrado... Depois tudo foi caindo no sossego; os meus pulsos estavam desembaraçados; um grande calor me fervia o corpo; abri os olhos devagarinho... tudo parado... tudo tinha desaparecido, a lua era clara como dia. Eu estava afadigado de tanta luta... a língua estava seca e dura que nem de papagaio. Abri os olhos, e não vi mais nada, nem o caboclo, nem os bichos brabos. Mas tive então um grande medo e tratei de abalar dali. Passei a mão em roda de mim, caçando minha garrafinha de restilo e as toras de fumo. Para espertar não há melhor que um gole de cana e uma masca... Mas não encontrei nada; cacei, cacei. Nada. Pus a excogitar que toda a pendenga que o caboclo me fez, foi para me bater a garrafa. Velho tio Pereira me veio à cabeça com suas palavras: — *Currupira* te assombra. Para tu te veres livre, dá, logo que o avistes, cachaça e fumo. E eu vi que naquela noite tive trabalho com *Currupira*. Levantei-me de um pulo. Quis correr para a ramada de Maria Benedita, o samba devia estar aceso àquela hora. Olhei para a frente e a estrada ia acabar longe, muito longe. Tive medo de novo encontro. Voltei para trás; vinha como um preto bêbado, cai aqui, cai acolá; saí no campo esbarrando com o gado; os olhos me ardiam, todo o meu sangue batia para saltar de dentro, a boca estava grossa, eu trazia uma sede de jabuti... mas lá vim assim mesmo navegando até a porta do rancho. Não tive conversa, atirei-me vestido na rede que com meu corpo sacudia como uma canoa no Boqueirão...

Graça Aranha — *Canaã*, 3ª edição. H. Garnier [s/d], Rio de Janeiro, p. 102.

Curupira, corpo de menino — de curu abreviação de *curumi* e *pira* corpo. O *Curupira* é a mãe do mato, o gênio tutelar da floresta que se torna benéfico ou maléfico para os frequentadores desta, segundo circunstâncias e o comportamento dos próprios frequentadores. Figuram-no como um menino de cabelos vermelhos, muito peludo por todo o corpo e com a particularidade de ter os pés virados para trás e ser privado de órgãos sexuais. A mata, e quantos nela habitam, está debaixo da sua vigilância. É por via disso que antes das grandes trovoadas se ouve bater nos troncos das árvores e raízes das samaumeiras para certificar-se que podem resistir ao furacão e prevenir aos moradores da mata do próximo perigo. Sob a sua guarda direta está a caça, e é sempre propício ao caçador que se limita a matar conforme as próprias necessidades. Ai de quem mata por gosto! fazendo estragos inúteis, de quem persegue e mata as fêmeas, especialmente quando prenhes, quem estraga os pequeninos ainda novos! Para todos estes o *Curupira* é um inimigo terrível. Umas vezes vira-se em caça que nunca pode ser alcançada, mas que nunca desaparece dos olhos sequiosos do caçador, que, com a esperança de a alcançar, deixa-se levar fora de caminho, onde o deixa miseramente perdido, com o rastro, por onde veio, desmanchado. Outras, o que é muito pior, o pobre do caçador alcança a caça, até com relativa facilidade, e a flecha vai certeira embeber-se no flanco da vítima, que cai pouco adiante com grande satisfação do infeliz. Quando chega a ela porém, e vai para a colher, em lugar do animal que tinha julgado abater, encontra um amigo, o companheiro, um filho, a sua própria mulher. Os contos de caçadores vítimas do *Curupira* são contos de todos os dias no meio indígena dos moradores tanto do Rio Negro como do Solimões, Amazonas e seus afluentes.

> Ermano Stradelli — *Vocabulários da língua geral português-nheengatu e nheengatu-português* — *Revista do Instituto Histórico Brasileiro*, Tomo 104, Vol. 158. 2º de 1928, P. 434. Rio de Janeiro, Imprensa Nacional, 1919.

É coisa sabida e pela boca de todos corre que há certos demônios, a que os Brasis chamam *Corupira*, que acometem aos Índios muitas vezes no mato, dão-lhes de açoites, machucam-n'os e matam-n'os. São testemunhas disto os nossos Irmãos, que viram algumas vezes os mortos por eles. Por isso, costumam os Índios deixar de certo caminho, que por ásperas brenhas vai ter ao interior das terras, no cume da mais alta montanha, quando por cá passam, penas de aves, abanadores, flechas e outras coisas semelhantes, como uma espécie de oblação, rogando fervorosamente aos *Curupiras* que não lhes façam mal.

> Padre Joseph de Anchieta — *Carta de São Vicente*, 31 de maio de 1560 (Décima).

... têm grande medo do demônio, ao qual chamam Curupira, Teguaigba, Macachera, Anhanga, e é tanto o medo que lhe têm, que só de imaginarem nele morrem, como aconteceu já muitas vezes; não no adoram, nem a alguma outra criatura, nem têm ídolos de nenhuma sorte, somente dizem alguns antigos que em algum caminho têm certos postos aonde lhe oferecem algumas coisas pelo medo que têm deles, e por não morrerem. Algumas vezes lhe aparecem os diabos, ainda que raramente e entre eles há poucos endemoninhados.

Fernão Cardim — Do Princípio e Origem dos Índios do Brasil. 1584.

CAAPORA

Todos os brasileiros em geral e os nortistas em particular sabem as estórias do Caapora. Está o duende em todo o Brasil, batendo as coxilhas gaúchas como as florestas amazônicas, os campos catarinenses como as serras mineiras. Ninguém o ignora. Mas, em maioria, mudaram-lhe o sexo pela terminação em vogal. Dizem "A Caipora", substituído o segundo *a* por um *i*.

Sua ascendência é confusa. É o Curupira e é o Saci. Um Curupira com os pés direitos, ora unípede como o Saci, tendo o casal de olhos e doutra feita um só, como um arimáspio.

Não aparece registrado pelos jesuítas que tudo viram e melhoraram. Não está nas "Anuas" nem nas "Quadrimestrais". Os cronistas holandeses, que fizeram um recenseamento de fantasmas, esqueceram-se do Caapora.

Há, entretanto, uns vestígios no século XVI. Fala-se num vago *Kaagerre, Kaagire ou Kaigerre,* habitando florestas e assombrando a indiada. O franciscano André Thevet, citado por Métraux (*La Religion des Tupinamba,* pp. 63/64) na passagem dum manuscrito inédito menciona:

> *Ayant aussi bien nécessité du feu que nous tant pour cuire leurs viandes, que pour résister à cet esprit qui les assiège durant la nuit, et nuit à leurs affaires. Les uns lui donnent le nom d'Agnan et d'autres l'appellent* Raa-Onan *ou* Kaa-Gerre. *Ainsy quelque part qu'ils allent, ils ont toujours leurs instruments à faire feu, qui sont deux bastons inégaux, l'un plus petit de deux pieds que l'autre.*

Ao mesmo tempo que Thevet, Jean de Léry anotava semelhantemente. Também era ente maligno e sinônimo de *Anhanga.* Informava Léry:

A este respeito cumpre notar, que essa pobre gente, durante a vida, é afligida por esse espírito maligno, a que também chamam *Kaegerre*, e quando nos falavam, como muitas vezes presenciei, sentindo-se atormentados e clamando subitamente como enraivados, diziam: "Ah! defendei-nos de *Anhanga*, que nos espanca". E diziam, que realmente o viam, ora em forma de quadrúpede, ora de ave, ora de qualquer outra estranha figura (Tradução de T. Alencar Araripe, *Revista do Instituto Histórico Brasileiro*, Vol. LII, p. 274).

Gonçalves Dias não teve dúvida em identificar *Kaagire* ou *Kaagerre* com *Caapora*. Em nota, escreveu Gonçalves Dias (*O Brasil e a Oceania*, p. 106), citando Léry com o *Kaagerre*: "Esta palavra é composta de *Caá*, mato, e *gerre*, isto é *guara*, habitante: o mesmo que Caapora". Devia o tupinambá carioca explicar seus pavores de forma bem complexa, misturando *Anhangas* e *Caaporas*. Podia ser adulteração inconsciente no registro. A existência é que parece óbvia. O Caapora estaria diferenciado do Curupira já em meados do século XVI?

O padre João Daniel, missionário no Amazonas, de 1780 a 1797, adianta alguns passos. Para ele o Curupira era um Diabo com maiores comunicações com os indígenas residentes nas "reduções" que os Caaporas, inteiramente perdidos na profundeza do mato.

Do que se infere que o diabo, disfarçado em figura humana *Coropira*, tem muita comunicação com os Índios mansos e já aldeados; e muito mais com os bravos a que chamam *Caaporas*, isto é, habitadores do mato.[33]

Dir-se-ia, com a forma ambígua da redação missionária, que os índios alheios à catequese fossem cognominados *Caaporas*, isto é, moradores nos matos, divergindo dos "aldeados", cristãos. Caapora seria, evidentemente, correspondente ao nosso "matuto", ao "caipira", pura e simplesmente. Os maiores estudiosos de tupi não podem dar outra tradução. Caapora é o "habitante do mato", ou melhor, "o que contém o mato". Batista Caetano ensina que

ca-por, adj. que em tupi dão como "morador do mato" é propriamente "o que há no mato" (*Vocabulário*, etc., pp. 63 e 412).

---

33 Padre João Daniel — "Tesouro Descoberto no Rio Amazonas", Tomo II da *Revista do Instituto Histórico Brasileiro*, p. 482.

Caapora podia significar genericamente as aparições informes que surgiam das matas. Ali deviam morar porque apareciam sempre naquele ambiente, moldurado de árvores e enfeitado pelos cipós rasteiros.

Caapora teve a mesma amplidão descritiva da palavra "fantasma", dizendo desde a visão até o sonho, na ideia de fixar o indeterminado, o vago, o indeciso, o imaginado. Como o *upora*, o *ipupiara*, Caapora daria o ser sem contornos definidos, a entidade que explicaria os rumores da selva virgem. Coerentemente, acabou sendo um guia, uma égide física que justificava a vida da floresta, ninguém podia admitir a floresta sem chefes, sem mentores, sem responsáveis.

Curupira, inicialmente, foi um nume defensor das árvores. Provava--lhes a resistência percutindo o tronco nas vésperas da tempestade. Quem subia, no remanso dos igarapés, na *montaria* pequenina, ao impulso da jacumã, ouvia pancadas na mata. Era Curupira visitando as samaumeiras, anunciando a ventania próxima.

Caapora, curiosamente, nunca possuiu as prerrogativas de custodiar a vida vegetal. É um dono da caça, um soberano da caça de vulto menor, pois, na hierarquia que Couto de Magalhães esquemou, pertencia a Anhanga a direção dos grandes animais, as pacas, as capivaras, os veados. Caapora vivia com os porcos-do-mato, especialmente. Nesse cenário ficou na memória de todo Brasil.

Não há, todavia, documento de origem amazônica dando o Caapora como figura de prestígio indígena. Couto de Magalhães encontra seu rastro em Mato Grosso e o registro não combina com o de Gonçalves Dias, que o dá pequeno, e aquele com formas agigantadas. E o poeta sonoro cerca o Caapora de pirilampos como "batedores". Lindo detalhe inconciliável com as habituais andanças à luz solar.

Pelo pouco que possuímos do Caapora quinhentista, aceitando o Kaagerre de Léry e Thevet, deduzimos que era informe e sem ação determinada. O indígena temia-o como temia a todos os duendes povoadores das noites tropicais. E nas florestas o próprio dia era haloado por uma penumbra suave. Durante as horas da treva só deixavam as malocas levando na mão um facho aceso. Hans Staden registra o mesmo gesto. Mas não é uma característica. Os negros da África, os orientais da Ásia também viajam com tições inflamados. Clareia o caminho e afasta as feras da jângal. É o signo dominador do homem. Assim Kipling colocou nas mãos jovens de Mowgli a "flor vermelha" das chamas, para assustar lobos e tigres esfaimados.

Caapora e Caipora

No nordeste e norte do Brasil o Caapora é a Caipora, figura de indígena pequena e forte, coberta de pelos, de cabeleira açoitante, dona da caça, doida por fumo e aguardente. Há também o Caipora macho, caboclo baixo, hercúleo, ágil, montando o porco-do-mato, o "queixada", chamado igualmente *teaçu* (*Dicotyles torquatus*), caitetu ou caititu e ainda o Taitetê e taiaçu-etê (*Dicotyles labiatus*). Outrora bastava sustentar a Caipora de fumo e cachaça para ter caça abundante. O Curupira também exigia fumo.

Nas matas do Pará, Amazonas e Acre, a Caipora moderna aceita comércio amoroso com os homens. Exige fidelidade absoluta. Quando um dos amigos da Caipora se quer casar, emigra da região. Se a Caipora o encontrar, mata-o com uma sova de cipó espinhento. É o mesmo processo sexual da *mãe-da-erva* (erva-mate, *Ilex paragrayensis*), a Caá-Yari, no Paraguai e Argentina.

A Caipora nordestina é mulher, monta o porco-do-mato e ressuscita os animais abatidos.

Depois de uma caçada feliz, no município de Augusto Severo, Rio Grande do Norte, acamparam os caçadores, noitinha, para arranjar jantar. Entre outras peças escolhidas, prepararam um tatu, que se come assado no próprio casco. Puseram o tatu, sem intestinos, atravessado por uma vareta de espingarda, em cima de fogo. E cada um contava e ouvia episódios do dia. De repente, montando um "queixada", passou, pelo meio dos homens, a Caipora. Na mesma velocidade com que ia, disse, peremptória: *vambora, Juão* (vamos embora, João). E João, o tatu, meio assado e sem vísceras, acompanhou-a, como um relâmpago.

Caipora anão ou gigante

Couto de Magalhães descreve o Caapora como "um grande homem coberto de pelos negros". Só outra fonte, Emílio Allain, citado por Barbosa Rodrigues, coincide. Emílio Allain diz que o Caapora *est un géant velu monté sur um énorme porc sauvage*. Os demais informantes, todos os depoimentos, são uniformes. O Caapora é um índio baixinho, vivaz, etc. Couto de Magalhães ter-se-ia enganado? Na série de contos que o grande sertanista publicou no *Selvagem* (ed. Rio, 1876), há um conto intitulado "Jabuti e o Gigante". O título em tupi é *Iauti Cahapora-auçu*, ou seja, o "jabuti e o grande morador do mato". O indígena ameraba não tinha vocábulo para expressar o que dizemos "gigante". Se o Caapora fosse de formas acima do normal, não precisaria o sufixo *uaçu* (açu), "grande", para dar ideia da altura do contendor do jabuti. E ainda essa passagem serve para demonstrar que Caapora é qualquer ser mais ou menos fabuloso que habite a floresta, talqualmente afirmava, em fins do século XVIII, o padre João Daniel. Mas o Caapora vive nas terras vizinhas, Argentina, Uruguai, Paraguai, etc. Nessas regiões assume uma forma somente. É um velho indígena, um tapuio, como dizia Barbosa Rodrigues. Ambrosetti escreve diversamente:

> Caáporá *es un hombre velludo, gigantesco, de gran cabeza, que vive en los montes, comiendo crudos los animales que el hombre mata y luego no encuentra* (*Supersticiones, etc.*, p. 87).

Noutras regiões argentinas e uruguaias, o Caapora é apenas um fantasma do monte, podendo transformar-se em cão ou porco, lançando fogo pela boca e alarmando quem o encontra. O *hombre velludo, gigantesco* é irmão do "grande homem coberto de pelos negros". Couto de Magalhães constatara, apenas, o fio de um tema que viera com os Tupis, do sul para o norte ou numa migração para leste, pelos chapadões do *hinterland* brasileiro.

A explicação será que o Caipora pequenino é o Curupira sem a influência *plateña* que Ambrosetti registrara. Quando o nosso Caipora é caboclo de baixa estatura, identificamos o velho Curupira. O *Cahapora*, parecido com o gigante Golias, é uma reminiscência do mito ainda fiel à zona da sua velocidade inicial.

Transformações do Caapora

Barbosa Rodrigues, como ninguém, acompanhou o Caipora ou Caapora em suas modificações físicas através do Brasil. Ganha o nome apenas no Rio Grande do Norte e Paraíba, mas melhor seria dizer, quando pisara Piauí. Este e Ceará são zonas de conforto para a Caipora, popularíssima nas estórias. Reaparece em Pernambuco como Curupira, montando um veado, tendo o cachorro Papa-mel. É um caboclo cabeludo e dizem ser "alma de caboclo pagão". Em Sergipe segue-o o Zumbi, assobiando. Na Bahia chamam-no Caiçara (confusão entre *Caa-iara*, senhora do mato, com *caa-içá*, cerca, o enredado, o curral de pau a pique). Em Sergipe mata quem lhe recusa fumo fazendo cócegas, jeito que o Saci-pererê gostou e emprega. Do Espírito Santo em diante é Curupira, mas tem várias representações. Mesmo no nordeste ora é caboclinho ora mulher indígena, meio despida, magra e feroz. Em Ilhéus, Bahia, diz Barbosa Rodrigues, "é uma cabocla moça, clara e bonita".

Atualmente só existem as duas formas e ambas indígenas. Não há Caipora moça nem preto guiando caça. O próprio Saci-pererê não tem utilidade nenhuma, tirante o medo que espalha e os livros que inspirou. Na Bahia, nas páginas de João da Silva Campos (*O Folclore no Brasil,* pp. 240/243), é um "negro velho", falando como os negros ou

> um molequinho, do qual só se via uma banda,[34] preto como o capeta, peludo como um macaco, montado num porco muito magro, muito ossudo, empunhando um ferrão comprido como que.

Nesse episódio, o Caipora ressuscita os porcos mortos a tiros, ferrando-os com sua aguilhada, que quebrou a ponta. No outro dia procurou um ferreiro sob a forma de "um caboclo baixote, entroncado de corpo, com chapéu de couro desabado sobre os olhos", e mandou consertar o ferrão.

No Rio Grande do Sul, fala J. Simões Lopes Neto no "homem agigantado". As atividades são as mesmas e hoje clássicas. Quem persegue as fêmeas grávidas ou com filhotes, fique certo de que o Caipora se vinga. Nas sextas-feiras, havendo luar, não se caça. Caçando nos dias santos ou domingos, não sendo "por precisão", o Caipora atrapalha. Surra os cachorros, espanta os pássaros, afugenta veados, cutias e pacas, termina enfrentando o caçador que abandona armas e foge, espavorido... Usa um galho de árvore ou arbusto que varia pelas zonas de seus passeios. É de urtiga, ou pinhão bravo, de japecanga, de favela. Esse galhinho é um cetro maravilhoso

---

34 Esse negrinho em que *só se vê uma banda* pode ser uma reminiscência africana. Na *Anthologie Nègre*, Blaise Cendrars (p. 91) fala que existia *une tribu de Ma-Tébélés, qui n'avaient qu'une jambe, qu'un bras, qu'un oeil, et qu'une oreille.* Mas sabemos que Flaubert, sabedor dos monstros clássicos, incluiu na *Tentação de Santo Antão* os Nisnas, "apenas com um olho, uma face, uma mão, uma perna, metade do corpo, metade do coração" (p. 218, da trad. de João Barreira. Liv. Chardron, Porto, 1902).
Esse Caipora baiano é da zona do Recôncavo, região de antiga e densa escravaria negra. Reúne, curiosamente, os elementos ameríndios aos traços africanos.

se pensarmos que todos os entes fabulosos têm o "condão" resguardando desta forma.

O *Caipora chileno e argentino*

O Caipora chileno é o *Anchimallen*, última degradação da *Anchimalguem*, mulher do Sol. O Anchimallen é um anão, guia e protetor dos animais, ligando-se aos mitos ígneos por se poder mudar em fogo-fátuo. O Anchimallen entra em acordos, como o Caipora, mas pede sangue humano como pagamento de seus favores. Dá igualmente a infelicidade e anuncia a morte.

Na Argentina o *Yastay* lembra muitíssimo o Caipora como senhor da caça. O Yastay guia as manadas de guanacos e vicunhas, defendendo-as da dizimação ou deixando-as matar se o caçador lhe fornece coca e farinha de *chaclion* (farinha de milho). Uma quebra de compromisso com o Yastay traz a morte infalível. O Yastay argentino é um homem baixo, gordo, queimado pelo frio, usando um grande chapéu de lã de guanaco, andando nos montes sempre seguido por um cão negro, como a Caipora pernambucana com o Papa-mel.

Caipora, caiporismo

A infelicidade dizemos "caiporismo". Ver o caipora era herdar a desdita em todas as tentativas, falhados ou perdidos os melhores e mais seguros planos. A explicação será, naturalmente, vinda das razões dos caçadores desastrados que, outrora, justificavam a ausência das peças abatidas pela perseguição do Caipora. "Está com a Caipora", como tantíssimas vezes ouvi dizer no sertão do nordeste, quase que dispensa documentação mais explícita e lógica.

Documentário

O destino da caça do mato parece confiado ao *Caapora*. Representam-no como um grande homem coberto de pelos negros por todo o corpo e cara, montado sempre em um grande porco de dimensões exageradas, tristonho, taciturno, e dando de quando em vez um grito para impelir a vara. Quem o encontra tem a certeza de ficar infeliz, e de ser malsucedido em tudo quanto intente; daí vem a frase portuguesa: estou caipora, como sinônimo de: estou infeliz, malsucedido no que intento.

> Couto de Magalhães — *O Selvagem*, p. 137. Rio de Janeiro, 1876.

O *Caapora* (vulgarmente Caipora) veste as feições de um índio, anão de estatura, com armas proporcionadas ao seu tamanho, habita o tronco das árvores carcomidas para onde atrai os meninos que encontra desgarrados nas florestas. Outras vezes divagam sobre um *tapir* — ou governam uma vara de infinitos *caitetus* cavalgando o maior deles. Os vaga-lumes são os seus batedores, é tão forte o seu condão que o índio que por desgraça o avistasse era malsucedido em todos os seus passos. Daqui vem chamar-se *caipora* ao homem a quem tudo sai ao revés.

> Gonçalves Dias — *O Brasil e a Oceania*, p. 105. H. Garnier [s/d] (é publicação de 1867).

Caipora, s.m. e fem. (Geral). Nome de um ente fantástico que, segundo a crendice peculiar a cada região do Brasil, é representado ora como uma mulher unípede que anda aos saltos, ora como uma criança de cabeça enorme, ora como um caboclinho encantado. Esses entes habitam as florestas ermas donde saem à noite a percorrer as estradas. Infeliz daquele que se encontra cara a cara com a Caipora. Nesse dia tudo lhe sai mal, e outro tanto lhe acontecerá nos dias seguintes, enquanto estiver sob a impressão do terror que lhe causou o fatal encontro. Por extensão dá-se o nome de Caipora à pessoa cuja presença pode influir de um modo nocivo em negócios alheios, e também é Caipora o indivíduo malfadado, aquele que, apesar de sua moralidade, de suas boas intenções e do desejo de melhorar de posição, se vê constantemente contrariado em suas aspirações: "sou muito caipora."

> Beaurepaire-Rohan — *Dicionário de Vocábulos Brasileiros*. Rio de Janeiro, 1889.

— E o "caipora"?

— Esse é cabocro e cabocro do ligite! É chatarrão, cheio de corpo, peludo cumo bicho, barbudo, testa curta, nariz chimbévão, chato, beiço grosso e carão cheio. Gosta de descançá no samambaiá e persegue quem vai caçá na sexta-fêra. A gente só mata caça quano ele qué... E vacê vê que tem dia que u as caça some u gente erra o que atira e inveiz de matá a caça mata o companhêro u um cachorro... Morde isso é que um dia é da caça e otro do caçadô... É quistã de acertá o dia. O Caipora é loco por fumo, e vacê sabeno gradá ele vacê fais razora nas caçada. O gosto dele é andá amuntado num porcão do mato, tocano as vara de queixada e de cateto p'ros carrero do mato.

Cornélio Pires — Conversas ao pé do fogo — 3ª edição, p. 154. São Paulo, 1927.

Caapora — Um caboclinho encantado, habitando as selvas; e, como o bicho-homem, tendo o pé redondo — de garrafa — cocho, com um olho único no meio da testa, cavalgando sempre um porco selvagem, por silenciosas e remotas brenhas.

Tem comércio com caçadores famosos que dão-lhe presentes de fumo, cachaça e baieta em troca da quantidade de porcos que deseja matar, nessas manadas ou varas por ele conduzidas.

Uma vez estabelecido o convênio, o feliz caçador tem caça à vontade e usa discricionariamente desse privilégio. Os que o não possuem, encontrando o caapora e sua manada, perdem o seu tempo, palavra e chumbo; portanto, os porcos que caem varados e espatifados pelas balas se levantam incólumes, ressuscitados, ao contato do focinho do porco que aquele cavalga.

Isso acontecendo, pode o caçador imprudente e inexperto retirar-se. É debalde. A caçada está perdida.

Manuel Ambrósio — Brasil Interior, p. 71. São Paulo, 1934.

A *Caipora* é dona da caça, menos da caça de pena. O caçador que ela protege deve levar de presente fumo e mingau sem açúcar e sem sal. Detesta a pimenta. Se o mingau for feito em vasilha onde se tenha cozinhado comida temperada com pimenta, Caipora não come e surra o protegido. O caçador auxiliado por ela mata toda versidade de caça que vier em bando. Não atira, porém, em animal isolado nem sobre o último do bando, porque talvez seja a Caipora transformada em bicho, guiando-os para o afilhado.

A Caipora é alma de caboclo brabo, índio que morreu pagão.

Narrativa do agricultor Severino Pereira de Lima.

Manuel Inácio, morador no "Maciel", arredores de Guarabira, Paraíba, ousou caçar numa sexta-feira, dia da Caipora. Passando pela sombra de um angico, ouviu grandes gargalhadas. À tarde só pôde encontrar uma juruti. Disparou-lhe oito tiros. O chumbo espatifou o papo da ave. Coração e intestinos caíram. A juruti voou como se estivesse ilesa.

José Belém Bacurau, por alcunha Zé Crato, contou-me ter assistido um ser invisível surrar ferozmente um seu cachorro. O animal ficou semimorto e Zé Crato compreendeu que desobedecera ao preceito de respeitar a sexta-feira.

SACÍ-PEÍERÊ

Nenhum dos velhos cronistas do Brasil colonial registrou o Saci como é conhecido no sul do país. Nem Vasconcelos, Anchieta, Soares de Souza, Gandavo, Fernão Cardim, Staden, Thevet, Abbeville, Evreux, Nóbrega, frei Vicente do Salvador, João Daniel incluem o Saci entre as curiosidades assombrosas da terra nova. Nem Marcgrave, Morisot (nas notas em Roulox Baro), Jacob Rabi (em Barléus), nenhum autor holandês lembra as andanças do Saci.

O Saci, *Saci-pererê*, tem, entretanto, um domínio vasto. Está em todo o Sul do Brasil e nas repúblicas vizinhas. É uma entidade real no folclore, mas sem vestígios no fabulário antigo. Quando se fala no Saci, sabe-se do "inquérito" que Monteiro Lobato dirigiu e que resultados extensos denunciou para a existência fantástica do duende negrinho.[35] Nós conhecemos uma ave e um negrinho ágil, com uma perna só, nuzinho, de carapuça vermelha, amando assombrar o povo, correr a cavalo e desmanchar a alegria de quem encontra, ambos chamados Saci. O nome a quem pertence? De onde começou? Vem Saci do pássaro ou do anão atrapalhador, um legítimo *neckischer waldgeist* do velho doutor Martius?

Saci, ave

Saci — *Tapera naevia*, Linn. Fam. Cuculidae. Também chamado *Sem-fim*. Etym: h —ã (h—ang) cy = o que é mãe das almas. (Cf. Baptista Caetano: 3,86; porque, segundo a lenda, chupa a alma dos defuntos. O h demonstrativo corresponde a Y e torna-se ç = s,

---

35 O *Saci-pererê*, resultado de um inquérito. Seção de Obras de *O Estado de S. Paulo*, São Paulo, 1917.

quando se fixa ao tema; ã por ang = alma, e cy mãe. Alt. Sacim. Para outros é onomatopaico. A superstição popular faz dessa ave uma espécie de demônio, que pratica malefícios pelas estradas, enganando os viandantes com as notas de seu canto e fazendo-os perder o rumo. Sul, Centro, Amazônia e Paraguai (Rodolpho Garcia — *Nomes de aves em língua tupi* — in *Boletim do Museu Nacional*, Vol. V, nº 3, p. 41. Setembro. Rio de Janeiro, 1929).

Mas a identificação do Saci-ave não é fácil nem uniforme. A *Tapera naevia* é chamada, no nordeste brasileiro, Peitica e também Sem-Fim. Peitica é ainda a *Empidonomus varius* Vieill., a popular Maria-já-é-dia. Com igual nome há uma Elaenia, a *Elaenia flavogaster*. Saci é outro cuco, o *Cuculus cayanus* que Barbosa Rodrigues diz ser também a famosa Mati-taperê ou Matinta-Perera, de assombradora memória. Emília Snethlage diz que a Matinta-Perera é nada mais e nada menos que a própria *Tapera naevia* que tem, no Amazonas, o pseudônimo de "Fem-fem", possivelmente o "Vem-vem" do nordeste. A Marrequita-do-Brejo, ou Curutié (*Sinallaxis cinnamomea*) e outro Saci. O "Alma-de-Caboclo" (*Diplopterus naevius*) é dado como sendo o Saci. É o mesmo *Piaya cayana*, de Linneu que, ensina Snethlage, tem mais três sinônimos: O Xicoã, a "Alma-de-Gato", e o Ating-aí. É ainda o *Cuculus cornutus*, o Ticoã ou Tincoã, Pássaro-feiticeiro, Pássaro-pajé, uira-pajé. Guarda ele o espírito dos mortos, "chupa a alma dos defuntos" na definição de Batista Caetano de Almeida Nogueira. Nesta acepção von Martius escrevera registro idêntico: *Avis apud indianos Goyatacas sacra habita, quippe quae mortuorum hominum animas in se recipiat.*

O Curutié ou Marrequinha do Brejo (*Sinallaxis cinnamomea*) não é conhecida na Amazônia como Saci e sim "Pedreiro Pequeno", *apud* Emília Snethlage no *Catálogo das Aves Amazonenses* (*Boletim do Museu Goeldi*, Vol. VIII, Belém do Pará, 1914).

O Saci estende, como um pássaro, suas lendas desde a Argentina até o México. No Paraguai é o *Dromococcyx phasianellus,* de Spix, que em Minas Gerais tem a denominação de "Peixe-Frito" ou "Peito-Ferido" segundo o professor Basílio de Magalhães.

O Saci argentino, uruguaio, paraguaio etc. é o Iaci-íaterê, na Argentina é conhecido como sendo o "Crispin" (*Tapera naevia chochi,* Vieillot), do qual o erudito Robert Lehmann-Nitsche coligiu as inúmeras versões folclóricas num ensaio, hoje clássico, sobre *Las Tres Aves Gritonas* (Imp. de la Universidad, Buenos Aires, 1928).

A impossibilidade de localizar o Saci num pássaro é a mesma que se luta para identificar o Uirapuru, a ave fantástica do Amazonas, égide suprema, cheia de mistérios, reunindo derredor de si todos os pássaros seduzidos pelo seu canto irresistível. O Uirapuru é indicado como pertencendo aos gêneros Leucolipia, Thamnomanes, Cirrhopipra, Chiroxphia, Terenotriccus, Pipra e Pachysylvia... E o Uirapuru é sempre encontrado à venda, seco e "preparado", como amuleto para jogo, amor, felicidade em caça, pesca etc.

O que dizem os ornitologistas é a facilidade de o Saci enganar pelo canto. Nunca sabem onde ele esteja realmente. Seu assobio é antes um elemento desnorteante que de direção segura. Goeldi escreve no seu *Aves do Brasil*:

> ... o que mais me tem admirado é como a gente se engana quanto ao lugar em que está pousada. Ouve-se de longe, durante horas, o mesmo assobio característico; mas, seguindo-se este som, fica-se, sempre, ou muito longe ou muito perto, ou muito para a esquerda; em suma, cem vezes está a ave em cima e longe, antes de podermos dar-lhe um tiro. Este modo de ser enigmático e juntamente o brado triste deram, talvez, aso a toda a coroa de fábulas, que nimbam o nome de Saci.

Lehmann-Nitsche mostra, sem insistir pela característica, que as aves que possuem fabulário têm esse canto disperso e melancólico. Pelo canto ninguém é capaz de encontrar o Urutau (*Nyctibius griseus,* Gm), a triste "Mãe-da-Lua" das nossas matas. Caprimulgos, Strix possuem o sinistro domínio do pavor. Muitas vezes, no sertão de minha terra, a "Remington" de repetição pronta para o tiro, procurei o "Vem-Vem", de dia, ou a "Mãe-da-Lua", à noite, guiado pelo seu insistente lamento ou obstinado assobio. Ouvia-o para todos os lados como diluído na mataria. Nunca consegui alvejar um só desses pássaros, razão para aumentar-lhes a fama do disfarce e da impossibilidade de uma descarga certeira e feliz.

Da origem lendária do pássaro, Barbosa Rodrigues recebeu uma estória que publicou na *Poranduba Amazonense*. No mundo amazônico o Saci é mito ornitomórfico e não andromórfico. Há Saci-ave. Não há Saci-moleque. Esta é a lenda do rio Solimões.

Um tuixaua tinha dois filhos e vivia feliz com eles. O tio odiava os sobrinhos e convidou-os para ajudá-lo numa derruba de árvores para fazer um plantio. Os dois sobrinhos aceitaram. Chegados na floresta, o tio embriagou os dois rapazes e matou-os. Depois, um dos assassinados perguntou ao outro: o que foi que tu sonhaste? Sonhei — diz o segundo — que nós nos lavávamos com carajuru. — O mesmo sonhei eu. E voltaram para a casa da avó. Vendo-os, a velha ia aquecer o jantar, mas os dois netos disseram: Ah! minha avó, nós não somos mais gente, e sim só o espírito.

Assim seja, minha avó, nós te deixamos e quando ouvires cantar "Tincuan! Tincuan!" foge para casa e quando cantarmos "Ti... ti... ti" então reconhecerás. A cor vermelha que os netos tinham nos olhos era o sangue.

Ficaram, desde então, mudados em dois pássaros de agouro, de mistério e de morte. Um í o Uira-Pajé, Alma-de-Caboclo, o Sem-Fim, o Saci. O outro é a Mati-taperé. Ambos, nascidos numa tragédia, espalham desgraças e semeiam pavores.

O carajuru é a *Bignonia chica* ou *Lundia chica*, ensina Barbosa Rodrigues. É um cipó de cujas folhas se extrai um pó vermelho vivo que os indígenas empregam na pintura de tecidos, uso de remédios e especialmente na "pajelança", feitura de puçangas etc.

> Saci — Casta de pequena coruja, que deve o nome ao grito que faz ouvir repetidamente durante a noite. É pássaro agourante. Contam que é a alma de um pajé, que não satisfeito de fazer mal quando deste mundo, mudado em coruja vai à noite agourando aos que lhe caem em desagrado, e que anuncia desgraças a quantos o ouvem. O nome de saci é espalhado do Amazonas ao Rio Grande do Sul. O mito, porém, já não é o mesmo. No Rio Grande é um menino de uma perna só que se diverte em atormentar à noite os viajantes, procurando fazer-lhes perder o caminho. Em São Paulo é um negrinho que traz um boné vermelho na cabeça e frequenta os brejos, divertindo-se em fazer aos cavaleiros que por aí andam toda a sorte de diabruras, até que reconhecendo-o o cavaleiro não o enxota, chamando-o pelo nome, porque então foge dando uma grande gargalhada (Stradelli — *Vocabulário Nheengatu-português*).

O canto do Saci foi anotado pelo príncipe Maximiliano zu Wied-Neuwied[36] e pelo Sr. S. Nogueira de Lima.[37]

O registro do príncipe Max. zu Wied-Neuwied é apenas:

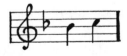

---

36 Wied-Neuwied — *Beiträge zur Naturgeschichte von Brasilien,* Tomo IV, p. 346. Weimar, 1830.
37 S. Nogueira de Lima — *Depoimento,* in *O Saci-pererê* — resultado de um inquérito, p. 268. São Paulo, 1917. Na cópia que fiz, retirei os dois sustenidos por desnecessários.

O do Sr. Nogueira de Lima:

José Veríssimo que fala em tantas superstições do Pará e Amazonas[38] não cita o Saci. Registra a Matin-taperê e a *Juriti-pepena*, ave misteriosa, "que canta perto de vós e a não vedes, que está talvez à vossa cabeceira e a não sentis". A Juruti fantástica encarna-se numa aroidea, com suas "largas e lindas folhas verdes, estriadas de vermelho e branco". Aproximado da planta ouve-se o pio lúgubre da Juruti invisível. Pelo canto ninguém a verá jamais. Não é o elemento característico do Saci desnorteador?

Saci-pererê e Matintapereira

Mas se o Saci, ausente dos velhos cronistas do Brasil colonial, não se faz notar no fabulário do norte brasileiro, fatalmente terá seu substituto. Barbosa Rodrigues escreve no *Poranduba Amazonense*, p. 13:

> ... no Sul é Saci tapereré, no centro Caipora e no Norte Maty-taperê.
> O civilizado, que muitas vezes não entende a pronúncia do sertanejo, que é o mais perseguido por ele nas suas viagens, tem-lhe alterado o nome; já o fez Saci-pererê, Saperê, Sererê, Siriri, Matim-taperê, e até já lhe deu um nome português o de Matintapereira, que mais tarde, talvez, terá o sobrenome "da Silva" ou "da Mata". Para conseguir seus fins, e fazer suas proezas, sem ser visto, quase sempre vive o Saci ou Mati metamorfoseado em pássaro, que se denuncia pelo canto, cujas notas melancólicas, ora graves ora agudas, iludem o caminhante que não pode assim descobrir-lhe o pouso, porque, quando procura vê-lo pelas notas graves, que parecem indicar-lhe estar o Saci perto, ouve as agudas, que o fazem já longe. E assim iludido pelo canto se perde, leva descaminho nunca vendo o animal.

O Saci é a Mati-taperê, a Matintapereira dos paraenses e barés. Já em 1875 Gonçalves Tocantins registra sua presença nas tradições dos índios Mundurucus. Mas os indígenas tinham a Matinta como a visita de seus

---

38 José Veríssimo — *As Populações Indígenas da Amazônia*, p. 357, *Revista do Instituto Histórico Brasileiro*, Tomo L, parte primeira. Rio de Janeiro, 1887.

antepassados. Uma ação de presença das "almas". A Matinta era, como a Acauã, o beija-flor, o bacacu, portadores do espírito dos mortos. A Matinta atual é o corpo que abriga o espírito de um ser vivo. Por encantamento alguém se pode mudar em Matinta e voar durante a noite, espalhando pavor. Pela madrugada volta à forma humana. A Matinta dos Mundurucus não era assim. Com o Saci se dá o mesmo. Ninguém pode tornar-se Saci e andar pedindo fumo pelos caminhos noturnos. Saci é Saci a vida inteira. Mas o que se deduz é ter Barbosa Rodrigues coligido o mito quando de sua forma primitiva e sagrada. Um sinônimo do Saci, uma visão assombradora, mas sobrenatural.[39] Stradelli já descreve a Matinta em sua metamorfose atual, dando-a como uma pequena coruja e explicando, para maior confusão com os mitos do Saci, do Caapora e do Curupira, que:

> ... segundo a crença indígena os feiticeiros e pajés se transformam neste pássaro para se transportarem de um lugar para outro e exercer suas vinganças. Outros acreditam que o Mati é uma Maáyua, e então o que vai à noite gritando agoureiramente é um velho ou uma velha de uma perna só, que anda aos pulos.

Barbosa Rodrigues ainda fala (opus. cit., p. 16) que o *Saci-pererê* era companheiro do *Caapira* e tinha o corpo de um *pássaro de um pé só*.
Teodoro Sampaio ensina sobre o *Saci*:

> Saci, s. c. ça-ci, o olho doente. Nome de gênio maléfico da mitologia selvagem, que se supõe representado por um negrinho...

Escreve o mesmo sobre a *Maty-taperê*:

> ... corr. *matiî-taper-ê*, o pequenino propenso às ruínas (tapera), isto é, o ente minúsculo que gosta das taperas ou vive nelas. Em verdade, Matiî exprime coisa muito pequena, o vulto insignificante. Taperê é taper-ê, que quer dizer — propenso ou dado às ruínas. Para o gentio brasileiro o maty-taperê é um gênio maléfico, refugiado nas aldeias abandonadas, e que perseguia a quem, imprudente, delas se avizinhava. Costuma a andorinha aninhar-se nesses lugares e, por isso, o índio a apelidava — taperuá — que quer dizer morador das taperas ou ruínas. Daí o dizer-se que o maty--taperê tomava sempre a figura de um pássaro pequenino, como a andorinha, e assim se disfarçava (*Tupi na Geografia Nacional*, 3ª edição. Bahia, 1928).

Pelo que possuímos em lendas, tradição oral, depoimentos, sabemos que a Matinta nada tem que ver com ruínas. Aparece de noite nas vilas,

---

39 Para detalhes sobre a Matintapereira ver a parte a ela referente.

cidades, povoados, atravessando o espaço com seu grito arrepiante. Não castiga nem persegue quem visita as taperas. Ninguém sabe onde a Matinta está residindo. Os paraenses e amazonenses de hoje apontam velhas como possuindo o condão de mudar-se em Matintas. Ouvindo seu grito os moradores prometem, em voz alta, fumo. Pela manhã uma velha mendiga aparece esmolando. É a Matinta que vem cobrar a promessa.[40]

Qual a ave que encarna a Matinta? Barbosa Rodrigues aponta o *Cuculus caianus*. Emília Snethlage dá o *Tapera naevia*, Linn, como sendo o mesmo Saci, Matinta-Pereira e Fem-Fem. Seu *habitat* é a América Central e maior parte da América do Sul. Snethlage descreve a Matinta como sendo "a parte superior do corpo pardo-claro, raiada de preto; parte inferior esbranquiçada; crisso amarelo. Comprimento das asas 10,8 cm, de cauda 14 cm, do bico 2 cm".

Barbosa Rodrigues ensina que o mito do Saci se confundiu com tantos outros, especialmente derredor de aves de canto disperso ou, como esse pássaro que tem o hábito de pousar numa só perna, dando a impressão de ser unípede. O Saci quando tornado mito andromórfico só terá uma perna e Lehmann Nitsche levá-lo-á aos astros, identificando-o com a Ursa Maior.

Poder-se-á dizer, evidentemente, que a ave ou aves que determinaram o mito da Matinta são as responsáveis pelo Saci atormentador. O mito é, pelo que me parece, inicial e unicamente ornitológico.

Ainda é de notar que, no sul do Brasil, o Saci-pererê como o moleque ágil não retoma a forma de ave. Saci sulista não guarda o segredo da Matinta paroara.

O Saci fora do Brasil

Viajando para o sul o Saci vai tomando formas mais precisas e seguras, denunciando o perdido roteiro de sua migração secular. Na Argentina, Uruguai etc., o Saci continua seu domínio com uma naturalidade de aborígine. Em Paraguai é o

Yasí Tere, Yasí Yatere, Yasí ateré, gragmento de la luna, quarto hijo de Taù y de Keraná. Hombrecillo de cabellos dorados, señor de las siestas, posoedor de la varita mágica, protector de la yerda hechicera y de las abejas. Tenía la afición de extraviar

---

40 José Coutinho de Oliveira — *Lendas amazônicas*, p. 113. Pará, Livraria Clássica, 1916. Ver a aplicação de Schevenhagen na Matinta.

a las gentes para llevarlas a su hermano Aó-Aó que era caníval (Narciso R. Colman — *Nuestros Antepasados* — San Lorenzo, Paraguai, pp. 126/127).

Não mais é o negrinho. Não se fala na carapuça vermelha. Transvia os transeuntes e possui uma varinha mágica, atributo europeu das Fadas e dos "gênios" orientais.

Na região missionária argentina, escreve Juan B. Ambrosetti, o Yasy-Yateré

> *no es un pájaro el que silba de ese modo, sino un enano rubio, bonito, que anda por ese mundo cubierto con un sombrero de paja, y llevando un baston de oro en la mano. Su oficio es el de rodar los niños de pecho, que lleva al monte, los lame, juega con elos, y luego los abandona allí, envueltos en isipós (enredaderas) (Supersticiones y Leyendas*, p. 94. Buenos Aires [s/d].).

Informa Ambrosetti que o Yasy-Yateré rapta também moças e as leva para os montes. O filho desses amores será Yasi-Yateré igualmente. As crianças recuperadas ao Yasy ficam atoleimadas e têm ataques epiléticos no aniversário do rapto. Quem conseguir arrancar o bastão de ouro ao Yasy terá todas as coisas.

O Yasi argentino reúne os atributos do seu irmão paraguaio e uruguaio. É anão, vermelho, usa bastão de ouro ou uma varinha encantada. Varinha ou bastão dariam ao possuidor o poder de mandar no Yasi, como no Brasil se dá com quem tome a carapuça vermelha que cobre a carapinha do Saci.

F. C. Mayntzhusen em seu estudo sobre *Los Pigmeos en leyendas de los Guaranies* (*Anais do XX Congresso Internacional de Americanistas*, Vol. I, Rio de Janeiro, 1924) alude a tradição existente entre os Guaranis da existência de anões fabulosos. O padre José Guevara, citando uma carta de P. Juan Techo, fala em pigmeus dos Chiriguanos, no Chaco. Os Tapietés disseram a Erland Nordenskiold que sabiam onde vivia um povo anão, de índole tranquila e falando guarani. Os Guaiaquis dão notícias dos Yakãrendis, habitantes dos bosques paraguaios e que caminham com luzes na cabeça. Camponeses paraguaios detalham informações sobre os Yacy-Yateré, vermelhos, do tamanho de uma criança de sete anos e que não sabendo fazer fogo vivem rondando os acampamentos para roubá-lo. Furtam meninos e abandonam depois de brincarem. Os meninos se tornam loucos. Usam bastões com o punho de prata. Este bastão emite sons iguais ao canto do Yacy-Yateré (*Dromococcyx phasianellus*, o mesmo "Peixe-frito" de Minas Gerais e do Estado do Rio de Janeiro, segundo nota verbal que me deu o escritor Focion Serpa). O bastão torna o anão invisível (opus cit., p. 207). Os Kainguás falam nos Yakãundy, minúsculos, morenos, podendo desaparecer sob a terra, vivendo de caça e mel de abelhas e imitando, como meio de comunicação a distância, o sibilo do *Dromococcyx phasianellus*, Yasy-Yateré, ou "Peixe frito" no Brasil. Mayntzhusen observa a existência do bastão encantado, a decoração à prata, elementos não americanos, e acentua a possível vida de uma raça que desconhecia o uso do fogo, era de pequena estatura, possivelmente vestígios de um homem de cultura paleolítica (*ibidem*, pp. 208/209).

Para Elói Fariña Núnez, também paraguaio, o depoimento sobre o Yacy-Yaterê modifica um pouco a figura fixada pelos informadores de Mayntzhusen.

> *Que es el Yacy-Yaterê? Un hijo de la selva, un enano de cabellera rubia, que aparece en plena siesta en el interior del bosque, para encantar a los niños que turban el silencio silvestre a esas horas. Unos lo han visto con una vara, lazo o bastón en la mano, y otros lo describen barburdo y con cuatro talones, por lo cual de lo apela también* Pitayobal. *[Elói Fariña Núnez adianta]: Su origen reside en cierta ave trapadora, tamaña como una paloma y parecida a una gallineta, que debe su nombre, por onomatopeya, al canto que lanza, canto que sobrecoge misteriosamente a los naturales, en el hondo silencio de la selva.*[41]

Nessas fontes os elementos não se aglomeram informemente. Bastões mágicos, raptos de crianças, causas de loucura, vida na floresta ou nos montes, mas todos são unânimes na versão física do duende. É sempre pequenino, vermelho e ágil. Não se fala que só tenha uma perna.

Elementos clássicos

Comparar é sempre mais cômodo porque estabelece a referência e com ela a compreensão. Ehrenreich, mirando os djins amazônicos, Caaporas, Curupiras, Juruparis, lembrou-se de um Lutino alemão, o Kodolde, e comparou-os, rejubilado pela ideia.

O Kodolde é uma espécie de Saci alemão, de Curilo da Bretanha, um diabinho irrequieto, buliçoso, agitado, atrapalhador do sossego doméstico nas residências onde ele se fixa. Agradado dos donos da casa e servos,

---

41 *Revista do Instituto Histórico Brasileiro*, Vol. II do Congresso Internacional de História da América, p. 327. Rio de Janeiro, 1926.

ajuda-os, lava o soalho, limpa os móveis, arranja a cozinha, afugenta ratos e gatos. Susceptível ao extremo, zanga-se facilmente e torna a vida insuportável pelas diabruras ininterruptas. Quebra louça, queima a comida, abre as torneiras, suja os gavetões de roupa, emporcalha as salas, faz cair, nas horas de servir à mesa, os criados. E o Kodolde ri, delicado, como o Saci paulista ou mineiro. Assim também Sébillot podia ressuscitar o Gobelin, os Lutinos, os Farfadets, demônios familiares, mais travessos que malvados, incapazes de matar mas satisfeitíssimos em assombrar alguém.

Os etnógrafos europeus registraram compassivamente o Saci porque a Europa está cheia de Cambions, Elfos, Empusas, Farfadets, Goles, Gobelins, Kleudes, Koboldes, Lamias, Larvas, Lemures, Brocolacos, Lutins, Vauverts, Willis, Courils, Pulpicans etc., um mundo atordoante de pequeninos seres poderosos, perversos ou atormentadores, vivendo derredor dos homens civilizados e orgulhosos de sua civilização.

Leite de Vasconcelos (*Ensaios Etnográficos*, Esponsede. 1903, p. 61, *apud* Paul Sébillot, *Le Folk-Lore*, p. 136) fala num *négrillon au bonnet rouge, qui fait des grimaces et des niches aux enfants portugais, se montre surtout en été*.[42]

Teófilo Braga nos *Contos Tradicionais do Povo Português* (vol. I, p. 113, estória *A bengala de dezesseis quintais*) cita, num conto de encantamento, "um molequinho de bota vermelha", extremamente vivo, inquieto e malicioso. Como num depoimento paulista sobre o Saci-pererê em que este aparece para comer as papas de milho e depois vomitá-las, o "molequinho" do conto português "vai à panela, furta-lhe tudo e meija-lhe dentro". Na estória que Teófilo Braga recolheu em Santa Maria, Famalicão, o "molequinho", cede a todas as vontades do Bengala de Dezesseis Quintais porque este lhe arrancara um pedaço da orelha e só lha restituiu depois de satisfeito.

Uma característica do Saci é ter uma só perna e agilidade surpreendente. Era um elemento que anunciava o velho Ciapodo, também unípede e velocíssimo. Plínio incluiu-o na *História Natural*. Diziam que o Ciapodo (*skia-podos*, sombra-pé) tinha um pé alargado e tão amplo que deitado de costas e erguida a extremidade contra a luz, adormecia, à sombra. Tertuliano o citou em sua *Apologética* (Vol. VIII, p. 13, edição de M. Nisard,

---

42 "O pretinho do barrete encarnado (Lagos e Estombar, Algarve) aparece sempre à hora de maior calma. É uma entidade graciosa, que faz figas e pirraças às crianças para as enraivecer." Teófilo Braga — *O povo português nos seus costumes, crenças e tradições*, Vol. IIº, p. 152. Lisboa, 1885.

Paris, 1845). Santo Agostinho descreve-os detalhadamente, na *Cidade de Deus* (Livro XVI, cap. VIII, p. 510, edição de M. Nisard, Paris, 1845):

> *On dit encore qu'il y a des peuples d'une merveilleuse vitesse, qui n'ont qu'une jambe et deux pieds, et ne plient point le jarret, qu'on appelle Sciopodes, parce que l'été ils se couchent sur le dos, et se défendent du soleil avec l'ombre leurs pieds.*

Aulo Gelo encontrou-os também para suas *Noites Áticas* (Vol. I°, Livro IX, p. 385, Paris, Garnier, [s/d]):

> *Les terres situées à l'extremité de l'Orient offrent encore d'autres merveilles: on y voit des hommes appelés "monocoles"; ils n'ont qu'une jambe dont ils se servent en sautant avec une très grande agilité.*

Na Escandinávia pula o Troll, idêntico aos mitos do Curupira e do Saci. Citando Edmond Pilon (*Contes Anciens du Nord*), Gustavo Barroso resume:

> Esse autor verificou no norte europeu a existência de três ordens de criaturas maravilhosas, presidindo aos fenômenos da natureza: da água, do ar e da terra. São os três espíritos que Lescure enumera na sua *Histoire des Feés*: o *stromkarl*, que vive na água, o *gnomo*, que existe no ar, e o *troll*, senhor dos bosques e dos rochedos. Esse troll é, às vezes, um monstro horroroso e de formidável poder. De outras, não: surge como um pequeno anão *espiègle* e vadio, pulando perna só, pelos caminhos além. Então, pode, até certo ponto, apresentar interessante semelhança com o nosso saci. Pontos de contato com este último possuem os endiabrados *zotterais* do Rheno, de que nos fala Henrique Heine.[43]

Um vampiro polonês e cossaco assalta os cavaleiros, registra Fréderic Boutet em seu *Dictionnaire des Sciences Occultes* (p. 195. Paris, [s/d]):

> *Les Polonais, les peuplades cosaques, redoutent un vampire enfant, petit spectre blême aux yeux clos qui hante les cimetières et bondit sur le dos du cavalier qui passe à proximité, le saisit par le cou, le mord à la nuque. Un seul moyen de salut: mettre pied à terre à l'instant, enfoncer dans le sol, avec un signe de croix, un poignard: "Fuis... disparais!..." Le vampire lâche prise, et saisissant le poignard, le long de lui s'enfonce dans le sol...*

Esse vampiro é de pequena altura, claro, amando atacar cavaleiros. Entre os indígenas Araucanos do Chile havia o *Ketronamun*, duende

---

43 *O Sertão e o Mundo*, p. 264. Rio de Janeiro, 1923.

anão que tinha a mesma aparência do Saci. O Ketronamun era um *enano que dicen que anda en una sola pata.* Esse mito araucano é a réplica da região do Pacífico, atestando a vastidão da figura assombrosa em todo continente.

Uma explicação da viagem do Saci

Não havendo o Saci-pererê no norte nem no nordeste e sim constando com frequência segura no Folclore do sul brasileiro; tendo tradições palpitantes e vivas em todos os países que circundam o Brasil, especialmente nas regiões outrora povoadas pelos Tupi-Guaranis, de cujo idioma nasce seu nome, coincidindo ainda sua jornada sul-norte com o roteiro das migrações tupis, tenho o Saci como criação dessa raça e trazida ao Brasil por ela. Ausente o Saci dos mais minuciosos cronistas do Brasil colonial, omissão injustificável se a sua influência fosse semelhante à do Curupira, Hipupiaras, Anhangas, Juruparis, Caaporas etc., deduz-se que o mito não estava popularizado nos primeiros séculos da colonização. O Saci aparece em fins do século XVIII e tem sua vida desenvolvida durante o XIX. Podemos, até prova em contrário, situar sua aparição há uns duzentos anos, vindo do sul, pelo Paraguai-Paraná, justamente a zona indicada como tendo sido o centro de dispersão dos Tupi-Guaranis.

Em sua subida para o Norte, o Saci foi assimilando os elementos que pertenciam ao Curupira, ao Caapora, confundindo-se com a Matitaperê. Com esse último, o Saci, mito ornitológico e local, teve impulso maior. Inicialmente fora o Saci apenas uma ave singular, reunindo fábulas e episódios misteriosos.

Do Curupira fica com o sestro de interromper a carreira para desmanchar nós e tecidos atirados pelo perseguido. Alguns demônios europeus, os de Portugal, por exemplo, que têm a obrigação de contar os grãos de painço atirado sob as pontes. Também herdou o Saci o direito de desnortear o viajante, fazendo-o perder-se na floresta, antigo privilégio do Curupira. Nas repúblicas do Prata, o Saci continua a ter cabelos vermelhos, talqualmente o Curupira.

Do Caapora, tornado Caipora, dá o assobio, surra os cães, atrasa negócios, pede fumo e pode proteger favoritos. Aprendeu a montar, fazendo rédeas das crinas e cansando os animais.

E a perna única? Não o dizem aleijado várias tradições sul-americanas. Havia, entretanto, a presença de entes unípedes e poderosos no continente.

Os Maias da Guatemala (Quiches) tinham o deus Hunrakan e os antigos mexicanos veneravam a Tezcatlipoca, ambos com uma só perna. Os dois seriam, para o saudoso Lehmann-Nitsche,[44] representados pela constelação da Ursa Maior, origem astral do nosso mito. Creem que os Negros hajam contribuído para a formação atual do Saci, enrolando-o com as semelhanças do Gunucô, fantasma protetor das matas. Mas Gunucô lembra, e muito vagamente, o Curupira. É o responsável, em percentagem séria, pelas aparições noturnas que crescem e minguam o tamanho, surgindo como crianças e como gigantes. Demais, Gunucô é um negro com ambas as pernas, sólidas e velozes.

A perna única do Saci-pererê, de cuja ausência parece lamentar-se muito raramente, é recordação clássica do fabulário europeu, dos seres estranhos como os Ciapodos, Monocoles, Trolls. A carapuça vermelha do Saci-pererê é a transformação da cabeleira rubra do Curupira. É uma das razões, porque existem outras e ponderáveis. Sem recorrer ao fabulário africano, sabemos popularíssima na Europa a tradição das *casquettes* vermelhas como atributos sobrenaturais. Em Hildesheim, no Saxe, durante o século XII, vivia calmamente na cidade um duende chamado Hecdakin, conhecido como sendo o *espírito do boné*. Este boné era vermelho e Hecdakin não o tirava da cabeça. Em Hemel-sobre-o-Weser, na baixa Saxônia, durante o ano de 1284, um tocador de pífano, cujo som arrastava irresistivelmente todos os ratos da cidade, afogou-os e, não sendo pago pelas autoridades, voltou com outro pífano e seduziu as crianças, que o seguiram até uma gruta, onde desapareceram para sempre. O misterioso pifaneiro usou duas carapuças. Para os ratos foi verde. Para as crianças, vermelha.

Na sinonímia diabólica de Portugal há "o da carapuça vermelha", como um dos nomes mais familiares do Demônio, segundo Leite de Vasconcelos em *Tradições Populares de Portugal*, p. 312.

A influência portuguesa no mito do Saci-pererê é maior que julgamos, especialmente como duende noturno. A mão furada, com que aparece em vários depoimentos paulistas no "inquérito" de 1917, é apenas uma reminiscência do "Pesadelo", o Fradinho da Mão Furada, que usa também carapuça escarlate. Informa J. Leite de Vasconcelos:

---

44 Lehmann-Nitsche — *La Constelación de la Osa Mayor y su concepto como Huracán o Dios de la Tormenta en la esfera del Mar Caribe*. Separata do Tomo XXVIII da *Revista do Museu de la Plata*, Buenos Aires, 1924.

Uma versão que um amigo me mandou do Algarve contém o seguinte: O Fradinho da Mão Furada entra por alta noite nas alcovas, e pelo buraco da fechadura da porta (cf. as Bruxas). Tem na cabeça um barrete encarnado (cf. o Diabo), escarrancha-se à bondade em cima das pessoas e a ele são atribuídos os grandes pesadelos. Só quando a pessoa acorda, é que ele se vai embora (*Tradições Populares de Portugal*, p. 289, Porto, 1882).

A carapuça inseparável do Saci é encantada e se lha arrebatam ele dará fortunas para recuperar. Também o Pesadelo em Portugal possui essa prerrogativa. Escreve Leite de Vasconcelos:

O Pesadelo é o Diabo que vem com uma carapuça e com uma mão muito pesada. Quando a gente dorme com a barriga para o ar, o Pesadelo põe a mão no peito de quem dorme e não deixa gritar. Se alguém lhe pudesse agarrar na carapuça, ele fugia para o telhado, e era obrigado a dar quanto dinheiro lhe pedissem, em quanto lhe não restituíssem a carapuça (Vallongo: quem contou isto, afirmou que já sentiu o Pesadelo) (Idem, p. 290).

Para o nosso Saci a carapuça representa a mesma necessidade. No "inquérito" (pp. 179/180) vemos que

amarravam o moleque para lhe exigir riquezas, ou que, para o mesmo fim, lhe arrebatavam de surpresa a carapuça vermelha — cuja posse constituía para o endemoninhado negrinho, condição *sine qua non* de seu poder sobrenatural.[45]

Na América do Sul há o poderoso Ecaco boliviano, deus da fortuna e da prosperidade, conservando culto obstinado entre o povo. Representam-no como um homem pequenino, pançudo e sorridente. Cobre-lhe a cabeça o *cchullu*, gorro pontiagudo e vermelho. Em tantíssimos contos

---

45 A carapuça vermelha do Saci é a explicação dos poderes sobrenaturais (pp. 97, 179-180 do "inquérito"). A carapuça que torna seu portador invisível é tema universal. Ver P. Saintyves, *Les Contes de Perrault et les récits parallèles*, Paris. 1923, pp. 284, 291 etc.
O costume de amarrar o Saci para que ele descubra objetos perdidos ou dê riquezas é velho e clássico. O nosso povo amarra Santo Antônio para fins semelhantes e também para casar as mocinhas ou velhas sem pretendentes. Em Portugal, de onde nos veio o hábito, ainda prendem ao próprio Diabo. Teófilo Braga registra vários episódios no *O Povo Português* etc., Vol. II, p. 191. No Minho recita-se: *Aqui te amarro, diabo — Aqui te amarro o teu rabo — À perna desta cadeira — Enquanto não aparecer — aqui has de padecer* (Idem). Certos deuses olímpicos tinham suas estátuas amarradas. A de Marte em Esparta era presa para que *não abandonasse os exércitos durante a guerra* (*Nova Mitologia Grega e Romana,* P. Commelin, p. 65). Proteu só respondia às consultas estando amarrado. No 4º livro das *Geórgicas*, Virgílio narra como o pastor Aristeu conseguiu um conselho de Proteu.

infantis vemos o "chapeuzinho vermelho" individualizando o personagem central ou tendo atributos divinatórios.

Em São Paulo, Minas Gerais, Paraná, Santa Catarina, Rio Grande do Sul, Rio de Janeiro, o Saci-pererê deixa, como vestígio indiscutível das suas habilidades de equitação, as crinas do animal entrançadas como teias, um emaranhado impossível de se desfazer e consertar. Um duende popularíssimo na Provença, o *Esprit Fantastique*, ou simplesmente o *Fantastique*, tem manias idênticas. Mistral (*Mes Origines, Memoires et Récits*, p. 39, Paris, 1929) registra o mesmo para o seu familiar duende.

> *S'il est de bonne humeur, il vous étrillera vos bêtes, il leur tresse la crinière.* [Na mesma página:] *Il embrouille la queue des bêtes.* [O *"Fantastique"* gosta igualmente do som dos chocalhos, como o Saci.] *Ce qui attire le Fantastique dans les étables, c'est, dit-on, les grelots; le bruit des grelots le fait rire, rire, tel qu'un enfant d'un an, lorsqu'on agite le hochet.*

Talqualmente o Saci, o trasgo provençal não é malvado, mas malicioso.

> *Mais il n'est pas méchant, il s'en faut de beaucoup; il est capricieux et se plaît à faire des niches.*

A velha Renaude também viu o *Fantastique* empoleirado num ramo de árvore, rindo, convidando-a a subir, como acontece com as nossas velhas caipiras ou antigas escravas de boa memória.

O uso do fumo é que julgo bem brasileiro. O Yací Yateré paraguaio, uruguaio, argentino, não pede fumo e sim fogo ou alimentos. No Brasil o indígena ensinou o colono a fumar. O *beber fumo* era, para alguns, pecado rudemente castigado pelas autoridades eclesiásticas, embora sem maiores fundamentos teológicos. O primeiro bispo do Brasil, dom Pero Fernandes Sardinha, condenou Vasco Fernandes Coutinho, donatário da Capitania do Espírito Santo, a trazer um molho de folhas de fumo ao pescoço. O padre Nóbrega (*Cartas do Brasil*, p. 112) elogia. Descrevendo as moléstias, diz que

> Deus remediou a isto com uma herva, cujo fumo muito ajuda a digestão e a outros males corporaes e a purgar a fleuma do estomago. Não a emprega, porem, mesmo tendo dela precisão por causa da humidade e do meu catarrho.

Damião de Gois chama-a *herva-santa*, como o padre Fernão Cardim que narrava:

He uma das delicias, e mimos desta terra, e são todos os naturaes e ainda os portuguezes perdidos por ella, e têm por grande vicio estar todo o dia e noite deitados nas redes a beber fumo (*Tratados da Terra e Gente do Brasil*, p. 76).

O vício espalhou-se vertiginosamente, ao deduzirmos desse depoimento do tempo colonial.

Também, entre os seres espantosos da floresta tropical do Brasil, apenas encontramos o Curupira, verdadeiro Pai do Saci-pererê, recebendo ofertas propiciatórias. É bem possível que o *petun* se incluísse nas dádivas, sabido seu emprego comum entre a indiaria.

Nos contos africanos é banal o pedido de tabaco pelos entes sobrenaturais. Num conto ouolof que Blaise Cendrars divulgou em sua *Anthologie Nègre* (ed. La Sirène, Paris, 1921) intitulado *Le Spahi et la Guinné*, esta, aparecendo pela madrugada ao soldado, pede-lhe fumo e termina a entrevista espavorindo-o (p. 300).

Nas estórias do Curupira que Barbosa Rodrigues compendiou, o fumo é presente ritual do caçador ao Curupira. O Caapora, ou Caipora, herdou o vício e dizemos, no norte brasileiro, "fumar assim só a Caipora..." Soma desses elementos, o Saci-pererê aparece fumando sempre e teimoso em manter o hábito à custa alheia, como o Curupira ameríndio e da Guiné africana.

Mito de existência relativamente moderna, o Saci-pererê substituiu na popularidade literária ao Curupira, registrado pelo Venerável Anchieta. É hoje o demônio inseparável das estórias, das anedotas, dos *causos*, das conversas matutas, caipiras e fazendeiras, vago, assombrador, inesperado, malicioso, humorista, atarantador, diluído na lembrança emocional dos que já não mais têm a idade espiritual para temer-lhe o espantoso encontro...

Documentário

(São Paulo, Minas Gerais, Rio de Janeiro etc.) — notas do volume *O Saci-pererê*, Resultados de um inquérito. São Paulo. 1917.

1 — O Saci é um tipo *mignon*, preto, lustroso e brilhante como o pixe, não tem pelo no corpo nem à cabeça; dois olhinhos vivos como os da cobra e vermelhos como os de um rato branco; a sua altura não passa de meio metro; possui dois braços curtos e carrega uma só perna, com esta pula que nem cutia e corre que nem veado, o nariz, boca e dentes igualam-se aos dos pretos americanos (p. 40).

2 — Outro empregado da casa, que dormia num jirau, embaixo do sobrado, num cômodo térreo em cujo centro acendia fogo todas as noites, contava que certa noite acordara, violentamente agitado por um assobio, estridente como nunca vira, que lhe entrara pelo ouvido direito e saíra pelo esquerdo. Assentou-se na cama. O braseiro estava ainda muito vivo, dando relativa claridade ao aposento. Nada viu, mas o tropel dos animais em torno do curral denunciava qualquer coisa de anormal. Dispunha-se a levantar para ver se algum ladrão tentava uma sortida, quando a porta se abriu e o Saci entrou: era um moleque retinto, simpático, de lábios muito vermelhos e calças arregaçadas, e foi logo assentando-se no chão, ao pé do fogo. Pegou de uma brasa e começou a brincar com ela, atirando-a de uma para outra mão. Como se sabe, o Saci tem a mão furada e quando a brasa acertava no furo, caindo no chão, ele dava uma gargalhada e olhava para o seu vizinho, encolhido na cama, hirto de medo. O homem suava e não podia gritar porque a língua estava pregada. Afinal, num esforço supremo, ergueu-se e começou a fazer o "Creio em Deus Padre" em Cruz (Credo). O Saci ergueu-se, fitou-o desta vez muito sério, deu um novo assobio ainda mais forte e desapareceu (pp. 56/57).

3 — Mal, porém, o sol afrouxa no horizonte, e a morcegada faminta principia a riscar de voos estrouvinhados o ar cada vez mais escuro da noitinha, a saparia pula dos esconderijos, assobia o silva de guerra — saci- -pererê — e cai a fundo nas molecagens costumeiras. A primeira vítima é o cavalo. O Saci corre aos pastos, laça com ela um estribo, e dum salto ei-lo montado à sua moda. O cavalo toma-se de pânico, e deita a corcove- ar pelo campo afora enquanto o perneta lhe finca o dente numa veia do pescoço e chupa gostosamente o sangue até enjoar. Pela manhã os pobres animais aparecem varados, murchos dos vazios, cabeça pendida, e suados como se os afrouxasse uma caminhada de dez léguas beiçais.

O sertanejo premune-se contra esses malefícios pendurando-lhes ao pescoço um rosário de capim ou um bentinho. É água na fervura. Farto, ou impossibilitado daquela equitação vampírica, o Saci procura o homem para atanazá-lo.

Se encontra na estrada algum viajante tresnoitado, ai dele! Desfere-lhe de improviso um assobio no ouvido, escarrancha-se-lhe à garupa e é uma tragédia inteira o resto da viagem. Não raro o mísero perde os sentidos e cai à beira do barranco até dia alto. Outras vezes diverte-se o Saci com pregar-lhe peças menores; desafivela um loro, desmancha o freio, escorrega o pelego, derruba-lhe o chapéu e faz mil picuinhas de brejeiro (p. 73).

Quando um objeto desaparece, dedal ou tesourinha, é inútil campeá-lo pela casa inteira que nunca o encontrareis. Basta para isso, entretanto, que se deem três nós numa palha colhida num rodamoinho, e que o ponham sob o pé de uma mesa. O Saci amarrado e imprensado visibilizará incontinenti o objeto em questão para que o libertem do suplício. Rodamoinho... A ciência explica este fenômeno mecanicamente pelo choque de ventos contrários e não sei que mais. Lérias! É o Saci quem os arma. Dá-lhes, em dias ventosos, a veneta de turbilhonar sobre si próprio como um pião. Brincadeira pura. A deslocação do ar produzida pelo giroscópio de uma perna só é que faz o remoinho, onde a poeira, as folhas secas, as palhinhas dançam em torno dele um corropio infrene. Há mais coisas no céu e na terra do que sonha a tua ciência, Ganot!

Nessas ocasiões e fácil apanhá-lo. Um rosário de capim bem manejado laça-o infalivelmente. Também há o processo da peneira: é lançá-la, emborcada, sobre o núcleo central do redomoinho. Exige-se, porém, que a peneira seja de cruzeta (pp. 74/75).

Espalha a farinha dos monjolos, remexe o ninho das poedeiras gorando os ovos, e judia das galinhas. Se a casa não é defendida, é dentro que opera. Esconde objetos, estraga a massa do pão posta a crescer, esparrama a cinza dos fogões apagados em cata de algum pinhão ou batata esquecidos (p. 73).

> ... espécie de ente fantástico, representado por um negrinho, que tendo na cabeça um barrete vermelho, frequenta à noite os brejos. Se acontece passar na vizinhança algum cavaleiro, faz-lhe o Saci toda sorte de diabruras, com o fim, aliás mui inocente, de se divertir à custa alheia. Puxa-lhe a cauda do cavalo, para lhe impedir a marcha; põe-se na garupa do cavaleiro, que reconhecendo-o o enxota e neste caso foge o Saci soltando uma grande gargalhada. São inimagináveis as proezas que se contam deste ente imaginário; e entretanto, cumpre dizê-lo em homenagem à verdade, há muita gente que lhes dá crédito. Também lhe chamam Saci-cerêrê e Saci-jerê e este é unípede (Beaurepaire-Rohan — *Dicionário de vocábulos brasileiros*, p. 127, Rio de Janeiro, 1889).[46]

4 — Saci-pereg (Çaa Cy — olho mau; pérérég — saltitante). Preto. Nariz de socó, língua de palmo, "pincezinho" no queixo, barriga de maleiteiro, umbigo de chorão, uma perna, rastro de criança, espora de galo velho que dá para empoleirar dois pintos. Quando trepa em barranco deixa três riscos, sinal de que tem três dedos. Mão furada, orelha de morcego, carapuça vermelha na cuia, barbicacho de sedenho. Acompanha os cavaleiros em viagem por dentro do mato arrancando cipós. Quando vê gente assobia, põe a língua e "curisca". Deita fumaça pelos olhos (p. 16/17).

---

46 Nota: Do mesmo "inquérito" sobre o *Saci-pererê* (São Paulo, 1917) retiro mais alguns detalhes que fixarão o curioso diabrete. Por eles veremos a formação (ou confusão) do mito, as pernas viradas do Curupira, o monolho dos ciclopes, a mania de raptar as crianças, como o Yasi-Yaterê da bacia do Prata etc.

5 — O'i minino, vancê já não ôviu ele cantá de tardinha "sáci, sáci"? Pois é ele que anda em procura dos minino que vai caçá passarinho e escangaiá os ninho, p'ra mórde enfiá eles num buraco muito fundo e judiá deles. E quando ele encontra muié, meu fio, fáis um estrago desgramado (p. 60).

6 — Vira também o Saci empoleirado no cavalo em carreira louca pelo pasto, em noite de sexta-feira, ou trepado ao telhado da casinha do caboclo transido de medo, assobiando "molequemente" e divertindo-se em quebrar as telhas (p. 78).

7 — Quando ria, saía-lhe fogo pelas narinas (p. 81).

8 — ... vulto de um menor de 12 anos, mas sem uma das pernas, magrito, vivo, ativo, buliçoso, caviloso, sem orelhas e trazendo um só olho em pleno frontal (p. 92).

9 — ... ele foi sempre incapaz de uma perversidade de consequências funestas. Limitou-se exclusivamente a afligir os velhos escravos e escravas; assustar os crioulinhos; a afrontar os cavalos de estima, a desarranjar os monjolos, moinhos, engenhos etc.

A carapuça do Saci tem uma importância capital. Quem lhe deu foi o Eterno. Graças a ela, o terrível traquinas torna-se invisível aos olhos do Diabo (p. 97).

10 — Saci presegue as quiança anti di batisá; Saci pita (nus pito das negras), i dispoise enche pitu di instrumo de caçôro. Saci robô uma quiança e foi botá num matu purque zêli num chamava Malía; pur issu qui in tuda casa, até di sinhô blancu, tem quiança cú nomi di Malía, purque tendu, tá livi di Saci Serumperêrê vin buscá zêlis (p. 100).

11 — ... nunca mais foi ao mato sem levar ao pescoço um bentinho tendo dentro um dente de alho descascado, única coisa neste mundo com que o Saci embirra, e da qual foge às léguas, tossindo e espirrando (p. 106).

12 — É fio dessas negras desavergonhadas, que fica grave, dispois fica co medo das sinhá porque ás veis o fio é do próprio sinhô ou do sinhô--moço, e vai largá no mato; morre pagão e vira Saci. Esse negrinho é o diabo, num é gente. Quantas veis ele num distravia caçadô no mato por mode i caçá nos domingo, a ponto de manhecê no mato; incrava a espingarda, distravia cachorro, intala cachorro dentro da toca (p. 116).

13 — Sou biperne e piso com os calcanhares para a frente de modo que as minhas pegadas indicam direção inversa à seguida por mim (p. 118).

14 — Contava-se que todas as sextas-feiras, à meia-noite, o Saci ia ao baile, debaixo da figueira; e então, arrancava as penas dos galos e galinhas

para se enfeitar. Era por demais perigoso, passar alguém, em tal noite, por perto de uma figueira; lá estava o raio do Saci, de carapuça vermelha e todo enfeitado, a dançar e a cantar. E quem ousasse surpreender o Saci nos seus folguedos, perderia a fala e ficaria bobo (p. 120).

15 — É crença do nosso caipira que não se deve lançar fogo numa roçada, em dia santificado ou domingo, porque os Sacis se reúnem e dão prejuízos (p. 132).

16 — ... ouvi ao longe o cantar de um galo. Olhei para trás e não mais vi o Saci, que desapareceu como por encanto (p. 145).

17 — Quando o Saci aparece na cozinha, a cozinheira dá as costas para o fogão e atira ao fogo 3 punhados de sal (p. 150).

18 — ... muitas vezes vi o Saci-pererê; era um pretinho perneta, de um olho só no meio da testa e usava uma carapuça vermelha (p. 160).

19 — ... vimos um vultinho preto, pretíssimo, com uma só perna, lábios e olhos vermelhos e com um barretinho da mesma cor na cabeça. Era o Saci. Estridentes e repetidos assobios sibilavam aos nossos ouvidos. Entretanto o Saci não parava. Do leito da estrada subia aos lombos dos bois; de 2 a 3 palmos de altura elevava-se a 2, 3 metros, para voltar de novo a ínfima altura. E isso nos acompanhou até a porta do sítio (p. 166).

20 — ... crianças pelo Saci atraídas com lindos engodos e promessas lindas, para o mato, onde as abandonava perdidas (p. 179).

21 — Anda aos pulos, tendo o cuidado de encobrir o rastro (p. 183).

22 — ... conheci de nome e quase de vista, o Saci-pererê, que na minha terra era mais conhecido pelo "capetinha da mão furada" (p. 223).

23 — ... os praianos dos arredores que à noite, quando vinham fazer a oração em comum na capela da fazenda, ficava ao longe um Saci assobiando muito triste e rezando também (p. 243).

24 — é costume do Saci matar os que o ofendem, a cócegas ou a pancada (p. 243).

25 — O Saci, meus rapazes, anda nu, não tem barrete na cabeça, é pequeno, do tamanho de meia braça (p. 248).

26 — O tár vésti um palitó qui ficô vermeio di tanto sangui qui nele cai quando chupa isganado o sangui das criança pagã i dos nimá (p. 251).

27 — Em outras eras, tinha como teatro de suas maldades e judiações as senzalas e fazendas de muita escravatura. Puxava a coberta dos negros e fazia-lhes cócegas, quando estavam no melhor dos sonos; enchia de cinza quente os olhos dos criolinhos; atirava brasas no seio das negras; arrastava as criolas para o fundo das brenhas; dava sumiça em crianças (p. 271).

28 — ... amarravam o moleque para lhe exigir riquezas, ou que, para o mesmo fim, lhe arrebatavam de surpresa a carapuça vermelha — cuja posse constituía para o endemoninhado negrinho, condição *sine qua non* de seu poder sobrenatural (p. 179/180).

29 — Às páginas 180 e 188/189 há dois episódios de fortunas dadas pelo Saci-pererê para readquirir a carapuça arrebatada.

Notas ao documentário do Saci-pererê

As notas 1, 4 e 22 falam na *mão furada* do Saci. O 22 chama-o mesmo "capetinha da mão furada". A mão furada era atributo do Pesadelo em Portugal. Com ela premia-se a boca do adormecido que ficava em meia sufocação. Ver as notas a "Um documento de Gonçalves Dias", na parte referente ao "Capeta da Mão Furada".

O Saci é o explicador do *rodamoinho, remoinho,* o vento circular. No norte do Brasil o *ridimuinho* é a luta de dois ventos inimigos, o vento do sul e o vento do norte. Um meu informante, o Sr. José Lagreca, ouviu essa explicação no interior do Piauí e do Ceará. Em Portugal dizem que o rodamoinho é produzido por seres diabólicos, almas penadas e de assassinos. Para afugentá-los basta gritar: "Aqui tem Maria!" Ao ouvir o nome da Mãe de Deus, o rodamoinho infernal se afasta. Em São Paulo o Saci se espavoriza com o rosário. A nota 3 descreve essa tradição no Brasil. Do efeito do nome de Maria há um vestígio na nota 10. A citação, quanto a Portugal, foi tirada de J. Leite de Vasconcelos, *Tradições Populares de Portugal*, p. 46.

A nota 11 informa que o Saci tem idiossincrasia ao alho. O Curupira não tolerava a pimenta. Quase todos os seres encantados têm tabus alimentares, *tannas*, uma regra de abstenção como os Soubachos do Sudão, espécies de vampiros, que não podem comer nem sentir a presença de berinjela (Leo Frobenius, *Histoire de la Civilisation Africaine*, p. 252). Em Portugal o alho é um afugentador das Bruxas (Oliveira Martins, *Sistema dos Mitos*, p. 316).

Curiosamente, na nota 19, o Saci aparece podendo aumentar e diminuir seu corpo, indo de três metros de altura a três palmos de tamanho. Em Flandres e no Brabante há um demônio de nome Kleudde, com essas atividades. É também característica do nosso velho conhecido "Cresce e Míngua", assombrador noturno dos boêmios do Brasil, reino e império. Manuel Querino fala nos

fantasmas que eram indivíduos vestidos de branco, que aumentavam de tamanho e por isso denominados: "cresce e míngua" (*Costumes africanos no Brasil*, p. 280).

O processo de matar por meio de cócegas pertence ao Caapora em Sergipe. Informa Barbosa Rodrigues (*Poranduba Amazonense*, p. 11) que o Caapora sergipano "em ar de brincadeira, faz rir o viajante até este cair morto". As Rusalkas, sereias moscovitas, matavam os amantes ocasionais fazendo-lhes cócegas.[47]

MBOITATÁ

Em Carta de São Vicente, datada de 31 de maio de 1560, o venerável José de Anchieta citou, pela primeira vez, o *baetatá*, traduzindo-o por "cousa de fogo, o que é todo fogo". *Mbai*, cousa, e *tatá*, fogo, davam justamente essa versão. Como aquele fogo vivo se deslocava, deixando um rastro luminoso, "um facho cintilante correndo para ali", anotava o jesuíta, veio a imagem da marcha ondulada da serpente. E mesmo há no idioma tupi palavra de pronúncia ligeiramente diversa de *mba*, significando cobra. É *mbói*. De *mbai-tatá*, coisa de fogo, chegou-se a *Mbói-tatá*, cobra de fogo. Essa foi a figura que se popularizou. Embora aludindo às duas origens, *mbai* e *mboi*, todos os folcloristas mostram a vastidão da área em que a cobra de fogo domina...

Para deturpar a materialização do mito, há em português o vocábulo Boi (latim *bos, bovis*). Entre *boi* e *mboi* não há diferença sensível ainda, porque a consoante inicial cai sempre. Apareceram descrições do Mboitatá como um touro. Assim o registrou Crispim Mira no seu *Terra Catarinense*, grande como um touro, com patas e um olho enorme no meio da testa, como um Ciclope (Joaquim Ribeiro — *A Tradição e as Lendas*, p. 23). Assim poetou Lindolfo Xavier em *Esperança*, dando-o com chifres, pata cuneiforme e o olho chamejante (Basílio de Magalhães, *O Folklore no Brasil,* p. 89).

---

47 *A carapuça do Saci*. Num estudinho posterior lembrei que a carapuça vermelha do Saci provirá das popularíssimas carapuças dos marujos de Portugal no século do Descobrimento. Em 1500, já os Tupiniquins recebiam barrete vermelho. Ver as notas do Prof. Jaime Cortesão à *Carta de Pero Vaz de Caminha*, 273. A forma era do *pileus*. Em Roma certos fantasmas usavam essa carapuça e quem a arrebatava teria riquezas, Petronio, *Satyricon*, XXXVII, *quum modo incuboni pileum repuisset, thesaurum invenit.*
De um modo geral o Saci corresponde ao Gremlin norte-americano, ver "*O chapéu do Saci Pererê*", "*Gremlin, Saci Pererê dos Estados Unidos*", *Diário de Notícias*, Rio de Janeiro, 2 ago. 1942 e 7 fev. 1943.

Esta influência determinou chamarmos a uma pernalta *Socó-Boi*, em vez de *Socó-mboi* (*Ardea Scapularis, III*), Socó-cobra, por ter um comprido pescoço que parece boiar e estar longe do corpo da esquisita árdea.

Gustavo Barroso em *O Sertão e o Mundo* (p. 39 e segs., Rio de Janeiro, 1923) mostrou a curiosidade de uma variante africana que Blaise Cendrars publicara em sua *Anthologie Nègre* (pp. 18/19. La *Légende de Bingo*, conto fan. Paris, 1921). Bingo, filho de Nzamé e de Mboya, foi atirado num abismo e sua mãe precipita-se, procurando-o.

> *A peine Nzamé avait-il jété Bingo que Mboya se précipitait à son secours. Parfois, la nuit, avez-vous vu dans la forêt une flamme errante qui va çà et là s'agitant? Avez--vous entendu une voix de femme qui s'en va bien loin, appellant, appellant sous les ramures? Ne craignez rien! c'est Mboya qui cherche son enfant, Mboya qui jamais ne l'a retrouvé. Une mère ne se lasse pas* (p. 19).

É o *feu-follet*, a ronda dos Lutinos na França, Flanders, a *Inlicht*, luz errante possuía nas terras negras uma estória comovedora. Não se passou para o Brasil nenhuma lenda sobre o Mboitatá africano. Nós não temos explicações, etiologia, do nosso mito, senão as versões do Rio Grande do Sul, a serpente que abria demasiado os olhos para melhor enxergar (Sílvio Júlio) e a que devorou milhares de olhos e se tornou brilhante pela multidão das pupilas que guardava.

O fogo-fátuo é um tema universal no Folclore e não há país que desconheça narrativas que procuram justificar-lhe a corrida noturna e coruscante.

É o *feu-follet*, a ronda dos Lutinos na França, Flandres, a *Inlicht*, a luz louca da Alemanha, os pequeninos anões correm com archotes como os sul-americanos Yakãundys, *que quiere decir cabeza encendida*, ensina Mayntzhusen; o fogo dos Druidas, o fogo de Helena, de Santa Helena, antepassados do Sant'Elmo que os romanos identificavam com a presença divina de Castor e Pollux; é o *Jack with a Lantern* dos ingleses que se passou, com a forma de um fantasma que guiava, levando uma lanterna, os viandantes para os charcos e lamaçais, para a Alemanha; é o sinistro *Moine des Marais*, com idênticas ocupações, todas as terras veem as luzes loucas, azuladas e velozes, assombrando. Em Portugal são as "alminhas", as "almas dos meninos pagãos", a "alma que deixou dinheiro enterrado" e não se "salvará" enquanto o outro estiver escondido. É o "farol" dos Andes, Argentina e Uruguai, clarão que se escapa onde jaz um tesouro (Ambrosetti). Em Portugal é ainda a transformação de quem amou sacrilegamente, irmão e irmã, compadre e comadre. Na Argentina, na zona pampeana, dizem-na *luz mala* e na missionária *víbora-de-fuego*, para *conservar los respectos que se deben entre compadre y comadre*, escreve Ambrosetti. É o "fogo do compadre com a comadre" do nordeste brasileiro. O Mboitatá é fugitivo e o fogo purificador é quase fixo. Frédéric Boutet lembra que o demônio Bifrons é aquele *qui allume des flambeaux sur les sépultures*. A crendice de toda Europa era a mesma. Boutet define os "feux follets" como sendo

> *les feux follets étaient tenus pour des esprits malins se plaisant à égarer et perdre le voyageur que leur trompeuse lumière attirait vers les précipices et les fondrières. Les bergers racontaient également que parfois les follets étaient des âmes en peine qui brulaient tellement des ardeurs de l'enfer que là où elles planaient l'herbe ne poussait plus (Dictionnaire des Sciences Occultes, p. 166. Paris, 1937).*

Gustavo Barroso, citando o *Kottô* de Lafcadio Hearn, recorda que entre as 36 espécies de *gakis* (espíritos) admitidos no Budismo japonês, os "*Shinen-Gaki* são os que aparecem à noite, sob a forma de fogos errantes".

A sinonímia do Mboitatá brasileiro é grande. Batatão no norte e no nordeste, Boitatá, Bitatá, Batatá, Baitatá, no sul. É Biatatá na Bahia e Jean Delafosse em Sergipe (Pereira da Costa, Gustavo Barroso, Amadeu Amaral). Couto de Magalhães arquitetou uma função moral para Mboitatá. Era a protetora dos campos, dos relvados naturais. Atacava os incendiários, perseguindo-os sob a forma ofídica e matando-os, de medo ou queimados. O venerável Anchieta, prudentemente, escrevia em maio de 1560: "o que seja isto, ainda não se sabe com certeza".

O Mboitatá tupi-guarani está atualmente despersonalizado como entidade aborígine. O Batatão, Batatá (Basílio de Magalhães registra Batatal, ouvido em Minas Gerais) é inteiramente um mito europeu. É apenas o *feu follet*. Em São Paulo, informa Cornélio Pires (*Quem conta um conto... Conversas ao pé do fogo*), diz-se Bitatá, "espírito dos não batizados". É essa a explicação dada na ilha de Creta, em França, na Holanda. Como "alma penada" é comum em todos os países europeus. Não pensavam os indígenas brasileiros nessa direção...

Documentário

Há também outros (fantasmas), máxime nas praias, que vivem a maior parte do tempo junto do mar e dos rios, e são chamados *Baetatá*, que quer dizer "coisa de fogo", o que é o mesmo como se se dissesse "o que é todo fogo". Não se vê outra coisa senão um facho cintilante correndo para ali; acomete rapidamente os índios e mata-os, como os *curupiras*: o que seja isto, ainda não se sabe com certeza.

Joseph de Anchieta — *Carta de São Vicente* (X), in *Cartas, informações, fragmentos históricos e sermões*. Vol. III° das *Cartas Jesuíticas*. Rio de Janeiro, Civilização Brasileira, 1933, p. 128.

Mboitatá é o gênio que protege os campos contra aqueles que os incendeiam; como a palavra o diz, *Mboitatá* é: "cobra de fogo"; as tradições figuram-na como uma pequena serpente de fogo que de ordinário reside nágua. Às vezes transforma-se em um grosso madeiro em brasa, denominado *méuan*, que faz morrer por combustão aquele que incendeia inutilmente os campos.

Couto de Magalhães — *O Selvagem*. Rio de Janeiro, Tipografia da Reforma, 1876, p. 138.

Uma das mais belas fábulas do Rio Grande do Sul é a da *Boitatá*. Boi--tatá, cobra de fogo, foi, a princípio, *Boi-guassu*, Cobra-Grande, jiboia ou boa. A lenda da Boiguaçu existe em todo o Brasil, do norte ao sul; a Boiguaçu, quando houve o dilúvio, e sempre quando há inundações, a Boiguaçu, acordada pela enchente, entra a comer todos os outros animais. No sul, a tradição complicou-se; a Boiguaçu mata todos os animais, mas não os come inteiramente: come somente os olhos da carniça; tantos olhos devora, que fica cheia de luz de todos esses olhos: o seu corpo transforma--se em ajuntadas pupilas rutilantes, bola de chamas, clarão vivo, boitatá, cobra de fogo. Compreendeis, imediatamente, o que é, para a imaginação do povo, esse animal luminoso: é o fogo-fátuo, é o mesmo santelmo, ou helena, ou Castor e Pollux, ou corpo-santo —, o pequeno penacho luminoso, que aparece nos mastros dos navios, devido à eletricidade do ar, ou à noite, sobre os pântanos e nos cemitérios, emanações de fosfatos de hidrogênio, produto da decomposição de substâncias animais. Boitatá é o fogo-fátuo, luz inquieta, incerta e fugitiva... Dizem que o viajante, quando a encontra, deve ficar parado, imóvel, de olhos fechados, sem respirar; então, o fogo-fátuo desaparece. Mas, quando o viajante o persegue, ele foge, intangível, e tanto mais corre quanto mais procura apanhá-lo o perseguidor; e quando, ao contrário, o homem foge, Boitatá persegue-o, inferna-o, ataranta-o, enlouquece-o, e mata-o...

Olavo Bilac — *Últimas Conferências e Discursos*. Rio de Janeiro, Livraria Francisco Alves, 1924, p. 325.

IPUPIARAS, BOTOS E MÃES-D'ÁGUA...

Os portugueses que vieram colonizar o Brasil trouxeram suas lendas e adaptaram-nas às existentes na terra conquistada. Bastava que um detalhe coincidisse ou o aspecto geral lembrasse as estórias[48] ouvidas na pátria. O episódio ficava assimilado com as nuanças locais e se tornava um só.

Os portugueses, homens do mar, possuíam a tradição das lendas marítimas, de tritões, sereias e animais fabulosos. As Sereias constituíam um patrimônio comum aos povos navegadores. Estão em todas as literaturas do Mundo. A *Sereia* de Portugal é a *Sirena* espanhola, a *Herrych* do Sudão, a *Zar* dos abissínios, a *Rusalka* dos moscovitas, a *Misfirkr* dos irlandeses, a *Loreley* alemã.

Os gregos ensinavam que as três mil Oceânides, filhas de Tétis e do Oceano, rivalizavam com as Nereidas, filhas de Nereu, deus marinho anterior a Poseidon. As Nereidas eram cinquenta. Mas nenhuma cantava nem atraía os nautas. Corriam derredor do carro de Netuno ou de Nereu, alegrando com sua mocidade a vastidão do Mar sonoro. Não há nenhuma alusão de quem se perca por causa de uma Nereida ou Oceânide. Nem mesmo a forma coincide com a da Sereia. Hesíodo fala nos pés graciosos e rápidos das Oceânides, o que afasta a possibilidade de terem elas as extremidades caudais.[49]

---

48 Estória não é História. Os ingleses fazem a sabida distinção entre *story* e *History*. João Ribeiro chegou a propor o uso. É uma ideografia, mas há manias piores.

49 *De l'Océan et de Téthys naquirent d'abord ces filles et ensuite beaucoup d'autres: car il est trois mille Océanides aux pieds gracieux répandues sur la terre et présidant partout aux sources profondes, race brillante et divine.*
Hesíodo — *Théogonie*, p. 53, in *Poètes Moralistes de la Grèce*. Tradução de M. Patin. Col. Garnier, Paris [s/d.]

Também não há Oceânide nem Nereida que dê riqueza a namorado nem lhe prometa palácio e reino encantado.

Havia, efetivamente, a Sereia dos gregos e dos romanos. Mas esta era um pássaro e não um peixe. Não há um só autor clássico que fale em Sereias com o apêndice natatório. Na versão tradicional eram moças, sentadas na areia da praia, cantando. Viviam entre a ilha de Capri e a costa italiana e morreriam se o navegante resistisse ao seu canto maravilhoso. Ovídio dizia que as Sereias eram filhas de Achelous, companheiras de Prosérpina que se suicidaram quando esta foi raptada por Plutão. Foram convertidas nos entes espantosos feições de virgens e corpo de ave.[50]

Os Argonautas passaram incólumes graças a Orfeu. Ulisses, amarrado ao mastro, não cedeu ao amavio. As Sereias, que eram três, morreram. Chamavam-se Partênope, Luecosia e Ligéa ou Aglaófone, Telxiepe e Pisinóe.[51] A iconografia no assunto tem apenas uma variante: mulheres tocando instrumentos e cantando ou aves, com o busto feminino. Nenhuma Sereia oferecia ouro nem presentes. Nem havia possível matrimônio entre ela e um marinheiro. Sua ação limitava-se ao canto e nisto consistia a sedução.[52] Levado pela voz o timoneiro rumava a sombra que era o cachopo disfarçado nágua trêmula. O tipo é a Loreley:

> Passa o barqueiro nas aguas
> E, embevecido de a ouvir,
> Não sente o risco das fraguas,
> Olha p'r'o céu a sorrir.

---

50 *Vobis, Acheloides, unde pluma pedesque avium, quum virginis ora geratis?*
Na tradução de M. Cabaret-Dupaty: *Mais vous, filles d'Achéloïs, pourquoi ces ailes et ces pieds d'oiseaux avec vos traits de vierges?* Ovídio — *Métamorphoses*, 1. V, p. 194. Col. Garnier. Paris. [s/d/]

51 Homero — *L'Odyssée*, chant. XII. O poeta fala nas Sereias, sentadas numa verde e risonha praia, cativando os mortais pela doce harmonia de sua voz (p. 185-189 da ed. Flammarion. Paris. s. d.). Ver R. Commelin — *Nova Mitologia Grega e Romana*, p. 143, Garnier. s. d. Trad. J. Camón Aznar, p. 32, quarta ed. Editorial Labor. Barcelona.
Luciano de Samósata fala num ídolo da deusa Derceto, na Fenícia, representando uma mulher meio-peixe, *De la Déesse de Syrie*, p. 440, vol. 2º das *Oeuvres Complètes*, ed. Garnier. s. d.

52 A Sereia, Serêa, do latim *Siren*, do grego *seira*, cadeia, ou *surô*, leva, encadeia, arrastando pela magia do canto. No *Romancero del Cid*, terceira parte, p. 62, há o registro:

Devora-o a vaga inimiga,
Naufraga o barco, lá vai...

Por causa dessa cantiga,
Por causa de Lorelai.

(Tradução de João Ribeiro, *O Folclore*, Rio de Janeiro, 1919, p. 294.)

A forma peixe-mulher, como a Sereia aparece no fabulário ibérico do século XV, é uma confusão entre Oceânides e Sereias. O corpo da primeira com a voz da segunda. Faltam as ofertas tentadoras.

Mas Portugal possuiu outro elemento mítico de extrema popularidade sentimental. Foram as Mouras Encantadas. Eram filhas de reis ou de príncipes mouros, reféns de soberanos cristãos, deixadas na terra portuguesa para vigiar tesouros escondidos até que voltassem a dominar. Cantavam as Mouras nas ameias sinistras dos castelos em ruínas, e, em sua maioria, nas fontes tímidas, nos rios e regatos, pedindo que um homem de coragem lhes quebrasse o encanto secular. Animais terríveis guardam-nas. Quem vencesse, teria fortunas incríveis e a Moura, tornada mulher, seria a esposa doce e fiel. O canto das Mouras era uma longa alusão ao ouro, pedrarias e armas espelhantes que dormem dentro de rochas ou de torreões esborcinados. As Mouras dormiam encantadas ou estavam sob formas apavorantes. Quase sempre serpentes enormes. O Alentejo era a região das Mouras tentadoras. Seguia-se o Minho, depois Trás-os-Montes também, até as Beiras. Uma vez por ano deixavam a forma de animais ferozes e cantavam, oferecendo tudo para quem as libertasse da magia. A Moura do Algoso, em Trás-os-Montes, saía da pele duma serpente e cantava até o amanhecer. Essa noite era a da véspera de São João, 23 de junho.[53]

Com a Moura Encantada temos vários itens formadores da lenda. Há uma mulher encantada que canta divinamente e oferece tesouros a quem dela se aproximar. Transforma-se sempre em cobras gigantescas, usa cabeleira longa e é de estonteadora beleza.

---

53   — *rey Alfonso, rey Alfonso,*
      — *esos cantos de Sirena*
      — *te adormecen por matarte:*
      — *ay de ti si no recuerdas!*

A Sereia dos mareantes portugueses foi a convergência das Mouras com as Oceânides e Nereidas clássicas. A Sereia propriamente dita entrava na combinação com o feitiço irresistível da voz. Viajantes do Mar Tenebroso, os portugueses povoaram-no com suas lendas.

Chegando ao Brasil o europeu encontrou uma estória vaga em que se falava em fantasma marinho, afogador de índio, espantando curumim. Imediatamente o português diagnosticou: é uma Sereia.

Que encontrara o português? O padre José de Anchieta, no último de maio em 1560, descrevia:

> Há também nos rios outros fantasmas, a quem chamam *Igpupiara*, isto é, que moram nágua, que matam do mesmo modo aos índios. Não longe de nós há um rio habitado por Cristãos, e que os Índios atravessavam outrora em pequenas canoas, que eles fazem de um só tronco ou de cortiça, onde eram muitas vezes afogados por eles, antes que os Cristãos para lá fossem (*X. Carta de São Vicente*. Ed. da Academia Brasileira de Letras, p. 128. Rio de Janeiro. 1933).

Gandavo registra uma estória sucedida em São Vicente, no ano de 1564. Baltazar Ferreira matou, a espada, um monstro marinho

> com quinze palmos de comprido e semeado de cabelos pelo corpo, e no focinho tinha umas sedas mui grandes como bigodes. Os Índios da terra lhe chamão em sua lingua *Hipupiara*, que quer dizer demonio dagua (Pero de Magalhães Gandavo — *História da Província de Santa Cruz*, capítulo IX, p. 120, ed. Anuário do Brasil. Rio. 1924).

Frei Vicente do Salvador não esqueceu o fato e o anotou. Disse que o *Homem Marinho* saía d'água perseguindo os índios e os matava. Sabia-se

---

(ed. da *Novela Ilustrada*, Madri, p. 47 [s/d]). Ocorria sua presença nas novelas, romances e autos. Gil Vicente, no *Cortes de Júpiter*, representando perante o Rei D. Manuel de Portugal, em 1521, quando a Infanta D. Beatriz se casou com Carlos III, Duque de Sabóia, incluiu no cortejo nupcial da Princesa:

> — *Cantando todas a eito*
> — *Ceento e trinta mil Sereas*
> — *Diante do seu navio!*

Luís Chaves — *Mouras Encantadas*, p. 147. Lisboa, Livraria Universal, 1924.
É preciso não esquecer que, das antigas províncias de Portugal, Minho e Alentejo foram intensos núcleos de irradiação emigratória para o Brasil.

que a morte fora feita pelo "Homem Marinho" porque ele só comia os olhos e o nariz.[54]

O monstro de São Vicente podia ter sido uma foca ou um leão-marinho. Nos Algarves chamava-se a foca *Peixe-Homem* — escrevia Leite de Vasconcelos na *Etnografia Portuguesa* — (Vol. 2, p. 135 — Imprensa Nac. Lisboa. 1935).

Teodoro Sampaio (*O Tupi na Geografia Nacional*, terceira ed. Bahia, 1928) assim traduziu *Ipupiara*:

> Ipupiara, corr. *ypú-piara*, o que reside ou jaz na fonte, o que habita no fundo das águas. É o gênio das fontes, animal misterioso que os índios davam como o homem marinho, inimigo dos pescadores, mariscadores e lavandeiras.

A crônica colonial insistia nessas mirabolantes existências. O padre Fernão Cardim explicou:

> Estes homens marinhos se chamão na lingua *Igpupiára*; têm-lhe os naturais tão grande medo que só de cuidarem nelle morrem muitos, e nenhum que o vê escapa; alguns morrerão já, e preguntando-lhes a causa, dizião que tinhão visto este monstro; parecem-se com homens propriamente de boa estatura, mas têm os olhos muito encovados. As fêmeas parecem mulheres, têm cabelos compridos e são formosas; achão-se estes monstros nas barras dos rios doces. Em Jagoaribe sete ou oito leguas da Bahia se têm achado muitos; em o anno de oitenta e dois indo um Índio pescar, foi perseguido de hum, e acolhendo-se em sua jangada o contou ao senhor; o senhor para animar o indio quiz ir ver o monstro, e estando descuidado com huma mão fora da canoa, pegou nelle, e o levou sem mais aparecer, e no mesmo anno morreu outro índio de Francisco Lourenço Caeiro.
>
> Em Porto Seguro se veem alguns, e já têem morto alguns índios. O modo que têem para matar he: abração-se com a pessoa tão fortemente beijando-a, e apertando--a comsigo que a deixão feita toda em pedaços, ficando inteira, e como a sentem morta dão alguns gemidos como de sentimento, e largando-a fogem; e se levão alguns comem-lhes somente os olhos, narizes, e pontas dos dedos dos pés e mãos, e as genitalias, e assi os achão de ordinário pelas praias com estas cousas menos (*Tratados da terra e gente do Brasil*, p. 89. Rio de Janeiro, 1925).

O Jesuíta Simão de Vasconcelos, chamado a depor, produziu o que se segue:

> Dos homens-peixes e peixes-mulheres, vi grandes lapas junto ao mar cheias de ossadas dos mortos; e vi suas caveiras, que não tinham mais diferença de homem ou mulher, que um buraco no toutiço por onde dizem que respiravam.

---

54 Frei Vicente do Salvador — *História do Brasil*, p. 45, São Paulo, Weiszflog Irmãos, 1918: "Há também homens marinhos, que já foram vistos sahir fora de agua apoz os indios, e nella hão morto alguns que andavam pescando, mas não lhes comem mais que os olhos e nariz, por onde se conhece que não foram tubarões, porque também há muitos neste mar, que comem pernas e braços e toda a carne."

Esse peixe-homem do padre Simão de Vasconcelos é parecidíssimo com um simples e honesto golfinho.

Naturalmente os estudiosos do período da dominação holandesa eram obrigados a registrar as assombrações do Brasil. Gaspar van Baerle, com as notas que lhe mandaram, fixou o *Ypupiaprae* com todas as regras da sizudisse.

> *Maximé admirationi sunt Tritones indigenis* Ypupiaprae *dicti, cum humanos vultus aliquà referant, et femellae caesariem ostentent fluidam et faciem elegantiorem* (Barlaeus, *Rerum per octennium in Brasilia,* p. 134. Amstelodami, Ex Typographeio Ioannis Blaev. M. DC. XLVII).

Gabriel Soares de Souza (*Roteiro do Brasil*, p. 280) confirma os depoimentos anteriores, juntando o próprio, de conhecedor da terra e gente em 1580.

> ... não há dúvida senão que se encontram na Bahia e nos recôncavos dela muitos homens marinhos, a que os índios chamam pela sua lingua *Upupiara*.[55]

Até aqui não há exemplo do *Ipupiara* tomar feições encantadoras e tentar os transviados com a magia do canto e a sedução perpétua do ouro.

---

55 Tanto Gabriel Soares de Souza no *Roteiro do Brasil*, p. 280, *Rev. Inst. Hist. Bras.* tomo XIV. Rio de Janeiro, 1851, como Barléu (*Res Brasiliae*, p. 133) incluem os Ipupiaras entre os peixes.

Legítimo Ipupiara seria o "Negro do Rio" ou "Caboclo do Rio", homem fabuloso que habita as águas do rio São Francisco. Com o passar dos anos o "Negro do Rio" ficou recebendo dádivas e protegendo afilhados a quem abençoa com fortunas inesperadas. Seus desafetos têm as canoas viradas, boiadas perdidas, negócios desbaratados. "Caboclo" e mesmo "negro" foram sinônimos de indígena. O "Caboclo do Rio", pela sua pouquidão bibliográfica, não é de maior importância. Encontra-se muito deformado pela inserção de vários mitos.

Noraldino Lima (*No Vale das Maravilhas*, pp. 159 e seg. Belo Horizonte, 1915) descreve o "Caboclo-d'Água" do São Francisco, chamado também "Moleque-d'Água" ou simplesmente "o Moleque": "O tipo do "Caboclo-d'Água que recolhe maior número de depoimentos é o seguinte: baixo, grosso, musculoso, cor de cobre, rápido nos movimentos e sempre enfezado". A "Mãe-d'Água" do rio São Francisco "é uma velha muito alta e muito feia, alta como um coqueiro e feia a valer; a metade do corpo é gente, a outra metade é peixe — uma espécie de sereia fluvial, como se vê, mas longe de ter aquela sedução das velhas perturbadoras dos mares..."

Manuel Ambrósio (*Brasil Interior*, p. 60) mostra-o como um gigante, "semelha-se a uma casa grande em movimento". As proezas do Bicho-d'Água, Rolão, ou Caboclo-d'Água são as mesmas do Minhocão.

Como em Portugal Netuno não se fazia representar, não houve no Brasil nenhum duende que se parecesse com o apavorante *Roi des Auxcriniers* evocado por Vitor Hugo no *Homens do Mar* (pp. 21/23, edição portuguesa de Guimarães [s/d]), que ainda guarda a forma clássica do tritão.

O que lemos nos cronistas do Brasil colonial é a existência de um homem-peixe, feroz, bestial, saindo d'água para matar, matar sempre. Não há um só aspecto simpático no monstro marinho. É horrendo, esfomeado e apavorante. Aqueles que o tentaram descrever evocaram um homem de olhos encovados. Das mulheres apenas o padre Simão de Vasconcelos descobriu as caveiras e mirou o orifício por onde respiravam.

Não aparece no *Ipupiara* o poder de transformar-se em homem ou mulher. De comum com a Sereia atlântica e mediterrânea só existe o elemento em que vive.

É de esperar que o europeu inculto visse no animal marinho, que parecia dominar as águas, uma espécie bárbara dos seres estranhos que viviam nas fontes, nos rios e nos mares longínquos de sua pátria. O português que teve contato mais íntimo com o índio nunca lhe pôde compreender a mítica religiosa. O índio dizia que tudo neste mundo tinha uma Mãe. Devia haver uma *Ci* para todas as espécies animais, vegetais e minerais. O Sol era a Mãe dos Viventes e não o Pai. Ainda não chegara para o ameraba a explicação das reproduções sexuadas. A Mãe bastava. Explicava. O português vinha com uma religião em que o elemento masculino era essencial. Tudo era o Pai. O feminino ficava em nível secundário, tolerado, querido mesmo, mas inferior. A tríade suprema da religião católica, Pai, Filho, Espírito Santo, é masculina. O inverso da teogonia ameríndia.

Fácil foi ao português identificar o *Ipupiara* com a possível *Mãe-d'água* do indígena, embora esse não a conhecesse nem chamasse por esta forma. Gonçalves Dias escreveu que não encontrava no tupi um vocábulo correspondente a "mãe-d'água". Entretanto, o mito vivia. Vivia com outro indumento e com exegese diferenciada. O português, depressa e sem querer, cercou o bruto *Ipupiara* das lendas que trouxera no sangue.

A *Iara* (ig-água, *iara*-senhor) é uma roupagem de cultura europeia. Não há lenda indígena que tenha registrado a Iara de cabelos longos e voz maviosa. Lendas indígenas mais velhas citam sempre o velho homem marinho. Nunca a Iara. A presença da Iara denuncia o branco ou a influência assimiladora do mestiço, irradiante e plástico.

153

Como existe atualmente não houve um só índio nos séculos XVI e XVII que a tivesse conhecido nas horas de devaneio.[56]

Além do *Ipupiara* o índio brasileiro tem outra tradição assombrosa de monstro aquático. É o ciclo da Cobra-Grande, a Cobra-Negra, a Boiuna das mil estórias amazônicas.

Pelas lendas recolhidas por Barbosa Rodrigues vemos que a Cobra--Grande é um anel de um mito religioso. Ela casa a filha e, para que esta possa dormir, manda-lhe a Noite dentro dum caroço de tucumã (Couto de Magalhães). Vence quase todos os animais. Filha de um demônio, voou para o céu onde se transformou em estrela.

É a explicação dada aos estudiosos. Cada igarapé, rio, lago, tem sua Mãe e esta só aparece como uma imensa serpente. Não tem piedade nem aplaca a fome. Mata e devora quem encontra. Vira as barcas, arrasta os nadantes, estrangula os banhistas, apavora todos. À noite veem seus dois olhos de fogo, alumiando o escurão. Quando os índios viram os primeiros navios de vela, diziam que eram metamorfoses da Cobra-Grande. Agora a Cobra-Grande passeia transformada em transatlântico.[57]

---

56 Não conheco, no fabulário brasileiro, um mito local adaptando a *Hirã* tão popular no folclore de Portugal. J. Leite de Vasconcelos (*Tradições Populares de Portugal*, p. 287. Porto, 1882) descreve a *Hirã*: "*A Hirã* dizem que é uma mulher de cabeça muito volumosa é dum corpo franzino, a qual, em chegando à idade de 12 anos, se metamorfoseia em serpente e vai viver no Mar. A Hirã é a última das sete irmãs que nasceram a seguir." Teófilo Braga (*O Povo Português nos seus Costumes, Crenças e Tradições*, vol. 1º, pp. 181-182, Lisboa, 1885) registra igualmente a *Hirã*: "Na ilha de São Tiago, do arquipélago de Cabo Verde, crê-se na entidade *Hirã* que é sempre a última das sete filhas nascidas consecutivamente; tem corpo franzino e cabeça grande e ao fim de doze anos transforma-se em Serpente e vai viver no Mar. As tribos da Guiné adoram a *Hirã* em um templo que se chama Baloba."

57 Raymundo Moraes — *Na Planície Amazônica*, p. 84, segunda edição. Manaus, Amazonas, 1926.
"*Boiuna*, entretanto, ainda toma outras formas. Se engana a humanidade mascarada de navio de vela, também a engana no vulto de transatlântico. Em noites calmas, quando a abóbada celeste representa soturna e côncava lousa preta, sem estrelas que pisquem para a terra, e a natureza parece dormir exausta, rompe a solidão o ruído de um vapor que vem. Percebe-se ao longe a mancha escura precedida pelo marulho cachoante no patilhão. Seguidamente destacam-se as duas luzes brancas dos mastros, a vermelha de bombordo e a verde de boreste. Sobre a chaminé, grossa como uma torre, vivo penacho de fumo, que se enrola na vertigem dos turbilhões moleculares, estendendo-se pela popa fora na figura de um cometa negro. Momentos depois já se escuta o barulho nítido das máquinas, o bater fofo das palhetas, o badalar metálico do sino, o conjunto, em

Mas a *Boiuna* (*mboi*, cobra, *una*, preta), a *Cobra-Grande*, só tem uma maneira de ser visível: — é a forma ofídica. Não "vira" homem nem canta[58] sob a pele branca e mimosa de mulher.

---

suma, dos rumores, nascidos das usinas flutuantes que são as naves marinhas do século XX. Em terra, sobre o trapiche, alguns indivíduos discutem a propriedade do *steam*: "É do Lloyd, é da Booth, é da Lamport, é da Italiana." Por fim o desconhecido vaso se aproxima recoberto de focos elétricos, polvilhado de poeira luminosa, como se uma nuvem de pirilampos caísse sobre um marsupial imenso dos idos pré-históricos. Diminui a marcha, tem um escaler da amurada pendurado nos turcos e o duma espia pendente da castanha de proa. Avança devagar. O telégrafo retine mandando atrás a fim de quebrar o fraco seguimento, e uma voz clara, do passadiço para o castelo de vante, ordena: "Larga"! A âncora num choque surdo e espadanante toca nágua, a amarra corre furiosa pelo escovém, e a mesma voz, estentórica, novamente domina: — "Aguenta"! Como diz o filame? "De lançante", respondem. "Arreia só 45 e dá volta". Em seguida ressoa o sinal de pronto para a casa das máquinas e tudo cai de súbito no silêncio tumular das necrópoles. As pessoas que se achavam na margem resolvem, nesse ínterim, ir a bordo. "Com certeza é lenha que o vapor precisa", comentam. Embarcam numa das montarias do porto e seguem gracejando, picando a remada, brincando. Mal se avizinham do clarão que circunda o paquete e tudo desaparece engulido, afundado na voragem. Fauce gigantesca tragou singularmente o majestoso transatlântico. Asas de morcego vibram no ar, pios de coruja se entrecruzam, e um assobio fino, sinistro, que entra pela alma, corta o espaço, deixando os caboclos aterrados de pavor, batendo o queixo de frio. Examinam aflitos a escuridão em redor, entreolham-se sem fala, gelados de medo, e volvem à beirada tiritando de febre, assombrados. Foi a *Boiuna*, a *Cobra-Grande*, a *Mãe-d'Água* que criou tudo aquilo, alucinando naquele horrível pesadelo as pobres criaturas."

58 Não conheço lenda em que a *Boiuna* cante. Ela reúne apenas os atributos do feio *Minhocão*, outro centro de superstições na região do rio São Francisco. A ideia de uma cobra dotada de voz humana não se divulgou no norte brasileiro, embora houvesse sido registrada, há séculos. No *Miroir du Monde*, de Brunetto Latini (apud Ferdinand Denis, *Le Monde enchanté*), enciclopédia miraculosa do século XIII, registra-se que a serpente *guivra* devorava as moreias, seduzindo-as pelo canto irresistível.

Couto de Magalhães (*O Selvagem*, ed. de 1876, p. 143) lembra um detalhe curioso sobre *Rudá* ou *Perudá*, um deus do amor, guerreiro branco que vivia nas nuvens, de, até aqui, pouco elucidada atuação. "O deus do amor tinha também a seu serviço uma serpente que reconhecia as moças que se conservavam virgens, recebendo delas os presentes que lhe levavam, e devorando as que haviam perdido a virgindade. Os Tupinambás do Pará acreditavam que havia destas serpentes no lago Juá, pouco acima de Santarém. Quando alguma donzela (*cunhãtãi*) era suspeita de ter perdido a virgindade, seus pais levavam-na ao lago, e aí deixando-a sós em uma ilhota, com os presentes destinados à serpente, retiravam-se para a margem fronteira, e começavam a cantar:

O minhocão é a Cobra-Grande do São Francisco, matando, assombrando, despovoando.

A Boiuna é sempre negra, silvando alto, nadando como um barco automóvel, atrás da presa que atravessa seus domínios. É a Jiboia, *Constrictor constrictor*. É a Sucuriju, *Eunectes murinus*. O que se sabe é que ela não muda a roupa para *virar* moça bonita nem rapaz elegante que desencaminha as cunhãs dos barrancos amazônicos.

A *Cobra-Grande* teria dado nascimento ao mito da *Mãe-d'Água* brasileira?

Na primeira metade do século XVII o padre Francisco de Figuerôa, na *Ynformação*, teve a paciência de reunir os dois mitos e dizê-los locais.

> *En esto Pongo, en una pena alta y tajada que ocasiona uno de los pasos mas peligrosos que tiene, y lo lla, ase Mansariche por los papaguyelos de esse nombre que en ella se crian, decian estaba en lo alto de ella el Ynerre (es el nombre en que los maynas llamam à Dios), en una cueba, donde tenia por mujer à un culebron grande de los que nombram* Madre del Agua *a donde fueron tres indios de suas antepassados por verle, y avia tantos murcielagos en la cueba que aquella noche mataron a dos. El que quedó vivo les trajo la noticias de las medecinas con que se curan, que las ensenou esse Ynerre* (Rodolpho P. Schuller — *O Ynerre, o Stammavater dos Indios Maynas*, Anais da Biblioteca Nacional, Vol. XXX. Rio de Janeiro).

> Arara, arara mbóia,?[*]
> Cuçucui meiú.

Que quer dizer: Arara, oh Cobra Arara! Eis aqui está o teu sustento.

A serpente começava a boiar e a cantar até avistar a moça, e, ou recebia os presentes, se a moça estava efetivamente virgem, e nesse caso percorria o lago cantando suavemente, o que fazia adormecer os peixes, e dava lugar a que os viajantes fizessem provisão para a viagem; ou, no caso contrário, devorava a moça, dando roncos medonhos."

[*]Essa Arara-mboia parece ser mito guarani. No Paraguai ainda Narciso R. Colman reconstituiu uma epopeia indígena onde figura a *Mbóy Túi*, a cobra-louro, a cobra-papagaio. Diz o verbete:

"Mbóy Túi — (Víbora louro) serpiente de colosal tamaño com pico de loro. Es el segundo hijo de Taù y de Keraná. Sus dominios se extendian por los grandes esteros, fué considerado como el hado protector de los anfibios, de los animales acuáticos, del rocío, de la humedad y de las flores."

Narciso R. Colman — *Nuestros Antepasados*, p. 126. San Lorenzo, Paraguai, Ed. Garuaní, 1937.

Não será essa araramboia, serpente-arara, um testemunho visível da sobrevivência das religiões Nauas na América meridional? Entre os Toltecos havia a tradição de que Mixcoatl tivera da deusa Chimamatl um filho, Quetzalcoatl, conhecido como *serpente emplumada* ou *serpente-periquito*, e fora divindade de ação reformadora e social. Correspondia ao legislador do Iucatão, Culcucán, *pássaro-serpente*.

Temos positivamente que em 1630 era corrente chamar-se a uma cobra "Mãe-d'Água" e, no caso dos Mainas do alto Maranhão onde o padre Figuerôa missionou, ser a esposa do deus Inerre.

Não foi possível encontrar, em nenhuma encarnação, a mania das *Iaras*. Sereias, Ipupiaras e Boiunas não empregam senão as próprias armas. Não trocam a figura nem oferecem tesouros e amor. São animais malévolos e cruéis. Revivem neles a tradição de ferocidade atribuída aos filhos de Netuno, nascidos do mar.[59] Se o elemento europeu adaptou às lendas brasileiras o mito, já deformado pelo populário, das Sereias, o fez emprestando um traço das Mouras encantadas da Península Ibérica, a oferta para a atração do homem. Como no Brasil os seres marítimos eram todos perversos e sanguinários, logicamente a convergência inclui nesta adaptação um novo caráter: a maldade.

A *Iara* que mora num palácio no fundo dos rios é uma tradição dos brancos e que vicejou rapidamente no cenário bárbaro do Brasil colonial. O barão de Santana Neri (*Folklore Brésilien*, Paris, 1889, pp. 44/152) falando das *Yaras* descreve uma mulher branca, de olhos verdes e cabeleira loura, em ambas as versões do Pará e Amazonas. As crenças locais de forma alguma possuíam essa variante. Demais, é preciso notar, a beleza física da *Iara*, seus métodos de sedução, a forma de sua residência submersa, denunciam um elemento alienígena que conduziu o mito e o espalhou sob as águas do setentrião brasileiro.

Verdade é que as Nereidas dos rios gregos também eram malévolas e lindas. Na Propôntida, arrebataram Hilas, companheiro de Hércules na expedição dos Argonautas. Teócrito escreveu o XIII idílio sobre este tema.

Teria o Negro criado ou influído na propagação da *Iara*? O Sr. Basílio de Magalhães lembra as Sereias africanas, a Kianda, dos kimbundos e a Kiximbi dos mbakas. Podemos trazer da teogonia negra a onipotente Osun, orixá dos lagos, lagoas, rios e charcos, mulher de dois deuses, Saponan, deus da varíola, e Xangô, rei do raio. Existe outra, Iemanjá, Jemanje, Iomanja, Iomanja-oxun, disputada por três maridos, Xangô, Saponam e Ogun. Essa Iemanjá foi identificada pelos negros como tendo o aspecto de uma Sereia. Em 1899, o Dr. Nina Rodrigues viu no candomblé de Gantois, na Bahia, duas Sereias de gesso barato, mandadas comprar no Rio de

---

59 Aulo Gélio — *Noites Áticas*, Vol. 2º, liv. XV, p. 258 (ed. Garnier), *ferocíssimos et immanes, et alienos ab omni humanitate, tanquam e mari genitos, Neptuni filios dixerunt.*

Janeiro, uma prateada e outra dourada. Estavam como sendo os ídolos de Oxun e de Iemanjá. O fetiche anterior de Iemanjá, deusa da água, símbolo da hidrolatria africana, era apenas a pedra marinha.

Manuel Querino ensina que as *Mães-d'Água* afro-baianas são três: Anamburucu, Iemanjá e Oxun.[60]

Poder-se-ia rastejar a influência africana no mito das Mães-d'Água, mas todos nós sabemos que os rios, lagos e córregos do mundo estão povoados de entidades sobrenaturais. Não há predomínio. Há convergência.

Na África o tipo mais espalhado, possivelmente antes do antropomorfismo das sereias retintas, é o "espírito" do rio ou do lago. É o Nebéli, sem figura conhecida e apenas temido pela sua ação maléfica em quem se arroja a perturbar-lhe o reino.

Caetano Casati, que viveu doze anos na África equatorial como oficial de Emin Pachá,[61] registra vários *nebéli* em rios, que ele julga apenas que *s'ágit évidemment d'un remours assez fort*. No Ounioro, o rei Tschoua avisava-o de não atravessar o Alberto Nianza porque o espírito do lago despertaria as tempestades, virando as pirogas. Em parte alguma Casati pôde notar a materialização de um Nebéli. Os camponeses russos chamam o Baical "senhor Mar", porque se o chamarem "lago" seriam castigados. Mas não há figura representando o espírito do lago Baical.

Nós sabemos igualmente que as Mães-d'Água africanas, com o culto confundido com as égides católicas, tiveram festas de esplendor. Inda se festeja Iemanjá na Bahia, Rio e Pará, escondendo-a sob os paramentos do Senhor Bom Jesus dos Navegantes ou Nossa Senhora das Candeias. Mas se as Mães-d'Água africanas têm sua liturgia e fiéis devotos, o culto não lembra a *Iara*, tão europeia em tudo. A materialização de Iemanjá e Oxun em Sereias, como Nina Rodrigues viu e Manuel Querino fotografou, é trabalho local, assimilação da sereia branca com a cauda de peixe. Nada prende o nume negro à idealização canora das Sereias greco-romanas. As festas de Iemanjá são oblacionais, sacode-se alimento nágua, ora-se. Ninguém pensa em ver Iemanjá nem Oxun. Não há o processo encantatório das *lorelais* amazônicas.

Houve apenas a convergência do mito dada a existência do símile. Nesse processo é fatal a confusão, a interdependência de estórias comuns,

---

60 Em assunto relativo a mítica afro-brasileira, recorra-se ao Dr. Artur Ramos — *O Negro Brasileiro* (Rio, 1934); *O Folclore Negro do Brasil* (Rio, 1935); *As Culturas Negras no Novo Mundo* (Rio, 1937). Alia a autoridade a uma exposição serena e nítida.

61 Caetano Casati — *dix Années en Equatoria. Le retour d'Emin Pachá et l'expédition Stanley.* Tradução de Louis de Hessen. Paris, 1892.

a quase fusão de certos detalhes. O que prepondera em nosso fabulário é a Mãe-d'Água dos brancos, vinda dos portugueses e com modificações negras. Numa estória da Mãe-d'Água que o Sr. J. da Silva Campos publicou, com erudita introdução do professor Basílio de Magalhães, vemos a perfeita influência africana.

A Mãe-d'Água, apanhada pelo homem quando lhe furtava favas, cede ao seu desejo e se torna sua esposa com a condição de o marido nunca renegar dos seres que vivem debaixo do rio. De princípio, tudo correu bem. Riqueza, abastança, filhos, escravaria, gados. Depois, desleixo, indiferença na ordem doméstica, filhos deseducados, escravos em abandono, casa mal arranjada. O marido, sem se poder conter, renegou. A Mãe-d'Água cantando sempre voltou para o rio acompanhada dos móveis, filhos, gado, escravos, dinheiros, casas. O homem voltou a ser o que fora antes. A catinga da Mãe-d'Água é cheia de africanismos. O estribilho é *calunga*. Em idioma quioco, *calunga* quer dizer mar.[62] É fácil articular essa lenda com as tradições nórdicas das Ondinas. Os rios alemães, de toda a Europa do norte, estão habitados de Ondinas de estupefaciente encanto. São mulheres sem a extremidade ictiforme como as velhas Sereias ibéricas. Amam, casam e proliferam. O essencial é o marido não insultar algum dos seres fabulosos que vivem no seio dos grandes rios.

No ponto de vista episodial, a *Undine* (1811) do barão de La Motte Fouqué (1777-1843) é igual ao conto baiano do Sr. Silva Campos. O cavaleiro Huldebrand von Rinstetten casou com uma Ondina, sobrinha de Kuhleborn, rei do rio. A condição da felicidade foi a mesma da Nixe baiana: — não renegar os habitantes d'água. Não podendo mais suportar a intromissão dos entes fluviais em sua vida íntima, o fidalgo deixou escapar algumas palavras de rancor. A Ondina precipitou-se no rio e desapareceu. Ela própria dissera a Huldebrand que não tinha alma. E parecia ser verdade. A Mãe-d'Água baiana e a Ondina alemã tinham almas idênticas.

Se esta *Iara* tem suas irmãs, não vêm de sua beleza os mitos horrendos do *Cabeça de Cuia*, afogador de banhistas dos rios do Piauí. Também

---

62 Blaise Cendrars, na *Anthologie Nègre* (ed. La Sirène. Paris, p. 197), registra um conto popular bassuto (*Sèètetelané*). Esse Sèètetelané encontrou um ovo de avestruz e dentro dele uma mulher muito bonita. Viviam juntos, tendo a mulher pedido que nunca fosse chamada "filha do ovo de avestruz". Sèètetelané possuiu casa, gado, criados, conforto, riqueza. Um dia, estando bêbado, disse que a companheira era "filha do ovo de avestruz". E adormeceu. Quando despertou, tudo desaparecera. Sèètetelané estava tão miserável como outrora.

o *Barba-Ruiva*, que mora na lagoa de Parnaguá, atira-se sofregamente sobre as mulheres. Estes são netos do *Ipupiara*, saudosos da notoriedade nas crônicas do passado.

O professor Basílio de Magalhães, citando Ralston para os russos e Maurer para os islandeses, alinhou a dinastia fantástica dos tritões e ondinas, comuns na vida imaginária dos dois povos. As Rusalkas levam seus namorados para os palácios submersos e os matam, fazendo cócegas. O Vodyany, homem velho, gordo e nu, aparece inopinadamente para enriquecer ou afogar os incautos. Os islandeses têm mysfiskr, a moça-peixe, a Sereia, o Marmenill, a Sereia masculina e mesmo um Myker, cavalo-marinho que pode tomar a forma humana.[63]

A *Iara*, mulher tentadora, é lenda estranha à mítica ameraba. O que possuímos é a europeia, com as quentes irradiações do sexualismo negro. Verdadeiramente o mito brasileiro é o da *Boiuna* e dos *Ipupiaras* vorazes.

A serpente ser o próprio rio ou sua gênese (*Ci*) dispensa comentário para quem estuda Folclore.

Os gregos e romanos materializavam seus rios em serpentes e touros. O mugido e a violência das águas justificavam a imagem assim como a ondulação e sinuosidade do curso lembravam os símbolos escolhidos. A luta do rio Acheló com Hércules é um episódio citado. Acheló tomou a forma serpentina e assim Bosio fundiu em bronze o grupo que está no jardim das Tulherias, em Paris.

Nas religiões do México e Peru a serpente é sempre uma representação aquática. Os deuses atmosféricos eram adorados em corpos de cobras. Quetzalcoatl é a serpente emplumada, de culto vastíssimo, Iolcoatl, a serpente de chocalho, a deusa Coaticul, mulher serpente, mãe do tremendo Huitzilipochtli, deus asteca, Cinatcoatl, "Nossa Senhora das Serpentes", um dos sinônimos da Terra, são os exemplos mais típicos. Coatl, serpente, significa também vasilha d'água, o que contém água, de *co* radical de vaso, vasilha e *atl,* água.

O mito da Cobra-Grande foi, evidentemente, fundido com o da Mãe- -d'Água. Há o depoimento do padre Figuerôa, afirmativo e claro. Mas em nenhum velho documento encontramos a Cobra-Grande deixar sua forma e tomar outra. Nenhuma lenda tradicional dos índios brasileiros narra a

---

63 Ao Vodyany, o homem nu e poderoso, dir-se-á representa, depois da possível materialização animal, a primeira noção antropomórfica. Beldy (*Chez les Eskimos — Bahia de Baffin*) alude a um Aulanerk que *vit dans la Mer. Ressemble à un homme robuste. Il est nu, se débat et donne naissance aux vagues.*

Cobra-Grande parecendo com a Mãe-d'Água. A confusão se deu, mas quem estudou a psicologia religiosa do ameríndio sabe que os atributos e obrigações de uma *Ci* jamais semelharão aos encantos e tentações duma *Iara*.

Mesmo assim o conde Ermano Stradelli, tão sabedor dos assuntos indígenas, registrou a *Iara*, dando a Cobra-Grande como sinônimo.

> *Y-Iara — Eiara, Oiara — Mãe-d'Água* que vive no fundo do rio. A Mãe-d'Água atrai os moços, aparecendo a estes sob o aspecto de uma moça bonita, e às moças aparecendo-lhes sob o aspecto de um moço, e os fascina com cantos, promessas e seduções de todo o gênero, convidando-os a se lhe entregarem e irem gozar com ela uma eterna bem-aventurança no fundo das águas, onde ela tem seu palácio e a vida é um folguedo sem termo. Quem a viu uma vez nunca mais pode esquecê-la. Pode não se lhe entregar logo; mas fatalmente, mais cedo ou mais tarde, acaba por se atirar ao rio e nele afogar-se, levado pelo ardente desejo de se lhe unir. É crença ainda viva tanto no Pará como no Amazonas, e é como se ouve explicar ainda hoje pelos nossos tapuios a morte de uns tantos bons nadadores, que apesar disso morrem afogados. A *Cobra-Grande*.

Mas o ciclo da *Boiuna* é vasto e perigoso. Também os portugueses tinham suas Mouras com o corpo de cobra. Em certos dias, abandonando a pele, a linda moça canta, suplicando que algum Siegfried fira a serpente. Não será a nossa Cobra-Norato uma réplica?

A Cobra-Norato, tradição do Pará, é a seguinte: Honorato era um rapaz encantado numa grande serpente. Em determinadas noites, deixando a escamada vestimenta, aparecia em casa, alimentando-se, dormindo, e sempre pedindo que sua mãe fosse à beira do rio, abrisse a boca da cobra que o cobria comumente, e despejasse o leite humano. Depois desse uma cutilada na cabeça do monstro, imóvel e inerte como o da Moura de Algoso em Portugal. Fazia Honorato este pedido toda vez que, soltando a carapaça terrível, metia-se em festas ou ia dormir na casa materna. Ninguém tinha coragem de aproximar-se da cobra, tão grande e aterradora era. Pela madrugada Honorato voltava tristemente para seu fadário e voltava a ser a Cobra-Norato. Uma vez, em Cametá, um soldado valente apiedou-se dele. Foi à ribanceira, jogou leite na goela do bicho e feriu-o com um golpe de sabre. Algumas gotas de sangue merejaram na couraça da serpente que se estirou para sempre. Na manhã seguinte estava seca. Honorato desencantou-se.

Todos creem que o ciclo da Cobra-Norato é o que há de mais brasileiro. É nacional se ignorarmos os episódios semelhantes em todos os Folclores do mundo.

Onde a Cobra-Grande, devoradora de homens e mulheres, aparece como explicação da *Iara*, e quando procuram justificar o desaparecimento dos nadadores eméritos, notado por Stradelli. Viram a *Iara* e procuram juntar-se ao seu corpo frio e branco. O barão de Santana Neri registrou duas *Iaras*, uma do Pará e outra do Amazonas. Ambas, a que aparece a Januário e a que seduz o jovem tapuio, são de *couleur neigeuse des lis, des cheveux, d'un blond fauve,* e os olhos, *d'un vert profond et lumineux (Le Folk-Lore Brésilien,* pp. 143/152). Não se trata de Cobra-Grande nem Mãe--d'Água. É uma Ondina, a Loreley dos rochedos de Bacharach, no Reno.[64]

Mas a Cobra-Grande, dia a dia, justifica sua fama de faminta e a ela, com toda naturalidade de seu aspecto hediondo, é que devemos endereçar a decifração da incógnita. De Mãe-d'Água passa a Iara sedutora, a Boiuna, a navio de vela, a transatlântico, filiando-se ao ciclo do Navio Fantasma.

Mas a confusão cresce porque há nos rios do Pará e Amazonas o ciclo do Boto (*Delphinus amazonicus*), golfinho fluvial, de vastíssimo memorial amoroso. O *Boto* é o conquistador feliz de milhares de moças, o progenitor

---

64 Num breve trabalho de Adrián Recinos, *Algunas observaciones sobre el Folk-lore de Guatemala,* encontro o registro sobre a *Ciguanaba,* no mexicano moderno, *ciuanauac,* concubina, tipo de Sereia da Europa. Escreve Adrián Recinos:
"... la Ciguanaba es el fantasma hembra, una especie de sirena de hermosura extraordinaria y de luenga cabellera, que se suele ver por la noche también, cerca de las fuentes públicas y de los rios. Atrae con su belleza y con su canto a los hombres y los lleva a perecer en los barrancos y montañas, o los ahoga entre el agua de los rios.
La Llorona es un nombre diferente para el mismo fantasma. Es el nombre castellano de la Ciguanaba. Ciguanaba (ciuamontli, nuera) en lengua india de Guatemala, significa "Mujer desnuda". También se llama Ciguamonta en algunas regiones, nombre que además se aplica a un pajaro de la familia de los Cuclillos. Una copla popular indica la causa por cual la Ciguamonta a Ciguanaba vaga de noche por las fuentes y siempre llorando. La copla dice así:

> *Lloraba a Ciguamonta*
> *La muerte de su marido,*
> *que si no se hubiera muerto...*
> *tal vez estuviera vivo.*

Já aqui, pelo exposto, o mito da Ciguanaba se articula com a do nossa Mãe-da-Lua, o merencório Urutau.

natural de várias centenas de piás. Esse delfim levanta, nas lonjuras do rio-
-mar, o renome clássico de sua estirpe. O delfim é um símbolo lúbrico.
Desde a antiguidade clássica ele é dedicado a Vênus e aparece, roncando
de cio, junto à deusa resplendente.

Vênus, deusa marinha, tem suas mais populares evocações indicando
a predileção por sua origem. Afrodite (*afros*, espuma) ou Anadiomena
(nascida das vagas) dizem a gênese do culto. O golfinho está em quase
todas as representações do nascimento de Vênus. No Museu de Nápoles,
em sua seção reservada, há uma longa série de objetos desenhados onde
a páfia deusa aparece seguida pelo delfim. A literatura epigramática da
Grécia, em seu período de decadência, possui poemas curiosos sobre a
luxúria do delfim. Apaixonava-se pelos rapazes bonitos, vício perfeitamente normal numa terra onde Ganimedes era do Olimpo. Apião conta que
um delfim morreu de saudades por ter falecido um menino por quem se
tomara de amores. Aulo Gélio (*Noites Áticas*, liv. VII, camp. VIII), além de
citar o livro quinto das *Egipcíacas*, de Apião, onde está o episódio aludido,
registra a tradição comum de amorosidade dos golfinhos:

> *Les dauphins sont voluptueux et enclins à l'amour, ainsi que l'attestent des*
> *exemples anciens, et même récents. En effet, sous les premiers Césars, dans la mer de*
> *Pouzzol, selon le récit d'Apion, et plusieurs siècles auparavant, près de Neupacte*
> *comme le rapporte Théophraste, on a vu, de maniére à n'en pouvoir douter, plusieurs*
> *de ces animaux donnant des marques évidentes de l'amour le plus passionné* (Ed.
> Garnier, Vol. 1, p. 342).

Plínio o Moço (*Lettres*, liv. IX, carta XXXIII, p. 367 da ed. Garnier)
narra outros episódios amorosos do delfim em Hipona.

O delfim era dado como um dos fetiches ictiofálicos. A conformação
de sua cabeça lembrou aos gregos a glande humana. Seu nado embicado,
corcoveando, subindo e descendo à flor d'água, dava a imagem dos movimentos sexuais, máxime atentando-se para a posição e forma de sua cabe-
çorra assimétrica e híspida, furando a onda que se espadana ao contato do
seu focinho obsceno.

Os viajantes são unânimes em salientar seus hábitos pouco ortodoxos.
É o único peixe a seguir, bufando de possível curiosidade, as barcas.[65] Beira

---

65 "Os botos detestavam as mulheres grávidas por motivo de sua lenda.
   Os botos, antigamente, em certas épocas, se transformavam, por um condão diabólico,
   em guapos e formosos rapazes. Assim disfarçados penetravam nas festas, investiam as

demasiado as margens, namorando os fogos acesos. Seus roncos têm qualquer coisa de malícia e de desafio. Era natural que o *Boto* mantivesse, na plenitude orgulhosa de raça, a memória de sua desbragada carnalidade. Depressa o chamaram *Mãe-d'Água* numa confusão incrível, como os indígenas das Guaianas o batizaram por Sereia. Assim o fixou Stradelli:

> *Yiara* — *Oiara* — O *Boto-Vermelho*, a que se atribui a facilidade de virar-se em homem para seduzir as moças novas, que gosta de cachaça e de bailes como qualquer Tapuio e neles aparece para levantar desordens. Embora o nome e certa semelhança, não se trata de Mãe-d'Água, porque esta é a Cobra-Grande, e o Boto-Vermelho apesar de tudo, se emprenha as moças que se lhe entregam, não as leva a afogar-se, nem ao menos, pelo comum, carrega com elas. O *Boto-Vermelho*, o oiara, dos três delfinos amazônicos, é aquele que remonta mais longe por estes rios a dentro, e o tenho encontrado no alto Uaupés, acima de Ipanoré.

Couto de Magalhães, no emaranhado das estórias que ouviu, conseguiu dar uma direção ao material recolhido. Para ele o *Boto* é a encarnação do espírito protetor dos peixes. O lado sexual, que anteriormente seria pouco crível existir, já aparece como fazendo parte das atividades normais do *Uauiará* namorador de moças e possuidor de palácios no fundo do rio como aqueles reis do conto árabe das *Mil e Uma Noites* (*História de Beder, príncipe da Pérsia, e de Giauhare, princesa do reino de Samandal*).

---

salas e dançavam com as jovens. Tinham um especial e irresistível atrativo. Os olhos eram brilhantes, negros e hipnóticos. As jovens não resistiam às lábias desses rapazes e, meses depois, as jovens apareciam grávidas.

Os sedutores sumiam nos mais desencontradiços mistérios. Os filhos cresciam e quando, por acaso, morriam afogados no Lago, diziam que voltavam a ser peixes, como os pais. Depois do sortilégio com as jovens, os maridos-peixes não se esqueciam dos filhos, que não tinham pai, porque eram filhos de boto. No fundo das águas era o seu reino, ignoravam o que se passava na terra. Até hoje esses pais aflitos não cessam de procurar os seus meninos. Os que morrem deixam tal encargo aos seus parentes do fundo do rio. Farejam, de longe, a prenhez humana. As fêmeas arredondadas pela doença do amor não podem viajar em canoas, porque estas são assaltadas por todos os botos do reino das águas. Os remeiros reagem a pau e arpoeira. Os botos voltam à carga, não se rendem e algumas vezes conseguem seus fins: a canoa alaga, soçobra e a mulher, com seu filho no ventre, é arrastada para a região dos maridos-peixes.

Com medo dos botos, as grávidas preferem as lanchas. Há botos vermelhos e botos pretos. Destes o mais famoso é o boto-tucuxi. Seus olhos depois de secos servem para atrair o amor das mulheres indiferentes. Um olho de tucuxi custa quinhentos mil-réis." Abguar Bastos — *Safra*, pp. 49/50. Rio de Janeiro, 1937.

A sorte dos peixes foi confiada a *Uauiará*. O animal em que ele se transforma é o boto. Nem um dos seres sobrenaturais dos indígenas forneceu tantas lendas à poesia americana como o *Uauiará*. Ainda hoje no Pará não há uma só povoação do interior que não tenha para narrar ao viajante uma série de histórias, ora grotescas e extravagantes, ora melancólicas e ternas em que ele figura como herói. O *Uauiará* é um grande amador das nossas índias; muitas delas atribuem seu primeiro filho a alguma esperteza desse deus, que ora as surpreendeu no banho, ora transformou-se na figura de um mortal para seduzi-las; ora arrebatou-as para debaixo d'água, onde a infeliz foi forçada a entregar-se a ele. Nas noites de luar no Amazonas, conta o povo do Pará, que muitas vezes os lagos se iluminam e que se ouvem as cantigas das festas, e o bate-pé das danças com que o *Uauiará* se diverte (*O Selvagem*, ed. de 1876, p. 137).

Aqui já existe a lenda com vários atributos. O peixe vira gente, seduz, atrai para o fundo do rio. Mas não há o canto. O canto, privativo da Mãe--d'Água, é inexistente para o *Boto*.

Nas regiões missioneiras da Argentina a mesma crendice vigora. Juan B. Ambrosetti, enumerando os *fantasmas del agua,* indica o *U-Pora* (*u-água, pora,* morador, habitante) que existe em todas as *aguadas permanentes* e se transforma num homem negro, levando as moças para núpcias que às vezes custam a vida das noivas; o outro é o *Pira-Nu,* peixe-negro, que é enorme, *con la cabeza como la de un caballo de grandes ojos,* nadando a flor d'água para engolir o que encontrar. O *Pira--Nu* vira as embarcações; o terceiro é o *Yagua-Ron* (Jaguarão, segundo Teodoro Sampaio é derivado de *yaguá-nharõ,* o cão bravo, a onça feroz), peixe monstruoso, *de coloración semejante a la del burro,* espécie de *minhocão,* cavando barranco, distanciado das margens devorando os animais que caem nágua, aproveitando apenas os pulmões (Ambrosetti, *Supersticiones y Leyendas,* p. 104. Buenos Aires, s. d.).

O *Boto-Vermelho* é o dom-juan de todas as moças que ignoram o pai de seu primeiro filho. Arrebata-as das margens e leva-as para o noivado efêmero no fundo triste do rio. Não mata sua vítima amorosa, mas se desinteressa pela prole resultante do estranho conúbio. O *Boto* não limita, como as verdadeiras *Iaras,* os rios como teatro de suas façanhas amatórias. Ao cair da noite, nada para terra e se torna homem. Não é um "duplo", uma identidade mística entre o *Boto* e um homem, como há na ilha de Pentecostes com homens e tubarões. O *Boto* fica perfeitamente um ser humano e nada resta de sua aparência de peixe em maioria absoluta dos casos. Torna-se um caboclo alegre, forte, atirado, afoito, dançando bem e com uma sede incontentável. Não há melhor par nem mais simpático cavalheiro num baile. Apenas não tira o chapéu para que não vejam o orifício por onde respira. Aqui nos lembramos do padre Simão de Vasconcelos que dizia ter visto a caveira do homem-marinho com o tal buraco respiratório.

O Sr. Gustavo Barroso registrou uma lenda em que o *Boto* vestia o enduape de penas dos guerreiros selvagens. A mulher só reconheceu sua espécie fluvial porque encontrou, debaixo de sua cinta de plumas, a cauda de peixe.[66] Já hoje o *Boto*, transformado em rapaz, não tem cauda, mas não tira o chapéu. As lendas sofrem suas adaptações necessárias à lei da credibilidade.

Santana Neri conta uma estória de uma índia com um *Piraiauara*, de enredo quase místico. A tapuia suicida-se para unir-se ao fantástico namorado (opus cit. p. 163).

Ainda em meados do século XIX o *Boto* realizava suas festas em casa. Via-se o rio iluminado e das ribanceiras ouviam o animado rumor das danças no leito d'água funda. Nesse tempo o *Boto* era o *Uauiará*, de Couto de Magalhães, protetor dos peixes, égide do gênero.

Stradelli catalogou esse *Piraiauara*, o "peixe-cachorro", que não é um boto e sim um Carcharias.

Derredor do *Boto* amoroso as lendas são aos milhares.[67] Seduz, viola, dança, bebe, mas não mata. As cunhãs entregam-se facilmente, mas a desgraça não lhes custa a vida como se a *Cobra-Grande* as encontrasse na água escura do rio.

---

66 Gustavo Barroso — *Mythes, Contes et Légendes des Indiens*, p. 5, Paris, Ferroud, 1930. O autor registra que o boto seduz *transformé en jeune-homme, en chantant*. Raimundo Moraes chegou a vestir o boto como no Renascimento. São exageros. O índio não conhecia "serenatas" nem conquistava alguém pelo canto. Basta ler as velhas lendas de Barbosa Rodrigues, Brandão de Amorim, etc.

67 Entre os indígenas do Chile, na tradição do Dilúvio, há um episódio curioso. O mar invadiu a terra e os homens refugiaram-se num monte que se alteava na proporção do avanço das águas. Os homens que eram alcançados pela enchente tornavam-se peixes. *Y de los que se transormaron en peces, dicen que pasada la inundacion o diluvio, salian de el mar a comunicar con las mujeres que iban a pescar o coger mariscos, y particularmente acariciaban a las doncellas, engendrando hijos en ellas; y que de ahí proceden los linajes que hay entre ellos de indios que tienen nombres de peces, porque muchos linajes llevan nombres de ballenas, lobos marinos, lisas y otros peces. Y ajúdalos a creer que sus antepasados se transformaron en peces, el haber visto en estas costas de el mar de Chile, en muchas ocasiones, sirenas que han salido a las playas con rostro y pechos de mujer y algunas con hijos en los brazos.* Diego de Rosales: *Historia geral de el reyno de Chile*, citada por Lehamann Nitsche no seu estudo *El diluvio según los Araucanos de la Pampa, in Revista del Museu de La Plata*, Tomo XXIV, segunda parte, p. 32. Buenos Aires, 1919.

José Carvalho reuniu várias estórias de *Botos* durante sua longa estada no Pará. Um pescador importunado com um boto arpoou-o. Mais tarde, quando se encontrava numa restinga, foi preso por um grupo de soldados vestidos de encarnado. Mandaram-no fechar os olhos. Quando os descerrou, achava-se num lugar desconhecido. O pescador deparou-se com uma mulher sua amiga e que desaparecera no rio há tempos. Disse-lhe ela que o pescador estava na terra dos Botos. Seria obrigado a tratar do peixe que ele arpoara e o fizesse com acapurana, grande hemostático e cicatrizante, e fumo. Acima de tudo não comesse coisa alguma dali. Senão jamais voltaria para a terra dos cristãos. Sucedera a ela isto mesmo. O pescador, levado à presença do chefe dos botos, recebeu o encargo de tratar de quem ferira. Fê-lo com felicidade. Teve o cuidado de só se alimentar do que levara. Três dias depois os botos, novamente tornados em soldados, voltaram com o pescador e o repuseram em terra.

Entre os muitos detalhes curiosos está o de não tomar alimento na terra encantada. Prosérpina, raptada por Plutão, só ficou no Inferno porque comera sete bagos de romã. Se não o tivesse feito, Júpiter a mandaria recolocar onde o deus a carregara.

Num baile, a avó informante a José Carvalho garantia ter assistido, no Igarapé dos Currais, dois rapazes desconhecidos apareceram e dançaram, beberam e namoraram muito. Pela manhã descobriram que num poço de pouca água estavam dois botos. Mataram os botos e encontraram a cabeça deles cheirando a cachaça. Eram os dois rapazes da noite passada. Noutra estória, dois pescadores, de vigia, sacudiram três arpões de inajá num vulto de homem que frequentava certa casa na margem do rio. O homem fugiu e deitou-se à água. No outro dia boiava um grande boto com três arpões de inajá fincados no dorso...[68]

Não se pode negar a popularidade do ciclo do *Boto* nem sua antiguidade. Nada, entretanto, leva a crer sua existência entre os índios do Brasil pré-colonial. O que se deu com todos os nossos mitos foi um longo e contínuo processo de convergência com as estórias e superstições da Europa e África.

As mais antigas lendas não aludem ao *Boto* amoroso. Apenas encontro numa lenda Baré, o *Boto* que se torna gente (*mira*) para curar o herói Poronominare.

---

68 José Carvalho — *O Matuto Cearense e o Caboclo do Pará*, pp. 22 e seg. Belém do Pará, 1930.

Antes do ciclo do *Boto* amoroso havia outro e mais venerado. As estórias típicas, aquelas que registram os possíveis protomitos, não fazem distinção de sexo para a reprodução humana. Jurupari é filho de virgem. A mandioca nasceu da sepultura de Nani, criança gerada sem contato masculino. O elemento fecundante diverso do fecundado não existiu, durante larguíssimas épocas, no entendimento dos indígenas. Os deuses da teogonia tupi são andróginos. Têm em si os órgãos de fecundação e da reprodução. Independem da divisão dos sexos. Goaraci, o Sol, e Jaci, a Lua, deuses superiores, são ambos femininos e criaram tudo que existe na terra. Todos os indígenas falam na Mãe do rio, mãe das aves, dos peixes, das pedras, das rãs, das flores, das moléstias etc. Mas não falam no progenitor. Parece mesmo que houve um período longo de matriarcado porque Jurupari, o reformador, retirou o governo das mãos das mulheres e entregou-o aos homens. Não seria coisa invulgar a concepção sem a pesquisa da paternidade subsequente. Depois é que não se pôde admitir o fruto sem o semeador.

Existia no Brasil o *Ipupiara*, informe e mau. Mães-d'Água, Iaras, botos dom-juan são somas de estórias da Europa e África convergidas para objetos que despertaram a curiosidade pela anormalidade dos costumes. O *Ipupiara* passou a Mãe-d'Água. O Boto recebeu a herança erudita do golfinho páfio, egresso dos cultos dos portos gregos, onde abrolhou Vênus, citérea ou páfia. A Iara é europeia. O índio não a conheceu outrora. Hoje é natural que a diga velhíssima, uma vez que, há três séculos, a lenda escorre pela sua memória. Impossível aceitar na íntegra toda documentação dos estudiosos. Hartt registra um episódio em que uma *Uiara* toma a forma de uma veada para seduzir um caçador na serra do Ererê. Evidentemente essa veada é um despautério para um mito fluvial. Trata-se de Anhanga... mas isto é outra estória, *but that is another story,* como diria Kiplin.[69]

---

69 Nota: *Filho de Boto*. Um registro recente. "E a crendice na gula amorosa do boto continua muito viva, a ter toda a força. O Dr. Gete Jansen me refere o caso recente de uma mulher que levando o filho num serviço médico, quando lhe perguntaram o nome do pai, para o competente registro, respondeu com absoluta convicção: — Não tem, não senhor, é filho de boto. — A mulher era casada, tinha outros filhos cuja paternidade atribuía pacificamente ao marido, mas aquele teimava em dar como filho de boto. — "Este é filho de boto, eu sei." — Não houve quem a demovesse, registro foi feito à sua revelia." Umberto Peregrino — *Imagens do Tocantins e da Amazônia,* p. 97. Rio de Janeiro, 1942.

OS MÍTOS
NOS CRONÍSTAS ESTRANGEÍROS

Hans Staden cita o Geuppawy e o Ingange, André Thevet o Agnan e o Kaagerre, Jean de Léry o Kaegerre e o Aygnan. Anthony Knivet o Coropio e o Avassaty ou Ayasaty. Ives d'Evreux o onipotente Jeropari. Claude d'Abbéville citara apenas Ieropari. Marcgrave, o Anganga, o Jurupari, o Curupari, o Taguaiba, o Temoti, o Taulimama e o Johannes de Laet, anotando-o, juntou o Curupira, o Macachera e o Marangigoana. Rovlox Baro o Houcha, o Curupira, o Macachera, o Iurupari, o Anhanga, o Taguari.

Muitos desses mitos ainda vivem na memória popular, indígena e mestiça, adaptados, assimilados, confundidos. Outros desapareceram e seus atributos gravitam derredor os temas sobreviventes. A tarefa será uma tentativa de identificação desses seres assombradores do Brasil colonial.

Geuppawy, Iurupari, Geropary, Ieropary; Curupira, Curipira, Coropio, Curupari; Agnan, Augnan, Ingange, Anganga, Anhanga são, evidentemente, os nossos sempre atuais Jurupari, Curupira e Anhanga.

Kaegere ou Kaagerre, segundo Gonçalves Dias, é o Caapora, cuja grafia Kaapora já o padre João Daniel empregara nos fins do século XVIII. Marangigoana, para Batista Caetano de Almeida Nogueira, é *maraniguara* ou *marangiguana*, desordeiro, bulhento, destroçador. Johannes de Laet, anotando Marcgrave, escreve que Marangigoana não era um espírito, mas a alma separada do corpo, anunciando a morte a quem aparecia. Espécie sinistra de "duplo", surgia ante a própria imagem de sua mesma pessoa. Os indígenas tinham um pavor invencível a Marangigoana. A crendice é, como se sabe, espalhada na Europa. Os Bretões conhecem a terrível *Milorame*, com os mesmíssimos elementos de ação. Significando "bulhento e desordeiro" o vocábulo assume outra direção, mas não se poderá dispensar o que sobre ele diz Laet, indicador exclusivo e fonte única.

Macachêra ou Machacera (Fernão Cardim o menciona também) é o *numen viarum, viatores praecedens*. Os potiguares dizem ser um bom e os tapuias um mau espírito. Batista Caetano traduz por duas formas. *Mocangy-ser*, o que gosta de enfraquecer a gente, ou *mo-canyser*, o que gosta de fazer a gente perder-se, ou andar erradia. Teodoro Sampaio julgava ser Macachêra-mito um nome errado. O certo seria *Macaiêra*, plural de *macaia*, corrupção de *mbae-cáia*, a coisa abrasada, o que se queima, a queimada, a luz fosforecente, o fogo-fátuo. O *numen viarum* parece efetivamente a luz desnorteadora que ensinava ou fazia perder o caminho certo. Era um dos nomes do Mbaitatá, a *res ignis* do Venerável José de Anchieta? Os cronistas franceses, ingleses, alemães e holandeses esquecem a Mboitatá. Macachêra não seria um sinônimo mais popular na região do norte do Brasil?

E Taguaigba, Taguain, Taguaiba e Temoti que são, visivelmente, uma só entidade? Batista Caetano aceitava todas as formas como adulterações de *taúb-aib*, a visão mã, fantasma ruim, a nossa alma do outro mundo. Posteriormente vemos que Angoéra é de tradução idêntica.

Taulimama para mim é apenas uma grafia confusa de Tatamama, de *tatá*, fogo, e *mama*, mãe, a mãe do fogo. Pertenceria aos protomitos ígneos, os mitos de formação, recordando a descoberta, conquista, os processos de conservação do lume e, concomitantemente, tendo uma égide, uma *Ci* protetora, origem e paládio.

Avassaty ou Avasaty, que somente ocorre em Knivet, dá impressão de haver irritado o grande Batista Caetano, autoridade incontestada. Escreve ele nos comentários do *Tratados da Terra e Gente do Brasil* do jesuíta Fernão Cardim (ed. Rio, 1925, p. 227):

> É nome inteiramente novo para mim e vendo-o aplicado ao demo, parece-me quase poder reportá-lo a duas etimologias diferentes, das quais a mais natural é *aba-hati* (homem chifrudo ou cornudo) não obstante faltar o sufixo de particípio *aba-hatibae*, por isto acontece mais vezes, e encontra-se o radical verbal empregado como adjetivo sem esse sufixo *bae* ou o seu equivalente *hara*. A segunda etimologia daria *abahaty* (borra ou fezes de gente); mas além de não ter isto grande significação, acontece que me não parece natural a composição do vocábulo tornando *aba* genitivo regido de *haty*.

Ambas as versões são convencionais e não se harmonizam com o espírito indígena. Homem chifrudo, o cornudo, daria sinônimo demoníaco demasiado europeu. Borra ou excremento de gente era uma ideia inteiramente inusitada dentro da concepção ameríndia, visando uma imagem pejorativa. O Avassati de Anthony Knivet era poderoso e se apossava dos indígenas entrando-lhes pelas almas. Nesse estado de possessão suplicavam eles que os batessem, para Avassati ir-se embora. Chamar tal ente de *borra-de-gente* é não pensar no medo que os amerabas tinham dos seus fantasmas.

Também, por causa de Knivet, analfabeto e fujão, têm-se perdido tinta e tempo, justificando um seu possibilíssimo erro de dicção ao improvisado secretário que lhe rabiscou a narrativa aventurosa. O falhado companheiro de Cavendish tem dado mais trabalho aos estudiosos brasileiros que aos seus patrões ocidentais.

Houcha aparece na relação de Rovlox Baro, contando sua visita aos Janduís norte-rio-grandenses. Afirma, de entrada, o narrador, que Houcha significa Diabo e que não fora registrado nos dicionários do idioma brasileiro. Não o encontrei senão em Baro, que ainda informa ser Houcha um demônio dos bosques e das matas, neles vivendo, aparecendo e respondendo. Variante de Curupira, dar-se-á caso de ser denominação cariri de um diabrete semelhante ao nume tupi. A tradução resistiu às minhas hipóteses e tentativas. Passo-o, intacto, aos mais felizes.

Documentário

Coeteros ignavos et socordes qui nihil in vita digni gesserunt credunt a Diabolo statim post mortem cruciari. Vocant autem Diabolum Anhanga, Jurupari (ou Surupari), Curupari, Taguaiba, Temoti, Taubimama (p. 278).

Spiritus Malignos impense metuunt quos Curipira, Taguai, Macachera, Jurupari, Marangigoana vocant: sed diversis significationibus, nam Curipira significat Numen mentium: Macachera numen viarum, viatores praecedens, Petiguari fingunt boni nuntii paranymphum; contra tupiguaos et carijos medicum humanae salutis hostem. Jurupari et Anhanga significant simpliciter diabolum. Marangigoana non significat numen, sed animam a corpore separatam vel aliud quid implantem mortem praenuntians, ipsis Brasilianis non satis notum, et tamen illud vel maxime timent.

Marcgrav & Piso — *Historia Naturalis Brasiliae* — pp. 278/279. Lvgdvm Batavorum apud Franciscum Hackium et Amstelodam, apud Lud. Elzevirium, 1648.

Ce nom de Houcha fignifiant le diable, ne fe trouue dans les dictionnaires de la langue dv Brafil, rapportez par le fieur de Laet au liv. 17 des Indes Occidentales ch 12 & liv 15 ch. 2 ny por Marcgravius au liv 8. ch. 9 ny au liv. 15 ch II ou ils traittent de la religion des Brafiliens, quay qu'ef dits lieux on y life des noms differens des diables comme de Curupira, qu'ils croient le diable des montagnes: Machacera celuy des chemins: Iurupari, Anhanga, & Taguari: il fe peut faire que celuy de Houcha, foit le diable des bois, attendu qu'il ne paroiffoit ny ne rendoit refponfe que dans les bois. Marcgravius au lieu de Iurupari, & Taguai met Iurupari & Tagaiba, aufquels il ioint Temoti, & Taubimama. De Lery ch 16. dit que les Tououpinambouts ou Tououpinambaouts appellent le diable Aygnam, & Kaegerre.

> Rovlox Baro — *Relation dv voyage de Rovlox Baro, interprete et ambassadevr ordinaire de la Compagnie des Indes d'Occident, de la part des Illustrissimes Seigneurs des Prouinces Vnies au pays des Tapuies dans la terre ferme du Bresil. Commencé le troisiesme Avril 1647 & finy le quatorziesme Iuillet de la mesme année* — Trad. d'Hollandois par Pierre Moreav.
> A citação é tirada das notas de Morisot, sob nº 74, pp. 296/297 do 1º tomo da coleção *Relations Veritables et Curieuses de L'isle de Madagascar et du Brésil*, impressa em Paris, 1651, por Augustin Courbé.

Os índios morriam tomados de medo de um espírito que, diziam eles, os matava, chamado *Coropio*. Muitos queixavam-se de estar possuídos dos espíritos denominados *Avasaty*. Os que se sentiam apossados deste espírito queriam que os atassem de pés e mãos, com as cordas de seus arcos, e os flagelassem com as suas redes.

> Anthony Knivet — *Viagem que, nos anos de 1591 e seguintes, fez Anthony Knivet da Inglaterra ao mar do Sul, em companhia de Thomaz Cavendish*, tradução de J. H. Duarte Pereira, *Revista do Instituto Histórico Brasileiro*, XLI, p. 230.

Lobisomem

O Lobisomem nos foi trazido pelo colono europeu. Está em todos os países e épocas, com histórias espelhadas, sob nomes vários, registrado nos livros eruditos. É um dos mitos mais complexos e escuros pela ancianidade e divisão local.

A tradição clássica de Licaon

A tradição clássica é da Grécia. Licaon, rei da Arcádia, filho de Pélago, primeiro soberano da região, tentou matar Zeus, seu hóspede de uma noite. O Deus castigou-o dando-lhe a forma vulpina. Nenhum erudito conseguiu explicar a fábula. Nem mesmo esta se reduz a uma só versão. Noutras lendas Licaon fez um sacrifício humano e sua metamorfose significa a cólera divina. Também Licaon levou à mesa, onde Zeus era servido, carne humana. Ainda, segundo Pausânias, Licaon sacrificou um filho a

Zeus no monte Licaeus. O final é idêntico. O rei se transforma, e para sempre, em lobo. Mas também o mito envolve a ideia de sacrifício humano. E antes de tornar-se lobo, já o soberano árcade tinha este nome, *Licus, Luko,* lobo.

Para alguns mestres da mitologia pré-helênica, houve um Zeus-Licaeus. Outros ensinam que essa evocação é posterior ao castigo de Licaon. A ereção do templo seria para conjurar o perigo de uma ameaça coletiva. Dizem também que o primitivo Zeus-Licaeus era a mais antiga crença local. A confusão viera entre *luko*-lobo e *luke*-luz. O Zeus-Licaeus era o deus da luz que ora matava ora sucumbia aos golpes de seu filho Nietimus, a escuridão, dando assim o ciclo das noites e dos dias.

Uma explicação, que tem foros de popularidade cultural, é a de Robertson Smith, que considera o sacrifício de Licaon como oferendas rituais feitas na Arcádia pelas tribos canibalescas ao Deus-Lobo primevo, totem da raça. Muitos identificam o Zeus-Licaeus com o próprio Licaon, que é apontado como o ascendente civilizador da região. Bérard dizia que Zeus-Licaeus era o mesmo Baal semítico, levado à Arcádia pelos fenícios.

O que parece lógico é ter Licaon realizado apenas uma cerimônia de culto, possivelmente de uma religião pastoril, oferenda ao Deus-Lobo para poupar os rebanhos na época da tosquia. Parece ainda mais ser verossímil se pensarmos que o animal posteriormente morto em homenagem era o cão, tradicional inimigo do lobo. Esse elemento emigrou para Roma e fazia parte das Lupercais.

A tradição romana das lupercais

O árcade Evandro levara a Roma o culto lupino. Em Roma houve sempre um lobo venerado anualmente. Rômulo e Remo tinham sido criados por Acca Laurentia, uma prostituta, *loba,* como apelidavam as mulheres que rondavam as vielas e lugares escuros para o amor furtivo. A representação de Acca Laurentia como o animal que dava nome à sua profissão, popularizou a espécie bestial. A Loba de Roma era tão sagrada como os próprios vexilos imperiais das legiões. Com a denominação de Luperca, diz Arnôbio, a loba foi deificada. As festas votivas eram no dia 15 de fevereiro, lupercais, que atraíam imensa multidão, especialmente mulheres e moços. Foi numa lupercal que Marco Antônio ofereceu a coroa a Júlio César.

As lupercais, festa dos lobos, segundo Plutarco, realizavam-se no dia mais funesto de fevereiro, nome que mesmo diz ser "expiativo". O dia das lupercais (15 de fevereiro) era chamado *februata*. O ponto de partida era a gruta perto da figueira Ruminal, dado como sítio da criação de Rômulo e Remo pela loba. Abatiam cabras e cães. Os sacerdotes tocavam com as lâminas tintas do sangue oblacional na face dos moços. Seminus, apenas com um cinturão feito da pele do lobo, empunhando correias da mesma pele, sujas de sangue, os lupercais corriam uivando pelas ruas de Roma, açoitando os transeuntes. As mulheres vinham ao encontro da flagelação ritual porque afastava a esterilidade e os partos seriam propícios. Essa festa de purificação é, evidentemente, um vestígio de culto orgiástico, de propiciatório aos mistérios da fecundação e gestação normal. O mês de fevereiro vem de *februare*, purificar, mas o radical é *februa*, nome das correias que batiam as mais lindas matronas de Roma. Fevereiro era o último mês do velho ano romano. Fechava-se a marcha da vida com essa purificação sob a égide dos lobos.

Os Lupercos, sacerdotes da Lupercaliae, estavam divididos em dois colégios, Quinctiliales e Fabianos. Ainda no ano 44 antes de Cristo instituía-se em Roma o terceiro colégio, Luperci Julii, em honra de Júlio César e que teve Marco Antônio como sacerdote-chefe. Em 494, depois de Cristo, o imperador Gelasius mudava-lhe o nome para Festa da Purificação.

Aos poucos a tradição sagrada foi desaparecendo, substituída, diluída, esparsa nas outras que surgiam, vitoriosas.

A tradição erudita
da metamorfose vulpina

Uma tradição popular grega ensinava que se Licaon, tornado lobo, se abstivesse de comer carne humana durante dez anos, voltaria à forma humana. Plínio (*História Natural*, VIII, p. 22) conta que um homem da família de Anteus foi escolhido e levado para um lago na Arcádia. Aí despiram-no, puseram sua roupa sobre cinzas e ele atravessou o lago. Alcançando a margem oposta, virou lobo. Ficaria lobo nove anos apenas se não provasse sangue de homem. Teria então o direito de reatravessar o lago e recuperaria a feição humana desde que tocasse a margem.

Heródoto (*História*, IV, p. 105) acreditava que os Neuros, povos da Europa de leste, onde fica a Romênia, tinham a faculdade de tornarem-se lobos alguns dias do ano. Pomponius Mela (*Geographie*, II, p. 87) divulgava a mesma crença:

Neuris statum singulis tempus est quo, si velint, in lupos iterumque in eos qui fuere, mutantur.

Para articular o culto lupino à prática antropofágica ritual, diga-se que o Neuro, cita bárbaro, era devorador de homens e bebedor de sangue. Plínio não é menos explícito (*História Natural*, Liv. VIII, cap. 22):

Homines in lupos verti, rursumque restitui sibi, falsum esse, confidenter existimare debemus. Unde tamen ista vulgo infixa sit fama in tantum, ut in maledictis versipelles habeat, indicabitur.

Essa denominação romana de Versipélio era genérica para qualquer transformação de homem em animal ou pássaro. Plauto, falando de Júpiter cisne, touro, corvo, chama-o "versipélio" no *Anfritrião:*

Ita Versipellem se facit quando lubet.

Licantropia também passou a designar, na Grécia, o mesmo feito latino. A transformação do homem em cão (kinantropia) confundia-se vulgarmente na Licantropia.

O tema em equação

As duas versões que conhecemos, latina e grega, dizem que a licantropia é um castigo. Heródoto, Pompônio Mela, Plínio, Varrão (citado em Santo Agostinho),[70] Isócrates falam nos Neuros que tinham a faculdade da mutação voluntária e regresso à forma anterior. Já é outro lado do problema porque a inicial é a de Licaon. Ovídio registrou-a como era corrente no mundo romano. Licaon não mais voltou a ser homem (*Les Métamorphoses*, lib. 1°, fab. IV, *Licaon in lupum mutatur*):

J'avais franchi le Ménale, repaire affreux des bêtes sauvages, le Cyllène et le frais Lycée, couronné de sapins. Je pénétrai vers le crépuscule du soir dans le palais inhospitalier du roi d'Arcadie. J'annonçai la présence d'un dieu. Le peuple commerçait à m'offrir des prières. Lycaon rit d'abord de ces pieux hommages. Bientôt, ajoute-t-il, je saurai, par une épreuve manifeste, s'il est dieu ou mortel, et la vérité ne sera pas douteuse. La nuit, quand j'étais enseveli dans le sommeil, il s'apprête à m'assassiner. Voilà

---

70 Ver Santo Agostinho. — *La Cité de Dieu* (*De Civitate Dei*), p. 591, livro XVIII, capítulo XVII, Paris, 1845.

comment il veut s'assurer de la vérité. C'est peu. Il égorge un otage que lui avaient envoyé les Molosses. Il fait boullir une partie de ses membres palpitants, et rôtir l'autre sur un brasier. À peine a-t-il servi cet abominable repas, que ma foudre vengeresse renverse son palais et ses pénates, dignes d'un tel maître. Il fuit épouvanté, et, dans le silence des compagnes, il pousse des hurlements et s'efforce en vain de parler. Emporté par sa fureur et parsa soif de carnage, il se jette sur les troupeaux, et il aime encore à s'enivrer de sang. Ses vêtements se changent en poils, et ses bras en jambes. Métamorphosé en loup, il conserve des vestiges de sa première forme. Même couleur, même violence dans les traits, mêmes regards étincelants, même image de la férocité (Tradução de M. Cabaret-Dupaty. Col. Garnier, pp. 12/13).

No mesmo século já existe a versão do Versipélio voluntário. Moléstia? Obrigação satânica? Não se sabe. Ovídio é do tempo do imperador Augusto. Tito Petrônio Arbiter escreve o seu *Satiricon* sob Nero. No cap. LXII, Petrônio fixa a tradição tal qual a conhecemos no Brasil. Deve ser esta a que se expandiu para a Península Ibérica, emigrando no século XV para as terras da América. No *Banquete de Trimalcion* pedem a Nicero uma estória e este narra a que ouvimos ainda, dezenove séculos depois:

Par un heureux hasard, mon maître était allé à Capoue vendre quelques nippes d'assez bon débit. Profitant de cette occasion, je persuadai à notre hôte de m'accompagner jusqu'à cinq milles de là. C'était un soldat, brave comme Pluton. Nous nous mettons en route au premier chant du coq (la lune brillait, et on y voyait clair comme en plein midi). Chemin faisant, nous nous trouvâmes parmi des tombeaux. Soudain, voilà mon homme qui se met à conjurer les astres; moi, je m'assied, et je fredonne un air, en comptant les étoiles. Puis, m'étant retourné vers mon compagnon, je le vis se dépouiller de tous ses habits, qu'il déposa sur le bord de la route. Alors, la mort sur les lèvres, je restai immobile comme un cadavre. Mais jugez de mon effroi, quand je le vis pisser tout autour de ses habits, et, au même instant, se transformer en loup. Ne croyez pas que je plaisante; je ne mentirais pas pour tout l'or du monde. Mais où dond en suis-je de mon récit? m'y voici. Lorsqu'il fut loup, il se mit à hurler, et s'enfuit dans les bois. D'abord, je ne savais où j'étais; ensuite, je m'approchai de ses habits pour les emporter: ils étaient changés en pierres. Si jamais homme dut mourir de frayeur, c'était moi. Cependant, j'eus le courage de tirer mon épée, et j'en frappai l'air de toute ma force, pour écarter les malins esprits tout le long du chemin... Ma chère Mélisse me témoigna son étonnement de me voir arriver à une heure si avancée: — "Si vous étiez venu plus tôt, me dit-elle, vous nous auriez été d'un grand secours; un loup a pénétré dans la bergerie, et a égorgé tous nos moutons: c'était une véritable boucherie. Mais, bien qu'il se soit échappé, il n'a pas eu à s'applaudir de son expédition; car un de nos valets lui a passé sa lance à travers le cou". A ce récit, je vous laisse à penser si j'ouvris de grands yeux; et, comme le jour venait de paraître, je courus à toutes jambes vers notre maison, comme un marchand détroussé par des voleurs. Lorsque j'arrivai à l'endroit où j'avais laissé les vêtements changés en pierres, je n'y trouvai que du sang. Mais, en entrant au logis, je trouvai mon soldat étendu sur un lit: il saignait comme un boeuf, et un médecin était occupé à lui panser le cou. Je reconnus alors que c'était un loup-garou; et à dater de ce jour, on m'aurait assommé plutôt que de me faire manger un morceau de pain avec lui. (Tradução de M. Héguin de Guerle, pp. 92/94. Col. Garnier).

No primeiro século da Era Cristã, pelos depoimentos de Ovídio e Petrônio, o Lobisomem possuía duas modalidades: o castigo, a forma tomada involuntariamente, e a voluntária, temporária, como a do soldado da estória de Niceros no banquete de Trimalcion.

A metamorfose por castigo

A crença na metamorfose humana em lobo, por um castigo divino, atravessou séculos. Na Inglaterra, São Patrício transformou em lobo o rei de Gales, Vereticus, e São Natálio, na Irlanda, mandou que um homem ficasse lobo durante sete anos. Na Rússia a tradição era viva. A maioria dos lobos, cujas alcateias famintas uivavam nas noites geladas de dezembro, eram pecadores amaldiçoados por crimes cometidos na terra. Estavam cumprindo penitência e um dia voltariam à comunhão de todos os fiéis.

Mas esta modalidade, que vinha de Licaon, desapareceu. Verdade é que reaparece, vagamente, no Brasil, como veremos, mas a mais alta e segura percentagem tem outra explicação no Folclore.

A expansão do mito

Os romanos espalharam o Versipélio em todos os recantos da terra conquistada. O animal fantástico foi assimilando peculiaridades locais, deformando-se, nacionalizando-se, mas com os traços característicos que o fazem uno, inconfundível e completo no quadro geral do fabulário popular.

Versipélio dos romanos é o Licantropo dos Gregos, o Volkodlak dos eslavos, o Werwolf dos saxões, o Wahrwolf dos germanos, o Oboroten dos russos, o Hamrammr dos nórdicos, o Loup-garou dos franceses, o Lobisomem da Península Ibérica e da América Central e do Sul, com suas modificações fáceis de Lubiszon, Lobohomem, Lubishome...

Na Europa

O Lobisomem europeu, Loup-garou, Werwolfes e Volkodlaks, têm os mesmos hábitos e finalidades... como nos outros continentes. Durante o século XVI, os Loup-garou multiplicaram-se em França. Dizia-se, naturalmente, *courir la galipote*. Garroteados, afogados, triturados nas rodas punidoras, os feiticeiros confessavam os encantamentos.[71] Jaime I da Inglaterra, equiparando-os aos feiticeiros, condenava-os sem cessar. O erudito soberano, autor de um livro sobre a Demonologia, explicava o *werwolf* como resultado de *superabundância de melancolia*. Era uma moléstia que a morte atroz curava em definitivo.

Na África. Ásia

Na África a licantropia é vasta e velhíssima. Certas tribos mantêm associações secretas, com iniciações difíceis, cujos membros imitarão os costumes do lobo, do tigre, disfarçando-se com peles desses animais, assaltando os descuidados para matá-los em festins antropofágicos. Mas o que existe em maioria é a dupla personalidade. O espírito abandona o corpo e ocupa o de um lobo ou de uma hiena enquanto o homem continua deitado e visto como se não tivesse abandonado sua cabana. A maior parte dos casos na Ásia é idêntico. Ferindo-se o animal encantado, o homem adormecido desperta e morre ou apresenta as mesmas feridas do seu duplo.

No arquipélago malaio a propriedade de tornar-se tigre pertence a uma tribo da Sumatra, os Korinchi. Skeat, citado por Lévy-Bruhl, conta que em Ingra disseram-lhe que um homem que se tornava tigre possuía alguns dentes cobertos de ouro. Um dia mataram um tigre e o animal mostrava dentes aurificados igualmente. O homem nunca mais apareceu. Um deles, de nome Hadji Abdallah, foi aprisionado numa armadilha para tigre. Desencantou-se e pagou o preço dos bois que devorara quando corria a mata sob o corpo de um tigre. Não se trata de associações de homens-tigres ou homens-leopardos como as da Serra Leoa ou Guiné Francesa, mas de entidades reais que confessam modestamente possuir a faculdade do duplo gênero, humano e animal.

O missionário suíço Henri A. Junod (*The life of a South-African tribe*, Mac Millan and Co., Londres, 2º vol. pp. 463/464) explica, ouvindo um

---

71 *Dans les registres de nos parlements on trouve une énorme quantité d'arrêts qui condamnent des sorciers atteints et convaincus du crime de s'être changés en loups-garous pour commettre toutes sortes de méfaits. Si, du moins, on les avait brulés quand ils avaient leur forme le loup! Mais non. On attendait toujours qu'ils eussent dépouillé la criminelle enveloppe pour reprendre la forme humaine.* Gratien de Samur — *Traité des Erreurs et des Préjugés,* p. 111. Paris, 1843.

negro inteligente, S. Gana Nkuna, iniciá-lo nos mistérios da licantropia negra. Um negro casa inocentemente com uma mulher *noyi*, isto é, iniciada, sábia nos segredos da magia africana. Durante a noite vê sua esposa tranquilamente adormecida junto a si. Ouvindo o conselho de um missionário, sabedor de tudo, fere a esposa na perna, com uma azagaia. Ouve apenas um uivo de hiena e, em vez da mulher, vê uma hiena espavorida e tonta que foge do quarto marital. No outro dia encontra a mulher dormindo, escondida na floresta. Está ferida na perna com um golpe profundo de azagaia.

Casati, companheiro de Emim-Pacha na África Equatorial, também conta episódios dos homens-tigres, tão comuns na Índia. Certas tribos, a dos Baris, por exemplo, tornavam-se leopardos. Nunca se viu um leopardo atacar um negro Bari nem o contrário é possível. Talvez o leopardo fosse totem dos Baris e por isto sagrado para eles. A abstenção seria explicada como aliança mágica.

Gustavo Barroso (*O Sertão e o Mundo*, pp. 57/73) narra vários casos do Folclore chinês, de Leon Wieger. São idênticos aos nossos contos brasileiros. No distrito de Tcheng-Ping, do Kiang-tcheu, um aldeão foi atacado furiosamente por um lobo. O homem subiu para uma árvore, mas o animal enfurecido ainda o pôde segurar pela calça. O assaltado defendeu-se dando uma machadada na cabeça do lobo. No outro dia conseguiu saber que o lobo era um velho aldeão seu conhecido, que aparecera ferido na cabeça e tendo nos dentes fiapos da calça abocanhada. Em todos os contos chineses o licântropo volta à forma de lobo depois de morto. Também há na China a licantropia feminina. A mãe do general Wanhan, de Taiyuan, tornou-se uma loba aos setenta anos de idade.

O Lobisomem em Portugal

Oliveira Martins assim descreve o Lobisomem de Portugal — (*Sistema dos Mitos*, pp. 294/5, Lisboa, quarta ed., 1922):

> Os traços com que a imaginação do nosso povo retratou o Lobisomem são duplos, porque também essa criatura infeliz, conforme o nome o mostra, é dual. Como homem, é extremamente pálido, magro, macilento, de orelhas compridas e nariz levantado. A sua sorte é um fado, talvez a remissão de um pecado: mas esta adição vê-se quando é estranha ao mito na sua pouca generalização. Por via de regra, o *fado* é a moral — é uma sorte apenas. Nasce-se Lobisomem: em certos lugares são os filhos do incesto; mas, em geral, a predestinação não vem senão de um caso fortuito, e liga-se com o número que a astrologia acádia ou caldaica tornou fatídico — o número 7.

O Lobisomem é o filho que nasceu depois de uma série de sete filhas.[72] Aos treze anos, numa terça ou sexta-feira, sai de noite e, topando com um lugar onde um jumento se espojou, começa o fado. Daí por diante, todas as terças e sextas--feiras, da meia-noite às duas horas, o Lobisomem tem de fazer a sua corrida visitando sete adros (cemitérios) de igreja, sete vilas acasteladas, sete partidas do mundo, sete outeiros, sete encruzilhadas, até regressar ao mesmo espojadouro onde readquire a forma humana. Sai também ao escurecer, atravessando na carreira as aldeias onde os lavradores recolhidos não adormeceram ainda. Apaga todas as luzes, passa como uma flecha, e as matilhas dos cães ladrando perseguem-no até longe das casas. Diga-se três vezes "Ave-Maria" que ele dará um grande estouro, rebentando e sumindo-se. O sinosaimão (signo de Salomão) é um fetiche contra o malefício. Quem ferir o Lobisomem quebra-lhe o fado: mas que não se suje no sangue, de outro modo herdará a triste sorte. Eis aí nos seus traços mais gerais essa invenção da imaginação rural, nascida das sombras dos bosques, animada pelo vento e povoada pelo medo primitivo.

É mito velho e corrente em todos os recantos portugueses. No *Cancioneiro* de Garcia de Rezende (1515), já no poeta fidalgo Alvaro de Brito Pestana no *Rifões* (ed. Garnier, dirigida por Antônio Feliciano de Castilho, p. 25. Rio de Janeiro, 1865, sob título *Garcia de Rezende. Excertos*), encontra-se menção:

> Sois damnado lobishomem,
> primo d'Isac nafú;
> Sois por quem disse Jesú
> Peza-me ter feito homem.

Chamam-no "Corredor" no Minho, "Tardo" em Paços de Ferreira. As fêmeas têm o nome de "Peeiras" ou "Lobeiras" na região minhota.

Forma e processo de encantamento

A forma mais comum do Lobisomem é o animal de estatura acima da normal na classe vulpina, com grandes orelhas que batem no ritmo da carreira, ouvindo-se longe o assombrante rumor característico. Pelo desenho do Loup-garou na *Chronique de Nurenberg*, manuscrito iluminado do século XV, existente na Biblioteca de Paris, o Lobisomem gaulês conserva

---

72 Vitor Hugo — *Os Homens do Mar*, p. 26. Livro 1º, V, lembra superstição semelhante em toda a França. "Quando qualquer mulher tem sucessivamente sete filhos, o último é *marcou.*" *O Marcou* é benéfico. Tem uma flor-de-lis no corpo e cura os escrofulosos pelo contato, como os Reis de França.

as extremidades humanas.[73] Apenas a cabeça, o dorso, são cobertos de pelos. A ideia do Lobisomem na América Central e Meridional é quase a da *Bête Bigorne*, o bode satânico da Vandeia, que ainda corre enlouquecendo quem o encontra e matando quem pode, com uma só dentada formidável. No castelo de Villeneuve, Auvergne (França), há um *afresco* representando a *Bête Bigorne*, bode gigantesco, armado de garras, veloz e faminto.

Thomas Northcote Whitridge, *government anthropologist to Southern Nigeria*, e John Fergusson M'Lennan, de conhecida notoriedade, escreveram para a Enciclopédia Britânica (11ª ed. Nova York, 1911) um estudo delicioso sobre o *Werwolf* (*wer, de vir,* homem, *wolf,* lobo), resumindo as maneiras da transformação de Versipélio na França, Inglaterra, Rússia do norte, central e austral.

A forma mais usual era empregar um cinto feito com a pele do animal em que se pretendia transformar; cobrir-se com a pele do mesmo, beber água deixada no rastro, alimentos abandonados; absorver bebidas especialmente destinadas a provocar a mutação. Em Portugal vimos que é o espojamento nas encruzilhadas, possivelmente como em Roma. O paciente despe-se sempre ou veste a roupa ao avesso. O soldado do conto de Petrônio despiu-se. O grego citado por Plínio também. Para cessar o encantamento bastará retirar o cinto mágico, feito com a pele do animal predestinado. Os autores como citados indicam outras maneiras:

---

73 É o caso de Moeris que Virgílio descreve nas *Bucólicas*, VIII, verso 96 e segs.: traduziu-os Manuel Odorico Mendes:

> Meris estes venenos e estas hervas;
> Com eles Meris vi, tornado em lobo.

Não resisto transcrever aqui a pouco conhecida versão que das *Éclogas* fez José Pedro Soares (Oficina de Simão Taddeo Ferreira) Lisboa. MDCCC. É tradução em oitava rima:

> Meris me deo as hervas, que sabia
> Os venenos, de que Ponto abundava:
> Com eles ele lobo se fazia,
> Nos matos invisível se occultava:
> Da sepultura as almas demovia,
> Para outra parte as messes trasladava.
> Encanta, canto meu, e traze em fim,
> A Daphnis da cidade traze a mim.

— ficar de joelhos cem anos no local; ser publicamente acusado de tornar-se Lobisomem; ser saudado com o sinal da cruz; ser chamado pelo nome batismal;[74] ser ferido a faca. Uma gota de sangue liberta-o para sempre do feitiço.

O Lobisomem feminino

Na África a mulher se pode tornar hiena e pantera. Na China, loba. Na Armênia também, por penitência de pecado mortal. A penitência durará sete anos. O "espírito" faz cair sobre a pecadora uma pele de lobo. Tornada animal, a mulher sai à noite, devorando crianças, especialmente os próprios filhos, os filhos das irmãs, sempre na ordem decrescente do parentesco consanguíneo. Cada manhã, retoma a forma humana. Não há Lobisomem feminino nas Américas, pelo menos do meu conhecimento.[75]

O Lobisomem na América

Não me foi possível identificar o Lobisomem em nenhuma das tradições fabulosas da América pré-colombiana. No Brasil pré-cabralino não havia. Robert Southey (*História do Brasil*, pp. 5, 501, 511), citando um manuscrito inédito, *Notícias do Paraguai*, indica os índios Mbayas que acreditavam que as velhas se transformavam em jaguares depois de mortas. Cita, ainda Southey, o jesuíta Martin Dobrizhoffer, o historiador e catequista dos Abípones, que registrava a tradição dos feiticeiros da tribo

---

74 O Código Filipino proibia os pregões nominais, ignorando constituir um meio terapêutico. Vide o livro V, título III, parágrafo 3, p. 1151, da edição de 1870, impressa no Rio de Janeiro e comentada pelo Dr. Cândido Mendes de Almeida: *apregoão os demoninhados*. O comentador elucida: "chamá-los, nomeá-los com pregão, anunciá-los altamente".

75 W. Stokes, citado por J. Leite de Vasconcelos, registra as estórias de Giraldus Cambrensis, escrevendo: *of the man and women transformed into wolves every seven years is too well known to be cited here. The irish name for a female werwolf is Conoel. Conoel, i ben tet a conrecht (a woman goes into wolfshape)*. Opus cit., p. 273, nota 256.

se dizerem capazes de tomar a forma do jaguar, com a superioridade de ficarem invisíveis.[76]

Pelas lendas dos indígenas brasileiros, colhidas por Barbosa Rodrigues e Brandão de Amorim, conhecemos as tribos Anta, Arara, Jacamim, Urubu, Morcegos, mas são apenas denominações totêmicas. Nada há que lembre o Lobisomem com seu cortejo de assombros.

O escritor paraguaio Narciso R. Colman (*Nuestros Antepasados*, pp. 127/128) registra um verbete de cuja tradição ignoro a existência:

> *Jhuisô, Jhuicho, Luisón o Lobisón. Séptimo hijo del espíritu maléfico Taù y de Karaná. Señor de la noche y compañero inseparable de la muerte. Sus dominios se extendían por los cementerios, y se supone que se alimentaba exclusivamente de cadáveres. Su fealdad, su cabellera larga y sucia, su palidez mortal y el olor fétido que despendia causaba repugnancia y un terror pánico.*
>
> *Si una mano fría, húmeda y viscosa, sientes palpar alguna parte de vuestro cuerpo en la oscuridad de la noche, es Lobisón que os llama y os augura que vuestro fin se aproxima.*
>
> *Para conjurarlo, pon debajo de vuestra lengua un poco de tierra donde ha posado vuestras plantas y llamadlo — Lovisón! por tres veces seguidas.*

Esse Jhuisô conserva a forma humana. Bastante para dar-lhe a alienigenidade de sua procedência é o nome *Lobisón*, o apelo à denominação pessoal, como vimos entre as fórmulas desencantadoras do Lobisomem europeu, e ainda a confusão do agouro, núncio da morte, atividades que sempre escaparam ao velho Licantropo clássico. Considero o Jhuisô um mito de convergência, despido de características para positivar sua posição autóctone no continente americano, entre os Guaranis.

O Lobisomem no Brasil

Em todas as cidades, vilas e povoados do Brasil, o Lobisomem tem sua crônica. Ninguém o ignora e raros serão os que não têm um depoimento curioso sobre a abantesma.

---

76 Há no México a tradição do Nagualismo. O velho Orozco y Berra assim registra: *En aquellos pueblos habia una creencia á la que los autores dan el nombre de nagualismo. En la inteligencia vulgar de las gentes de nuestros campos, el* naqual *es un indio viejo, desalinado, feo, de ojos redondos y colorados, que sabe transformarse em perro lanudo y sucio, para correr los campos, haciendo danos y maleficios.* Para o próprio Orozco y Berra, o Nagualismo era uma associação secreta para o culto proibido dos velhos deuses mexicanos. Ver Gustavo Barroso — *As Colunas do Templo*, p. 261.

Os motivos para se ser Lobisomem variam. A explicação portuguesa vive ainda:

> Ora, patrão, vomecê perguntar se há mesmo Lobisomens?! Toda a mulher que tiver sete filhos machos, pode ter certeza que um deles vira Lobisomem. E, sendo sete meninas, uma, mais cedo ou mais tarde, vira Bruxa. O Lobisomem, patrão, é o dízimo do Diabo (Viriato Padilha — *O Livro dos Fantasmas*, p. 49. Rio de Janeiro, Livraria Quaresma, 1925).

E também no sul do Brasil permanece a justificativa do castigo por ligações sexuais entre irmãos, primos-germanos e compadres, incluídas na classe do incesto. O Lobisomem do Rio Grande do Sul, correndo em Santa Catarina, Paraná, parte de Minas e mesmo São Paulo, tem esse retrato:

> Diziam que eram homens que havendo tido relações impuras com as suas comadres, emagreciam; todas as sextas-feiras, alta noite, saíam de suas casas transformados em cachorro ou em porco, e mordiam as pessoas que a tais desoras encontravam; estas, por sua vez, ficavam sujeitas a transformarem-se em Lobisomens... (J. Simões Lopes Neto — *Lendas do Sul*, p. 91. Pelotas, Rio Grande do Sul, 1913).

Para o norte já não há razões morais. O Lobisomem é uma determinante do "amarelão" (anciclóstomo),[77] da "maleita" (paludismo). Todos os anêmicos são dados como candidatos à licantropia salvadora. Transfor-

---

[77] Ensina Artur Ramos que a "*ancylostomiase*, acarretando distúrbios cenestésicos, pode provocar em débeis e predispostos mentais sintomas de alucinação da cenestesia, podendo levar até aos fenômenos de transformação da personalidade". A velha licantropia como moléstia nervosa, psicose maníaco-depressiva, melancolia, com sinônimos variados, é conhecida de sobejo para que a divulgue temerariamente.
Escrevi que já não existia tradições do Lobisomem ser um castigo. Não significa afirmar a não existência de uma penitência. Coriolano de Medeiros, o inteligente folclorista e culto pesquisador paraibano, descreve um Lobisomem conservando a característica de punição. Diz, entretanto, que ele se confundia com o Caipora. Escreveu Coriolano de Medeiros:
"O *Lobisomem* entre nós se confunde com o Caipora. O Lobisomem, crê-se, é sempre um indivíduo excomungado pelos pais, ou por algum padrinho. Pelo fato da maldição, tem instinto de tornar-se animal; principia por segregar-se da sociedade, até que um dia de sexta-feira, à meia-noite, vai na encruzilhada dum caminho, semeia o solo de cascas de caranguejo, tira a camisa, dá um nó em cada ponta, estende-a por sobre os restos dos crustáceos, formando um leito e começa-se a cambalhotar sobre ele murmurando: *encoura mas não enchuxa diabo?* repete o estribilho muitas vezes e à proporção que o repete, que dá cambalhotas, a voz vai-se tornando átona, o corpo cobre-se de pelos compridos, as orelhas crescem, a cara se alonga tomando a forma da de um morcego, as unhas se transformam em garras. Uma vez metamorfoseado sai a correr mundo, e suga o sangue de todo menino pagão que encontra e na falta deste ataca

mados em lobos ou porcos, cães ou animais misteriosos e de nome infixável, correm horas da noite atacando homens, mulheres, crianças, todos os animais recém-nascidos ou novos, como cachorros, ovelhas, cabrinhas, leitões, etc. Derribada a vítima, o Lobisomem despedaça-lhe a carótida com uma dentada e suga-lhe o sangue. Essa ração de sangue justifica, na impressão popular, a licantropia sertaneja. Se o hipoêmico não conseguir a dose de sangue necessária ao seu exausto organismo, morrerá infalivelmente.

Gustavo Barroso, perfeito conhecedor do Folclore na região do nordeste brasileiro, descreve o Lobisomem:

> Na sua opinião, todos os homens muito pálidos, opilados, que eles (os sertanejos nordestinos) chamam "amarelos", "empambados" ou "come-longes", transformam-se em lobisomens nas noites de quinta para sexta-feira. Para esse efeito, viram a roupa às avessas, esponjam-se sobre o estrume de qualquer cavalo ou no lugar em que este se esponjou. Crescem-lhes logo as orelhas, que caem sobre os ombros e se agitam como asas de morcegos. A cara torna-se horrível, meia de lobo e meia de gente. E os infelizes saem correndo pelas estradas, loucamente, a rosnar, cumprindo o seu fado (Gustavo Barroso, *Aos Som da Viola*, p. 703. Rio de Janeiro, 1921).

Não há mulher Lobisomem. Reservam-se para a exclusividade da Burrinha, Burrinha de Padre, a Mula sem Cabeça, galopante e tremenda.

De inúmeros depoimentos que recolhi no norte do Brasil, de velhos cortadores de caucho e borracha, apanhadores de castanha, derrubadores de madeira, vaqueiros do nordeste, ouvidos no silêncio das latadas, nos pátios das fazendas, a quase unanimidade é explicar o Lobisomem como um deficitário orgânico. Muitos e muitos opilados ou doentes de *terçã* vivem porque "viram Lobisomem" e adquirem a cota de sangue indispensável à economia fisiológica. E apontavam nomes, dando pormenores, encontros, lutas, assombros...

Morei alguns meses na fazenda Logradouro, município de Augusto Severo (RN) e perto, no lugar Pimenta, residia um septuagenário, parente longínquo, vagamente idiota, cheio de macacoas e tiques, vivendo isolado num rancho de taipa. Toda a redondeza o dizia Lobisomem. O velho Simão

---

qualquer indivíduo. Mas tem um medo terrível do chuço; casa que tem instrumento deste, lobisomem não vai. Às três horas da madrugada, quando o galo canta, o lobisomem volta à primitiva forma" (*Revista do Instituto Histórico e Geográfico Paraibano*, ano II, Vol. 2º, p. 214).

Nesse registro da Paraíba, o Lobisomem aparece como amaldiçoado pelos pais ou padrinhos. Não há vestígio patológico. A influência religiosa, decisiva, é única.

Gondim, muito alvo, olhos azuis, imberbe, espelhava medo. Ninguém o queria encontrar depois do Sol posto. Tuberculoso, vez por outra tinha hemoptises e os coágulos sangrentos amanheciam rodeando sua choça. Os fazendeiros, de dez léguas derredor, unânimes, confidenciavam-me que Simão Gondim vomitara o excesso do sangue absorvido numa das correrias noturnas como Lobisomem. A cota que devia retirar de homens ou de animais, tinha limites. Passados estes, o estômago não suportaria a sobrecarga. Simão Gondim era um Lobisomem que sofria de fartura. E morreu vomitando um desses "saldos" de sangue...

O processo do encantamento e da cura

O processo do encantamento não difere muito daqueles que foram estudados na Europa, Ásia e África.

O candidato não bebe líquido enfeitiçado nem aperta a cintura com o cinto mágico. A única e sabida técnica para alguém tornar-se Lobisomem é espojar-se num cruzamento de caminho, onde os animais se espolinham. Mas a cerimônia é lenta e tem outros requisitos.

Na noite de quinta para o dia de sexta-feira, despido numa encruzilhada, o homem dá sete nós em sua roupa e, em algumas partes, urina em cima. *At ille circumminxit vestimenta sua*, escreveu Petrônio. Deitando-se ressupino, estende os cotovelos para frente, dobrando o mais possível as pernas, os joelhos se acusam em ângulo agudo com a tíbia. Não soube se há alguma oração. Nesta atitude rebolca-se violentamente, sempre da esquerda para a direita, imitando o mais fielmente possível a voz do animal em que se vai encantar. Depois de certo espaço de tempo, o Lobisomem ergue-se de onde se deitara o homem. Parte em desabalada carreira, rosnando alto, batendo estridentemente as amplas e balouçantes orelhas, rilhando a dentuça enorme. Correrá das onze às duas da madrugada. O primeiro cantar do galo fá-lo voltar, como um raio, ao espojadouro onde se desencantará, rebolando-se da direita para a esquerda.

Ao levantar-se está fatigadíssimo. Os joelhos e cotovelos sangram porque o Lobisomem corre apoiando-se aparentemente nas patas, mas realmente nestas partes correspondentes ao corpo do homem. J. H. Hutton que estudou os homens-leopardos de Naga-Hill (cit. in Lévy-Bruhl, *L'Âme Primitive*, p. 193) evoca o mesmo estado do Licantropo brasileiro depois de retomada a forma humana:

La possession s'accompagne de violentes douleurs et gonflements dans les genoux, les coudes et le las du dos, aussi bien pendant qu'elle dure, qu' avant et après. Ce sont précisément les douleurs qui résulteraient de marches prolonguées au loin, ou du fait de rester longtemps dans une position inaccoutumée.

O Lobisomem em sua encarnação racional é fastidioso, de pouco alimento, recusando quase tudo, amando comidas salgadas, picantes, tendo constantes bocejos, náuseas (pelo gosto do sangue, dizem os sertanejos, que lhe fica na boca), espreguiçamentos lentos e contínuos e uma sede obstinada. Também é homem "permanentemente fatigado", na frase de Euclides da Cunha. Anda vagarosamente, com gestos de tédio, indiferente, apático, encolhido, sob a máscara duma face amarela e baça. O helminto é, na maioria dos casos, o responsável pelo Lobisomem... Se esconderem a roupa que o Lobisomem deixou na encruzilhada ou desfizerem os sete nós, ficará ele todo o resto de sua existência um bicho fantástico. Não há notícia de transformação depois da morte. O Lobisomem é invulnerável a tiro. Só se a bala estiver metida em cera de vela de altar onde se haja celebrado três missas da noite de Natal. A faca, a foice, mesmo a pequenina quicé, uma simples furadela de canivete desencanta o fado. Basta que surjam algumas gotas de sangue, *mereje sangue*, dizem os sertanejos.

É crença geral que fazendo-se sangue na pessoa, quando ela se acha transformada nesse animal fantástico, o Diabo vem lamber o sangue, considera-se pago do seu dízimo, e a pessoa isenta-se do seu sombrio fadário (Viriato Padilha — *O Livro dos Fantasmas*, p. 61).

Mas é preciso ter cuidado com o Lobisomem que deixou seu destino. Desencantado, o Lobisomem fará todos os esforços para matar quem teve a coragem de enfrentá-lo e, enfrentando-o, identificá-lo diretamente. Com medo de ver divulgada a fama humilhante que o fará um réprobo, o Lobisomem quase sempre abate seu salvador com tiros de carabina, pedindo-lhe que acompanhe até a casa a fim de receber os primeiros sinais de sua gratidão imorredoura. Por isso nunca há certeza sobre a veracidade de determinadas pessoas terem sido Lobisomem. Quem lhes findou a "sina" já não existe para o testemunho definitivo.

O Sino-Salamão, Signo-Salomão, Sinal ou Signo de Salomão, a estrela de seis raios, feita com dois triângulos, é fetiche poderoso. Os sertanejos entrelaçam laboriosamente as palhas secas que receberam no Domingo de Ramos, e pregam o Sino-Salamão na porta da casa ou nos alpendres. O Lobisomem não passará perto daquele signo cabalístico.

Mas não se desencantará mesmo que o aviste. O remédio único para este hematófago assombroso é a sangria...

Nas praias naturalmente o Lobisomem condiciona seu encantamento aos aspectos locais. Procura lugar sempre onde animais se rebolam na areia, e aí procede sua cerimônia sinistra depois de haver se esfregado, ritualmente, dum para outro lado. Antes de correr, o Lobisomem praieiro é obrigado a devorar todas as cascas de caranguejos, goiamuns, siris que encontra. E como nenhum animal encantado atravessa água, especialmente água do mar que é sagrada, o Lobisomem passa como uma flecha ao longo dos coqueirais, mas sempre fora da pancada do mar.

Duas estórias de Lobisomem

Francisco Teixeira, *seu Nô*, negro alto, seco, corajoso, por muito tempo nosso empregado em Natal e depois soltado do Esquadrão de Cavalaria, reproduziu, inconscientemente, a narrativa de Niceros, no *Satyricon* petroniano. Trabalhando num engenho de açúcar no vale do Ceará-Mirim (RN), *seu Nô* passava o serão dizendo não acreditar nas aparições que os companheiros contavam. Um deles, homem robusto, pálido, de nome João Severino, meio zangado, declarou-lhe que dentro de breves dias talvez se arrependesse de zombar dos Lobisomens. Os companheiros do *eito* avisaram que João Severino "virava" e que *seu* Nô andasse armado e nunca se afastasse das casas do engenho. Uma noite vinha este atravessando uma pequena várzea quando um bicho preto, do tamanho de um bezerro, com imensas orelhas tatalantes, coberto de pelos, precipitou-se sobre ele, roncando de furor. A luta foi desesperada e o trabalhador defendia-se atirando facadas que não apanhavam o animal, agilíssimo e esfomeado. Depois de horas de aflição, *seu* Nô conseguiu furar o bicho no pescoço. Imediatamente este rosnou de cólera e saltou para o mato, desaparecendo. O vencedor, morto de medo, mal dormiu. Pela manhã, não vendo João Severino entre os companheiros para a faina diária, perguntou por ele. Disseram que amanhecera doente. Foi visitá-lo. Encontrou-o deitado, gemendo, tomando remédios, com a nuca amarrada e ferida. Se *seu* Nô soubesse latim, teria citado Petrônio: *intellexi illum versipellem esse...*

Uma das estórias mais extraordinárias é a do vaqueiro José Francisco de Paula, morador na fazenda São Tomé, município de Santa Cruz, no Rio Grande do Norte, ponto obrigatório de passagem pelos comboieiros e compradores de sal e peixe-voador. No alpendrado, quase sempre, estavam cinco ou seis vaqueiros ou mascateadores, que, depois da ceia, contavam casos e brigas. Uma noite em que José Francisco estava apenas com sua mulher, ouviu-se o latido desenfreado dos grandes cães de caça que o sertanejo possuía. Não prestou atenção. Em cada semana, na noite da quinta para a sexta-feira, os cães "acuavam" furiosamente. José Francisco, numa noite alta, entreabriu a janela e viu passar, seguido pela matilha enfurecida, um animal corpulento, meio baixo, roncando e batendo insistentemente as largas orelhas de burro. Vindo, dias depois, um comboio arranchar-se na fazenda, José Francisco contou o episódio. Era a noite fatídica. Um dos comboieiros explicou que o bicho batera em boa porta. Ele trazia justamente cera benta e, besuntando as balas da "Winchester", declarou-se pronto para desencantar o fantasma. Ao nascer da lua, pelas onze e tanto, ouviram a trovoada dos cães de caça e a marcha resfolegada de um animal pesado. Saíram todos e fizeram tocaia. O vaqueiro escolhido escondeu-se perto duma barranca do rio, agora seco pelo verão escaldante. De repente um vulto negro passou, sacudindo as orelhas. Descargas estrondaram, clareando o escurão que o luar não venceu. O bicho, incólume, rumara, num rosnado aterrador, caminho do rio. O vaqueiro, dormindo na pontaria, alvejou-o com um tiro fulminante. O animal, num ronquejo horrendo, caiu pela barranca abaixo, estrebuchando. Correram todos, com archotes. Era um Lobisomem. A bala com a cera benta matara-o. Ferido pela morte não se desanimalizara inteiramente. Da cintura para baixo semelhava um porco, sarrudo, cheio de lama e de garranchos, sujo de cascas, as patas firmemente cravadas na areia fofa do rio. Da cintura para cima era um homem moreno-claro, forte, de nariz aprumado, cabeleira fina, anelada, as mãos fechadas na última convulsão. Enterraram-no ali mesmo, sem cruz, sob montão de pedras, sinalando o local exato da tragédia inacreditável. José Francisco de Paula mudou-se para Estivas, no município de Ceará-Mirim, onde morreu, anos depois, sem nunca esquecer a noite da caçada impressionante.

As duas explicações populares
da licantropia

O Lobisomem paulista, segundo Cornélio Pires (*Conversas ao pé do fogo*, 3ª edição, pp. 153-154. São Paulo, 1927), é coprófago:

O lubisóme é um cachorrão grande, preto, que sai tuda a sexta-fera cumê bosta de galinha, daquelas preta, mole, que nem sabão de cinza... Ele sai e garra corrê mundo nu'a toada, sem pará, cabeça-baxa, esganado e triste... Vacê arrepare in tuda a casa de sitio: in baxo das jénela tá tudo ranhado de lubisóme. Ele qué intrá p'ra cumê as criança que inda num fôro batizado...

Na região do rio São Francisco, Bahia-Minas Gerais, o bicho tem outras preferências. Escolhe os bacurinhos, porquinhos novos e tenros, devorando-os às dezenas.[78]

Somando o material sobre o Lobisomem, poder-se-á esquemar sua origem na explicação popular. No sul do Brasil o Lobisomem é, em sua mais alta percentagem, o "predestinado", o filho nascido depois de seis filhas ou o rebento de amores pecadores. No norte do país é quase sempre hipoemia, paludismo, ancilóstomos, hepatopatias.

Conserva-se no sul, de forma mais pura, a tradição europeia e clássica do "castigo divino", e no norte há uma adaptação etiológica, material e simples.

Onde vai o Homem, com ele viajam seus pavores. O Lobisomem é uma sombra, com vários nomes, fiel ao seu modelo *sapiens*.

Documentário

Irineu Fernandes do Nascimento, nascido em Arês, Rio Grande do Norte, morador em Natal e atualmente no Recife, contou-me:

O *Lobisomem* é o homem amarelo, bem descorado. Ficando sem sangue está condenado a morrer se não arranjar um jeito de ficar corado. Vai para a encruzilhada, tira a roupa, deixa ao avesso. Dá sete nós, um sobre outro, em qualquer parte da roupa. Deita-se e roda, da esquerda para a direita, como um animal. Vira então bicho. Corre com os joelhos e os cotovelos que, pela manhã, estão ensanguentados. Cachorro novo, bacorinho, criança de peito são preferidos pelo sangue puro. O adulto não é temido e, madrugando, sem ter chupado sangue bastante, o Lobisomem vai a quem encontra... Qualquer furada que mereje sangue, desencanta-o. Enquanto o desencantador viver, o lobisomem não "vira" mais. Se desfizerem os sete nós dados na roupa do Lobisomem, este fica para sempre correndo...

---

78 Ver o interessante livro do professor Manuel Ambrósio — *Brasil Interior*, pp. 20 e segs. Editado em São Paulo (1934), o volume reúne informações preciosas do Folclore das margens do São Francisco.

Joaquim José Santana, de Lagoa Nova, perto de Campina Grande, Paraíba, disse-me que havia lutado muito tempo com o Lobisomem que não o matou porque fugira. Dias depois descansou numa casa onde havia um rapaz muito pálido e triste. Por mais que fizesse, o rapaz não demorava junto de Santana e nem lhe podia suportar o olhar.

João Pereira, de Papeba, Arês, Rio Grande do Norte, atacado por um bichão preto, conseguiu feri-lo com um golpe de foice afiada. No outro dia encontrou um seu amigo Aleixo com a metade da orelha decepada.[79]

Mula sem Cabeça

A *Mula sem Cabeça, Burrinha de Padre,* ou simplesmente *Burrinha,* é o castigo tremendo da concubina do padre católico. Na noite da quinta para sexta-feira, muda-se numa mula, alentada e veloz, correndo com espantosa rapidez, até o terceiro cantar do galo. Seus cascos afiados dão coices que ferem como navalhadas. Homens ou animais que encontra na dianteira de sua carreira furiosa, despedaça às patadas. Ouvem, de longe, o estridor do galope fantástico e as dentadas terríveis com que remorde o freio de ferro que leva na boca espumante e orlada de sangue.

Pela madrugada, exausta, recolhe-se, cheia de nódoas das pancadas. Volta à forma humana e recomeça o fadário na outra noite fatídica. Para que a "manceba" do Padre não "vire" *Burrinha,* é preciso que este não esqueça nunca de amaldiçoá-la antes de celebrar a Santa Missa. Para "desencantá-la" é necessário ter-se a suprema coragem de enfrentá-la e tirar-lhe destramente o freio de ferro.

Os detalhes variam. É uma mula que não tem cabeça, mas relincha. É um animal quase negro, com uma cruz de cabelos brancos. Tem olhos de fogo. Tem um facho luminoso na ponta da cauda. Geme como uma criatura humana. Não geme, relincha, e, ao terminar, geme como se morresse de dor.

Está em todo o Brasil. Não há lugar onde não exista uma estória sua. Um inquérito, como Rafael Cano fez na Argentina, traria material extenso, mas quase uniforme.

---

79 Nota — As estórias contadas neste estudo e sem indicação de origem são documentos de colheita pessoal. A narrativa de *seu* Nô ouvi-a dele próprio, muitas vezes. Foi nosso empregado. O episódio da fazenda São Tomé, contou José Francisco de Paula, testemunha presencial, a Luiza Maria Freire, que vive em nossa casa, há mais de 30 anos.

Diziam também que as mulheres de má vida relacionadas com padres se transformavam, tarde da noite, em mula sem cabeça, e conduzindo na cauda um facho de fogo, que nenhum vento ou chuva apagava antes de romperem as barras do dia... (J. Simões Lopes Neto — *Lendas do Sul*, p. 91. Pelotas).

Tem por sina correr sete cidades todas as noites, em que sai, e anda sempre em carreira desabrida, soltando rinchos pavorosos (mas com que, se ela não tem cabeça?). Encontrando ser humano, mata-o de coices, livrando-se aquele que, ao percebê-la, esconder as unhas (Daniel Gouveia — *Folclore Brasileiro*, Rio de Janeiro, 1926, pp. 46/47).

Burra de padre, eis aí o nome mais comumente dado no interior do Ceará às amásias dos padres. Essa expressão é ali mais generalizada do que a "mula sem cabeça".

Quando uma dessas criaturas morre, sua alma fica a penar sobre a terra, apresentando-se como uma "visagem" de assombração horrível. Em certas noites, o sertanejo ouve um tropel de animal corredor, cujos cascos batem apressadamente sobre o barro duro dos caminhos. Atrás dele, a cachorrada dos arredores corre, latindo terrivelmente. O homem encolhe-se no fundo da sua rede, fazendo o sinal da cruz e rezando o Credo, ou o *Magníficat*: é a Burra de padre que vai passando!... (Gustavo Barroso, *O Sertão e o Mundo*, p. 181/182).

Para tornar-se Burrinha não precisa a mulher ter morrido. Creio mesmo ser um engano do grande mestre folclorista. Só as amantes vivas têm esse castigo. Tanto assim que são apontadas no sertão do nordeste as "burrinhas" em sua forma humaníssima e gentil de mulheres bonitas.

A Mula sem Cabeça é uma tradição que nos veio da Península Ibérica, trazida pelos portugueses e espanhóis. Corre toda América, desde o México, onde é a *Malora*, até a Argentina, onde é a *Mula Anima*. Chamam-se também *Alma Mula, Mula Sin Cabeza, Mujer Mula* e *Mala Mula*. As versões são idênticas e sempre com finalidade punitiva embora parcial.

> *Con toda seguridad se encarnó en la imaginación de los naturales, desde que fué introducida al país por los conquistadores españoles, y aunque varía en su forma, según corresponda a terreno llano, o montañoso, a mi juicio, es una e indivisible.*
> *... todas estas versiones coinciden en un punto: hablan de una mujer casada, que desde hace más de diez años mantiene relaciones amorosas ilícitas, con un cura, la que en castigo de su falta, a determinadas horas de la noche, se convierte en Mula Anima* (Rafael Cano — *Del Tiempo de Naupa*, p. 145. Buenos Aires, 1930).

Sabe-se na Ásia, África e Austrália a tradição das mulheres velhas que se transformam em tigres, lobas, panteras, regressando à humanidade com a luz do sol. Como um motivo de punição sobrenatural, não conheço noutros Folclores sina que lembre a da Burrinha de padre.

O "envultamento" feminino no corpo de animais é comum no mundo africano. Todos, porém, são explicados por questões religiosas, de pertencer a mulher a uma seita misteriosa ou culpa de irreligiosidade pessoal, esquecimento de ato indispensável à vida moral da tribo.

No Brasil a tradição da transformação da mulher num animal liga-se a uma ideia de castigo individual por uma conduta sacrílega. A noção da pessoa do sacerdote é tão alta que a ele a purificação sobre-humana só aparecerá depois de sua morte. Como tem as mãos, a cabeça e o peito úmidos dos santos óleos da consagração, nenhum animal pode receber su'alma. Não há, no extenso e variado material folclórico que recolhi, exemplo de um padre que se tornasse Lobisomem...

Mas por que a escolha do corpo da mula para abrigar o espírito da fêmea pecadora? Para mim foi o Sr. Gustavo Barroso o primeiro a atinar com uma explicação plausível e lógica.

> Talvez até venha esse apelido de serem as mulas de quatro pés montarias especialmente preferidas pelos clérigos e as primeiras que lhes foi dado obter. Diz isto Frei Viterbo no seu *Elucidário*: — "Os prelados, e pessoas condecoradas, os Fidalgos, os Eclesiásticos, e os Monges, foram os primeiros a quem os nossos Monarcas facultaram o andarem em bestas-muares, com freios e selas". Essas mulas para montadas eram tão do peito dos seus donos que se chamavam "mulas do corpo"; *mulam corporis mei*, diz um documento do século XIII e outro, testamento em latim bárbaro, da mesma procedência: *Meo soprino, meam mulam, in qua ego ambulo*.
>
> Essa origem calha bem à expressão Burra de Padre (Gustavo Barroso — *O Sertão e o Mundo*, p. 186).

Desde o século XII os prelados, abades, padres e mesmo os reis e grandes fidalgos escolhiam a mula para as viagens por ser um animal resistente e seguro. Quase sempre víamos os pontífices cavalgando as nédias mulas, levadas pela brida de ouro. Nas batalhas e passeios, os reis usavam os cavalos nobres, encaparaçonzados de ferro, cobertos de brasões e desenhos heráldicos. Nas jornadas era a mula o animal preferido e normal. "A Mula do corpo" não era, pois, uma expressão carinhosa, mas uma fórmula banal e obrigatória.

O rei Afonso III de Portugal (1210-79) ordenou por uma lei *sobre os que vão a casa d'el rei* o emprego da mula que, pouco a pouco, se foi tornando o animal regular para as pessoas da Igreja. Mesmo assim os reis possuíam suas mulas de corpo, favoritas, de confiança, de passo macio e andadura infatigável. Alexandre Herculano, sabedor do passado, põe na boca de D. Leonor Teles esta frase, quando el-rei Dom Fernando de Portugal lhe pede seu cavalo de batalha e seu donzel de armas:

O teu donzel d'armas, rei D. Fernando, segue com os outros pagens caminho de Santarém, montado no teu cavalo de batalha. Aqui só tens a mula de teu corpo para seguires jornada (*Lendas e Narrativas*, Arras por foro d'Espanha, p. 96).

A Mula era, evidentemente, o animal mais próximo da pessoa do padre e nele, pela maior força de lógica, encarnar-se-ia quem fosse por *Deus* castigado por contado criminoso com seu ungido.

Documentário

Ainda hai a Mula sem Cabeça; custa muito, mas porem hai. Essas cousas de Deos unfum!... ninguem deve marmurá. Mamãe veio sabê, ô dispois muito tempo, qu'essas gente são iscommungado. O pad'e que se mete c'oa vida d'essas tafula, desneque alevanta da cama, o premêro Deos te sarve e o premêro pilo-siná é inscummungá ela sete vêis, antes de rezá. Condo reza o breviaro, sete; antes de carçá o xinelo, sete tambem, qu'é pra levá pra greja a fulaneja debáxo dus pé; ante de começá a missa sete; sete ante de tocá na pedradela; sete ante o premêro donozobisco; sete no mei' da missa; sete no alevantá do Senhô; sete antes do cale, sete ô dispois que acaba a missa. E tudo isso em sete coresma ele é obrigado a fazê. Que conte interá as sete coresma e sete sexta-feira, na béspa, é hora da fulana, a tafula, virá tal mula; sem ela esperá (n'uma sexta-feira é que começa); chega cumo doida no monturo, tira a roupa toda, põe na cerca, esfrega pra lá, pra cá; que cum poucas non tem que vê; rompe na mundaça aquela bixa!... Sete freguesia! Tem de corrê o fado sete freguesia. Quem qué pegá uma mula d'esta, stano de tocaia, é acendê uma vela branca benta, se tem corage, pruque o causo é feio e escaroso. Só a ferrage dela... umfum! ai! ai! Os óios nosso c'oas unha é candeia pra elas. Condo se qué sabê se uma tafula stá virano, panha-se um caco de teia e cobre o rasto dela n'areia, cod'ela vai pra missa, e fica-se de mamparra até que ela vorta pru onde já passou. Retira-se ô dispois, o caco que é de se vê o rasto de um burro ferrado. Custa muito virá a mula, ispramentes as que não se chama Anna. Estas vira de sete ano.

Manuel Ambrósio — *Brasil Interior (Palestras populares — Folclore das margens do São Francisco)*, p. 53, Januária, Minas Gerais, 1912, Editado em São Paulo, 1934.

Luiza Maria Freire, de Macaíba, moradora em Natal, contou-me que a Burrinha de Padre é o castigo de quem se amanceba com o vigário da freguesia e não é amaldiçoada antes de o padre ir celebrar missa. É igual a uma burra, tendo a diferença de uma larga lista branca no pescoço. Corre velozmente e é acompanhada por um barulho de ferro que se ouve longe. Não para um instante de correr nem de rinchar. Mata quem encontra, a coices. O coice é pior que um tiro. Um ferimento que faça sangue quebra o encanto e a mulher volta a sua forma humana. Aparece então inteiramente nua. Somente despida é que a manceba pode ser castigada pela penitência. O padre com quem vive ou tem relações é lembrado por uma "visagem" que lhe toma as feições e monta o dorso da Burrinha.

Luís Velho, morador em Cruzeiro, Canguaretama, Rio Grande do Norte, encontrou uma Burrinha e empenhou-se numa luta furiosa. Terminou ferindo-a com um chuço. Reapareceu a figura humana e Luís Velho reconheceu uma menina rica, de família poderosa (Luís Velho deu o nome da menina e da família; não há registro porque são ambas conhecidas no município). Deixou-a em casa enrolada com a roupa que lhe emprestou e recebeu uma boa quantia em dinheiro para não contar o caso. Veio, entretanto, para o vizinho município de Goianinha a fim de livrar-se das emboscadas com que a ex-Burrinha pretendia livrar-se da fama de sua "moléstia".

"... la mulánima, que unas veces es la barragana del cura; otras, el hijo sacrílego; otras, en fin, el alma del cura." Ver también aqui el libro de Canal Feijóo. En Jejuy obtuvimos esta versión: "La mulánima es el alma de la mujer que tiene relaciones ilicitas con el cura. Aparece de noche: se oye primero un rebuzno, que termina en un lamento de mujer. Dicen que lleva un freno de oro y que cabalga en ella el demonio. Hay que desencantarla quilándole el freno. Uno que lo hizo morió muy pronto. Al hacerle la autopsia, le encontraron el corazón cubierto de pelos."

Rafael Jijena Sanches e Bruno Jacovella — *Las supersticiones*, p. 148. Ediciones Buenos Aires, Argentina, 1939.

CICLO DA ANGÚSTIA INFANTIL

TUTU

Tutu é um animal informe e negro que aparece nas cantigas de embalar. Não o descrevem nem há a menor alusão a um detalhe físico. Sabe-se apenas que, à sua simples menção, as crianças fecham os olhos e procuram adormecer sob o império do medo. O Tutu vive nos lábios das amas de todo o Brasil.

Há outra acepção de Tutu. Diz-se Tutu ao valente, ao brigão, ao bulhento.

Tutu é uma corruptela da palavra *quitutu*, do idioma quimbundo ou angolês, significando "papão", "ogre". Correlatamente decorrem os sinônimos de "temível", "poderoso", "assustador". O "papão" e o briguento pedem a mesma fonte etimológica da fala negra.

Vale Cabral, Alberto Faria, Pereira da Costa, Basílio de Magalhães estudaram esse invisível duende cuja existência se limita à nossa infância.

Possui o Tutu muitos nomes, correndo os Estados e com as naturais adaptações locais. É o Tutu-zambê, cambê ou zambeta, o Tutu-marambaia ou marabá, o Tutu-do-mato e daí Bicho do Mato. Ensina Basília de Magalhães: "Bicho, com efeito, no mais restrito dos seus sentidos de aplicação a seres fantásticos, é sinônimo de tutu".

Na Bahia o Tutu se encarna no porco-do-mato (*Dicotyles torquatus*, Cuv) na confusão verbal de Tutu e Caitetu. Mas o Caitetu, Caititu ou Catete vem do tupi *tatetu* ou *tãytetu*, o dente aguçado, ou pontiagudo, segundo Teodoro Sampaio. Chamam também no nordeste brasileiro "porco-queixada" ou "queixada", pelos dentes salientes e o constante bater dos mesmos.

O Tutu-zambê (cambê ou zambeta) parece provir de quimbundo *nzumbi*, espectro, duende, fantasma, com intercorrência de *zambeta*, cambaio, torto, que tem a perna torta ou aleijada. Ou virá de *acan-apê*, cabeça cortada, o degolado, o sem cabeça, num hibridismo tupi-áfrico tão comum.

Os fantasmas sem cabeça devem ser os mais apavorantes. Se Tutu-zambê se liga ao zambeta, coxo, é já uma articulação ao mito do Saci-pererê, que em Sergipe é o Zumbi e companheiro inseparável da Caipora.

O Tutu-marambaia ou Tutu-marambá (ou marabá) é evidentemente hibridismo do nhengatu com o quimbundo. Marambaia é "o cerco do mar, a restinga, língua arenosa cercando o mar. Pode ser também 'marã-mbaia' a cerca ou paliçada de guerra" (Teodoro Sampaio). Numa cantiga de peneirar, registrada por Alexina de Magalhães Pinto (*Cantigas das Crianças e do Povo*, p. 86), encontro:

> Começou... peneirar
> Chiquinha,
> Começou... peneirar
> Chiquinha,
> Chuva de marambaia,
> Começou... peneirar.

Chuva de marambaia é a chuva fina, molhadeira, miúda e persistente. Virá de *marã*, na acepção de solto, desfeito, diluído. Mas, aplicado ao Tutu, provenha possivelmente de outro sinônimo que *marã* ainda comporta (Batista Caetano) e que vem a ser "mau, velhaco, ruim".

Marambá ou marabá era o filho de indígena com estrangeiro. Assim diziam ser o filho do prisioneiro, devorado na festa antropofágica, por vir de sangue alienígena. Batista Caetano alude a uma mistura de líquidos que tinha o nome de "marabá".

Não conheço, entretanto, nas tradições indígenas mais velhas e escoimadas de maiores influências estranhas, citação de entes fantásticos para amedrontar crianças e fazê-las dormir. As mães indígenas cantavam pedindo aos pássaros e animais de sono prolongado ou fácil que o emprestasse para o piá adormecer, tranquila e rapidamente.

> Acutipuru, empresta teu sono
> para meu filho dormir...
> Iacurutu, empresta teu sono
> para meu pequeno filho dormir...

O Acutipuru é um roedor, do gênero Sciurus. O Iacurutu é uma coruja, a *Strix nacurutu*, Vieill.[1]

---

1 Stradelli — *Vocabulários*, p. 362; Barbosa Rodrigues — *Poranduba Amazonense*, pp. 288 e 291; Santana Neri — *Folk-lore Brésilien*, p. 71, para o acutipuru e outra coruja, a murucututu.

Documentário

"Tutu-papão com que se mete medo às crianças: *O Bicho tutu*." As crianças dormem. As mães contaram-lhes mil histórias *tutus* medonhos para fazê-las adormecer" (*O Diabo a quatro*, nº 28 de 1876).

> Calai, menino, calai,
> Calai, que lá vem *tutu*,
> Que no mato tem um bicho
> Chamado Carrapatu.

(*Cantigas do berço*)

"Ali na rua do Cotovelo, de onde saía o *bicho tutu*" (*Jornal Pequeno*, nº 30, de 1916). Este *tutu*, espécie de papão, segundo João Ribeiro, é talvez tomado aos africanos. Enredos, mexericos, patranhas, histórias, carrepetões. "Meteu-nos muitos *tutus*, prometendo com chibança, fazer voltar o Bragança (*O Monitor Pernambucano*, nº 2, de 1833). "Estas coisas não são minhas, ninguém me tome por *tutu*" (*O Guarda Nacional*, nº 5, de 1846). "Os *tutus* que meteram na cabeça do presidente, fizeram-no dar grandes barrigadas" (*O Patuleia*, nº 10, de 1850).

Pereira da Costa — *Vocabulário Pernambucano*, p. 727, Rev. do Instituto Arqueológico Pernambucano. Vol. XXXIV, ns. 159-162, Recife, Pernambuco, 1937.

> Tutu-zambê,
> Vem papá sinhazinha!
> Tutu, vá-se embora,
> Sinhazinha está dormindo!

Vale Cabral — *Achegas ao estudo do Folclore brasileiro*, p. 346. Rio de Janeiro. *Gazeta Literária*, número 18, de 20 de setembro de 1884.

> Tutu Marambaia,
> Não venhas mais cá;
> Que o Pai do menino
> te manda matá.

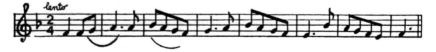

L. Lavenère — *Cantigas do Nordeste*, in *Revista do Instituto Histórico de Alagoas*, Vol. XIX, pp. 87/88, Jaraguá, Livraria Machado, 1937.

COCA E CUCA

A Cuca ou a Coca é um ente velho, muito feio, desgrenhado, que aparece durante a noite para levar consigo os meninos inquietos, insones ou faladores. Para muitos a Coca ou Cuca é apenas uma ameaça de perigo informe. Amedronta pela deformidade. Não sabe como seja o fantasma. A maioria, porém, identifica-a como uma velha, bem velha, enrugada, de cabelos brancos, magríssima, corcunda e sempre ávida pelas crianças que não querem dormir cedo e fazem barulho. É um fantasma noturno. Figura em todo o Brasil nas canções de ninar. Não há sobre ele episódios nem localizações. Está em toda a parte, mas nunca se disse quem carregou e como o faz. Conduz a criança num saco. Leva nos braços. Some-se imediatamente depois de fazer a presa. Pertence ao ciclo dos pavores infantis que a Noite traz.

Amadeu Amaral estudou a *Cuca*, extensa e sabiamente:

Cuca, s.f. — entidade fantástica, com que se mete medo às criancinhas:

> Durma, meu benzinho.
> que a *cuca* j'ei vem —

diz uma cantiga de adormecer. Por ext., entre adultos, atos destinados a atemorizar: "Eu cá não tenho medo de *cucas*." A palavra e a superstição, está quase de todo delida já em São Paulo, existem espalhadas pelo Brasil. Num dos seus contos goianos, escreveu Carvalho Ramos: "Ah, sim, a bruxa... Essa, de certo, levou-a o *Cuca*, num pé de vento, à hora da meia-noite..." Em Pernambuco significa mulher velha e feia, espécie de feiticeira, e é também o mesmo que *quicuca, ticuca,* rolo de mato (Garcia). Beaurepaire Rohan registra as variantes *corica, curuca, corumba,* das terras do Norte. A *cuca* paulista é em tudo semelhante ao vago *papão* luso-brasil, ao *bicho* e ao *tutu* de vários Estados, ao *negro velho* de Minas. Diz uma quadrinha popular portuguesa, citada por Gonçalves Viana (Palestras Filológicas):

> Vai-te *papão*, vai-te embora
> de cima desse telhado,
> deixa dormir o menino
> um soninho descansado.

Diz uma quadrinha mineira, visivelmente aparentada com a precedente:

> Olha o *negro velho*
> em cima do telhado.
> Ele está dizendo,
> quer o menino assado.

Outra, ainda mais próxima da portuguesa, e também de Minas (citada, como a primeira, por Lindolfo Gomes):

Vai-te, *Coca*, sai daqui
para cima do telhado;
deixa dormir o menino
o seu sono sossegado.

Vê-se desse exemplo que em Minas se diz *coca*. As formas portuguesas são *coca* e *coco*. Na procissão de Passos, em Portimão, havia uma indivíduo vestido de túnica cinzenta e coberto com um capuz, a quem chamavam *coca* (Leite de Vasconcelos, segundo Lindolfo Gomes). A essa figura correspondia, nas antigas procissões do Enterro, em Minas (Lindolfo Gomes), e na dos Passos, em São Paulo, o *farricoco*. Lê-se no *S. Paulo antigo:* "Adiante dessa soleníssima procissão era costume, parece que até o ano de 1856, ir o pregoeiro, chamado *Farricoco* ou a *Morte* — vestido de uma camisola de pano de cor preta, tendo na cabeça um capuz do mesmo pano, que lhe cobria o rosto, com dois buracos nos olhos, e lhe caía sobre o peito... sendo que as crianças, ao avistarem esse feio personagem, ficavam apavoradas, pois umas choravam e outras tapavam com as mãos os seus olhos". — Em Espanha há *coca*, serpente de papelão que, na Galiza e outras províncias, sai no dia de Corpus Christi; há também *mala cuca*, malicioso, de má índole. G. Viana (Palestras) refere-se ainda a uma palavra castelhana *coco*, entidade fantástica, que se julga habituada a devorar criaturas humanas, como o *papão*. A sinonímia entre *papão* e *coco* ou *coca* está estabelecida no seguinte dístico das *Orações acadêmicas* de frei Simão, citado por G. Viana:

O melhor poeta um *coco*,
o melhor vate um *papão*.

Coco encontra-se ainda em Gil Vicente, no *Auto da Barca do Purgatório*, onde parece indicar o diabo:

Mãe, e o *coco* está ali.

Rubim parece que dava o *coco* a significação geral de entidade fantástica; definindo *bitu*, chama-lhe — "coco para meter medo às crianças", e define identicamente *boitatá*.
(Amadeu Amaral — *O Dialeto Caipira*, pp. 123/124. São Paulo, 1920)

Fica, evidentemente, assentado que *coco*, *coca*, e *cuca* são uma e a mesma entidade. Mostra-se igualmente sua existência em Espanha e Portugal, em aplicação irmã à que ouvimos em nossa meninice.

Falta apenas o fio explicador desse fantasma que nos recordamos saudosamente de sua existência. Sua significação escapa também aos estudiosos porque os entes fabulosos que amedrontam as crianças têm sido examinados às pressas, sem maiores simpatias ou com notável indiferença erudita.

É possível tentar alumiar a gênese desse monstro familiar, ajudado por alguns bons dicionaristas.[2]

Em certas províncias de Espanha, especialmente na Galícia, exibe-se, nas procissões de Corpus Christi, um monstro de papelão e lona, de cinco metros de comprido por dois de altura, a quem chamam *Coca*. A *Coca* acompanha o préstito religioso, com ou sem ação, recordando episódios da vida de algum santo contra quem lutou. A *Coca* é apenas um dragão, corpo paquidérmico, patas de grilo, cauda serpentiforme e com um grande par de asas. Símbolo do Mal, o dragão resume peculiaridades de vários animais, como o Mal é uma soma de muito vícios.

Em Portugal a *Coca* se passou conservando a forma de dragão. Nas festas de Corpus Christi em Monsão, na antiga província do Minho, existe a *Santa Coca* que, no meio da procissão e em dado tempo, enfrenta São Jorge que a trespassa com sua lança dourada. Talvez se trate de elo perdido de um *miracle*, um ato religioso sobre São Jorge, vencedor do dragão, cujo enredo total se haja esquecido e convirja para a solenidade do Corpo de Deus.[3]

Naturalmente a *Coca*, a *Santa Coca*, é motivo de pavor para as crianças. Mas não conhecemos no Brasil a *Coca* monstruosa e sim com aparência humana, tanto assim que se confunde com o *preto velho*, a *negra velha*.

Há também a tradição de uma *Coca* humanizada. Na Vila Nova de Portimão, no Algarve, as crianças portuguesas correm espavoridas por causa de um espantalho que segue a Procissão dos Passos, vestindo longa túnica amortalhada, coberta a cabeça com uma cágula onde os olhos espreitam por dois buracos, e que se ocupa em afastar os meninos para que não perturbem a marcha processional. Dizem ser este espantalho a *Coca*. É

---

2   Rafael Bluteau — *Vocabulário Português e Latino*. Lisboa. 1712-1728. Cândido de Figueiredo — *Novo Dicionário da Língua Portuguesa*, nova edição, Lisboa, 1913. *Dicionário Enciclopédico Hispano-Americano*, Montaner y Simon (Barcelona) W. M. Jackson, Inc. (Nova York) [s/d]. Antenor Nascentes — *Dicionário Etimológico da Língua Portuguesa*. Rio de Janeiro, 1932. Pereira da Costa — *Vocabulário Pernambucano*, edição da *Revista do Instituto Arqueológico Pernambucano*, Vol. XXXIV, Recife, 1937.

3   Não parece lógico ser a *Cuca* ou *Coca* uma reminiscência do culto ao *Erythroxylon coca*. É indubitável seu culto, afirma Adán Quiroga: *Entre las verbas, es, asimismo, indudable que se adoraria a la* Cuca o Coca, *por la gran estimación que por ella tenian los indios* (*Calchaqui*, Buenos Aires, 1923, p. 130). Creio mesmo que o culto era mais ligado a Pachamama. Seria a coca uma oferta simbólica. Nada há de comum com a nossa Cuca que amedrontava os piás brasileiros.

apenas o *Farricoco*, outra herança castelhana, indispensável nas procissões e constituindo indumentária de certas *hermandad*. O *farricoco* algarvino emigrou para o Brasil onde sempre figurava nas procissões, nas de Penitência forçosamente, descritas por Vieira Fazenda, Melo Morais Filho e Pereira da Costa. O *farricoco* era conhecido como *A Morte* e alarmava a criançada, espavorindo os assistentes de menor idade que atrapalhavam a ordem do préstito. Usavam ainda *A Morte* numa pequena procissão meio religiosa meio foliona, no dia de São Bartolomeu, 24 de agosto, "dia em que os diabos andam soltos". As procissões de penitência foram suspensas no "Ano do Colera", 1856.

Essa *Coca* de procissão daria elemento para assombrar meninos, mas não a chamavam *Coca* no Brasil. Era *farricoco* ou *Morte*.[4]

Em Portugal, no Minho, um nome popular da abóbora é "coca". Uma abóbora vazia, cortados os lugares da boca e olhos, põem uma luz acesa dentro e colocam num local ermo, noitinha, para amedrontar crianças ou aldeões tímidos. Chamam coca a essa abóbora iluminada e tétrica. É lógico que daí para a "coca" ter significação de "papão", juntando-se à ideia da *Santa Coca* monstruosa que se arrasta nas procissões minhotas de Corpus

---

4 *Coca* entrou a confundir-se com *Coco* nas citações minerais, embora não nas relativas a Portugal, São Paulo, Bahia e Pernambuco. A razão disso é que, naturalmente, em Minas Gerais *Coca* espanhol dominou contra *Coco* português, na inovação de *Faricoco*, *Farricoco* e *Farricunco* (*Coco* havia assumido, em Portugal, sentido maior do que o espanhol de *Coca*: — a máscara da Inquisição, o terror, o medo, o fantasma). *Faricoco* — fantasma do Faro, isto é, das ruínas de Estov, edifícios, aquedutos & da suposta Ossonóbia cidade dos tempos romanos. *Farricoco*, substituindo *Faricoco*, encontrou logo quem o fizesse oriundo de "ferre", levar, e "coco", o hábito que fazia terror.
Farricunco é uma variação adotada pelo povo de Portugal. No Brasil a voz corrente foi *Farricoco* (Souza Carneiro, *Mitos Africanos no Brasil* (p. 102). Vol. 103 da "Brasiliana", São Paulo, 1937).
Augusto de Saint-Hilaire ainda, numa procissão de Quarta-Feira de Cinzas em São João del-Rei (1819), viu a Morte... caminhava outra personagem coberta de uma vestimenta de pano amarelado muito justa, e sobre a qual se pintaram em preto os ossos que compõem o esqueleto. Esta figura representava a morte, e fazendo arlequinadas, ia batendo nos circunstantes com uma foice de papelão (*Viagem às nascentes do rio São Francisco e pela província de Goiás*, vol. 1º, p. 98. Col. Brasiliana — 68).
Gustavo Barroso ainda alcançou o *Farricoco* nas procissões do Enterro em Fortaleza: Cobre-o todo um balandrau de pano escuro. Traz a cabeça escondida num capuz ou cagoulo afunilado, com dois buracos onde alumiam seus olhos. É o derradeiro vestígio dos antigos penitentes e flagelantes... É o *Farricoco*, dizem-me... é como o guia da procissão. Se para, ela para. Se agita a matraca, ela torna a caminhar (*Coração de menino*, p. 76. Getúlio M. Costa, editor. Rio, 1939).

Christi. Por analogia, o bioco, o capuz, aquilo que esconde, disfarça o rosto, diz-se também coca. Mas, que será *Coca?*

Coca é o mesmo *Coco* das tradições ibéricas. *Coca* ainda queria dizer "cabeça", associação de ideia de onde tenha provindo a abóbora do Minho. Covarrubias escreve: *Dijose de* Coca, *que vale cabeza en linguaje antiguo castellano.* No antigo castelhano popular dizia-se "cabeça" para o corpo humano e "coca" para a cabeça animal.

"Coco" era um sinônimo demoníaco. Assim Gil Vicente o emprega em princípios do século XVI:

> Mãe, e o *Coco* está ali!
> Quereis vós star quêdo, quelle?

Assim se lê no *Auto da Barca do Purgatório* (Obras, p. 138, Vol. 1º, ed. Mendes dos Remédios, Coimbra, 1907). O *Coco* era corrente em Portugal nessa acepção (o auto foi representado em dezembro de 1518),[5] mas talvez fosse adulteração natural de seu sentido castelhano.

Na Espanha significava um fantasma para assombrar *a los niños.*[6] As citações espanholas do século XVI e XVII são inúmeras e convincentes.

> *Pareces al negrillo del Lazarillo de Tormes, que cuando entraba su padre decía muy espantado: madre, guarda el* COCO. (Lope de Vega)

> *Conviene abstenerse de hacer miedo á las criaturas con el* bu, *el* COCO, *y demás fantasmas, etcétera.* (Monlau)

> *Como el niño veía á mi madre y á mi blancos, y á él no, huía de él con miedo para mi madre y señalando con el dedo decía: mamá,* COCO. (Lazarillo de Tormes)

---

5   O título é o seguinte: "Esta segunda scena he atrribuida á Embarcação do Purgatorio. Tracta-se per lavradores. Foi representada á muito devota e catholica Rainha D. Leonor no hospital de todolos Sanctos da cidade de Lisboa nas matinas do Natal, era do Senhor de 1518."

6   João Ribeiro, o saudoso mestre eminentíssimo, citou uma quadra de Vicente Medina na *La cancion de la Huerta* (Cartagena, 1905), que denuncia a vitalidade do *Coco* assustador de meninos:

> A la ru ru, mi nene,
> que viene el coco
> y lleva a los niños
> que duermen poco...

(*Frases feitas*, p. 286. Rio de Janeiro, Livraria Alves, 1908).

O *Coco* não provirá do grego *kouki*, latim *cuci*, valendo baga, a *baya* dos dicionaristas espanhóis. O grego *kouki* ou *kokkos* daria o fruto do coqueiro (*Nox nucifera*). O *Coco* espantalho viria de *kakos*, primitivamente feio, disforme, e posteriormente tendo como sinônimos *mau, perverso, brutal*. O bonito é bom e o feio é mau. Assim os latinos retiravam "bondade" de *bonitas*.[7] Cacos era tão feio quanto disforme e bruto. A estória de Cacos foi uma das mais populares no mundo greco-romano. A multidão de medalhas e pedras gravadas recordando o episódio diz da sua repercussão. Cacos, sinônimo da fereza e da agressividade, foi uma consequência de sua disforme e hedionda aparência.[8]

Perdida a memória da estória de Cacos, a ideia de hediondez e de assombro deve ter ficado de maneira informe, vaga e persistente no espírito popular, fiel à raiz grega *kakos*, mau, feio.

A controvérsia é ampla. O professor Antenor Nascentes cita algumas fontes ótimas para explicar a etimologia de "coco". A fruta do coqueiro recebeu no século XV denominação dada pelos portugueses. E essa denominação era a mesma do "coco" papão, espantalho, assombração. O "coco", em seu endocárpio, tem forma e sinais de uma caveira. Daí o emprego para espantar crianças. Os portugueses, quando viram pela primeira vez o "coco", acharam parecido com uma caveira e aplicaram o nome que lhes era familiar em Portugal. Não esqueçamos que "coca", que é o mesmo "coco", significava "cabeça" e, também pela forma, abóbora. O viajante árabe Ibn Batuta (séc. XIV) "já comparava o coco com uma cabeça humana, reconhecendo nele os dois olhos e a boca".

Desta forma, "coca" e "coco" querem expressar "cabeça", "crânio". Já vimos que há o sinônimo "cabeça" para "coca" entre os minhotos. Vimos

---

7   Santo Agostinho escreve na *Cidade de Deus*, Livro XV, Cap. 23, "*Consuetudo quippe Scripturae hujus est, etiam speciosos corpore, bonos vocare*". La Fontaine, na fabula *Le Mal marié,* lembra "*Que le bon soit toujours camarade du beau.*"
8   Filho de Vulcano, Cacos era gigantesco, meio homem, meio animal, de força incrível, respirando fumo e fogo. Morava numa caverna no Lácio, ao pé do monte Aventino. A porta da gruta era fechada por uma imensa laje presa por correntes de bronze, forjadas por Vulcano. Cacos era o maior ladrão da redondeza. Matava e roubava. Quando Hércules derrubou Gerion e arrebanhou o gado, adormeceu perto de Cacos. Este roubou quatro juntas de bois e, para não ser descoberto, arrastou os animais pela cauda, deixando um rastro inverso na direção exata. Quando Hércules quis partir, seu gado urrou e os bois, presos na gruta de Cacos, responderam. Furioso, o herói despedaçou a entrada da caverna a golpes de clava e, no meio dos turbilhões de chamas e de fumaça, subjugou Cacos e matou-o, sendo vitoriado pelos moradores da vizinhança que ficaram livres do monstro.

que se emprega abóbora, como empregamos nos sertões do nordeste brasileiro, a melancia (*Citrullus vulgaris, Schrad*), esvaziando-a, esburacando olhos e boca e pondo dentro uma luz. O étimo para "coco" será mesmo *kakos*? Está aliada à ideia de pavor, mas nada apavora tanto quanto uma caveira. Caveira vem do latim *calavaria calvaria*, ou melhor, de *calva--calvae*, a cabeça desnuda, nua. Petrônio chama "calva" a uma espécie de noz muito lisa. A origem é, pois, a ideia de caveira, de crânio, de morte, com a concorrência de Cacos, malvadez, feiura, perversidade.

Mas ainda existe o elemento africano que, no Brasil, sempre deve ser procurado. No idioma nbunda, *cuco* ou *cuca* é nome genérico para avô e avó. Envolve a impressão de velhice, decrepitude, acabrunhamento físico. O "negro velho" de Minas Gerais é um *cuca* legitimamente angolês. Em Pernambuco até Ceará, o "negro de Angola" vale pela "Coca" e pela "Cuca" do sul brasileiro. Assombra todo menino esperto.

No tupi, *cuca* significa o trago, o que se engole de uma vez, e assim também dizem de uma coruja. Ideia de voracidade. A coruja é o mistério noturno.

"Coca" serve de prefixo para outros bichos fantásticos como a lusitana *Cocaloba*, espécie de *Cabra Cabriola*, abantesma que cerca noturnamente o casario onde as crianças dormem, procurando incansavelmente raptá-las. A *Cocaloba* não emigrou para o Brasil.

Desta maneira só se poderá dizer que a *Coca* e a *Cuca* são mitos de convergência verbal. Neles se resumem espécimens africanos, europeus e ameríndios. Como o fantasma aparece é que se fixa a maior influência, do *Coco*, informe e demoníaco, da *Coca*, monstruosa, do *Cuco* negro, alquebrado e misterioso antropófago. Para uma só entidade vêm as materializações de três assombros seculares, com vestígios nos idiomas angolês e tupi. E ainda passa a silhueta alvadia e macabra do velho *Farricoco*, espectro sinistro e vivo, que os nossos avós viram passar nas lentas procissões de outrora.

Documentário

Durma, nenê,
Senão a Cuca vem.
Papai foi à roça.
Mamãe logo vem.

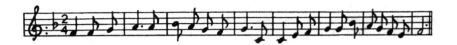

P. Deodato de Moraes e Oswaldo Orico — *Cartilha Brasileira*, pp. 11, 49 e 94, nº 2. Livraria Alves. Rio de Janeiro, 1930.

Versão nordestina da cantiga da *Cuca*.

MÃO DE CABELO
(MINAS GERAIS)

 Esse espectro perpassa pela cama das crianças, verificando se urinaram no leito. No meio-sono, sentem o fantasma palpar-lhes o sexo com suas mãos estranhas, macias, sedosas e tépidas. São mãos feitas com dois molhos de cabelos.
 Vale Cabral desenha o vago e curioso duende:

Mão de Cabelo. Entidade de forma humana e esguia, tendo as mãos constituídas de fachos de cabelo. Anda envolta em roupagem branca. É o espantalho das crianças no sul da província de Minas Gerais. Aos meninos que costumam mijar na cama é muito empregada esta frase caipira: "Óia, si neném mijá na cama, Mão de Cabelo vem ti pegá e cortá a minhoquinha de neném..."

Não deparei rastro parecido em esse fantasma coibidor da incontinência urinária. Não é raridade, nos Folclores do mundo, os espectros e aparições criadas com funções repressivas, auxiliares supraterrenos das amas, policiadores da boa educação fisiológica. Assim Schabta matava as crianças que tinham as mãos sujas. O *Moine Bourru* torcia o pescoço de quem ficava à janela fora das horas canônicas. O Kelpie vinga a pureza dos lagos escoceses na pessoa do violador. Na Bretanha não se assobia de noite com o temor de encontrar-se o terrível Bugul-Noz. Croquemitaine surra os meninos indóceis. O Tengu arranca a língua aos japoneses mentirosos. Na ilha Maurícia, os insones são ameaçados com a presença do Bonhomme Sac e do Bonhome Sacouyé. Na Boêmia e na Morávia as fadas Nemo Dliki punem os que não oraram. Na Austrália é Gineet Gineet. O Labatut nordestino pergunta se já as crianças dormem...

Em parte alguma deparei com outra *Mão de Cabelo* que bem pode ser uma criação individual, popularizada posteriormente. Fantasma de uso privativo para as crianças, será ainda uma explicação da visita tardia das mães aos leitos úmidos pela espontânea micção noturna. O tateamento vagaroso nos lençóis e nas partes pudendas seria justificado, no dia seguinte, como o exame da *Mão de Cabelo*, macia, sedosa e tépida.

Há, entretanto, no Folclore argentino, da região calchaqui, um mito que se aproxima do nosso. É o *Duende* ou *Sombrerudo*, entidade fantástica que se dá ao luxo, como o Mestre Carlos dos catimbós brasileiros, de conquistar mulheres. Esse demônio dom-juan *una de sus manos es de lana o algodón y la otra, de hierro.*[9] Rafael Cano (*Del Tiempo de Ñaupa*, p. 140 etc.) informa ainda:

> *De alli proviene la costumbre popular norteña de amenazar a los chicos desobedientes con la frase ritual: "Ahí viene el Duende". El efecto que se produce es contundente. En Entre Rios le conocen con el nombre de* Solapa, *y aunque los paisanos no mencionan la filiación, tiene la misma debilidad: se encarga de asustar a los chicos.*

---

9 Mão de ferro, *Mano de fierro*, são tradições populares em Portugal e Espanha.

Essa *mano de lana o algodón* serve ao fantasma para dar *trompadas* nos *muchachos* e para acariciar, lentamente, as *chinitas* escolhidas.

Não tenho maiores minudências, mas parece ser esse *Duende* um fio da meada do nosso *Mão de Cabelo*, moralizador dos sonos infantes.

A ameaça da castração intimativa daria conversa longa, com incursões perigosas nos domínios do pansexualismo dominador. O *Mão de Cabelo* é a entidade única e terrífica que visa unicamente uma função fisiológica. Como nunca aceitara os exageros solaristas ou astrais, não consigo admitir a generalidade freudiana nos mitos noturnos da infância. *Mão de Cabelo*, todavia, pertence, tipicamente, ao ciclo da angústia infantil na acepção positiva do pavor sexual, informe e terebrante, a primeira imposição ameaçadora e real, determinadora de um recalque.

Falta saber se o criador do *Mão de Cabelo* pensava na direção que seu diabinho tomaria pela mão ilustre de Freud. Se o pensamento único e natural não seria apenas coibir o menino de molhar a roupa do leito, pelo medo do fantasma de mãos finas que o castigaria por onde pecasse. A impressão infantil faria o destino da aparição estranha. Mas a vítima não foi consultada nem o *Mão de Cabelo* parece secular.

CHIBAMBA (SUL DE MINAS GERAIS)

No seu Ensaio *Achegas ao Estudo do Folclore Brasileiro*, Vale Cabral foi o primeiro a registrar esse fantasma que vive nas noites infantis. Divulgou-o o professor Basílio de Magalhães que não lhe achou tradução. Em Camilo Castelo Branco (*Corja*, p. 38, edição de 1903) encontrou referência: — "Canta chibambas e lundus faceiros, meu quindim". O vocábulo, nitidamente africano, ou melhor, bantu, significaria uma espécie de canto.

Vale Cabral assim descreve o *Chibamba* afro-mineiro:

> Fantasma do sul da província de Minas Gerais. Serve para amedrontar as crianças que choram. Anda envolto em longa esteira de bananeira, ronca como porco e dança compassadamente: Êvém o Chibamba, nêném, ele papa minino, cala a boca!...

Barbosa Rodrigues cita também o *Chibamba* (*Poranduba Amazonense*, p. 49, nota).

O *Chibamba* vestido de folhas de bananeira e dançando lembra África, onde o nome seria corrente. Em Angola e Congo ainda os negros dançam vestindo complicadas *toilettes* de folhas, ramos, galhinhos. Na Ásia, entre os Laos, da Indochina francesa, há o bailado dos Pu Nhiê, antepassados dos Laos. Os Pu Nhiê são como os espectros avoengos que visitam solenemente seus descendentes. Em certa época, vestindo folhas e peles espessas, surgem com máscaras terríficas esses monstros excêntricos. E dançam, lentos, compassados, em giros misteriosos, ao som de instrumentos de percussão.

A dança grave, em giro, é bem africana e de finalidade religiosa. As outras, coletivas, são quase sempre festivas, guerreiras, venatórias, haliêuticas, em ritmo agitado, com elevação *ad libitum* de pernas e acenos de mãos. O Chibamba é um remanescente dos rituais negros, degredado no papel de *Cuca*, reduzido a *Negro Velho*, adormecendo meninos pelo medo.

O "ronco do porco" deve ser intercorrência local.

Mas, para não desmoralizar o *Chibamba* pela facilidade da sua gênese, lembremos que os indígenas do Brasil também dançavam e ainda dançam envoltos em folhas e tecidos vegetais. Não creio que os Tupis tivessem esse hábito, mas sabemos, desde o Brasil Colônia, que os pajés dançavam, nas horas de excitação litúrgica, irreconhecíveis sob os mil disfarces que a mata oferecia.

A dança lenta, rodada, com um ou mais figurantes escondidos debaixo duma vestimenta aparatosa, cômica pelo exagero ornamental, ainda está passando entre os indígenas da raça Gê, Nu-aruacos e mesmo Caraíbas. Comparar a indumentária com que o soba africano Marvanda dançou ante Serpa Pinto e a roupa de gala com que os pajés dos Carajás Baroros e Cherentes rodam, roncando de orgulho, para os visitantes curiosos e amigos de presentes, é confundi-los.

Chibamba, pelo nome e maior influência negra que indígena em Minas Gerais, é africano. Ali vive, trazendo o sono para as pálpebras meninas, depois de haver, nas terras negras, animado guerras, anunciado caças e abençoado expedições felizes...

CABRA-CABRIOLA
(PERNAMBUCO, ALAGOAS, SERGIPE, BAHIA)

É uma assombração portuguesa que emigrou e se diluiu no fabulário brasileiro. Pelo seu enredo nada demonstra de regional e mesmo de origem patrícia. As mães brasileiras não têm trabalho noturno que lhes obrigue a deixar os filhos sozinhos. Acresce que a Cabra-Cabriola vive nos campos e nós só conhecemos sua estória nas cidades do litoral. Está quase esquecida. A tradição da Cabra antropófaga, dando mil saltos e curvas (cabriolando) é documento das terras distantes. Pereira da Costa recolheu a estória da Cabra-Cabriola no seu *Folclore Pernambucano* (pp. 80/81. *Rev. Inst. Hist. Bras.*, tomo LXX. Parte II. Rio de Janeiro, 1908).

Mais terrível que esses dois mitos (*lobisomem* e a *mula*) de muito longe importados, e de muito longe conhecidos entre nós, é a *Cabra-Cabriola*, que para dar pasto à sua voracidade astuciosamente penetra nas próprias casas em suas excursões noturnas, e devora os meninos que encontra; e por isso têm eles muito medo desse horrível monstro, de enormes fauces e dentes agudíssimos, a deitar fogo pelos olhos, pelas narinas e pela boca.

São inúmeros e mui vulgares os contos populares em que figura a *Cabra-Cabriola*, mas este é particularmente seu:

Havia uma mulher que tinha três filhos de tenra idade, e saindo sempre à noite para angariar meios de subsistência para eles, recomendava-lhes muito insistentemente, que se prevenissem contra as astúcias da *Cabra-Cabriola*, não abrindo a porta senão a ela própria, cuja voz e toada particular perfeitamente conheciam.

Certa noite, porém, chegado o monstro, bate à porta, e ignorando o acordo estabelecido, pede como se fosse a mãe das crianças, que a deixem entrar; mas, falando naturalmente com a sua voz forte, grossa e horrível, nada conseguiu das suas artimanhas, e saiu desesperada bramindo:

> Eu sou a Cabra-Cabriola,
> Que come meninos aos pares,
> E também comerei a vós,
> Uns carochinhos de nada.

Retrocede depois, oculta-se, e aguarda a volta da mulher, e com semelhante artifício aprende-lhe a toada, e repara bem no seu metal de voz.

No dia seguinte vai à casa de um ferreiro, manda bater a língua na bigorna, e conseguindo assim modificar a sua voz tornando-a mesmo igual à da mãe dos meninos, vem à noite, espreita a sua saída e depois, bate à porta cantarolando a conhecida toada:

> Filhinhos, filhinhos
> Abri-me a porta,
> Qu'eu sou vossa mãe;
> Trago lenha nas costas,
> Sal na moleira,
> Fogo nos olhos,
> Água na boca,
> E leite nos peitos
> Para vos criar.

E as pobres crianças na persuasão de que era a sua própria mãe que assim lhes falava, abrem pressurosas e alegres a porta, e inopinadamente acometidas pela esfaimada Cabra-Cabriola, são devoradas por ela.

A BRUXA
(TODO O BRASIL)

A bruxa infantil só aparece nas ameaças noturnas quando o sono desobedece à vontade materna. Entre o povo nortista não há bruxa, na acepção portuguesa do vocábulo. Chamam-na apenas *feiticeira*. Não há reunião nas noites de sexta-feira, presididas pelo Diabo, obrigando as velhas a uma indumentária de Eva e subsequentes voos em cabos de vassouras. Quando ouvimos uma estória nesse jeito, é lembrança de Portugal que está atuando.

A Bruxa para as crianças é a figura clássica de mulher velha, alta, magra, corcovada, queixo fino, nariz adunco, olhos pequeninos, cheia de sinais de cabelo, manchas, horrores. Os trabalhos da Bruxa limitam-se a carregar os meninos insones ou, para determinados lugares e ainda constituindo uma herança da Europa, sugar-lhes o sangue, invisivelmente.

Para evitar a Bruxa riscam os velhos signos cabalísticos, o sinal de Salomão, estrela de seis raios, feita com dois triângulos, a estrela de cinco raios, que é o sagrado pentágono de Cornélio Agripa, as palhas secas do Domingo de Ramos postas em cruz, ou então paina, fios de gravatá. A Bruxa é obrigada a parar e só entra depois de contar fio por fio. A tradição é a mesma na Europa. Em Portugal é o molho de fios. Na Itália mata-se um cão e a Bruxa tem de contar os cabelos do animal (Abruzzos). Com uma foice molhada nágua benta ou outra qualquer lâmina, fere-se, compassadamente, de meia-noite ao primeiro cantar do galo, o ar derredor do berço onde dorme a criança que está sendo sugada pela Bruxa. Um golpe pode acertar-lhe e, merejando sangue, a Bruxa perde o encanto, "quebra as forças", e retoma a forma anterior, humana e fraca.

Noutros lugares, Minas Gerais, Estado do Rio de Janeiro, Goiás, a Bruxa se transforma em borboleta noturna, duma espécie amarelada e crepuscular. É a sétima filha. Sempre reaparece o número sete, que é o fatídico e suspeito desde os magos caldeus.

Documentário

E a bruxa?

É ũa véia magra, andeja, cabeluda, cuma troxinha de ropa... O marido dela p´ra mim é o Judeu Errante. É ũa peste p'ra dá duença in criança, mao oiado, lumbriga e amarelão. Apersegue munto as moça que não tão bulido e leva as povresinha p'ra Cathirina...

> Cornélio Pires — *Conversas ao pé do fogo*, terceira ed., p. 155. São Paulo, 1927.

A muié que pare incarriado seis fia femea, condo é pra tê as sete, bota logo o nome de Adão, tudo trocado, senão a menina vem, e logo sai bruxa. Assim que chega no sete ano vira aquela barbuletona, entra p'la fechadura da porta da muié parida e xupa o embigo das criança que morre c'o mal de sete dia, conde a parteira não é boa mestra e esquece de botá a tesoura aberta debaxo da cama da parida, onde a criança nasce.

> Manuel Ambrósio — *Brasil Interior*, p. 21 (Palestras populares, folclore das margens do São Francisco). Januária, Minas Gerais, 1912. Editado em São Paulo, 1934.

ALMA-DE-GATO
(RIO GRANDE DO NORTE, PARAÍBA)

Na galeria dos pavores infantis o mais curioso espécimen é o Alma-de--Gato. Não foi possível ainda materializá-lo. Atua unicamente pelo prestígio do nome, pela força da invocação, pelo poder da lembrança. Nele tudo é indistinto. Não tem forma, nem cor, nem processo para apanhar, maltratar ou raptar as crianças. Não sabem as imaginativas infantis como o Alma-de-Gato tortura ou se aproveita de suas vítimas. Possivelmente nessa indeterminação alucinante reside a melhor explicação do assombro.

Na Península Ibérica, na África, no Brasil indígena, todos os seres fabulosos tinham atitude e posição definidas. Alguns mais do que outros, mas todos guardavam linhas gerais de contorno bastantes para caraterização identificadora no meio da espantosa fauna. O Alma-de-Gato é complexo, proteiforme, múltiplo, infixo. É rumor, é pressão, é som, é aragem, é movimento, é clarão. É uma entidade invisível e presente.

Em Portugal e Espanha concretizam em figuras até o próprio Medo. Numa nota que J. Leite de Vasconcelos recolheu no dialeto de Miranda, encontramos o Medo personalizado. *"Saliu-me um Miêdo, que s'appar'cia a un home alto, bestido de branco"* (*Tradições Populares de Portugal*, p. 295). O Sonho, o Pesadelo, todos têm suas réplicas materiais na literatura oral indígena, negra e ibérica. O Alma-de-Gato passeia pelas inteligências meninas de Paraíba e Rio Grande do Norte com a grandeza disforme, imprecisa e tremenda, de uma perpétua ameaça.

Há, entretanto, na ornitofauna brasileira, um pássaro com o nome idêntico. Pereira da Costa, no *Vocabulário Pernambucano* (p. 28), descreve-o assim:

> Alma-de-Gato — Espécie de ave trepadora (*Piaga cayanna*, Less), a que os índios chamavam *Atinguaçu*. *A gente supersticiosa tem por mau agouro o canto desta ave.*

O Atinguaçu é o mesmo Tinguaçu. Rodolfo Garcia (*Nomes de aves em língua tupi*, bol. Museu Nac., vol. V, nº 3, Rio de Janeiro, setembro de 1929, p. 48) fixou o Tinguaçu.

> Tinguaçu: (*Piaya cayana*, Linn.) Fam. Cuculidae. Também chamado Alma de Gato, Rabo de escrivão, Rabo de palha e Maria Carahyba. — *Etym*: de ti — bico, e a guaçu, grande Alt. Atinguaçu e Tinguaçu. Zona costeira do Sul; Pará.

Todos esses cuculides pertencem ao domínio das superstições indígenas. O Saci-pererê e a Matinta-perera são cuculides. O espantoso Ticoã ou Tincoa, pássaro-feiticeiro cujas lendas Barbosa Rodrigues recolheu, é da ilustre família. O Alma-de-Gato é o mesmo Chicoã, o mesmo Tinguaçu que na Argentina e Paraguai sendo enterrado dá nascimento a uma planta que concede a invisibilidade a quem ponha uma folha na boca (Teschauer, *Avifauna e Flora*, p. 107. Porto Alegre, 1925). São essas aves núncios de desgraças, agourentas, espalhando terrores nalma dos indígenas. Deles herdamos instintiva repulsa, o incontido frêmito de medo inconsciente e secular.

O prestígio nebuloso do Alma-de-Gato, confundido aparentemente no felino, vem de remotas origens do Brasil selvagem, num pavor ancestral, obstinado e contínuo, de criança em criança, como um traço espiritual, indisfarçável e seguro.

Documentário

Entre os mitos da rua Direita existe um outro que vive nos quintais das casas de residência. Geralmente os quintais dessa rua são pequenos, com um mesmo tipo retangular, cercados de muros e mais ou menos enfeitados de fruteiras. Nessa região habita a "Alma-de-Gato". Não tem hora para ela aparecer às crianças desobedientes. É uma sombra que passa numa esquina de parede; uma sombra que de repente se some atrás de uma porta ou de um móvel; ou que faz uma árvore do jardim balançar levemente; ou ainda um barulho que se ouve perto ou longe. Tudo serve. A Alma-de-Gato dispõe de uma agilidade rara. Durante o dia apenas se vê o impreciso. Ou melhor: nada se vê. Sente-se. A sensibilidade é que fica alerta e colhe os movimentos como se fora antena de rádio. A luz do dia como que desencanta o mistério e torna a vida mais real. Mas quando entra a noite com todo o seu cortejo de fantasmas, então é que a Alma-de-Gato começa a ser notada materialmente. Não se espantem: materialmente. Ela mostra toda a conformação física de um gato comum. Gato preto. Os olhos destilam luminosidades de fogo. A luz desses olhos é vermelha e é de tanta intensidade que parece originária de archotes. O destino desse bicho não é de arranhar nem morder nem ocasionar males semelhantes. O seu destino tem formas mais suaves. Ele só se apresenta para despertar medo aos meninos. O seu vulto rápido na apresentação consegue obter o milagre de respeito só comparável a outros mitos de grande influência na imaginação infantil.

O prestígio da Alma-de-Gato toma conta de toda uma casa, principalmente do quintal, onde vive e reina com poderes imperiais. Com o dia o menino brinca solto e feliz no quintal de sua casa. A Alma-de-Gato anda por longe, nem se sente o menor sinal. Porém de súbito o vento balança fortemente o arvoredo e se alguém disser alguma palavra sobre assombração ou olhar cheio de curiosidade para um ponto qualquer, basta, é o bastante, todos se lembram logo da Alma-de-Gato e uma onde de receio se avoluma e se ergue ameaçadora. Quando chega a noite o fantasma fica senhor absoluto dos quintais. Nem um menino tem coragem de ir sozinho ou andar no quintal sem ser acompanhado de gente grande. Não vai. Mesmo que a noite não seja escura, que a lua ilumine e dissipe as sombras, ainda assim o quintal se acha invadido do mistério da Alma-de-Gato, não sendo raro se notar um movimento, por mais sutil, que venha confirmar a existência do mito. Às vezes é mesmo um gato que passa, ou um morcego que chia ou põe abaixo um sapoti.

Os gatos da rua Direita enchem os quintais durante a noite. Fazem correrias medonhas. Afastam as telhas. Brigam por amor. Fazem uma gritaria infernal. E a raça cada vez mais se multiplica. A população de gatos anda quase em parelha com a população de gente. Esse barulho noturno é que mais infunde respeito e medo às crianças. Então quando não podem dormir, e que a insônia lhes toma todas as preocupações, fazendo-os ficar de olho duro e enxuto, o rumoroso amor dos gatos tem uma significação terrível. Raro é o menino que fica na sua cama ou que não reclama uma pessoa ao seu lado. A Alma-de-Gato toma posição e demonstra um prestígio total ao lado de outros mitos. A consequência desse temor traz certo descanso aos pais e principalmente às criadas que são as que mais fazem ameaças e que a todo momento lembram os poderes extraordinários do fantasma animal. O estranho nisso tudo é que nem um mal físico imaginário se pode esperar da Alma-de-Gato. Não como outros fantasmas que fazem ameaças de morte, que costumam carregar as crianças para longe, fazendo longas e maçantes viagens. A Alma-de-Gato é como se fora alma do outro mundo: só faz medo e mais nada: nem sequer ameaça com a velha frase "ele vem buscar você".

Ademar Vidal — *Mitos da Rua Direita*, publicado em A UNIÃO, João Pessoa, Paraíba, 25 de setembro de 1938.

Ciclo dos Monstros

Nas lendas indígenas do Brasil não há vestígio de um ser humano que se transforme em animal para devorar seus semelhantes. Os registros em contrário, que vamos deparando, são outras tantas afirmativas apressadas, deduções apriorísticas, ante material pouco estudado. A influência negra e branca é poderosa e complexa. Nos contos e superstições independe mesmo de maior e prolongado contato. Pode ser levada por um outro elemento, índio evadido ou preso, negro quilombola. E o mundo se modifica com a chegada de monstros e de visões novas, adaptados rapidamente ao fabulário primitivo da tribo. Desta forma, a presença de um Versipélio nas matas e capoeirões do Brasil denuncia o prestígio do etnos alienígena. Um exame dos tipos fabulosos mostra a hibridez de todos, sua confusão fisiológica, dando-os como somas espontâneas de reminiscências diversas.

A galeria de entes espantosos que recordei fez-me pensar numa possível monogênese. Um ponto de partida comum, com diversificações e transformações regionais.

Os monstros que aparecem mais frequentemente nas estórias populares, nos contos infantis, nas tradições locais, são poucos e podemos alinhá-los numa fila modesta e pacata:

> Mapinguari (Amazonas, Pará, Acre).
> Capelobo (Pará, Maranhão).
> Pé de Garrafa (Piauí, Mato Grosso, Minas Gerais).
> Quibungo (Bahia).
> Labatut (Rio Grande do Norte, na serra do Apodi).
> Papa-figo (todo o Brasil).
> Gorjala (Ceará).
> Bicho-homem (todo Brasil do interior).

Vemos todos esses monstros com as cores de vinte mitos. Neles convergem duendes ameríndios e superstições europeias. São herdeiros do

Lobisomem português e do Saci brasileiro. Não têm uniformidade física nem moral. São como um mosaico de pavores. Cada terror lhes traz um novo atributo.

De comum e regular têm apenas a ferocidade ininterrupta, a antropofagia bruta, o arremesse bárbaro. Esses monstros não têm função. A função é a legitimidade nos mitos indígenas. Um ser totalmente mau, inútil em sua ação destruidora, agredindo, matando, perseguindo, é sempre uma recordação do "inimigo", do estrangeiro, memória do ataque inesperado e depredatório, de gente de fora. A tradição deforma e amplia o invasor, transformando-o em monstro. Assim, nas estórias tradicionais da França, há sempre o Tártaro, também cabeludo e com um só olho no meio da testa, espécie de Ogre, de Papão, de Troll, de Duende, só necessário à prática do Mal.

Só nas fábulas de animais é que certos caracteres malévolos ou acidentalmente malévolos, acentuam-se, mas com indisfarçável naturalidade moralizadora. Assim a aranha, a lebre, a tartaruga, o nosso jabuti, a raposa da Índia, o macaco, o rato, enfim os débeis, os fracos, os que vencem pela astúcia, pela finura, pela presença de espírito. Mas os monstros são afirmativas de força, de brutalidade, de estupidez enérgica. Não há intenção nas suas existências nem exemplo em seus atos. Foram criados, como os guerreiros que nascem dos dentes do dragão, para matar e morrer, vencidos pelo automóvel, pelo rádio, pela luz elétrica.

Não compreendo que seja possível explicar a origem desses monstros populares. Reconstituí-los identificando a procedência dos elementos componentes. Aqui África, além Ásia, isto é ameraba, aquilo é europeu. Todos os Folclores possuem essa sinistra galeria de assombros. Estão nas florestas equatoriais americanas e na terra negra. Dez idiomas cultos têm fixado. São mosaicos cujos embutidos trazem as cores de todos os medos humanos e primitivos. A característica do monstro parecer um homem, ou pelos espessos e negros, a força espantosa, o respeito que imprime sua existência nas populações vizinhas, corre todos os idiomas. É o Tártaro dos franceses, o Ogre alemão, vivendo na Índia, na China, no Alasca, Roma, Moscou, Berlim... Os Mongóis creem num Mapinguari irmão gêmeo do nosso:

... dans le Han-Sou, nous avions entendu les Mongols parler d'un animal extraordinaire qui habitait cette province et s'appelait Khoungouraissou, c'est-à-dire l'homme-bête. Les narrateurs prétendaient que cet animal avait un visage plât samblable à celui de l'homme, qu'il marchait habituellement sur les deux pieds, que son corps était orné de poils noirs épais et ses pattes munies d'énormes griffes. Sa force était tellement redoutable que non seulement les chasseurs ne l'attaquaient pas, mais que les habitants

décampaient aussitôt qu'ils apercevaient de sa présence (N. Prjévalski — *Mongolie et Pays des Tangoutes*, tradução de G. du Lourens, p. 304. Paris, 1880).

Podíamos citar o Lobisomem persa, hindu ou abissínio. É apenas a herança do medo nalma triste dos homens.

Nos monstros que resistem, vivendo na memória do povo, a maioria possui um olho só, plantado no meio da testa. Revisando os depoimentos sobre os nossos seres fabulosos, vemos que, num e noutros, encontramos sempre o monóculo como característica monstruosa. O Ciclope antropofágico e bruto deixou pegada enorme nas literaturas orais nascidas do latim. Levadas à África e Ásia pelas legiões romanas, lá encontraram o vestígio da mesma estória conduzida pelos gregos das colônias asiáticas, pelas incursões, pelos traficantes, pelos marinheiros. A universalidade do episódio de Ulisses com Polifemo indica a expansão dos temas aventurosos e fáceis de reter e ainda melhor de lembrar nas horas de ócio.

No Brasil colonial e ainda durante o século XIX dizia-se existir no alto rio Branco e fronteiras da Venezuela e Guianas uma família de homens que não tinham cabeça.[1] Os olhos abriam-se-lhes nos ombros. Plínio o Antigo e Santo Agostinho falaram nesses monstros *quosdam sine cervice oculos habentes in humeris*. Foram os Blêmios robustíssimos. No século XVI sir Walter Raleigh dizia tê-los avistado nas Guianas e descreveu-os como vivendo em Caora. O livro de Raleigh, publicado em 1596, divulgado, dois anos depois, pela coleção de Hackluyt, obrigou o geógrafo holandês Hondius, em 1599, a verter a estória famosa, ilustrando-a com desenhos convencionais de homens com olhos, bocas e narizes no peito. Shakespeare, por duas vezes, cita essa fábula em *Otelo* (cena III do 1º ato):

> *The Anthropophagi, and men whose heads*
> *Do grow beneath their shoulders.*

E em *Tempestade* (cena III do 3º ato):

> *... or that there were zuch men*
> *Whose heads stood in their breasts?*

---

1 Von Martius ainda encontrou a tradição dos homens sem cabeça e com os olhos no tórax, citada pelos indígenas do Amazonas. "As lendas das Amazonas, de homens sem cabeça e com a cara no peito, de outros que têm terceiro pé no peito ou possuem cauda, do conúbio de índias com os macacos coatás, etc., são idênticos produtos da fantasia sonhadora dessa raça de homens." (Spix e Martius — *Viagem pelo Brasil* — trad. de Lúcia Furquim Lahméyer, IIIº volume, pp. 136/137, Rio de Janeiro, 1938.)

Essa boca rasgada na altura do estômago não aproxima o Blêmio do Quibungo?

O olho na fronte também aparecendo em todos ou quase todos os seres espantosos é outro sinal da Antiguidade clássica, diluída no mundo. Assim o Ogre, o Labatut, o Mapinguari, o Capelobo têm apenas um olho. O Tártaro das estórias francesas também aderiu ao movimento. Webster (*Basques Legends*. Londres, 1877) responde:

> Who, or what is the Tartaro. — Oh! you mean the man with one eye in the middle of his forehed.

Os Highlands falam nos Famhairans, gigantes monolhos e antropófagos. O Tártaro parecendo Ciclope nos veio pelos Pireneus e a cita de Webster já é no País Basco. Em Portugal os Olharapos e Olhapins são os mesmos Tártaros e Ciclopes. Homens agigantados, com um olho na testa (Beira Alta), em Cabeceira de Bastos têm três olhos, dois na frente e um na nuca. No Minho possuem quatro olhos. Os Olhapins de Guimarães têm quatro olhos mas são pigmeus.

Adolfo Coelho notava a desaparição dos Gigantes no fabulário português. Escreve ele:

> São raras hoje em Portugal as tradições acerca de gigantes, segundo cremos. Os gigantes, os ogres, foram substituídos na tradição por ladrões.

Essa modificação ainda não alcançou o Brasil. No ciclo dos monstros surgem sempre gigantes e é o traço essencial da antropofagia a exigência da forma desmarcada.

A existência de raças gigantes no continente americano é verificada nas tradições orais. No Brasil dizia-se viver no rio Purus a tribo dos Curigueres, registrados pelo padre Acunha, os Curinqueans do padre Simão de Vasconcelos,

> homens gigantes, de 16 palmos de alto, adornados de pedaços de ouro por beiços e narizes, e aos quais todos os outros pagam respeito (Crônica da Companhia de Jesus no Estado do Brasil, Livro I. Cap. 31. Lisboa, 1663).

Couto de Magalhães reaviva a tradição dos gigantes quando descreve a porfia do jabuti com um *Cahapora-uaçu*, o grande morador da mata, alusão a uma raça de talhe superior ao normal e que viveria no setentrião brasileiro.

Pedro Cieza de Leon (*Chronica del Peru*, Parte I, Cap. 52) narra a vinda de uma raça de gigantes para o continente e seu desembarque na Ponta de Santa Helena, arredores da cidade de Puerto Viejo. Os gigantes eram grandes trabalhadores e cavaram, na pedra, poços de extrema profundidade, com água-doce e fina. Eram sensualíssimos e vorazes, devorando, cada um, alimentos bastantes para cinquenta pessoas. Os moradores da região ocupada pelos gigantes, especialmente as mulheres, sofriam toda espécie de vexames. Contam que todos foram mortos pelo "fogo do Céu", abrasados numa brusca e vingadora onde luminosa. Os ossos dos gigantes, esparsos e soterrados, reaparecem nas escavações, causando assombro.

Pereira da Costa (*Folclore Pernambucano*, p. 77) fala nos gigantes negros:

> Tinham também os negros africanos iguais crenças originárias do seu país natal, e falavam nos seus gigantes com o nome particular de *miriatu* ou *miriátu*.

Uma espalhadíssima tradição dos Peuhls, africanos de remota atuação pastoril, fala nos Guinãryi ou Guinnârou, gigantes como Gargântua, caçando quinhentos elefantes para o almoço e bebendo um rio inteiro.

Os amerabas que davam a todas as coisas uma *ci* (mãe) como explicação de origem e defesa, determinaram a adulteração de vários mitos, formando o Pai do Mato, gigante protetor, antropófago para uns ou simplesmente furioso para outros, eterno perseguidor de quem viola o segredo das matas ou destrói árvores inutilmente. Essa fusão do Curupira com os Gigantes teve repercussão imediata e encontramos o Pai do Mato entre os Parecis do Mato Grosso ou vivendo em Alagoas e Pernambuco, comodamente.

Mas se o Mapinguari, Pé de Garrafa, Capelobo, Bicho-homem, Gorjala são atormentadores dos homens, o Quibungo, o Papa-figo, o Labatut são das crianças, espécie fusca e rústica do alto e branco Rei dos Álamos, eterno na balada de Goethe.[2]

---

2 Sobre o Rei dos Álamos, o professor Júlio Nogueira escreveu uma nota preciosa na *Revista da Academia Brasileira de Letras* (pp. 140/141, nº 30. Rio de Janeiro, junho de 1924): "Em torno da palavra *Erlkönig* há um curioso estudo filológico que fazer. Tal mito não existia nas velhas tradições germânicas. O *Erlkönig* (Rei dos Álamos) é imaginado como uma gigantesca personagem, de longas barbas, com uma coroa de ouro, que arrastava as crianças para regiões desconhecidas. A lenda aparece em Herder (*Stimmen der Völker*) e a palavra é empregada como tradução de *Ellerkonge*, dinamarquês. Mas nesta língua ele significa não somente espírito, gênio, como também álamo. Daí a tradução divergente. No inglês *Elfking* e *king of the alders*. O alemão e o francês decidiram-se pela ideia da árvore: *Erlkönig, Roi des aunes.*"

Idênticos, quase todos, na ação, tornam-se uniformes no físico. Confunde-os a evocação espavorida de caçadores e de mateiros.

MAPINGUARI

O Mapinguari é o mais popular dos monstros da Amazônia. Seu domínio estende-se pelo Pará, Amazonas, Acre, vivificado pelo medo duma população infixa que mora nas matas, subindo os rios, acampando nas margens ignotas das grandes águas sem nome. Caçadores e trabalhadores de todos os misteres citam o Mapinguari como um verdadeiro demônio do Mal. Não tem utilidades nem vícios cuja satisfação determine aliança momentânea com os cristãos. Mata sempre, infalivelmente, obstinadamente, quem encontra. Mata para comer. Descrevem-no como um homem agigantado, negro pelos cabelos longos que o recobrem como um manto, de mãos compridas, unhas em garra, fome inextinguível. Só é vulnerável no umbigo. Esse lugar é clássico para a morte dos monstros. É o sinal do seu nascimento, de sua triste e melancólica condição mortal. Só se articula aos viventes pela cicatriz umbilical que o unifica à imensa família dos que vivem na Terra. O Lobisomem também, em certas paragens, pode ser abatido pelo umbigo. O Mapinguari, ao contrário de outras entidades fabulosas, não anda durante a noite. Durante a noite, dorme. O perigo é de dia, o dia penumbra no meio das florestas que coam a luz do sol fazendo-a macia e tênue. Na obscuridade dos troncos disformes o Mapinguari se destaca, bruscamente, para atacar e ferir. Mas não avança silencioso como seria preciso e lógico. Vem berrando alto, berros soltos, curtos, altos, atordoadores. De longe os homens ouvem seus apelos terríveis. E fogem. O Mapinguari se faz anunciar como pedindo a condição da coragem para um encontro supremo. Esses gritos roucos e contínuos explicam rumores que a floresta produz e não confia justificação. Ignorantes dos mistérios da repercussão, da refração e da difusão das ondas sonoras, os homens da mata entregam ao Mapinguari o direito de constituir o produtor do inexplicável como, nos velhos séculos coloniais, Curupira, batendo nas árvores, Mboitatá enroscando-se em fogo nas relvas, Anhanga galopando com os olhos coruscantes, Caapora guiando a manada de porcos caetetus, meneando o galho de japecanga como um bastão de marechal.

Qual seria a origem do Mapinguari? Não parece antiga porque seu nome está ausente dos cronistas. Aparece com relativa modernidade mais comumente nas narrativas dos seringueiros, nas recordações dos recém-

-vindos da Amazônia. Stradelli, tão minucioso, Tastevin, não registram sua existência nos vocabulários. Seu físico recorda o Caapora de Couto de Magalhães, que o evocava como sendo

> um grande homem, coberto de pelos negros por todo corpo e cara, montado, sempre em um grande porco de dimensões exageradas, tristonho, taciturno, e dando de quando em vez um grito para impelir a vara.

O Caapora de Gonçalves Dias era um índio anão. O Mapinguari é, evidentemente, um Caapora desfigurado, despido de alguns elementos que outrora positivavam sua atividade. Guarda a estrutura, o grito, o corpo vestido de pelos. E ainda o *habitat* florestal, continuando a ser um mito das matas, conhecido especialmente pelos que nela vivem.

Do africano Quibungo, o Mapinguari tem a posição anômala da boca, rasgada do nariz ao estômago, num corte vertical cujos lábios rubros estão sujos de sangue. Num depoimento que colhi, o Mapinguari está com os pés tornados cascos e pisando ao avesso como o Curupira e os Matuiús do padre Cristóvão de Acunha. Quando apanha um caçador, mete-o debaixo do grande braço atlético, mergulha-lhe a cabeça na imensa abertura da bocarra e masca-o, isto é, come-o aos poucos, mastigando-o lentamente, remoendo. No conto de J. da Silva Campos, o Mapinguari arranca a carne de sua vítima em largos pedaços.

Noutro ponto distancia-se do Lobisomem. Não há notícia de alguém se poder tornar Mapinguari. O sr. Mário Guedes informa ter ouvido de um *tuixaua* (chefe indígena) que o Mapinguari era o "antigo rei da região". Em que critério seria dada a informação? Seria um grande chefe metamorfoseado em Mapinguari? Mas se há essa lenda, o tuixaua só tomou a nova encarnação depois de morto. O Mapinguari é uma forma definitiva.

Que significa Mapinguari? Possivelmente se trata de uma contração de *mbaé-pi-guari,* a cousa que tem o pé torto, retorcido, ao avesso. O início do espanto seria o rastro de forma estranha, circular, indicando justamente a direção oposta ao verdadeiro rumo. Posteriormente é que a imaginação criou a figura material, tão semelhante aos outros monstros.

Um traço visível da catequese católica é a intercorrência do resguardo aos dias santos e domingos. O Mapinguari escolhe quase sempre esses dias para suas proezas venatórias. Caçador que encontrar matando caça nesses dias proibidos e de preceito, é homem morto. A finalidade do conto registrado pelo Sr. Silva Campos é o resumo de um mito selvagem para determinar obediência a uma das leis da Igreja.

Mesmo recente, o Mapinguari reina na vastidão amazônica pelo prestígio invisível do medo.

Documentário

Mapinguari é um animal fabuloso, semelhando-se ao homem, mas todo cabeludo.

Os seus grandes pelos o tornam invulnerável à bala, exceção da parte correspondente ao umbigo.

Segundo a lenda é ele um terrível inimigo do homem, a quem devora. Mas devora somente a cabeça.

De um velho tuxaua, já semicivilizado, ou dizer que nele estava o antigo rei da região.

> Mário Guedes — *Os Seringais*, Jacinto Ribeiro dos Santos, editor. 2º milheiro, p. 221. Rio de Janeiro, 1920.

O *Mapinguari* (Rio Purus, Amazonas).

Dous seringueiros moravam na mesma barraca, em um *centro* muito afastado, lá naqueles fins do mundo. Um deles tinha por costume sair todos os domingos para ir caçar. O companheiro sempre lhe dizia:

— Olha, fulano, Deus deixou o domingo para a gente descansar. Ao que ele retrucava:

— Ora, no domingo também se come...

E lá se ia para o mato, onde ficava o dia inteiro.

Por muita insistência sua, o companheiro resolveu-se a ir fazer uma caçada com ele, certo domingo. Foram e perderam-se um do outro. O que não estava habituado a tais empresas andou muito tempo à toa, sem acertar com o caminho e já não sabia mais onde tinha a cabeça, de atarantado. Foi quando ouviu uns berros medonhos e estranhos, que o encheram de pavor. Subiu mais que depressa numa árvore bem alta e ficou lá em cima, sem se mexer, para ver o que era aquilo.

Os berros foram se fazendo ouvir cada vez mais perto, até que ele pôde testemunhar um espetáculo horrendo que quase o põe louco de terror. Um Mapinguari, aquele macacão enorme, peludo que nem um coatá, de pés de burro, virados para trás, trazia debaixo do braço o seu pobre companheiro de barraca, morto, esfrangalhado, gotejando sangue. O monstro, com as unhas que pareciam de uma onça, começou a arrancar pedaços do desgraçado e metia-os na boca, grande como uma solapa, rasgada à altura do estômago, dizendo em altas e terríveis vozes:

— No domingo também se come!...

Assim, o seringueiro viu a estranha fera engolir a cabeça, os braços, as pernas, as vísceras e o tronco do infeliz caçador. E lá se foi a besta horrenda pela mata afora, urrando num tom de voz que fazia estremecer até as próprias árvores:

— Domingo também se come!...

> J. da Silva Campos (na coletânea de 81 contos populares) in *O Folclore no Brasil* — de Basílio de Magalhães. Rio de Janeiro, Livraria Quaresma, p. 321. 1928.

Genésio Xavier Torres, servente do Tribunal de Apelação no Rio Grande do Norte, trabalhou muitos anos nos seringais e cortou caucho em Amazonas e Acre. Assim descreve ele o *Mapinguari* pelas inúmeras estórias que dele ouviu nos barracões e entre os companheiros de floresta.

O *Mapinguari* é um macacão grande, maior do que um homem, com cascos virados às avessas, todo coberto de cabelo, invulnerável, exceto no umbigo. A boca é enorme, aberta verticalmente, desde a altura do nariz até perto do umbigo.

Quando o *Mapinguari* segura um caçador descuidado, prende-o debaixo do braço, mete a cabeça da vítima na imensa bocarra e vai mascando, como quem masca fumo. Só anda de dia, especialmente nos domingos ou nas tardes, perto do anoitecer.

Não lhe consta que alguém se possa mudar em *Mapinguari.*

CAPELOBO

O Capelobo ainda não tem o prestígio do Mapinguari. Sua área de influência está limitada pelos rios do Pará. Não conheço referência amazônica. Fróis Abreu registrou-o no Maranhão com o nome de *Cupelobo*. Parece ainda não estar difundido na população mestiça e sim no seio da indiada meio mansa, viciada às visitas aos barracões, na sedução do álcool. Das estórias que ouvi, duas vinham do rio Xingu. Nessa região o Capelobo goza de popularidade e espalha medos incríveis, especialmente entre os indígenas caçadores. Difere, entretanto, do tipo maranhense do rio Pindaré. Pintam-no como um animal ora com formato humano, quase ao jeito do

Mapinguari, tendo as mesmas atividades ferozes e desnecessárias. Como animal, o Capelobo parece com a Anta (*Tapirus americanus*), sendo maior e mais veloz. Tem cabelos longos e negros e patas redondas. A cabeça finda por um focinho lembrando o porco e o cachorro. No Maranhão é um focinho de tamanduá-bandeira. Sai à noite e ronda os acampamentos, barracões e residências perdidas na mata, catando cães e gatos recém--nascidos, como o Lobisomem. Apanhando animal ou homem, parte a carótida e bebe o sangue. Hematofagia do Lobisomem e mesma posição de ataque. Só pode ser morto com um ferimento no umbigo.

Um meu informante, com doze anos de permanência nos rios paraenses, definiu o Capelobo como sendo o *Lobisomem dos índios*.

O nome de Capelobo é um hibridismo de *capê*, que tem osso quebrado, torto, pernas tortas, e o substantivo português *lobo*. O Capelobo, no registro de Fróis Abreu, é unípede e tem e extremidade podálica redonda — "como fundo de garrafa". É, pois, um Lobo contorto, estranho, aleijado e merecendo designação nova.

No Maranhão o Capelobo, como também no Xingu, não tem a boca como o Mapinguari e o Quibungo. A curiosidade maior é o focinho de tamanduá--bandeira saindo de um corpo humano. Como o Mapinguari e o Pé de Garrafa, o Capelobo grita muito, anunciando-se. Aperta a vítima num abraço mortal, talvez daí lhe tenha vindo a semelhança com o tamanduá (*Myrmecophagideo*), vara-lhe o crânio e, pondo a tromba, suga toda a massa cefálica.

Como o Mapinguari, o Capelobo não tem amizades com os homens nem faz alianças para caça, pesca, corte de madeiras, caucho, seringa. É simplesmente uma fabulosa máquina de matar.

Dizem, no rio Xingu, que certos indígenas depois de velhos, muito velhos, perdida a própria noção de vida, tornam-se Capelobo. Mas não mais retomam a forma humana. É uma transformação espontânea e deliberada e sem que intervenha força mágica do *pajé*. A cerimônia para a mutação ignoro. Um meu informante nega existir cerimônia. Afirma que o indígena bem velho, velhinho, "vira Capelobo bebendo puçanga".[3] Assim Virgílio dizia Meris se ter transformado em Lobo na *Ecloga VIII*:

> *Has herbas, atque haec Ponto mihi lecta venena*
> *Ipse dedit Moeris: nascuntur plurima Ponto.*
> *His ego saepe lupum fieri et se condere silvis*
> *Moerim,...*

---

3   Tastevin registra Pusanga como veneno ou remédio. O conde Stradelli explica melhor:

E Circe tornara em porcos os companheiros de Ulisses (*Odisseia*, canto X) dando-lhes a beber uma *puçanga* de leite coalhado, flor de farinha, mel fresco, unidamente ao filtro misterioso. Mas os guerreiros, mudados em porcos, guardavam a lembrança de sua antiga condição. O ancião ameraba tem direitos a acreditar no poderio das *puçangas* cantadas em Homero e Virgílio. Talvez para libertar-se de seu estado de extrema senectude, inútil para os trabalhos, alimentado pelos filhos e netos, haja nascido a tradição de uma parte e a explicação de outro lado, justificando o desaparecimento de uma boca improdutiva.

Mas o Capelobo, como o Mapinguari, é novo nas florestas do norte brasileiro. Não saiu da sombra dos arvoredos senão para as palmeiras maranhenses. Creio que não resistirá ao sertão nordestino. Viverá sempre assombrando caçadores, desnorteando índios, espavorindo crianças, sem conseguir um acesso ao degrau superior das tradições que se espalham por todo Brasil.

Documentário

Acreditam que nas matas do Maranhão, principalmente nas do Pindaré, existe um bicho feroz chamado *Cupélobo*.

Tem aparecido a muito poucos, porém grande número de índios têm ouvido seus gritos estridentes e examinado suas pegadas.

O *Cupélobo* é uma variante do Lobisomem.

Um Canela da aldeia do Ponto contou-me que seu genro, havia poucos dias, quando caçava, tinha ouvido os gritos do bicho e encontrado o rastro na areia.

Um índio Timbira contara a ele que, certa vez, andando nas matas do Pindaré, chegara a ver um desses animais que dão gritos medonhos e deixam um rastro redondo, como fundo de garrafa.

Andava o Timbira em procura de caça, quando teve a atenção despertada por gritos que foram, pouco a pouco, se tornando mais intensos.

Pusanga — Remédio, medicina, feitiço que serve para livrar do efeito de outro feitiço. A doença para o indígena não é um fato natural, é sempre o produto de uma vontade contrária e maléfica, e se algumas vezes é produzida pelas mães das coisas más, na maior parte das vezes é o produto do querer de algum pajé inimigo, que enfeitiçou o doente, e a pusanga então é para desfazer o efeito deste. Para as doenças produzidas pelas mães das coisas más, por via de regra, não há pusanga.

Amedrontado, procurou um esconderijo seguro e, não encontrando um lugar onde se pudesse ocultar convenientemente, meteu-se entre um grupo de palmeiras e ali ficou imóvel.

O animal foi se aproximando gradativamente, caminhando sem rumo certo, para um lado, para outro, soltando, de quando em quando, um formidável grito. Felizmente, não percebeu a presença do Timbira e continuou o seu caminho, deixando livre o índio.

Só depois de muitas horas, o Timbira teve coragem de levantar-se e correr veloz para a aldeia, onde contou o ocorrido aos companheiros. O misterioso animal tem corpo de homem, coberto de longos pelos: a cabeça é igual à do tamanduá-bandeira e o casco é como um fundo de garrafa.

Quando encontra um ser humano, abraça-o, trepana o crânio na região mais alta, introduz a ponta do focinho no orifício e sorve toda a massa cefálica:

— *Supa o miolo* — disse o índio.

S. Fróes Abreu — *Na Terra das Palmeiras* (estudos brasileiros), pp. 188/9. Rio de Janeiro, Oficina Industrial Gráfica. 1931.

PÉ DE GARRAFA

O Pé de Garrafa é um ente misterioso que vive nas matas e capoeiras. Não o veem ou o veem rarissimamente. Ouvem sempre seus gritos estrídulos ora amedrontadores ou tão familiares que os caçadores procuram-no, certos de tratar-se de um companheiro transviado. E quanto mais rebuscam menos o grito lhes serve de guia, pois, multiplicado em todas as direções, atordoa, desvaira, enlouquece. Os caçadores terminam perdidos ou voltam a casa depois de luta áspera para reencontrar a estrada habitual. Sabem tratar-se do Pé de Garrafa porque este deixa sua passagem assinalada por um rastro redondo, profundo, lembrando perfeitamente um fundo de garrafa. Supõem que o singular fantasma tenha as extremidades circulares, maciças, fixando vestígios inconfundíveis. Vale Cabral, um dos primeiros a estudar o Pé de Garrafa, disse-o natural do Piauí, morando nas matas como o Caapora e devia ser de estatura invulgar, a deduzir-se da pegada enorme que ficava na areia ou no barro mole do massapê.

O Dr. Alípio de Miranda Ribeiro foi encontrar o Pé de Garrafa em Jacobina, no Mato Grosso. Seu informante, Sebastião Alves Correia, administrador da fazenda, fez uma descrição mais ou menos completa. O Pé de Garrafa

> tem a figura dum homem; é completamente cabeludo e só possui uma única perna, a qual termina em casco em forma de fundo de garrafa.

É uma variante do Mapinguari e do Capelobo. Grita, anda na mata e tem o rastro circular. Não há informação se o Pé de Garrafa mata para comer ou é inofensivo.

Gustavo Barroso (*As Colunas do Templo*, p. 256) cita um trecho do livro de Julien Vinson, *Le Folk-Lore du Pays Basque*, onde há um

> homem selvagem, *basayaun* ou *vasajaun*, que quer dizer senhor ou homem selvagem, cujo pé esquerdo deixa no solo uma pegada redonda.

Se este duende viesse dos Bascos certamente não seria direto ao Brasil, mas pela influência castelhana. Estaria muito mais no Rio Grande do Sul do que em Piauí e Mato Grosso, onde os euscários são raríssimos. Havia de vir também via Portugal. Mas não há notícia dele nas pesquisas dos demopsicólogos lusitanos.

Dar-se-ia também uma convergência dos atributos físicos do Diabo para o Pé de Garrafa. O rastro sempre constituiu um forte elemento de identificação. Sua anormalidade denuncia implicitamente a deformidade do autor. Cão-Coxo, Capenga, Cambeta, foram sinônimos demoníacos.[4] E um outro, mais expressivo na espécie, é o Pé de Quenga, demônio que deixa vestígios irmãos dos que o Pé de Garrafa imprime na areia dos riachos e no saibro vermelho. São rastros redondos, de desnorteante presença para a reconstituição de um ser normal. O Pé de Garrafa é o Pé de Quenga despido dos

---

4 O cônego Jorge O'Grady de Paiva, brilhante cultor do folclore linguístico, consultado por mim, escreveu:
"A primeira manifestação do Diabo ao homem, encontramo-la no Gêneses. O Espírito do Mal age em forma de serpente. Coleante por natureza, prestava-se a serpente, magnificamente, à astúcia e à tentação. Tornada, desse modo, atraente e repulsiva, formosa e suspeita, era, na verdade, como refere a Bíblia, '*callidissimum omnium animantium*'. Do diálogo havido entre ela e a mulher, seguiu-se, como sabemos, o pecado com todas as suas desastrosas consequências. O Tentador, a tentação, a queda e o castigo tamanha influência exerceram no espírito dos nossos primeiros pais que se transmitiram, de geração a geração. A revelação primitiva, com o andar dos tempos, teria forçosamente de transformar-se. Conservaria, porém, a ideia fundamental. A Mitologia nasceu como um desvio, uma corrupção.

poderes infernais e assimilando os hábitos gritadores do Mapinguari e do Capelobo sem que lhe tenha vindo a antropofagia insaciável.

Mas nas velhas Missões de Januária, em Minas Gerais, o mítico Bicho-Homem é também chamado Pé de Garrafa. O professor Manuel Ambrósio explica que o Bicho-Homem tem "um pé só, pé enorme, redondo, denominado por isto — pé de garrafa.[5] Barbosa Rodrigues informa que o Caapora era conhecido em certos Estados como sendo unípede e com um casco arredondado. O Pé de Garrafa possui, evidentemente, traços característicos do Caapora, do Mapinguari, do Capelobo e do Bicho-Homem. A pata circular, que lhe dá nome, não será um distintivo satânico, do nosso velho Pé de Quenga? O mito está tão deformado que o Pé de Garrafa, gritador inofensivo em Piauí, perturba-

---

Mas frisemos a evolução ideológica. Assim como o Demônio se passou para a serpente, esta devia passar-se para o Demônio. O colear (característica da serpente) deslocou-se, assim, para o Espírito do Mal. Lei da mobilidade ideológica. E os mitos do Mal, aleijados podálicos, mantêm, destarte, a ideia primitiva fundamental — a tortuosidade, que se deriva do colear serpentino.

No livro de Isaías, cap. XXVII, 1º, o Demônio é textualmente chamado: *serpentem tortuosum*. A tortuosidade ficaria inseparável da serpente, toda vez que se quisesse pôr em foco a sua maldade ou o seu ataque. Na *Eneida*, livro II, narrando Virgílio o episódio de Laocoonte, diz: *immensis orbibus angues* (verso 204). No caduceu, as cobras se enrolam em espiral: *gemine angue circumfuso*. O filho de Loke, terrível, é uma cobra que se enrola sobre a terra.

Passando ao termo *Cambaio* que se predica de Demônio, vemos que é perfeito sinônimo de *Torto*. *Cam* é radical celta e quer dizer *curvo*. Aparece, magnífico, em *caminho*. Curvas acentuadas. As formas tortas, estranhas, recurvadas, a que v. se refere.

O mesmo radical, metamorfoseado ou não, vamos ainda encontrar em palavras que exprimem a ideia central de curvatura, seio, concavidade, círculo. Tais são, por exemplo: Gancho, gamela, bamboa, cambaleio, cambito, cancha e o francês *Jambe*, através de Gambia.

Concluindo, há razão bíblica para ser *Torto* o Espírito do Mal. Quanto a ser no pé não na mão, julgo que isso se deve filiar ao fato de serem certos mitos metade homem, na parte superior, e metade animal, na parte inferior. Posso aludir ao Lobisomem, à Sereia, ao deus Pan. O próprio Pé de Garrafa que, como v. diz, corresponde ao Pé de Quenga, ora é bicho ora é homem. Mas se a curvatura responsável pelo aleijão prende-se, como vimos, ao colégio e se este é originário de um animal, devemos encontrá-lo, no mito, na parte animal. Ora, esta é a inferior."

E num curioso *post-scriptum* ainda escreve o douto sacerdote: "Há um dito proverbial referente às botas e aos calcanhares de Judas, o condenado. De alguém astuto, sagaz, valente, se diz que é *bamba* (pernas em arco). Que lhe parece o relacionamento com o exposto?"

5   Professor Manuel Ambrósio — *Brasil Interior* (Palestras populares — folclore das margens do São Francisco), p. 69. São Paulo, 1934.

dor de caminhos em Mato Grosso, é sofredor de aplestia incurável em Minas Gerais...

Com todo respeito que me merece o estranho bicho, tenho-o como um simples mito de convergência, sem princípio e sem fim.

Documentário

Certa vez, o administrador saiu-se com esta:

"Quando os senhores chegarem à mata da Poaia, hão de verificar se é ou não verdade o que lhes conto. Nas horas do pôr do sol, quando a gente vem voltando cansado para o rancho, ouve o grito dum companheiro. Para, presta atenção; o grito se repete. Naturalmente dá resposta e vai em procura do companheiro. Chegado ao lugar donde provinha o grito não vê nada, mas o grito se repete aqui para direita ou para esquerda; nova caminhada, outra vez o grito noutro lugar; por mais que procure nada encontra.

É o *Pé de Garrafa*; o rastro está no chão, tal qual o sinal deixado no pó pelo fundo duma garrafa. Se o poaieiro não é bom, está perdido, deu tantas voltas que nunca mais acha saída. Um conhecido meu encontrou com esse 'bicho'. Tem a figura dum homem; é completamente cabeludo e só possui uma única perna, a qual termina em casco em forma de fundo de garrafa. Eu nunca o vi, entretanto *vi e ouvi os gritos*; e os senhores que vão à Mata da Poaia, hão de, pelos menos, ver o rastro como eu."

Eis aí uma entidade digna da imaginação dum Hoffmann ou dum Gustavo Doré. Mas antes de tudo a sinceridade do *conteur* e a natureza do conto, tão chãmente dado como verídico, comprovam de sobra o que acima ficou dito.

> Alípio de Miranda Ribeiro — "Na Bacia do Prata", in *Revista do Brasil*, nº 50, p. 139. São Paulo, fev. 1920.

É o mito denominado Pé de Garrafa. Trata-se duma espécie de caapora que habita as matas, anda pelas estradas ou ronda as casas à noite, gritando como um desesperado. Toda a gente se encolhe nas redes, transida de medo. Os meninos só faltam morrer... E o bicho pelo escuro a gritar, a gritar... De manhã, todos se levantam e vão examinar o solo em torno das cabanas ou o saibro dos caminhos. Não há dúvida. Era mesmo o Pé de Garrafa que andava no seu *fado*. As provas são os rastos deixados por ali, pegadas inconfundíveis das quais lhe veio o apelido invulgar, verdadeiros buracos redondos e com uma saliência no meio, como se aquela avantesma tivesse à ponta das pernas não patas, pés, cascos ou garras, mas verdadeiros fundos de garrafa.

Gustavo Barroso — *As Colunas do Templo*, pp. 254/5. Rio de Janeiro, Civilização Brasileira Editora. 1932.

LABATUT

O Labatut tem vida imaginária e forma monstruosa na serra do Apodi, Rio Grande do Norte e naturalmente na região fronteiriça do Ceará. O Sr. José Martins de Vasconcelos, revelador do bicharoco espanta-menino, afirmou-me ser o Labatut entidade conhecida para todas as crianças do seu tempo, 1874.

É um ser enorme, permanentemente faminto, com os pés classicamente redondos, cabelos compridos e revoltos, corpo vestido de pelos ásperos como o do porco-espinho, dentes que lhe saem da boca e um só olho no meio da testa como os Arimáspios de Aulo Gélio, *esse homines sub eadem regione coeli, unum oculum in frontis medio habentes, qui appellantur Arismaspi* (*Noites Áticas*, Livro IX, Cap. IV, p. 384, col. Garnier).

É um nome novo para uma velha besta fabulosa. Qual seria a explicação?

O general Pedro Labatut esteve no Ceará de junho de 1832 a abril do ano seguinte. Sua presença determinou a submissão do coronel Joaquim Pinto Madeira, com 1690 homens em armas. Labatut, onde passava, ia deixando a fama sinistra de suas violências, dos seus ímpetos e brutalidades.

Oficial de Napoleão I, emigrou para a América do Sul, onde, desde 1812, esteve ao lado dos "independentes" em Bogotá, batendo os espanhóis e merecendo honras em toda região. Seu temperamento impetuoso fê-lo desavir-se com vários chefes. Bolívar venceu os espanhóis no alto rio Madalena e Labatut pediu que o castigassem por ter vencido sem ordens. De sua perpétua exasperação saiu um movimento reacionário que o obrigou a fugir para Cartagena. Continuou lutando e criando mais desafetos que admiradores. O Governo determinou mandá-lo prender e expulsar do país. Labatut viajou para a Guiana Francesa (então sob o domínio de Portugal até 1817) e de Caiena se passou para o Brasil, fixando no Rio de

Janeiro sua residência, onde comprou propriedades e vivia confortavelmente. No movimento da Independência ofereceu seus serviços a D. Pedro, Príncipe Regente. Nomeado, em 3 de junho de 1822, Brigadeiro do Exército, em 9 foi enviado comandando reforço militar para a Bahia onde o general português Madeira de Melo resistia ao Príncipe Regente. Valente até a temeridade, corajoso, destro, arrojado, Labatut venceu em vários encontros, inclusive na Batalha de Pirajá (8 de novembro de 1822), mas espalhava desavenças com todos os membros da Junta, que era o verdadeiro centro de reação cívica, situada em Cachoeira. A situação chegou a tal extremo que uma conspiração planejava depô-lo. Labatut descobriu a trama, prendeu os chefes, oficiais graduados, condenou alguns ao fuzilamento e criou uma atmosfera de terror. A tropa sublevou-se, prendendo-o, depondo-o do comando, e enviando-o para o Rio de Janeiro, com longo memorial de suas arbitrariedades. Um Conselho de Guerra na Capital do Império absolveu todas as culpas em sentença de 9 de fevereiro de 1824. Chefes, oficiais, soldados todos, em maioria seria, não o toleravam. Licenciado, Labatut, que guardava um ódio tenaz aos portugueses, foi eliminado do Exército e intimado a deixar o Brasil em 5 de fevereiro de 1829, época em que o imperador D. Pedro estava sob a influência dos políticos lusitanos. O Imperador abdicou em 7 de abril de 1831. Labatut, que se ia deixando ficar, certo da vitória nacionalista, foi reintegrado no quadro do Exército, com o mesmo posto de Brigadeiro, em 11 de abril de 1831. Em junho de 1832 foi mandado para o Ceará, onde Pinto Madeira fazia guerrilhas. Em abril estava no Rio de Janeiro. Em 2 de dezembro de 1839 era promovido a Marechal de Campo. Ainda teve comissões militares durante a guerra dos Farrapos, mas sua ação não chegou a merecer realce. Retirou-se à vida particular e veio morar na Bahia, onde faleceu em 24 de setembro de 1849.

Sobre ele as opiniões são unânimes:

> Labatut era violentíssimo e frequentemente cruel. Desgostara a muitos oficiais e maltratara a outros tantos e a pessoas gradas da revolução baiana, até ao ilustre patriota Visconde de Pirajá, a quem mais tarde fez prender. Depois de Pirajá fizera fuzilar numerosos pretos aprisionados aos portugueses e surrar muitas pretas, crueldade que revoltou o exército (escreve Afonso d'E. Taunay em *Grandes Vultos da Independência Brasileira*, p. 205. São Paulo, 1922, principal fonte desta nota).
>
> Soldado amestrado, mas inepto e malquisto comandante, sua brutalidade, bem merecia tais ultrajes e amarguras (registra Virgílio Brígido, *apud* A. E. Taunay).

Este mesmo Virgílio Brígido descreve o físico do general Labatut como sendo

homem de formas agigantadas, corporatura fora da craveira nacional, os pés exceden-
do as fôrmas do país, a voz dissonante e a expressão bastarda de um francês vascon-
so e de um português saturado do columbiano.

A alta estatura, a força prodigiosa, os grandes pés e mãos enormes manejados com fereza assombravam os soldados que ainda tinham os elementos morais de sua selvageria espontânea, grosseirice contínua e arrebatamentos diários, para completar o retrato de um ser anormal e perigoso. Atuando em dois campos de intensa repercussão, como a campanha da independência baiana e a prisão de Pinto Madeira, caudilho popularíssimo em Paraíba, Rio Grande do Norte e Ceará, a fama multiplicou Labatut. Os soldados voltando para seus lares, os paisanos voluntários deixando as armas trouxeram as estórias extraordinárias que corriam sobre o atlético general napoleônico. Labatut se tornou centro de interesse e as crianças e mulheres, mal compreendendo a importância social das guerras, mas a participação material dos que se batiam, não tiveram dificuldades em incluir Labatut na série dos monstros imaginários e aterradores, dando-lhe forma estranha e horrenda.

Documentário

Labatut é um bicho pior que o Lobisomem, pior que a Burrinha e pior que a Caipora e mais terrível que o Cão-Coxo! Ele mora, como dizem os velhos, no fim do mundo, e todas as noites percorre as cidades, para saciar a fome, porque ele vive eternamente esfaimado. Anda a pé: os pés são redondos, as mãos compridas, os cabelos longos e assanhados, corpo cabeludo, como o porco-espinho, só tem um olho na testa como os ciclopes da fábula e os dentes são como as presas do elefante! Ele gosta mais dos meninos, porque são menos duros que os adultos! Ao sair da lua ele, que anda ligeiro, entrará pelas ruas num trote estugado, parando às portas para ouvir quem fala, quem canta, quem assobia e quem ressona alto e... trás! devorar!... Os cães dão sinal, latindo-lhe atrás!

Martins Vasconcelos — *Histórias do Sertão*, p. 10. Tipografia Martins, Mossoró, 1918, Rio Grande do Norte.

QUÍBUNGO

O Quibungo é o papão negro, um Bumann africano que se domiciliou na Bahia, vivendo nas estórias populares. Só se alinha dentro da fileira dos entes espantosos da nossa fauna imaginária porque sua vida é diária nas citações contínuas. Não é, entretanto, como o Mapinguari, o Capelobo, o Pé de Garrafa, um mito, mas apenas uma figura, um personagem, um centro de interesse na literatura oral afro-baiana. O Quibungo surge sempre num conto romanceado, com episódio feliz ou trágico mas indeterminado, inlocalizado, vago, nebuloso, infixo. É um Barba-Azul de meninos, Saturno preto, infecundo e bruto, devorador permanente de crianças, tema de espantos, expressão para disciplinar as insubmissões precoces ou as insônias persistentes. É uma variante do Tutu e da Cuca, da dinastia informe dos pavores noturnos.

Quando nós possuímos dos outros monstros os nomes dos caçadores que o encontraram ou lhe viram rastros e sinais de presença, fixamos seu *habitat*, o Quibungo se locomove nas narrativas infantis, arrastando sua fome teimosa através de cem anos compridos. É uma figura da literatura oral afro-brasileira, com sua bestial voracidade, sua feiura, estupidez e inexistente finalidade moral. Em quase todos os contos em que aparece o Quibungo há versos para cantar. Esse detalhe denuncia sua articulação aos *alôs*, as estórias contadas, declamadas e cantadas que ainda hoje podemos ouvir na África Equatorial e Setentrional e na China, ao ar livre, para um auditório renovado das ruas e das praças. Em Alger ou Xangai vivem ainda esses artistas, netos bastardos dos Mímicos da Roma Imperial. O Quibungo é um títere poderoso dessa literatura sem limites. Estende seu reino por Angola e Congo, familiar nos *alôs*, fazendo proezas tão idiotas como indispensáveis aos recursos episodiais das pequeninas estórias só percebidas pela retentiva infantil e clara dos negros.

No Congo e Angola, Quibungo significa "lobo". Frei Bernardo Maria de Cannecatim (*Dicionário da Língua Bunda ou Angolense*. Lisboa, 1804), registra *quibungo*, talqualmente pronuncia o afro-baiano. Hermenegildo Capello e Roberto Ivens (*De Banguela às terras de Iaca*, 2º vol. Lisboa, 1881) dão o mesmo vocábulo n'bundo, valendo Lobo como sendo *qui-n'bungo*, dito pelos negros do Bié *t'chim-bungo*. Inicialmente o Quibungo foi apenas o Lobo no ciclo de estórias e de aventuras, como a Anansi (aranha) da Costa do Ouro e da Costa do Marfim, a Awon (tartaruga) da Costa dos Escravos, chamada *ajapa*, a fada-calva, *aja*-fada *pa*-calva, careca, o iabuti das porandubas tapis, o

Renard da Europa medieval, o Macaco das nossas estórias mestiças. Depois, com sua divulgação e pela lei das convergências, o Quibungo assimilou episódios que pertenciam a outros animais semiesquecidos em suas aventuras. Sua confusão antropomórfica parece bem esclarecida por Nina Rodrigues (*Os Africanos no Brasil*, pp. 304/5):

> Mas, para ter-se uma ideia exata da concepção popular da entidade *Kibungo*, é preciso ir mais longe e remontar à história dos povos Bantus.
>
> Buscando penetrar no significado preciso do termo *Quimbundo*, escreve o Major Dias de Carvalho.
>
> Sem nos importar agora a origem dos povos da região central do continente africano, o que me parece não oferecer já dúvida alguma é que daí vieram os povos por diferentes emigrações para a costa ocidental, e lá encontramos o vocábulo *cabunda*, mas com um significado que não é bem o *bater* de Cannecatim, que me parece melhor tornar conhecido tal como me foi explicado. Suponha-se que um grupo de homens armados, que vêm de longe sem ser esperados a uma terra estranha; os povos desta, atemorizados por gente que lhes é inteiramente desconhecida, fogem-lhe, ou humilhados e surpreendidos sujeitam-se às suas imposições. Aqueles, esfomeados, a primeira coisa de que tratam, é de correr imediatamente às lavras e devastar tudo para comerem, e em seguida vão-se apossando do que encontram, incluindo mulheres e crianças. Se lhes convém a terra, estabelecem nela a sua residência permanente: senão, seguem o seu caminho.
>
> A ação que esse grupo praticou chamam *cumbundo*, e a cada indivíduo que faz parte do grupo, *quimbundo*, o que eu creio ter interpretado bem por "invadir, invasor".
>
> Da ideia e dos sentimentos de terror e desprezo, inspirados pelo *quimbundo* invasor, talando de surpresa os campos e roubando crianças e mulheres, associados à ideia e ao terror inspirados pelo lobo, *chibungo*, nasceu evidentemente na imaginação popular a concepção dessa entidade estranha — o *Kibungo*, que os Bantus transmitiam às nossas populações do Norte e nelas persiste agora, mesmo após o desaparecimento dos povos em que teve origem.

Assim o Quibungo baiano é simultaneamente homem e animal, com formas definitivas ou indistintas, espécie de lobo ou velho negro maltrapilho e faminto, sujo e esfarrapado, supremo temor para todas as crianças do mundo.

Não me é possível esclarecer se nas estórias africanas o Quibungo conserva forma e hábitos do seu símile baiano. Também não estou inclinado a admitir que o Quibungo africano, mesmo antropomórfico, tenha o ciclo temático idêntico ao brasileiro. Aqui ele se tornou um centro de atração derredor do qual ficaram gravitando os episódios dados ao Tutu-Marambá, ao Bicho-preto, ao Macaco-saruê, ao Bicho-cumunjarim, ao Dom Maracujá, ao próprio Zumbi que muitas vezes é sinônimo do Saci-pererê. Da África teria vindo a forma da boca, a boca em sentido vertical, do nariz ao umbigo ou no dorso.[6] O Mapinguari já se orgulha dessa anomalia teratológica. Deve haver, entre todos os monstros, uma estreita interdependência, um livre trânsito para que cada um ceda ao outro atributos e manias, reconhecendo domínio em determinadas regiões. Na Bahia, evidentemente, o Quibungo reina e governa e para ele descem todos os assombros.

A influência africana é determinante, mas, curiosamente, não serviu de veículo para outros Estados do Brasil. Negros escravos bantus se espalharam por toda parte. Em Pernambuco ficaram muitos. O Quibungo não os acompanhou. Nem mesmo Sergipe, como notou o erudito professor Basílio de Magalhães, que é "fruta baiana", recebeu visita do animalejo. O Quibungo ficou baiano. E continua baiano... Se o Quibungo fosse inteiramente uma criação africana, andaria como uma sombra junto aos seus negros, fiel ao espírito da raça que o fizera nascer. As condições mesológicas e sociais da Bahia não diferem tanto de outras que abrigaram grande massa escrava. Mas o Quibungo não se deslocou. Não aparece nas estórias do norte nem do nordeste. Mais distante que a Bahia está o Amazonas, e os mitos, mesmo os mais recentes, diluem-se nas estórias de Trancoso. Parece que o Quibungo, figura de tradições africanas, elemento dos contos negros, teve entre nós outros atributos e aprendeu novas atividades. Todas as peças foram importadas da África, mas o artífice é negro brasileiro, sabedor de Sacis, Caaporas e Lobisomens.

> Pondo à banda as acepções populares degeneradas, evidentemente de sentido translato, tenho para mim que o *kibungo* é o capelobo africano, ou, melhor, um Lobisomem afro-brasílico, até que se lhe descubra genuíno tronco africano. Considero-o, portanto, formado pelos negros do Brasil (Basílio de Magalhães — *O Folclore no Brasil*, p. 107. Rio de Janeiro, 1928).

Mas há um aspecto, segundo informação do Sr. J. da Silva Campos, que modifica, para radicar o Quibungo à classe do Lobisomem sem deste ter a universalidade. É o velho negro transformar-se em Quibungo. Pelo que tenho lido, quem se torna Quibungo o será definitivamente quando o caráter mais geral do Lobisomem é a sua temporaneidade. O Homem-lobo

---

6 Os Blêmios, da literatura clássica, têm a boca no peito. Walter Raleigh afirma tê-los encontrado em Caorá. Martius registra-os. Ver *Ciclo dos Monstros*.

de Heródoto, Plínio e Varrão[7] era durante meses ou anos. Ninguém concebe *courir la galipote* senão durante algumas horas numa noite semanal. Se o Quibungo é o negro-escravo que já não pode trabalhar nem sustentar-se, como, em parte é a explicação primária do Capelobo, perde um elemento de sua individualização para constituir-se um elo na cadeia sem-fim dos Versipélios.

Cuido que a grande boca do Quibungo, apesar de supô-la africana, é uma assimilação local do "Homem do Surrão que pega menino". O Homem do Surrão faz parte de estórias portuguesas e está em quase toda a Europa. É um homem velho, esfarrapado, sujo, muito feio, que procura agarrar as crianças vadias ou descuidadas e metê-las num grande saco de couro, de abertura larga, pronta para esse fim. Não se sabe como morrem as crianças. Se o Homem as come ou mata-as pelo prazer de matá-las. Cada criança que o Homem segura é sacudida no surrão que se fecha. Para este movimento é preciso que o Homem baixe a cabeça. O surrão abre-se. Presa a criança, fechado o saco, o Homem ergue a cabeça. São as atitudes do Quibungo com sua imensa bocarra. Pela descrição, a boca do Quibungo é um saco.

No mais, é mito local, trabalho convergente afro-brasileiro, uma silhueta disforme e negra que perpassa não nas florestas como o Mapinguari, mas nas estórias como a galinha dos ovos de ouro.

Da exata pronúncia do vocábulo, o douto sr. Artur Ramos registra que na Bahia diz-se *quibungo* (Nina Rodrigues e Basílio de Magalhães escreveram *Kibungo*) e *chibungo*, na gíria popular significando homossexual.[8] *Chibungo* será talvez inconsciente reminiscência prosódica dos negros do

---

7 É o que se lê nas citações de Varrão feitas por Santo Agostinho na *Cidade de Deus*, Livro XVIII, cap. XVII. Sobre os Arcádios que passavam um lago e se tornavam lobos, *si autem carne non vescerentur humana, rursus post novem annos eodem renatato stagno reformabantur in homines*. Um certo Demeneto que comeu carne de uma criança sacrificada ao deus Licaeus, foi também mudado em lobo *et anno decimo in figuram propriam restitutum*.

8 No linguajar popular, o *chibungo,* como sinônimo de sodomita, está corrente na capital baiana:
"... quando Medonho passava com o seu tabuleiro de frutas (tinha freguesia certa e boa), os homens sentados à porta do 68 nada diziam, não faziam pilhérias. Se era, porém, o alemão quem passava, vestido de casemira azul, terno velho, mas limpo, eles assobiavam e gritavam:
— Chibungo! Chibungo!"
(Jorge Amado — *Suor*, pp. 70/71. Rio de Janeiro. Ariel, Editora Ltda.)

Bié que dizem *t'chim-bungo*, e as duas formas nada mais digam senão modismos regionais africanos que emigraram.

Outro elemento, e digno de realce para documentar que o Quibungo antropomórfico é de relativa modernidade, está em sua vulnerabilidade. Podem matá-lo a tiro, faca e pau. Morre gritando, espavorido, acovardado, como o mais inocente dos monstros que a imaginação infantil dos povos haja criado.

Documentário

Kibungo é um bicho meio homem, meio animal, tendo uma cabeça muito grande e também um grande buraco no meio das costas, que se abre quando ele abaixa a cabeça e fecha quando levanta. Come os meninos abaixando a cabeça, abrindo o buraco e jogando dentro as crianças.

Nina Rodrigues — *Os Africanos no Brasil*, Col. Brasiliana, vol. IX, p. 301, C.E.N., São Paulo, 1933.

Quibungo, Negro africano, quando fica muito velho, vira Quibungo. É um macacão todo peludo, que come crianças. (Recôncavo da Bahia)

J. da Silva Campos — "Contos e Fábulas populares da Bahia", in *O Folclore no Brasil*, p. 219.

Esse termo africano, muito espalhado na Bahia, qualifica um monstro devorador de gente. Através do tempo e do espaço, tem adquirido vários aspectos: demônio, feiticeiro, animal selvagem, maltrapilho, lobisomem, macacão, preto velho. No fundo, continua sempre a ser um ente estranho e canibal que prefere a carne tenra das crianças.

Gustavo Barroso — *As Colunas do Templo*, p. 64. Rio de Janeiro, Civilização Brasileira Editora, 1932.

PAPA-FIGO

O Papa-figo é o Lobisomem da cidade. Não muda a forma. É um negro velho, sujo, vestindo farrapos, com um saco ou sem ele, ocupando--se em raptar crianças para comer-lhes o fígado ou vendê-lo aos leprosos ricos. É alto e magro. Noutras regiões é muito pálido, esquálido, com barba sempre por fazer. Sai à noite, às tardes, ao crepúsculo. Aproveita a saída das escolas, os jardins onde as amas se distraem com os namorados, os parques ensombrados. Atrai as crianças com momices ou mostrando brinquedos, dando falsos recados ou prometendo levá-las para um local onde há muita coisa bonita.

A existência do fato não pode ser negada. Em abril de 1938 foram presos em Natal dois negros que iam levando crianças. Eram pretos de meia-idade, doentes, palúdicos, visivelmente dementados. A polícia expulsou-os. Outros fatos se repetiram em Ceará e Pernambuco. No interior dos Estados corre a mesma estória, irradiando pavores idênticos.

Na terapêutica contra a lepra, o banho do sangue humano e a degustação do fígado, especialmente das crianças, são remédios tradicionais. Hermeto Lima conta a estória horripilante da asquerosa *Onça*, macróbia leprosa que, a conselho dos ciganos, furtava as crianças da "Roda dos Enjeitados", levava-as para o mato, amarrava o corpinho pelos pés, seccionava a carótida e ajeitava-se debaixo dos fios de sangue tépido, molhando as úlceras.[9] Só depois de morta é que a polícia soube das proezas do monstro.

Há sempre em cada cidade um leproso que paga por preços fabulosos o fígado infantil para minorar-se dos sofrimentos. A veracidade da tradição é notória e velhíssima. Naturalmente há inúmeros hansenianos que acreditam na eficácia do remédio, especialmente pela sua dificuldade e perigo. Não confessam mas creem. Tenho conversado com vários doentes que opõem uma vaga contestação ambígua à minha pergunta se o fígado humano é aconselhado. "Dizem...", falam os desgraçados. Para os analfabetos, rudes, impetuosos, retirados ao convívio do mundo pela mais hedionda das dermatoses, o fígado é a suprema esperança, inconfessada, reprimida, mas palpitante, poderosa, real. Era necessário juntar-se ao tratamento medicamentoso, uma outra cura, uma profilaxia moral, evidenciando a inutilidade da mezinha que vale um crime.

Com a "loucura pela saúde" o leproso é capaz de tudo. Sujeita-se aos remédios mais exóticos, às promessas incumpríveis, aos regimes inumanos. Tanto mais estranho, raro, novo, inacessível for o remédio, maior a fé e multiplicada a ânsia de sua utilização.

9　A *Onça* se chamava Bárbara dos Prazeres e morreu no Rio de Janeiro em 1835. Hermeto Lima narra minuciosamente o episódio. *Os Crimes célebres do Rio de Janeiro*. 1820-1860. Prefácio do Dr. Evaristo de Moraes. Ed. da Empresa de Romances Populares, p. 41. Rio de Janeiro, 1921.

Existe, com dezenove séculos de autoridade popular, a tradição galênica dando ao fígado um predomínio quase absoluto no organismo humano. Galeno ensinava que a matéria orgânica era regida por três espécies de espíritos, cada qual com sua sede. Os espíritos animais fixavam-se no sistema nervoso e eram origem dos movimentos voluntários e dos fenômenos intelectuais. Os espíritos vitais ficavam no coração e eram responsáveis pelos movimentos involuntários e as paixões. Os espíritos naturais localizavam-se no fígado e presidiam as funções de nutrição e desenvolvimento. A saúde era o equilíbrio, a cocção, a justa mistura de quatro humores; sangue, bílis, pituíta e atrabílis. Três, bílis, atrabílis e sangue, vinham do fígado. Galeno dizia que o fígado era como o princípio, foco e árbitro do corpo. O fígado formava o sangue. Dele partiam todas as veias. Recolhia tudo que penetrava no organismo pela via do intestino, e, com este material, em parte preparado pela digestão gástrica e intestinal, o fígado elaborava uma segunda e mais importante digestão, a que constituía a substância de toda aparelhagem fisiológica, dos tecidos e do sangue.

A lição de Galeno, divulgada pelos médicos romanos e depois pelos árabes, dominou séculos e séculos. É a teoria dos "humanos" ainda tão poderosa nos países de fala neolatina entre as populações.

O espírito popular continua fiel ao ensino de Galeno e a vasta farmacopeia vegetal indica os humores como causa essencial de perturbações e mortes. O "curandeiro" é um galenista decidido, herdeiro dos segredos terapêuticos dos "antigos".

O temperamento de cada um de nós dependia do fígado. Homem de maus fígados era o colérico porque o humor fora invadido pela bílis. A atrabílis, bílis negra, explicava o melancólico.[10] Sendo o fígado a maior das vísceras, era, naturalmente, a mais importante e decisiva. Como origem do sangue, dizia-se "inimigo figadal", significando alguém cujo ódio tinha raízes profundas no próprio organismo e sede da vida, o fígado, fonte do sangue.

Do fígado nascia a *rêima, rheuma*, os humores de ação complexa que tanto assunto fornecem aos sertanejos. A *rêima* justifica a força, o ímpeto, a própria masculinidade. Nascia da "maçã do fígado", dum lóbulo hepático.

---

10 *Melancolia*, também do grego, quer dizer em tadução literal "bílis negra". Hipócrates, antes de 2400 anos, já colocou a etiologia de estados tristonhos e depressivos numa alteração do fígado, uma concepção endocrinológica deveras engenhosa e intuitiva, hoje em dia apoiada por provas experimentais. Maurício Urstein, *Criminalidade e Psicose*. A. Coelho Branco Filho, editor, Rio de Janeiro, 1938, p. 19.

O contador Manuel do Riachão, debatendo-se num "desfio" com a famosa Maria Tebana, alude à tradição vulgaríssima nos sertões do nordeste brasileiro:

> Maria Tebana, agora
> Digo uma graça contigo:
> A rêima do bicho-home
> Nasce da maçã-do-figo,
> A rêima do bicho-fême
> Eu sei, mas porém não digo...[11]

De todos os depoimentos que tenho obtido de leprosos, em nenhum encontrei que a lepra fosse moléstia de pele. Todos afirmam que a lepra é uma doença do sangue, o sangue está apodrecendo. Todos os sertanejos usam "depurativos" quando se trata de moléstia de pele, porque dizem ser uma consequência da pobreza do sangue. E muitas moléstias conservam nomes decorrentes desta crença: sangue novo (urticária), calor do sangue (tinha), calor do figo, etc. Depurar, fortalecer, reforçar o sangue é a única terapêutica que lhes afigura a lógica secular. Como a lepra vem do sangue e o sangue vem do fígado, tratar, melhorar o fígado, é a questão essencial e total. O resto, para eles, é perder tempo. Um fígado doente trata-se com fígado sadio. *Similia similibus curantur...*

Nunca essa tradição desapareceu. Diminui de intensidade, mas fica em estado latente, em potencial, aguardando clima para exteriorizar-se. Basta um gesto para acelerar o reaparecimento. Um fato que multiplicou o Papa-figo, dando aos olhos indoutos a melhor das confissões da eficácia insubstituível do fígado, foi a chamada "Comissão Rockefeller" no combate à febre amarela mandar retirar do cadáver dos recém-falecidos um pedaço do fígado para pesquisas microscópicas. Procuravam os sanitaristas constatar a degenerescência gordurosa do fígado que é um traço seguro da febre amarela. O povo não pensava assim. Dizia-se que o guarda encarregado de usar o viscerótomo nos cadáveres era um homem bem pago para fornecer pedaços de fígado aos doentes de leprosários vizinhos. Uma onda de protesto se levantou e nunca a viscerotomia pôde ser feita como se desejava. Os atritos, ferimentos e até mortes, causaram impressão profunda e um mundo de versos satíricos ainda mais exacerbou os ânimos. O Papa-figo passou a sinônimo de "Mata-mosquito".

---

11 Leonardo Motta — *Cantadores*, p. 215. Rio de Janeiro, Livraria Castilho, 1921.

Comer fígado sadio para curar o fígado doente e determinar a formação de um sangue puro é a ideia obstinada dos leprosos. Essa base natural da opoterapia é a explicação de Papa-figo.

Documentário

E havia ainda o papa-figo — homem que comia fígado de menino. Ainda hoje se afirma em Pernambuco que certo ricaço do Recife, não podendo se alimentar senão de fígados de crianças, tinha seus negros por toda parte pegando menino num saco de estopa.

Gilberto Freyre — *Casa-Grande & Senzala*, p. 368. Rio de Janeiro, 1933.

GORJALA

Há no Continente Americano a tradição dos Gigantes. *Gorjala* é um gigante europeu que se adaptou à terra. Emigrou na memória dos colonos e aqui se fixou nas serras e grotas fundas, atravessando barrancas de uma só passada, caçando os homens como o Polifemo homérico. Seu nome vem, evidentemente, de gorja, garganta, ou de gorjal, o bacinete de ferro que defendia o pescoço dos guerreiros medievais. O gorjal parecia uma imensa bocarra, escancarada e faminta.

Com esse Gorjala aparece um elemento que se integrou nos gestos dos outros monstros. Gorjala agarra sua vítima e a sustém debaixo do braço para devorá-la às dentadas. Assim é o Mapinguari amazônico. O gigante encontrou no Brasil ambiente para sua existência espantosa. Vivia a estória vaga de outros seres de estatura altíssima, como Gog e Magog bíblicos, como o Olharapos português, espécie degenerada de gigante-papão, assombrando crianças e vivendo perto das cidades ou dos casais. Gorjala, como seus irmãos de outrora, escolheu pouso condigno, cenário adequado ao seu desmarcado vulto.

Creio que Gorjala foi um dos gigantes iniciais no fabulário brasileiro, depressa diluído na massa dos monstros que foram surgindo, revelados pelo medo e pela mata. Numa gigantofagia, seu corpo espalhou-se para os outros Golias da selva americana. Não mais ouvimos falar nele entre os trabalhadores de jângal brasileira porque Mapinguari e Capelobo assumiram a direção da suprema ronda apavorante.

Os gigantes personalizam a energia estúpida e a força cega da matéria. São as grandezas físicas, arrebatadores, impulsivas, brutais e condenadas a uma derrota ante a inteligência, agilidade, astúcia de adversários normais. Teseu sempre vencerá o Minotauro e Davi o Golias armado de bronze. O Gigante bondoso é raro e São Cristóvão é uma exceção milagrosa. Servem eles para a exemplificação do mal agressivo, do pavor que impõe respeito pela impossibilidade de reação. Nunca conseguem além de ódios e a lenda os desenha hirsutos e horrendos, numa eterna procura de cibo, claro símbolo para aqueles que vivem na função única do estômago e do sexo.

Documentário

Alguns sertanejos contam de um gigante chamado *Gorjala* que habita as serras penhascosas e, quando encontra um indivíduo, mete-o debaixo do braço e vai comendo-o às dentadas.

> Gustavo Barroso — *Terra do Sol*, p. 267, Rio de Janeiro, Benjamin de Aguila — editor, 1912.

O *Gorjala* é um gigante preto e feio, que habita as serras penhascosas. A sua ferocidade lembra a do Polifemo de Homero, do qual é um descendente criado na imaginação sertaneja. Anda com as suas passadas imensas pelas ravinas, escarpas e grotões. Quando encontra um indivíduo qualquer, mete-o debaixo do braço e vai comendo-o às dentadas!

Outrora, muita vez quando um explorador desaparecia nos lugares ínvios, desconhecidos, por ter tombado num despenhadeiro profundo ou por ter sido devorado pelos índios, os seus companheiros afirmavam que o Polifemo-Gorjala o devorara às dentadas... Os seringueiros da Amazônia conhecem o Gorjala sob a forma do gigante batalhador, encouraçado de cascos de tartaruga, chamado Mapinguari.

> Gustavo Barroso — *Ao Som da Viola*, p. 31. Rio de Janeiro. Livraria-editora Leite Ribeiro, 1921.

Bicho-Homem

O Bicho-homem vive em dois ambientes. Nos contos infantis, nas fábulas em que intervêm animais, nos episódios cômicos ou satíricos da literatura oral, aparece como sendo o *homo sapiens*, o rei da criação, superior a todas as espécies pelos recursos da inteligência e meios materiais de que dispõe. No linguajar popular, "bicho" é sinônimo de *bamba, turuna, dunga, taco,* o que é forte, hábil, vitorioso, decidido. Supremo elogio é ouvir-se apregoar "é um bicho". O Bicho-homem, nesta acepção, é o protagonista da anedota vulgaríssima que transcrevo no documentário, recolhida por José Carvalho.

Noutro ponto, o Bicho-homem é um ser primitivo, grande, atlético, feroz devorador de viajantes, lenhadores e descuidados. É um símile do Gorjala que Gustavo Barroso encontrou no Folclore cearense. Escondido nas alturas da serrania, invisível aos que o procuram, deixa rastros enormes de gigante e explica, como obra sua, tudo que é descomunal, estranho e exótico. As estórias locais multiplicam-lhe a força física, fazendo-a espantosa. Como um Gargântua ameríndio, é capaz de esmigalhar montanhas a murro, beber rios, transportar florestas. Como o Gorjala, tem um só olho faiscante. Como o Saci, só tem um pé. Como o Pé de Garrafa, firma no chão uma pegada redonda.

Não é preciso muito pormenor para indicar o Bicho-homem como o mesmo Gorjala e ambos, deformados filhos dos Olharapos do Minho, gigantes ladrões e assombrosos, emigrados na saudade portuguesa para o Brasil. Como entidade monstruosa e maléfica, não é comum nos contos infantis. Só conheço o conto que o Sr. Silva Campos recolheu e publicou. Nele, o Bicho-homem "com aquela voz muito grossa, de fazer medo", é um mero Quibungo, assaltando uma casa e devorando todas as crianças que deparou, engolindo a mulher, por sobremesa. Depois, como o Quibungo, foi morto a pau, pelo homem que ficou sem esposa e sem filhos e enfrentou o monstrengo pesado de alimento e incapaz de defesa. É, evidentemente, um Quibungo legítimo. O Bicho-homem não desce aos povoados. Vive nas serras, gritando, caçando, amedrontando.

O professor Manuel Ambrósio conta um episódio curioso da obstinada crendice. Em 1893, no arraial do Jacaré, próximo ao rio São Francisco, apareceu, chorando de medo, uma índia tapuia com três filhinhos. Cercada pelo povo, a tapuia bradava "misericórdia" e dificilmente conseguiu explicar a causa do pavor. Era o Bicho-homem que, abandonando as serras vinha descendo para os povoados. Era o fim do mundo. Ninguém escapava. Ela ouvira o grito intérmino e horroroso do Bicho-homem, grito que estava nos seus ouvidos. Indecisos, os homens consultavam-se, quase certos da visita do monstro, quando um berro tremendo, inacabável, furioso, abalou os ares, clareando o mistério. Era o apito do vapor "Rodrigo Silva" que passava pelo rio...

Naturalmente existe também o elemento local para desdobrar o mito e dar-lhe credibilidade. Os casos de homens que passaram anos e anos perdidos ou voluntariamente refugiados nas florestas, nas serras, recusando aproximação com os "civilizados", fugindo do contato dos "brancos", levando vida áspera e bruta, livre e ignorada, são conhecidos por toda a parte. Há tempos um desses Bichos-homem foi caçado em São José dos Campos, em São Paulo. Em 1907 o caçador Juca Machado, veterano matador de onças nas ribeiras do Quixeramobim e Banabuiú, contou ao escritor Gustavo Barroso seu encontro com um solitário que espalhava pavores. Era possivelmente um negro fugido ao cativeiro, escondido na Serra Azul, no Ceará, esquecido do uso da linguagem. Os escravos que se socorriam das matas de Goiás e Mato Grosso nunca foram encontrados. Muitíssimos escaparam e deles só possuímos as provas etnográficas e antropológicas quando examinamos as malocas indígenas ou os narizes, cabelos e faces de certos amerabas.

A tradição continua, viva e palpitante, derredor desses e de outros Tarzans para os quais ainda não surgiu o mercantilismo feliz dos Edgar Rice Burroughs.

Documentário

No fundo das matas virgens e encostas das encarpadas serras de São João das Missões de Januária, segundo lendas antigas, morava o Bicho-homem. Rezavam elas que, em tempos primitivos, dezenas de índios caçadores e meladores daquela aldeia foram por ele devoradas. Diziam-no um gigante tão alto, que sua cabeça tocava as frondes das mais altas árvores, tendo um olho só, um pé só, pé enorme, redondo, denominado por isto — pé de garrafa.

Afirmavam que, em eras não muito remotas, um dia pela estrada real apareceram as pegadas extraordinárias jamais vistas, de uma criatura humana.

Mais de vinte cavaleiros infrutiferamente seguiram-nas por muitos dias.

A ideia e o perigo de encontrar-se o Bicho-homem os dissuadiram da empresa. Não poucos atestavam tê-lo visto, pintando-o com cores vivas e tão vivas, que nunca mais na aldeia essas se apagaram da imaginação aborígine.

De tempos a tempos sucedia que lenhadores, caçadores e meladores, amedrontados e escarreirados das brenhas e carrascais aos gritos do Bicho-homem, alarmavam a aldeia.

Esses gritos eram horrorosos; e se um dia, por desgraça, saísse o bicho dos seus esconderijos das montanhas, bastaria um só para arrasar o mundo.

Sua existência estava povoada por sinais de seus dedos monstruosos e aguçadas unhas, lanhando as terras vermelhas e pedras das paredes dos altos montes, os escalavrados cor de sangue das ladeiras íngremes e mais que tudo os pedaços de sua longa cabeleira que de passagem deixava-os pendurados nas ramagens. E aos bocados apanhando-os juravam e juravam tanto por essa existência, tais a certeza e a convicção dessa verdade, que as gerações modernas nunca mais a esqueceram.

Manuel Ambrósio — *Brasil Interior* (Palestras populares, folclore das margens do São Francisco), pp. 69/70. Januária, Minas Gerais, 1912; São Paulo, 1934.

Um touro, que vivia nas montanhas, nunca tinha visto o homem. Mas sempre ouvia dizer por todos os outros animais que era ele o animal mais valente do mundo. Tanto ouviu dizer isto que, um dia, se resolveu a ir procurar o homem para saber se tal dito era verdadeiro. Saiu das brenhas e, ganhando uma estrada, seguiu por ela. Adiante encontrou um velho que caminhava apoiado a um bordão.

Dirigindo-se a ele perguntou-lhe:

— Você é o Bicho-homem?

— Não! — respondeu o velho — já fui, mas não sou mais!

O touro seguiu e adiante encontrou uma velha:

— Você é o Bicho-homem?

— Não! — sou a mãe do Bicho-homem!

Adiante encontrou um menino:

— Você é o Bicho-homem:

— Não! ainda hei de ser; sou filho do Bicho-homem.

Adiante encontrou o Bicho-homem que vinha com um bacamarte no ombro.

— Você é o Bicho-homem?

— Está falando com ele!

— Estou cansado de ouvir que o Bicho-homem é o mais valente do mundo, e vim procurá-lo para saber se ele é mais do que eu!

— Então, lá vai! — disse o homem, armando o bacamarte e disparando-lhe um tiro nas ventas.

O touro, desesperado de dor, meteu-se no mato e correu até sua casa, onde passou muito tempo se tratando do ferimento.

Depois, estando ele numa reunião de animais, um lhe perguntou:

— Então, camarada touro, encontrou o Bicho-homem?

— Ah! meu amigo, só com um espirro que ele me deu na cara, olhe em que estado fiquei!

José Carvalho — *O Matuto Cearense e o Caboclo do Pará*, pp. 64/65. Belém, Pará, 1930. O tema é universal. É o Mt-157, de Aarne-Thompson, *Learning to Fear Men, The Types of the Folktale*, de Antti Aarne, Helsinki 1928, p. 36, Stith Thompson, *Motif-Index of Folk Literature*, IV, 12. Bloomington, Indiana, 1934.

MITOS SECUNDÁRIOS E LOCAIS

Mitos Secundários e Locais

Alamoa
(Ilha de Fernando de Noronha)

Alamoa é o feminino de *alamão*, alemão, no linguajar do povo. Na ilha Fernando de Noronha, nas vésperas de tempestade, aparece, noitinha, um vulto branco de mulher linda, nua e loura, que dança na praia, iluminada pelos relâmpagos. Os presidiários e mesmo a população livre conhecem a *Alamoa*, fantasma quase familiar pela assiduidade dos bailados ao som das ondas e dos ventos, soltos os cabelos de ouro, ao sopro da próxima tormenta.

Como todos os fantasmas, não deixa rasto. Sua peculiaridade é pertencer ao mesmo tempo ao fogo-fátuo, o velho Mboitatá colonial e ao ciclo das Iaras sedutoras. Mas a *Alamoa* já possui versões e ora aparece seduzindo para matar, matar de medo, transformando-se em esqueleto, ou é uma "alma penada", em penitência lúbrica de tentação, lutando para encontrar um homem forte que a siga e desenterre um tesouro escondido nas alturas do *Pico*, baliza de basalto, com 332 metros, visível a 30 milhas de longe.

A *Alamoa* foi registrada por quantos visitaram o arquipélago. Gustavo Adolfo, Pereira da Costa, Mário Melo e recentemente (1938) Olavo Dantas, desenham a estória da singular diabrete desnuda aos olhos dos sentenciados.

Mário Melo liga-a ao Pico (*Arquipélago de Fernando de Noronha*, Recife, 1916, pp. 67/68) escrevendo:

> Uma delas (lendas) diz respeito ao Pico. No alto da baliza aparece uma luz peregrina — alma errante de linda francesa, algumas vezes encarnada em ser humano. Viram-na setenciados aos quais a francesa lhes ofereceu um tesouro. Certo dia um presidiário pescava sozinho ao escurecer. Sentiu presa ao anzol. Ergueu a vara. Era o rosto da francesa em corpo de sereia. O pescador correu e a visão o chamou miserável por não ter querido desenterrar o tesouro. E a luz há de viver no Pico, com fogo-fátuo, até que um dia o ouro que o espírito guarda seja dado a alguém.

Primitivamente, creio que a *Alamoa* cingia sua influência às atividades meramente coreográficas. Posteriormente veio a oferecer ouro enterrado. A forma inicial seria apenas a presença luminosa no alto do Pico. É uma réplica feminina ao João Galafuz, de Itamaracá, duende que surge num halo de fogo, na crista da vaga, arauteando as tempestades. Na *Alamoa*[1] tudo indica a figura confusa de convergência, de Iaras estrangeiras, de fogos-fátuos, de almas em penas que só se salvarão depois de livres do tesouro avaramente escondido. A cor dos cabelos e dos olhos, louros uns, azuis outros, são as reminiscências teimosas das "Mães-d'água", pintadas arianamente de branco, amarelo e azul, no meio das águas brasileiras, povoadas pelos indígenas, negros e mestiços valentes. Já Gonçalves Dias dissera não encontrar no idioma tupi um vocábulo para significar a "sereia", a Nixe alemã, a ondina clássica, com ou sem voz maviosa. Penso que, durante os primeiros cem anos, não havia tuxaua que entendesse o vocábulo *iara*, tal qual o "entendemos" hoje, dizendo-o "dos nossos índios".

Assim, malgrado a beleza provocante, o meneio ondulante nos bailados no amplo anfiteatro da praia de Fernando de Noronha, a despida *Alamoa* herdou de portugueses a totalidade das razões de sua existência, entre espumas e lampejos, misto singular de atração e de repulsa perpétua na memória do pavor.

Documentário

Era Fernando de Noronha, em tempos muito recuados, um lindo reino encantado. Havia na ilha uma rainha loura, de beleza deslumbrante. Seu palácio magnífico, situado no alto de uma colina verde, era um eterno deslumbramento. Nada ficava a dever aos palácios dos contos de Scheherazade. Todos os dias a rainha de cabelos da cor dourada das manhãs de sol passeava, linda como uma Valquíria, pelos esplêndidos domínios que seu poder cobria de palácios e a primavera, de flores. O seu reino era uma permanente festa de noivado. Nunca faltavam, pendentes das ramadas, a policromia das inflorescências e a abundância das bagas amadurecidas. A renda das espumas do mar bordava continuamente em

---

1 Em Portugal, na região das Beiras, diz-se Alamoa como feminino de Alamão, significando mulher agigantada, branca e forte. Na tradição que existe em Portugal das Amazonas, chamadas popularmente Almazonas e Almajonas, em Famalicão dizem ser a Alamoa uma almazona legítima. O vocábulo é um plebeísmo lusitano e não brasileirismo.

torno da ilha venturosa uma teia delicada que se fazia e se desfazia como nova teia de Penélope.

Mas as quilhas das caravelas começaram a sulcar as águas do Atlântico além da linha do Equador. O Cruzeiro do Sul começava a ser avistado por estranha gente.

O reino encantado devia desaparecer. Os palácios foram convertidos em massas negras de basalto. As galeras suntuosas como as galeras de Cleópatra foram transformadas em rochedos. Mas a alma errante da rainha loura ainda mora na ilha. Seu palácio soberbo foi metamorfoseado no Pico. E hoje a sua sombra vaga pelos montes e praias da ilha. Por vezes os montados — cães selvagens que vivem nos altos montes, como o morro Francês e o morro do Espinhaço do Cavalo — soltam longos e sinistros uivos.

É a *alamoa* que vai passando como se fora a sombra de Hécate, a deusa dos encantos e magias.

Às sextas-feiras a pedra do Pico se fende e na chamada porta do Pico aparece uma luz. A *alamoa* vaga pelas redondezas. A luz atrai sempre as mariposas e os viandantes. Quando um destes se aproxima da porta do Pico vê uma mulher loura, nua como Eva antes do pecado. O níveo corpo é mal encoberto pela coma loura que vai quase no chão. Os habitantes de Fernando chamam-na *alamoa* — corruptela de alemã — porque para eles mulher loura só pode ser alemã.

A Vênus insular parece ter sido feita para satisfazer a volúpia dos homens. O passante incauto não resiste à fascinação daquela ninfa sedutora que o chama com a voz quente das grandes apaixonadas. O enamorado viandante entra na porta do Pico crente de ter entrado num palácio de Venusberg, para fruir as delícias daquele corpo fascinante. Ele, entretanto, é mais infeliz que o cavalheiro Tannhauser. A ninfa dos montes transforma-se de repente numa caveira baudelairiana. Os seus lindos olhos, que tinham o lume das estrelas, são dois buracos horripilantes. E a pedra logo se fecha novamente atrás do louco apaixonado.

Ele desaparece para sempre. A angústia de seus últimos gritos ressoa ainda durante muitos dias pelos flancos do Pico, escapando-se das fendas profundas do monte e misturando-se ao uivo dos montados e ao silvo dos ventos do sueste.

> Olavo Dantas — *Sob o Céu dos Trópicos*, pp. 28/29. Rio de Janeiro, 1938.

É, como se vê, uma página onde a *Alamoa*, esquecida dos tesouros e das danças de outrora, endoidece sexualmente o homem, arrasta-o para a gruta e mata-o de pavor, tornando-se um esqueleto. Essa última modificação da alegre e luminosa dançarina das praias de Fernando de Noronha em entidade ética, de inexorável castigo aos que vivem só de pão, é seu papel mais moderno. E o mais inoperante...

ANGOERA
(RÍO GRANDE DO SUL)

Essa tradição rio-grandense-do-sul é um elo do ciclo das lendas que as Missões deixaram em seus sete pousos históricos. Nas "estâncias" afastadas, outrora, crepitando as madeiras do teto, subindo mais alto as chamas do fogão, súbito vento fazendo ondular a saia das *chinas*, estalar os vimes dos balaios, as ataduras das cestas, as amarras dos surrões, passando restos de sons, traços de vozes, dizia-se que era *Generoso* que visitava amigos, fazendo-se lembrar e pouco temer. Quando se deixava uma viola ao relento ouviam-na soar, débil mas hamoniosamente. Era *Generoso* que se divertia...

Esse Saci inocente, Djim cristão, era como um membro invisível de todas as famílias, delas participando pela história velha dos santos padres jesuítas, plantadores das Sete Missões da serra.

Generoso não assombrava ninguém. Estava presente nas horas alegres nos "pagos", sapateando nos bailes, riscando bordões de violas e, às vezes cantando mesmo, uma copla, a mesma sempre que sua inteligência retivera, há séculos, e ali trazia na mais desnorteante das memórias regionais.

Generoso era índio guarani, de nome Angoera, contração de *Anhangoéra* (*anhã-goéra*), o espectro, o fantasma: ou de *anhúnga-oéra*, a alma velhaca, esperta, sabida (Teodoro Sampaio para a primeira e Plínio Airosa para a segunda definição), alusão possível à sua valentia e saber intuitivo. Era um homenzarrão atlético mas sisudo, calado e taciturno. Guiou os padres para a serra quando vieram do Uruguai. Os jesuítas batizaram-no. Ficou sendo *Generoso*. Mudou, com a água lustral, o feitio carrancudo. Ficou folgazão, alegre, doido por danças, cantos e saltos ritmados. Serviu sempre aos padres com alegria. Para ele se fizera o salmo animador: Servi com alegria!...

Um dia, chamou o padre-cura, confessou-se, foi ungido de óleo santo e morreu.

Generoso morreu contente, pois a cara do seu cadáver guardou um ar de riso; e foi muito chorado, porque tinha a estima de todos, por ser mui prazenteiro e brincador.

De forma que a sua alma saiu-lhe do corpo, de jeito alegre e então, invisível, entrava nas casas dos conhecidos, passeava nos quartos e salas, e para divertir-se fazia estalar os ferros do teto e os barrotes do chão, e também os trastes novos, e os balaios de vime grosso; e se achava dependurada uma viola, fazia sonar o encordoamento, para alegrar-se com a lembrança das suas cantigas, de quando era vivo e cantava...

Outras vezes assobiava nas juntas das portas e janelas, espiando por elas os moradores da casa; e quando os homens rodeavam a candeia, pintando, ou as crianças, brincando, ou as donas costuravam ou faziam nhanduti, o Generoso, — a alma dele, pro caso — soprava devagarzinho sobre a chama da luz fazendo-a requebrar-se e balançar-se, que era para a sombra das coisas também mudar de estar quieta...

E muitas vezes — até o tempo dos Farrapos —, quando se dançava o fandango nas estâncias ricas ou a chimarrita nos ranchos do pobrerio, o Generoso intrometia-se e sapateava também, sem ser visto; mas sentiam-lhe as pisadas, bem compassadas no rufo das violas... e quando o cantor do baile era bom e pegava bem de ouvido, ouvia, e por ordem do Generoso repetia esta copla, que ficou conhecida como marca de estância antiga: sempre a mesma...

> Eu me chamo Generoso,
> Morador em Pirapó:
> Gosto muito de dançar
> Co'as moças, de paletó...

(J. Simões Lopes Neto — *Lendas do Sul*, p. 78.)

O soar da viola ao relento lembra que a tradição se articula com outras tantas das colônias espanholas. Na Argentina era um dos característicos da alma de Santos Vega, fixado no poema de Rafael Obligado:

> Dicen que, en noche nublada,
> Si su guitarra algún mozo
> En el crucero del pozo
> Deja de intento colgada,
> Llega la sombra callada
> Y, al envolverla en su manto,
> Suena el preludio de um canto
> Entre las cuerdas dormidas,
> Cuerdas que vibran heridas
> Como por gotas de llanto.

Ainda *Generoso* denuncia sua existência anterior à chegada do mito do Saci. *Generoso* ainda conserva muitas das atividades que hoje emprestam ao negro unípede de carapuça vermelha. A divulgação do Saci que se teria feito especialmente pela raça negra e mamelucos, não encontrou pronto ambiente para sua expansão. *Generoso* explicava tudo, estalos, rumores, assobios, sapateados, sons errantes. Quando a população mestiça de índio e europeu foi sendo saturada de outras ondas emigratórias, a vinda de contingentes do norte brasileiro com o fatal cortejo de assombrações, *Generoso*, mito local, duende familiar, bailador de "chimarritas", diluiu-se como tendo cumprido sua doce missão de alegria despreocupada e de fidelidade às terras da coxilha nativa.

Guarani católico, servo das Sete Missões, êmulo pacato de Sepé-Tiaraiú e Cumbatá, índio alegre que deixa a herança de sua alacridade comunicativa, deve figurar ao lado das criações mais autênticas no fabulário gaúcho. Se alguma vez, no ímpeto de sua tropilha de baios, detém-se o Negrinho do Pastoreio, não será apenas na colheita das velas oblacionais para sua madrinha Nossa Senhora, mas para ouvir, numa acento de sua raça melômana, a cantiga invariável e menineira, simples e emocionante, de *Generoso*, símbolo da outra raça que ajudou, com seu martírio, a viver a amada terra do Brasil.

ANTA-CACHORRO (PARÁ – GOIÁS)

Viajando até São João do rio Araguaia, o engenheiro Inácio Batista de Moura encontrou, teimosamente espalhado e defendido pelos caçadores, mais um animal estranho para o bestiário fabuloso do Brasil. É a Anta--cachorro, bicho feroz e esfomeado que atemoriza gente afeita aos combates da floresta e às lutas com as onças bravas.

> *Tapira-Yauara*, nome que no tupi quer dizer *Anta-cachorro*, animal gigantesco, que tem a forma da onça e as mãos com cascos como pé de anta, com as quais cava a terra, para derribar a árvore em cujo ramo se refugia o adversário, que dela foge (*De Belém a São João do Araguaia*, p. 136. Rio de Janeiro, H. Garnier, 1910).

Essa Anta-cachorro não será a mesma Onça-boi dos acreanos e do rio Madeira? Tem as manias idênticas. Naturalmente a mata está cheia de assombros e, desde os mais velhos livros de viagens, vamos vendo os mais monstruosos animais, estudados pelo medo e descritos pela imaginação...

ANTA ESFOLADA
(RIO GRANDE DO NORTE)

O município de Nova Cruz, criado em 12 de março de 1868, teve em sua sede a denominação de *Anta Esfolada*. Como *Anta Esfolada* foi o distrito de paz em 27 de outubro de 1843. Em 1846 já os documentos oficiais mencionam "Anta Esfolada ou Nova Cruz". Daí em diante aparece sempre Nova Cruz, vila em 1868 e cidade em 3 de dezembro de 1919. Mas *Anta Esfolada* não foi esquecida e reaparece, teimosa, nas estórias, nas palestras, ressuscitadoras do passado.

Em fins do século XVIII, a região banhada pelo rio Curimataú era povoada por "fazendas de gado", espaçadas e raras. Entre outras peças de caça, a Anta (*Tapirus americanus,* Briss) era encontradiça. Um caçador preferia sempre uma Anta a outro qualquer animal porque o couro era sólido e resistente para alpercatas e bruacas.

Surgira uma Anta fantástica, assombrando os moradores. Corria como um relâmpago, desnorteando os caçadores e tendo hábitos novos à espécie ungulada. Rodeava as casas, roncando alto. Diziam-na "encantada". Um caçador apanhou-a numa armadilha. Matou-a a pau ou, segundo outros, para "quebrar o encanto" decidiu esfolá-la viva. Aos primeiros golpes da quicé, o tapirídeo arrancou-se das mãos de seu algoz, deixando a pele, e sumiu-se em desabalada carreira.

Daí em diante, anos e anos, a Anta esfolada aparecia em todos os recantos, roncando, pulando, circulando as "fazendas", alastrando um pavor sobrenatural. O topônimo *Anta Esfolada* data desse tempo. Ninguém ousava abandonar a segurança da casa depois do Sol posto. O próprio Demônio era o guia do animal estranho, veloz e louco, que passava pelos caminhos, sem pele, como uma nódoa vermelha de sangue.

Anos e anos a Anta esfolada reinou naquelas paragens, deixando rastro de estórias e medos. Certos de tratar-se de proeza diabólica, os habitantes promoveram a vinda de um missionário para exorcismar a espantosa besta.

Veio um missionário capuchinho. A tradição diz ter sido frei Serafim da Catânia, catequista famoso e de prestigiosa memória popular. Não deve ter sido. Frei Serafim de Catânia esteve missionando em 1851 e já em 1846 a região se chamava "Anta Esfolada ou Nova Cruz", denunciando a passagem anterior de um outro sacerdote.

Escolhendo uma encruzilhada, o padre leu em voz alta as tremendas apóstrofes do *Rituale* onde se fere o combate entre Jesus Cristo e o obstinado

Satanás. Depois aspergiu água-benta nos lugares escolhidos pela Anta e sempre visitados. Depois, mandou erguer uma grande cruz, de inharé (*Poncouma mollis*) na estrada favorita do fantástico tapirídeo, e benzeu-a. Depois declarou que a terra estava conquistada pela cruz contra Belzebu. Mudara-se seu domínio e também o nome. De agora em diante todos os cristãos deviam dizer *Nova Cruz* e jamais *Anta Esfolada*...

E ficou Nova Cruz.

Mas a *Anta Esfolada*, expulsa do seu reino, vez por outra faz incursões intempestivas, esbarrando com vaqueiros e pulando, num segundo de tempo, para as capoeiras de mato ralo, com medo da maldição do missionário.

Documentário

Os povoadores do vale do Curimataú foram indo rio acima até os campos além do Cuitezeiras, muito próprios para a grande criação e abundantes em caça.

Havia por ali uma anta, que muito diziam possuir o espírito maligno, e todos auguravam mal a quem conseguisse apanhá-la em dia aziago. Um caçador prendeu a anta, na armadilha, numa sexta-feira, e resolveu, para lhe tirar o feitiço, esfolá-la viva. Ao primeiro talho, a anta deu um pulo enorme, deixando a pele nas mãos do caçador e embrenhando-se, assim esfolada, na mata, onde adquiriu logo a fama de um animal feroz e fantástico.

Anta esfolada era o terror misterioso daquelas paragens; e já ia adiantado o povoado sem que se conhecesse outra denominação que não a de Anta esfolada.

Um missionário, conhecedor das artes diabólicas e grande em exorcismos, percebeu que o demônio andava a fazer mal pela terra metido no corpo da anta esfolada. Mandou vir de S. Cruz uns galhos de inharé e com eles fez uma cruz, que fincou no ponto mais alto da vereda por onde o animal diabólico costumava passar.

Ninguém viu mais a anta esfolada e o povoado tomou, então, a denominação de Nova Cruz.

Dizem, porém, que o caçador que prendera a anta, receoso de malefícios, enterrou o couro nas areias do rio cujas águas tornaram-se salobras.

Só ficarão boas e potáveis no dia em que conseguirem desenterrar o couro da anta, com todos os seus cabelos.

Manuel Dantas — *Denominação dos Municípios*, pp. 36/37. Natal, 1922.

O ARRANCA-LÍNGUA
(SERTÕES DO ARAGUAIA – GOIÁS)

O Professor Manuel Ambrósio, de Januária, Minas Gerais, informava-me, em maio de 1938, desse extraordinário *Arranca-língua*, espalhando pavores nas fazendas do Araguaia, dizendo-o sinônimo do *Bicho-homem*.

> E, caso singular: a lenda do Bicho-homem.
> Acaba ele de aparecer nos matos do Araguaia, segundo notícias dali publicadas no órgão oficial do Estado, com o nome de *arranca-língua* —, medindo uma de suas pegadas mais de 60 centímetros. Um monstro desconhecido, atacando fazendas da região, arrancando línguas — somente — às reses que ataca, causando já alguns prejuízos a fazendeiros.

Pedi detalhes ao Dr. Câmara Filho, então diretor do Departamento de Propaganda e Expansão Econômica do Estado de Goiás. O *Arranca-língua* está realmente alarmando a população e os depoimentos assustadores indicam um King-Kong transviado nas matas e águas do Araguaia. Devo ao amigo J. Câmara Filho as informações que adiante menciono.

Nas margens do rio Vermelho, a 14 quilômetros de Goiás, estavam acampados alguns garimpeiros, em março de 1937. Mais ou menos às 10 horas da noite ouviram urros enormes e que nunca tinham sido ouvidos naquelas paragens. Passaram o resto da noite esperando o animal misterioso. Pela manhã, revistando os arredores encontraram uma pegada desmesurada, o sinal de um pé, três vezes o tamanho de um pé humano. Calculando o rastro em 48 centímetros e sabendo-se ser o pé sete e meia vezes menor que o corpo, ter-se-ia um ser estranho com a altura de três metros e sessenta centímetros. Apenas o duplo dos maiores Gorilas do Congo.

Depois começaram surgindo vacas e bois mortos e sem língua. Nenhum outro ferimento além da língua arrancada. Deveria ser um animal incrivelmente forte para derrubar um touro e conseguir extirpar-lhe a língua por simples tração. Vacas e bois foram encontrados em condições idênticas na região compreeendida entre o rio Vermelho até Leopoldina, Araguaia, ilha do Bananal, e daí a leste, para o Tocantins.

Um pintor uruguaio, o Sr. Damian Querido, residente no Rio de Janeiro, deu uma entrevista a *A Noite* (18-março-1937) deduzindo ser o dono dos urros e da pegada o responsável pelas línguas arrancadas. Lembra o Sr. Damian Querido que fora desenterrada uma ossada humana colossal nas margens do Araguaia e noticiado pelo *Correio Oficial* nos primeiros dias de março do mesmo 1937. Talvez se ligasse um fato ao outro. O ser misterioso podia ser um macaco de estatura enorme, alimentando-se de línguas e desconhecido por todas as curiosidades zoológicas de três séculos. Mas a predileção alimentar desse King-Kong é recente. Singular é a ausência de rastros mesmo junto aos animais abatidos e o corpo só apresentar escoriações nos maxilares e dilaceração na boca, sem vestígios de luta, que devia ter sido tremenda. A imprensa do Rio de Janeiro comentou o sucesso.[2]

Meses depois, em 1º de setembro de 1937, *A Rua* publicava um telegrama de Goiânia, datado de 31 de agosto, divulgando um outro, enviado ao Sr. J. Câmara Filho pelo diretor da *Gazeta*, de Formosa, órgão da Prefeitura do mesmo município. O telegrama informava:

> Formosa, 28: Fatos idênticos aos que ocorreram no Araguaia que o amigo conhece, e aos que dei publicidade no meu jornal sob o título *King-Kong*, se estão registrando neste município.
> Nos lugares denominados Giboia e Vargem, apareceram diversas reses mortas, pertencentes aos senhores Francisco Vicente da Silveira e João Augusto. Sem nenhum outro ferimento, essas reses tinham as línguas cortadas. Em outros lugares, da mesma região, fatos idênticos se verificaram.

Ignoro se o *Arranca-língua* continua suas façanhas. Agora, com ou sem interrupção de atividade, o ente fantástico, macaco de quatro metros, caindo sobre touros, atordoando-os a murro, arrancando-lhes a língua como um manjar suculento, está articulado no Folclore e não mais morrerá. A memória coletiva responde pela perpétua vitalidade do monstro, intangível e aterrorizador, muito mais nas estórias orais do que no âmbito dos sertões do Araguaia.

Zoroastro Artiaga, um dos grandes elementos da administração pública de Goiás, do Departamento da Administração Municipal, teve a bondade de enviar uma informação nova e clara sobre o famoso *Arranca-língua*, em carta amável, de Goiânia (16-IX-1938):

> Goiás tem, como os outros Estados, o seu mito. Aqui tem ele o nome de Arranca-Língua, e foi batizado por King-Kong, devido àquela fita sensacional de cinema em que aparecia um enorme macacão fazendo proezas.

---

2 Ver os jornais do Rio de Janeiro, *A Noite*, de 18 de março, o *Correio da Manhã* da mesma data, o *Jornal do Brasil*, de 26 de março, *A Rua*, de 1º de setembro, o *Diário da Noite*, de 31 de agosto, todos de 1937.

O Arranca-Língua, que tem uma zona de cem léguas como campo de ação, era de início o Bicho-Homem, um tipo humano coberto de grandes pelos que se alimentava de língua de vacas.

Esse indivíduo apareceu uma vez para um caçador de Goiás, que estava em Rio das Mortes, trazendo uma caveira humana debaixo dos braços cabeludos. Mais tarde veio fazer vítimas perto das ruas de Vila Boa. Nessa ocasião houve um grande movimento por parte da imprensa regional que batizou-o por King-Kong.

Câmara Filho, Diretor do Departamento de Propaganda e Expansão Econômica do Estado, irradiou para todo o Brasil as proezas de King-Kong.

Sabe-se, no entanto, que é uma peste de caráter aftoso que, destruindo os tecidos da língua do gado, fá-la cair, tendo vestígios de extirpação. O que é interessante é que muita gente valente não viaja na zona do Arranca-Língua e nem dorme com os dois olhos, ficando um para vigiar o monstruoso macacão do vasto araxá do Brasil.

BARBA-RUÍVA OU BARBA-BRANCA (PIAUÍ)

De nombreuses légendes font remonter l'origine des lacs à des cataclysmes qui engloutissent dans des circonstances merveilleuses des villes ou des pays. On retrouve d'un bout du monde à l'autre, avec d'infinies variations de détails, deux thèmes connus dès l'antiquité, la punition des villes corrompues, telles que Sodoma et Gomorrhe, et celles du refus d'hospitalité, comme dans la gracieuse fable phrygienne de Philémon et Baucis. C'est à ces deux motifs, et aussi à la violation d'un tabou religieux, qu'est due la catastrophe qui, en tant de pays, donne naissance à des lacs ou à des étangs; l'engloutissement se produit aussi pour punir des crimes, ou les actes de religieux coupables. (Palul Sébillot — Le Folk-lore, pp. 93/94. Paris, 1913).

A Lagoa de Paranaguá, por contração Parnaguá, no Piauí, é formada pela junção dos rios Fundo e Paraim. À sua margem leste fica a vila de Parnaguá. A lagoa tem sua lenda etiológica, como a maioria dos lagos no domínio do Folclore. João Alfredo de Freitas, em seu *Lendas e Superstições do Norte do Brasil*, registra como tendo sido um infanticídio. O local era outrora coberto de carnaubais e cortado por um riacho. A várzea era aproveitada para as festas de "cavalhadas", "corridas de argolinha". Numa casa residia velha viúva, de austeros costumes, com três filhas. Uma delas, engravidando, esperou o parto e colocou o filho recém-nascido dentro de um tacho de cobre e o atirou para o fundo de uma das cacimbas que forneciam água à população. Antes do tacho alcançar a água da cacimba, já a várzea desaparecia sob um amplo lençol d'água, formando a lagoa atual. Daí em diante as paragens ficaram "mal-assombradas". Rumores de vendaval, gemidos profundos. Vale Cabral, informado por Nogueira Paranaguá, inclui o clássico barulho de pratos entrechocados. João Alfredo de Freitas e posteriormente Nogueira Paranaguá[3] falam na *Mãe-d'Água* que, recebendo a criança, aconchegou-a ao seio, vituperando a infanticida e se encarregando de criar misteriosamente o pequenino enjeitado. Ficou, então, aparecendo um homem de barbas ruivas (Vale Cabral, João Alfredo de Freitas e Nogueira Paranaguá dizem "barbas brancas"), chorando e assombrando o povo ribeirinho. Anos depois, conta João Alfredo de Freitas, quando a mãe do Barba-ruiva faleceu e se foi a enterrar, o filho apareceu dentro das águas e amaldiçoou-a, dizendo-a indigna de sepultura. "Ouviu-se um tremendo estampido, e horrível furacão arrebatou o cadáver, que se sumiu no denso fumaceiro". Nogueira Paranaguá narra diferentemente. A mãe assassina suicidou-se, atirando-se na lagoa, chamando pelo filho. Nunca mais se ouviu lamentação de homem ou vagido de criança.

Dizem comumente que o Barba-ruiva é o "Filho da Mãe-d'Água". Para o povo, a criança fabulosa não tem idade nem forma definida. Nogueira Paranaguá escreve: "Consideram-no menino pela manhã, homem ao meio dia, e velho ao anoitecer." No tempo da monomania solar, como explicação dos mitos, aqui teríamos, indubitavelmente, o Sol nascente, no zênite e crepuscular, mas a justificativa é meramente ocasional. Quer o povo exprimir a variação eterna da extraordinária criança, múltipla e imutável. No rio São Francisco há igualmente uma lenda semelhante que o professor Manuel Ambrósio recolheu (*Brasil Interior*, p. 59). Uma moça de alta família atirou ao rio seu filhinho para ocultar o parto. Um "dourado" (*Salminus maxillosus*, CUV) apanhou o menino na boca e o salvou de ser devorado pelos outros peixes. E ainda hoje conserva o menino, que não cresceu nem mudou de quando fora sacrificado, miraculosamente vivo e continuamente defendido pelo "dourado". Assim nada, para cima e para baixo do rio São Francisco, trazendo a criança na boca, parando minutos, em dados momentos, para alimentar-se. Escreve o professor Manuel Ambrósio:

---

3   Não me foi dado ler o livro do Dr. Joaquim Nogueira Paranaguá — *Do Rio de Janeiro ao Piauhy pelo interior do Paiz* (impressões de viagem), Rio, Imprensa Nacional, 1905, mas o escritor Dr. João Pinheiro em sua magnífica *Literatura Piauhyense* (Teresina, 1937) transcreveu a lenda da lagoa de Paranaguá às pp. 193/196 do seu trabalho.

A creança stá véia já. Já é home feito, maduro, mas porém, não cresce. Stá do mêmo tamanho cumo nasceu mas, porém, os cabello branco stão pareceno (opus cit., p. 59).

A lenda é da mesma origem. Não dando lugar à formação do rio ou dum lago, a criança vive, anormalmente guardada por um peixe, viajando perpetuamente pelo rio.[4]

Os indígenas brasileiros tinham algumas lendas em que as crianças sacrificadas davam nascimento às espécies vegetais mais necessárias à vida selvagem. O milho nasceu do sacrifício de um guerreiro. A mandioca, de uma criança, Mani dos Tupis, Atiolô, dos Parecis. Mas a presença da *Mãe-d'Água*, entidade alienígena, desconhecida pelos nossos amerabas, afasta a possibilidade de um mito ameríndio. Em seu tema simples poder-se-ia dizer que o mito era indígena. A lagoa do Puxi (hoje Bonfim) no Rio Grande do Norte, a lagoa de Estremoz (Rio Grande do Norte) eram simples rios que se transformaram em lagoas porque duas crianças foram afogadas em suas águas. As lagoas do Rio Grande do Sul, Minas Gerais, Argentina, Uruguai, estão cheias de lendas de cidades, povoações, guerreiros, animais, tesouros, desaparecidos para que brotassem as águas atuais.[5]

---

4 Os filhos nascidos de amores incestuosos ou sacrílegos são monstruosos. O menino pagão dá nascimento aos prantos noturnos e mesmo, para alguns, ao próprio Saci-pererê. Uma tradição da República do Panamá conta que uma linda moça afogou no rio a criança que tivera, para esconder a falta. Como elemento de perpétuo remorso a mãe ressurge num monstro, a hedionda *Tulivieja*. A finalidade moral é evidente. Narciso Garay assim desenha a *Tulivieja* no seu magnífico trabalho *Tradiciones y Cantares de Panamá* (p. 38, 1930):
Era un pecado muy grande y Dios lo castigó en el acto, convirtiendo a la culpable en Tulivieja, monstruo horrendo que por cara tenía un colador de cuyos huecos salían pelos largos y cerdosos; por manos, garras; el cuerpo de gato y patas de caballo. Condenada a buscar a su hijo hasta el fin de los siglos, pasa el tiempo recorriendo las orillas de los ríos, llamando sin cesar a su criatura con un reclamo parecido al de las aves y sin que nadie le responda jamás. A veces reasume su forma primitiva y se baña en los ríos, bella como el sol; pero el menor ruido la vuelve a su estado monstruoso y entonces prosigue su eterna peregrinación.
É, como se vê, a réplica ao *Barba-ruiva*...

5 Há na Costa dos Escravos uma tradição semelhante à do Piauí. O padre Bouche (*La Côte des Esclaves*, p. 294. Paris, 1885) registrou-a. Uma feiticeira teve um filho no meio duma floresta e abandonou-o. O filho pediu a proteção de Xangô. Este, irritado, destruiu a floresta pelo fogo e transformou-a num lago. Mas a criança não ficou aparecendo. A existência da lenda, conhecida naturalmente por muitos escravos da região, fê-la popular entre eles, uma vez que sabiam de outra igual e nativa.

O Barba-branca ou Barba-ruiva, gemendo ou abraçando as mulheres, numa estranha sublimação de impossível amor materno, é, para mim, mito de convergência, contemporâneo à colonização. A "Mãe-d'Água", os impropérios da sereia, a maldição do filho, a forma do castigo, não são elementos indígenas. E, conta Nogueira Paranaguá, a várzea transformada em lagoa era o *stadium* das corridas festivas de outrora. Há, pelo menos, essa reminiscência que ainda mais exila o autoctonismo da tradição. O cavalo foi trazido pelos portugueses.

Em nhengatu, *paranaguá* vale dizer o "seio do mar, o espraiado nos grandes rios, a baía fluvial", de *panarã-guá*, segundo a lição de Teodoro Sampaio. Seria a várzea uma antiga depressão, um "espraiado" de velhas águas que, em altas enchentes nos dois rios, Fundo e Paraim, se precipitaram, determinando o grande alagado permanente.

Documentário

Barba-ruiva. Homem encantado que vive na Lagoa de Paranaguá, da vila do mesmo nome, ao sul da província do Piauí. É alvo, de estatura regular, de cabelos avermelhados, de tempos em tempos sai a aquecer-se ao sol e deita-se na areia à margem da lagoa. Quando ele sai d'água mostra as barbas, as unhas e os peitos cobertos de lodo e limo. Em outro tempo ele costumava aparecer frequentemente e muitas pessoas tiveram ocasião de se encontrarem frente a frente com ele, o que era logo sabido por todos os habitantes da vila, que, cheios de assombro, narravam o fato de boca em boca. Todos temem o Barba-ruiva, como um ente encantado, mas é inofensivo, pois não consta que ele fizesse mal a alguém, apesar dos constantes encontros em terra.

Muitas vezes algumas pessoas que iam tomar banho ou simplesmente passear nas margens da lagoa, encontravam-se com o Barba-ruiva e, tomando-o por outra pessoa, dirigiam-lhe a palavra; se era homem, o Barba-ruiva não lhe dava resposta; dirigia-se lentamente para a lagoa e desaparecia nas suas águas: compreendiam então que falavam com um ente encantado; aqueles que tinham um pouco de coragem corriam para a vila a noticiar o caso, e os que eram medrosos aí mesmo caíam sem sentidos. Se era porém mulher, que se dirigia para a lagoa, o Barba-ruiva ocultava-se para que ela se aproximasse sem receio e logo que ela estava perto, ativara-se sobre ela, não com o fim de ofendê-la mas de abraçá-la e beijá-la. Por isso não há mulher que queira ir sozinha à beira da lagoa.

A história da origem do Barba-ruiva é conhecida em quase todo o sul do Piauí. O meu amigo Sr. João Lustosa Paranaguá, natural da localidade, que ouviu falar por muitas pessoas nessa origem, porém, mais minuciosamente por uma velha de nome Damiana, escreve-me a narração que dela ouviu:

"— Não está vendo esta lagoa? Pois bem; é encantada e algum dia ela há de crescer tanto, que encobrirá toda esta vila e todos nós morreremos afogados. Antigamente não havia esta lagoa, em seu lugar era uma imensa mata de carnaubeiras, cortada por um riachinho. A água que a gente daqui bebia era tirada de cacimbas, cavadas à beira do riacho. Uma ocasião uma moça, tendo ido buscar água nas cacimbas, inesperadamente dá à luz um menino, que, por não lhe convir que sua mãe soubesse e não conhecendo o amor materno, atira desapiedadamente a pobre criança em uma cacimba cheia d'água. Isto foi bastante para tornar aquele lugar encantado; logo no outro dia as águas do riacho tinham crescido tanto que já encobriam todas as cacimbas. Em menos de uma semana aquela mata de carnaubeiras tinha sido substituída por aquela lagoa, que ameaçava de uma hora para outra engolir toda a vila, assim como já a tinha engolido em parte. Logo nos primeiros tempos era horrível a vida naquele lugar principalmente para quem vivia perto da lagoa, porque durante a noite ouvia-se um barulho infernal de pratos, uns contra os outros, ora o relinchar do cavalo e tudo isto acompanhado do choro de uma criança. Muitos anos depois, apareceu pela primeira vez um homem saído da lagoa, que, pela cor avermelhada de seus cabelos, apelidaram-lhe o *Barba-ruiva*. Conheceu-se então que é o filho daquela mãe desnaturada, que o atirou na cacimba e que foi ele o gerador daquela lagoa encantada".

O Dr. Gustavo Dodt na sua descrição dos rios Parnaíba e Gurupi, publicada no Maranhão em 1873, tratando da Lagoa de Paranaguá, diz que ela ganha todos os anos mais terreno e que, segundo dizem, antigamente se achava uma vargem, onde atualmente ela se encontra; e depois de descrever o fenômeno que deu origem à fama de ser a lagoa encantada, fenômeno que é conhecido na África e na Ásia sob o nome de *Fatamorgana*, acrescenta: "Explica-se deste modo facilmente, que se tem visto a lagoa e a vila longe do seu lugar no meio de uma chapada, ou em outras ocasiões a lagoa no lugar da vila, ou esta na lagoa. A propensão do povo para o milagroso e a falta de conhecimento para poder achar uma explicação satisfatória do fenômeno fizeram pô-lo em relação com uma tradição antiga, que se refere a um infanticídio, e faz vagar pela lagoa a criança assassinada na forma de um velho com barbas brancas e assentado em uma vasilha de ouro. Já estava quase caída em esquecimento essa tradição, que uma vez tinha produzido tanto medo que grande parte da população se retirava da vila, quando ela reviveu no ânimo do povo e causou um susto extraordinário por um fato que se deu em 1854, e que me seja lícito relatar em poucas palavras. João de Tal, conhecido como homem sério e incapaz de mentir, foi tomar banho na lagoa pelas duas horas da tarde de um dia, em que um sol abrasador e a falta de toda a viração tornava o calor insuportável. Escolheu um lugar onde uma gameleira frondosa oferecia uma sombra densa na margem da lagoa e assentou-se onde a água mal lhe chegou até o peito. Como logo começou a deitar água na cabeça, abaixou ele esta e não viu o que estava diante de si. Tanto maior foi o susto, quando erguendo a cabeça viu em sua frente um homem assentado como ele na água, com os cabelos e barbas brancas, que o olhava. Levantou-se e correu para a vila sem lembrar--se que estava sem roupa alguma, pois veio-lhe à mente aquela tradição antiga a que já aludi, e embora que não visse senão a miragem de si mesmo como em um espelho, deu sua fantasia a esta todos os traços que a legenda exige e isso com tanto mais facilidade como a miragem naturalmente se mostrava pálida e esbranquecida".[6]

> Vale Cabral — "Achegas para o estudo do Folclore brasileiro", in *Gazeta Literária*, Rio de Janeiro, 1884.

O BRADADOR
(SÃO PAULO, MINAS GERAIS, PARANÁ, SANTA CATARINA)

O Bradador é um fantasma que cumpre seu fado gritando, bradando, chamando, durante a noite, ao redor das casas ou nos caminhos frequentados. Não tem forma conhecida como o *Pé de Garrafa* que possui o sestro dos berros atroadores e noturnos. Não é uma alma do outro mundo que carpe e chora seu destino sobrenatural. O *Bradador* quase que protesta contra o castigo. As lamúrias não seguem os ritmos plangentes da Garache, de Poitevin, dos *pôtres* da Bretanha. São berros altos, soltos e

---

6 Ver *Descrição dos rios Parnaíba e Gurupi*, pelo Dr. Gustavo Dodt. Vol. 38 da Reconquista do Brasil (Nova Série) — Belo Horizonte-São Paulo, 1981. Às pp. 53 e segs. está o estudo do Dr. Dodt sobre a lenda da Lagoa de Paranaguá.

terríveis, que põem os cabelos em vertical o cobrem de medo a região escolhida para a visita do espectro.

O folclorista paranaense, Sr. Francisco Leite, em amável informação, descreveu um *Bradador* de sua terra:

> No Ribeirão das Onças, sítio que dista 4 léguas da Capital do Estado, corre a lenda de que um *Bradador* atravessa os campos, correndo, todas as sextas-feiras, depois da meia-noite. Vai bradando pelos descampados. É uma alma penada. Afirmam os caboclos que se trata do espírito de um corpo seco, ou melhor, de uma múmia, que foi desenterrada do cemitério do povoado Atuba, e jaz encostada a um pé de imbuia, completando seu fado material sobre o solo...
> Eu, quando muito jovem, tive o desprazer de ver essa múmia. É o *Bradador* daquele trecho do sertão paranaense. Só depois de cumprir a sina, seu corpo poderá ser absorvido pela terra, que o rejeitara por largo espaço de tempo.

Assim se vê a convergência dos mitos do *corpo-seco* com as vozes noturnas, conjugadas na identidade da pena supraterrena.

O Sr. Edmundo Krug, viajando pela fronteira São Paulo-Paraná, encontrou as estórias estupefacientes do *Bicho Barulhento,* mas não lhe foi possível minúcia sobre a forma do fantástico animal. Escreveu o Sr. Krug em *A Superstição Paulistana* (Sep. da Revista da Sociedade Científica de São Paulo, vol. V, janeiro-agosto de 1910, pp. 29/30, São Paulo):

> A este capítulo da minha exposição pertence o *Bicho Barulhento* e o *Cavalo sem Cabeça.* Sobre o primeiro, eu mesmo presenciei um fato que convém assinalar aqui; quanto ao segundo não tenho dados que possa citar. Viajando de Xiririca a São José do Paranapanema, por terra, a cavalo, pelo sertão inóspito, denominado Sertão do Batatal, passa-se pelo Rio das Mortes, lugar histórico na mineração paulista. Diz a lenda que 40 bateadores de ouro aí se assassinaram mutuamente, devido a grandes achados do precioso metal que fizeram no supra citado rio. Este lugar passa por ser *assombrado*, existindo aí o tal Bicho Barulhento, que ninguém ainda viu, porém, cuja voz se ouve à noite e que é tão perverso que mata aquele que o vir.
> Devia pousar aí, se as chuvas torrenciais que caíam incessantemente no dia da minha jornada não tivessem parado. O camarada que me acompanhava disse-me positivamente que me abandonaria se eu persistisse nessa intenção. Felizmente ou infelizmente as chuvas cessaram e sem novidade alguma pudemos prosseguir.
> Sobre o tal Bicho Barulhento o meu camarada nada me pôde dizer. Eis aí um fato que propalado de boca em boca torna-se, sem motivo algum, a causa de uma superstição. É bem provável que desta maneira se criam outras, cujas causas são completamente desconhecidas. Mesmo de outros lados não pude conseguir explicações sobre o tal Bicho Barulhento...

Parece, evidentemente, tratar-se do *Bradador* em estado primitivo, longe do antropomorfismo da fase paranaense.

O *Bradador*, curiosamente, recorda no Folclore de Portugal o ciclo das Mouras. Entre estas há, em Trás-os-Montes, a atroante Zorra Berradeira que alarma os casais adormecidos com o estrépito de seus gritos, incontidos e súbitos. Fantasma da noite, vive nas estórias, recordado nos serões de inverno, pela memória dos velhos ao espanto dos meninos. Luís Chaves assim evocou a Zorra Berradeira (*Mouras Encantadas*, p. 38, Lisboa, 1924):

> A Zorra Berradeira foi Moura encantada, e quem sabe que lindos tesouros e admiráveis belezas tinha como predicados do seu encantamento! Uma ocasião faltou aos seus deveres com Alá, infringiu as regras impostas pelo encanto, a que devia obedecer. Foi desobediente, e o castigo não se fez esperar. Com figura de mulher, que de longe parece uma cabra negra e de perto um abutre asqueroso, anda pelos campos e pelos cabeços, de noite, altas horas, em berros tremendos, que se ouvem por todos os arredores como sinal de desgraça.

No Algarve também grita a Zorra espantosa. J. Leite de Vasconcellos escreve:

> É crença geral no Algarve, que aparece por ali de tempos a tempos, isto é, de sete em sete anos, uma alma penada, na figura duma zorra, e que se algum mortal a arremeda, é perseguido pela sombra dela até a morte. Chamam-lhe a Zorra Berradeira ou a Zorra de Odeloca, que anda constantemente a berrar (*Tradições Populares de Portugal*, p. 302, Porto, 1882).

Os portugueses no Brasil não duvidaram em divulgar os créditos do *Bradador* que lhes avivava a figura tempestuosa e áspera da Zorra Berradeira. A lei da convergência auxiliou a maior ampliação do mito, comum e familiar, nas várias tradições.

CABEÇA DE CUÍA (PÍAUÍ)

João Alfredo de Freitas (*Superstições e Lendas do Norte do Brasil*, Recife, 1884) descreve o singular monstrengo:

> A *Cabeça de Cuia*, é outra lenda conhecida no Piauí. Um majestoso rio, o Parnaíba, que tem curso demais de 500 léguas e cuja largura é bem notável, separa as províncias do Piauí e Maranhão, banhando-as de sul a norte.
> O Parnaíba, com suas águas salutares, é o refrigério de todas as povoações, que demoram em suas margens. Pela manhã e à noite há sempre muita gente, que aí vai tomar magníficos banhos.

> Conta-se, e grande número de pessoas o atestam, que, em certos dias da semana, costuma aparecer no rio, à noite, um monstro, a que chamam — *Cabeça de Cuia*.
>
> Este ser desconhecido vai traiçoeiramente se aproximando, pouco a pouco, do indivíduo, e se este porém não se evadir em tempo, será apanhado por ele e submergido incontinenti. É representado por uma figura animada que tem a cabeça à semelhança de uma cuia. Ninguém, porém, ainda conseguiu ver-lhe o corpo.[7]

Vale Cabral registra doutra maneira no seu *Achegas ao estudo do Folclore brasileiro*, publicado pela *Gazeta Literária*, pp. 345/352, Rio de Janeiro, 1884:

> *Cabeça de Cuia*. No Piauí intimidam-se as crianças com este nome. É um sujeito que vive dentro do Rio Parnaíba. É alto, magro, de grande cabelo que lhe cai pela testa e quando nada o sacode, faz as suas excursões na enchente do rio e poucas vezes durante a seca. Come de 7 em 7 anos uma moça de nome Maria; às vezes, porém, também devora os meninos quando nadam no rio, e por isso as mães proíbem que seus filhos aí se banhem. Há homens que deixam de se lavar no rio, sobretudo nas enchentes, com medo de serem seguros pelo tal sujeito encantado. Originou-se de um rapaz que não obedecendo a sua mãe, maltratando-a, e abandonando sua família, foi pela mãe amaldiçoado e condenado a viver durante 49 anos nas águas do Parnaíba. Depois que ele comer as 7 Marias tornará ao estado natural, desencantando-se. Conta-se que sua mãe existirá enquanto ele viver nas águas do rio.

A tradição é visivelmente de origem branca. A refeição de carne de gado, o uso de "bater o corredor" como registra Nogueira Paranaguá, o desrespeito à mãe, são elementos bastantes para arredar uma influência decisiva dos ameríndios. Há, curiosamente, no mito, o emprego da "cuia", a banda da *Cucurbita lagenaria*, tão conhecida entre os indígenas e, como Carlos Estêvão de Oliveira revelou, dando nascimento aos Apinagé do Alto-Tocantins. Segundo a lenda desses caraíbas, o Sol criou-os sacudindo *goromis* (cabaços) na água do rio.[8]

De africanos nada encontro. É uma tradição branca, de finalidade moral e reunida ao ciclo do "castigo". O *Cabeça de Cuia*, disforme e apavorante, é

---

7 O livro do Dr. João Alfredo de Freitas, esgotado há muitos anos, era de leitura inacessível para mim. Devo ao eminente Dr. Clóvis Beviláqua a gentileza do envio das transcrições feitas numa revista sob sua direção.

8 Ver o estudo de C. V. Hartman — *Le calebassier de l'Amérique tropicale* (*Crescentia cujete*). *Étude d'ethnobotanique*, no tomo VII, 1º fascículo, do *Journal de la Société des Américanistes*, Paris, 1910. A lenda dos Apinagé está publicada no *Boletim do Museu Nacional*, nº 2, vol. VI, Rio de Janeiro, 1930.

um homem que sofre sua penitência com tempo limitado. O número das sete Marias que deve comer para desencantar-se é traço posterior. As moças de nome Maria levam ideias bíblicas de pureza e santidade física. O "sete" é perpetuamente o número que a cabala de Babilônia julgava misterioso e sinistro.

Vivendo nágua, o *Cabeça de Cuia* conserva todos os hábitos da terra. É um exilado do convívio humano, "cumprindo sina" mas com esperança teimosa de regressar aos tempos em que pescava de tarrafa e arpão. Recorde-se, por ilustração apenas, que o diabo dos Caxinauás mora numa lagoa. Os indígenas acreanos falam apenas no "diabo de cabeça grande e cabelos compridos". J. Capistrano de Abreu, *Ensaios e Estudos*, terceira série, ed. da Sociedade Capistrano de Abreu, Rio de Janeiro, 1938, p. 317.

Documentário

Reza a tradição uma lenda bem curiosa, na capital do Piauí. É uma delícia dos velhos e um temor religioso das crianças, que a ouvem por entre a modorra das noitadas cheias de tibieza, quando o pálido crescente da lua faz relampejar, levantando uma poeira de ouro, as sonolentas águas do Parnaíba.

Reza a tradição que, no lugarejo Poti Velho, uma espécie de aldeola meio abandonada, cujas casas esboroadas pela ação plúvia das águas atestam uma florescência passada, houve outrora uma pequena família, cujo arrimo era um rapaz pescador.

Aconteceu que, uma vez, o rapaz voltou da pescaria impressionado e macambúzio. Atirou a um canto o seu arpão, a tarrafa, os anzóis e uma cambada[9] de curimatãs[10] e, como fosse hora de jantar, sentou-se na esteira, no meio da família e começou a comer.

A refeição versava sobre carne de vaca. Encontrou um enorme corredor[11]

---

9   *Cambada* é termo para significar *enfieira*.
10 Diz-se vulgarmente *curimatãs, crumatás*. Nem Montoya no seu "Tesoro de la Lengua Guarany", nem Gonçalves Dias no seu "Dic. da Língua Tupy", dão a etimologia desse nome. Num ensaio inédito *Peixes no idioma tupi* assim registrei o vocábulo: "CURIMATÃ — *Prochilodus reticulatus,* Marcgrav. De *quiri-mbatá*, muito tenro, muito delicado, segundo Batista Caetano. Curimatá, Curibatá, Coromatá." Este estudo foi publicado na *Revista Marítima Brasileira*, ano LVIII, nº 5-6 (pp. 477-501). Rio de Janeiro, novembro de 1938.
11 *Corredor* é designação popular do "grande trochante", tuberosidade pertencente ao fêmur.

que devia bater para tirar o tutano[12] mas, como na ocasião não tivesse um lugar apropriado, procurou fazê-lo na cabeça de sua velha mãe. Esta, então, enfurecida, foi para o terreiro do quintal e rogou-lhe uma praga[13] amaldiçoando-o.

Era meio-dia e o sino da igreja repicava apressadamente.

A velha, de joelhos na areia ardente do terreiro, batia nos peitos e pedia ao Santíssimo Sacramento a punição do amaldiçoado.

Dizem que o remorso se apoderou do coração do filho desnaturado, que correu doidamente para a foz do rio Poti e aí se lançou e desapareceu nas águas. Desde então, nas águas do Poti e nas águas do Parnaíba anda errante, com uma enorme cabeleira de lodo assentada sobre uma *cabeça de cuia* — donde lhe vem o nome. Aparece nas grandes cheias e é mais terrível nas noites de sextas-feiras. Só se quebrará o seu encanto depois que ele houver comido *sete Marias virgens*.[14]

As amas acalentadeiras de crianças fazem-lhes medo com a aparição do *cabeça de cuia*, que é uma espécie de "Matintaperê" do Pará e Amazonas, porém, mais valente, mais traiçoeiro e mais terrível.

A muitas velhas ouvi contar a história com todos os visos de verdade, dizendo-me algumas já tê-lo visto muitas vezes, e que já se acha muito envelhecido e descontente por não ter *filado* uma só Maria.

As crianças e mesmo muitos homens temem o lendário ente, que serve de entretimento nas noitadas cheias de tibieza, quando o pálido crescente da lua faz relampejar, soltando uma poeira de ouro, as sonolentas águas do Parnaíba.

Joaquim Nogueira Paranaguá — *Do Rio de Janeiro ao Piauhy pelo interior do Paiz* (Impressões de viagem), 1905. Por cópia gentil do Dr. João Pinheiro, a quem devo o conhecimento desta página.

---

12   *Tutano* é a medula. "Bater o corredor para tirar o tutano" é expressão usual entre a gente da plebe.

13   *Rogar praga, amaldiçoar,* eram costumes dos antigos analfabetos, encontrados, ainda hoje, em certa gente do sertão.

14   O Sr. Vale Cabral fala erradamente desta lenda, dizendo: "Come de 7 em 7 anos uma moça de nome Maria; às vezes, porém, também devora os meninos quando nadam no rio; foi por sua mãe amaldiçoado e condenado a viver 49 anos nas águas do Parnaíba". Contam que se deu o fato na vila do Poti Velho que remonta à época de 1827 para trás, no entanto, ainda hoje, fala-se vivamente na aparição do ente sobrenatural e não há notícia, por hora, de haver devorado uma só Maria.
[Poti Velho teve começo em 1797; em 15 de setembro de 1827 foi elevada a freguesia, e a vila em 6 de julho de 1822. — Nota da Redação].

A CACHORRA DA PALMEIRA (ALAGOAS)

O padre Cícero Romão Batista faleceu em Juazeiro, Ceará, em 20 de julho de 1934. Semanas depois uma moça permitiu-se dizer palavras irrespeitosas ao defunto sacerdote. Perdera uma cachorrinha de mimo e aconselhara alguém, que dizia ir usar luto pelo desaparecimento do Padre, a fazê-lo em homenagem ao cão. Minutos depois, foi atacada pelo desejo imoderado de morder, latir, uivar e correr como um cachorro. E se transformou mesmo em cachorro. Um castigo.

Esse mito evidencia a perpétua vitalidade formadora do fabulário popular. É de 1934 mas já o ouvi em três Estados, com indicações das localidades. Só não guardaram o nome da desrespeitosa senhorita livre-pensadora.

A metamorfose bestial como forma de penitência, passageira ou permanente, é um velhíssimo ditame da cólera divina na Grécia e Roma. Licaon tornou-se lobo, Io transformou-se em vaca, Cicnus em cisne, Calisto em urso, Ociroé em égua, Acteon em veado, Hermione e Cadmus em serpentes, as filhas de Minias em morcegos, Ascalafe era mocho, Aracné em aranha, Filomela em rouxinol, Procné em andorinha, Nisus em águia, Dedalion em gavião, Ceix em alcião, Esaco em mergulhão, os Cercopes em macacos, as filhas de Anius em pombas, Hécuba em cachorra. Ovídio, em *Metamorphoses*, historia a explicação desses mitos que se tornaram clássicos.

A escolha da cadela, para o sertanejo ainda um sinônimo de prostituta, como se dizia na futura Roma de Aca Laurência, a cachorra ou loba, expõe claramente a origem moral da punição tremenda e suas reminiscências obstinadas como passado imortal.

O Sr. Teo Brandão, de Maceió, informa-me, gentilmente, que o mito ocorre igualmente em Alagoas e é localizado em Palmeira dos Índios. Ensina-me o Sr. Teo Brandão:

> Foi uma moça, residente na cidade de Palmeira dos Índios, que ao morrer o nosso padrinho padre Cícero, começou a debicar daqueles que botavam luto por ele, dizendo que era mais fácil botar luto por uma cachorrinha que possuía. Virou uma cachorra que vive a dançar e correr. Num *reisado*, em Viçosa, cantava-se uma peça sobre a *Cachorra da Palmeira*, cujo final dizia:

> Meu Santileno
> P'ra ela num tem carinho,
> Discreiou de meu padrinho
> Virou cachorra, anda correndo.

Em *coco*, também cantado em Viçosa, tomava-a como estribilho:

> Curió, curió, curió,
> A cachorra da Palmeira
> Foi dansá in Maçaió.

O mito, rapidamente propagado no ambiente propício, já se articulou à literatura oral e melódica, vivendo nos *reisados*, que são autos tradicionais, e nos *cocos,* que são danças cantadas ao som de instrumentos de percussão, especialmente maracás, ganzás, pau de semente, etc. É a imortalidade trágica dos grandes condenados no tribunal sem embargos da justiça popular, anônima e terrível.

Um poeta dessa sempre nova literatura de cordel, o Sr. Moisés Matias de Moura, publicou em Fortaleza, Ceará, em 20 de junho de 1936, um folheto registrando o *causo*. Intitulou-o "A Moça que virou cachorra porque disse uma palavra contra o padre Cícero Romão Batista". Os versos mais expressivos documentarão mais esse mito que apavorará a imaginação inesgotável do nosso povo.

Documentário

A MOÇA QUE VIROU CACHORRA PORQUE DISSE UMA PALAVRA CONTRA O PADRE CÍCERO ROMÃO BATISTA

Em rima popular pelo historiador brasileiro MOISÉS MATIAS DE MOURA

> Em um sítio que havia
> Por nome de Nova Olinda
> Por causa de uma palavra
> Perdeu-se uma moça linda
> Em bicho se transformou
> Não sei se é viva ainda.

> Não declaro o nome dela
> Por não me cair no tino
> Seu pai era um coronel
> Homem de estudo fino
> Sua mãe lhe estimava
> Tinha ela em seu domínio

Era rica e educada
Falava por pabulagem
Poucos lhe compreendiam
A sua fina linguagem
O melhor sábio do mundo
Pedia a ela homenagem

Porém a educação
Não é só boas leituras
Tem sábios ignorantes
De perdidas formosuras
Porque não sabem tratar
Delicado as criaturas

Como essa linda moça
Que caiu na perdição
Por soltar uma palavra
Em ponto de mangação
Sorrindo, fazendo pouco
Do padre Cícero Romão

Esta moça, meus senhores
Tinha uma cachorrinha
Que recebeu de presente
De uma amiga vizinha
Com a maior estimação
Criava desde novinha

No dia que padre Cícero
Faleceu em Juazeiro
Morreu essa cachorrinha
Da filha do fazendeiro
A hidrofobia atacou-lhe
No asseiro do terreiro

Essa moça, essa noite
Comprou um maço de vela
Fez à dita cachorrinha
Uma boa sentinela
Mandou botar no sagrado
De véu, palma e capela

Alguns dias ainda passou
Muito tristonha e chorosa
Pela falta da cachorra
Que dela era carinhosa
Porém depois consolou-se
Por ser muito vaidosa

Um dia ela foi à loja
Engolfada no asseio
Comprar vestidos e perfumes
Para botar a passeio
Porque ela não perdia
Cinema, drama e recreio

Na mesma loja entrou
Uma senhora direita
Perguntando ao caixeiro
— Aí tem fazenda preta?
A moça, ouvindo aquilo
Riu-se, fazendo careta

Perguntou para a mulher
— Dona, a senhora é viúva?
Ou está adivinhando
Que amanhã é de chuva
Comprando fazenda preta
E eu encarnada-luva...

Morreu gente da senhora?
Era a moça interrogando
E a pobre mulherzinha
Com aquilo se acanhando
Disse: meu padrinho morreu
Vou botar luto chorando

Quem é esse seu padrinho?
A moça lhe perguntou —
Disse ela: o padre Cícero
Que agora se acabou
A moça fez: *quá quá quá*
Naquilo se transformou

Transformada ainda disse
Para a dita mulherzinha:
Não bote luto por ele
Sim por minha cachorrinha
Que morreu no mesmo dia
Sepultou-se à tardezinha...

Ave-Maria, filhinha!
A mulher lhe respondeu
Não fale do padre Cícero
Ele nunca lhe ofendeu!
A moça virou-lhe os olhos
Abocanhou-lhe e mordeu.

Essa mulher deu um grito
Que na loja estremeceu:
Venha depressa, caixeiro,
Que a moça me mordeu!...
O caixeiro quis pegá-la
Porém a moça correu

O caixeiro admirou-se
Vendo aquele mistério
A moça com grande cauda
Formou-se um exemplo sério
Por causa de uma palavra
Acabou-se tanto império

A moça saiu correndo
Mordendo quem encontrava
Juntou-se um bloco de homens
Para ver se a pegava
Porém a moça corria
Que só vento alcançava

Os homens que foram atrás,
Botaram um arrodeio
De emboscada esperaram
Ela foi sair no meio
Se agarraram com ela
Que o barulho foi feio

Depois dela dominada
Um homem lhe perguntava
De quem ela era filha
E o lugar onde morava
Porém a moça sisuda
Nem uma resposta dava

Os homens amarraram ela
Puseram a interrogá-la
Porém a moça latia
Já tinha perdido a fala
Com os traços de cachorro
Corredeira como bala

Os homens fizeram um julgo
Essa moça é de nobreza
O pai dela é o mais rico
Que tem nesta redondeza
Os trajos dela não negam
Vamos atrás da certeza

Então tinha um coronel
Que mais perto residia
Os homens foram à procura
Fazendo que não sabia
Este então lhe perguntou
Que novidade havia

Eles contaram a história
Sem se desviar da trilha
O coronel ficou pasmo
Disse então é minha filha
Que hoje foi para rua
Neste caso ela quem brilha

O velho mandou buscá-la
Para saber da certeza
Se de fato era a filha
Que lhe dava essa tristeza,
Sendo ela a luz da casa,
Enfeito de sua mesa.

Quando ele viu a filha
Que conheceu a verdade
Exclamou dentro de si
Hoi! Meu Deus tende piedade
Retirai de minha filha
Esta incredulidade

O coronel se lastimava
Meu Deus que será de mim?!
Era bom que hoje mesmo
Eu também levasse fim
Para não ver minha filha
Transformada em bicho assim

Quando a velha viu a filha
Que era tão estimada
Com uma cauda comprida
Em cachorra transformada
Deu-lhe um ataque caiu
Morreu sem saber de nada

O pobre do coronel
De desgosto enlouqueceu
Correndo saiu de casa
Nunca mais apareceu
No mote que me mandaram
Consta que já faleceu

Ficou vivo um irmão dela
Que bancou ser muito esperto
Privando os editais
Para não ser descoberto
Porém o povo não dorme
Vive de olhos abertos

O seu irmão que ficou
Conhecendo da razão
Mandou fazer uma jaula
Conservou-a na prisão
Ela não aceita vestes
Nem saia nem camisão

Está presa nessa jaula
Vive a uivar e latir
Está criando canhão
E diz que quando sair
Dá um voo sem direção
Não sabe aonde vai cair

Não come nada que seja
Cozinhada em panela
Em comer cabrito novo
Só é o destino dela
Faz pena ser esse bicho
De uma moça tão bela

Está presa nessa jaula
Dizendo para o irmão
Que muito breve rebenta
E sai daquela prisão
Quando empinar, dá um voo
Embora sem direção.

Quem olha de fora vê
Os canhões aparecendo
E ela roendo um osso
Por si própria se mordendo,
Muitos que vão visitá-la
Antes de ver saem correndo

Porque a figura dela
Assombra qualquer vivente
Ninguém nota que foi
Uma figura de gente
De uma moça tão linda
Virou-se uma enorme serpente

Ninguém fala dos vivos
Nem também de quem morreu.
Principalmente de quem
A ninguém não ofendeu
Como meu padrinho Cícero
Que Jesus Cristo colheu

Peço pelo amor de Deus
Que me façam este favor
De não me falar de padre
Seja lá que padre for
Não gosto de ouvir falar
Do ministro do Senhor

CANHAMBORA
(RIO DE JANEIRO, SÃO PAULO, MINAS GERAIS)

Para os habitantes das vilas e pequenas cidades, fazendas de gado e de café, engenhos de açúcar, plantações de algodão, um dos grandes pavores era outrora o escravo fugido.

Entre os pretos, velhos e crianças não abandonavam a senzala. Evadiam-se os fortes, os resistentes, os ousados. Conduzindo pouco mantimento, sem armas, o escravo fujão era obrigado a rondar as cercanias da casa senhorial ou da vila em que vivia, furtando alimentos, carregando trapos para vestir-se, surgindo inopinadamente nas pequenas bodegas para exigir um gole de aguardente ou arrebatar a arma preferida, o facão de canavial, comprido, afiado, seguro de corte e de duração. Se escapava às pesquisas do Capitão do Mato, cercava-se de um halo prestigioso de valentia que era explicada como efeito de orações fortes, "pauta" com o Diabo. Hirsuto, faminto, seminu, o escravo fugido apavorava crianças e mulheres. Vezes o senhor era compelido a mandá-lo caçar, sacudindo contra ele grupos armados, pondo-o a prêmio. Com os anos as lendas multiplicavam-se. O escravo desaparecia, indo para longe, morto pelas feras, moléstia ou sede, sucumbindo aos ferimentos recebidos nos encontros ferozes. Atacava, também, os viajantes solitários, os escravos "de confiança" e, quando a fome sexual o apertava, espreitava mulheres que iam buscar água ou tomar banho. Derredor do escravo fugido havia o terror. Contavam estórias que eram reminiscências do Curupira, do Caapora e do Saci-pererê. Pouco a pouco a figura,

279

deformada pelo medo, já nada mais possuía de humano e de vulnerável. O escravo, sujo, bruto, fraco, em perpétuo regime de *deficit* orgânico, constituía-se um soberano das matas, dirigindo as caças, sabendo segredos conhecidos apenas pelos duendes tropicais do Brasil colonial.

Era o *Canhambora!*

Pelas terras carioca, fluminense, paulista e mineira, o Canhambora passava deixando um rastro de terror incontido. Seu nome fazia adormecer crianças e prender em casa moças dançadeiras. Muito rapaz espigado e alerta, recusava sair, ouvindo o rumor de uma visita do Canhambora pelas vizinhanças.

Amadeu Amaral fixou-o num claro verbete em seu *Dialeto Caipira* (São Paulo, 1920, p. 105):

> Canhambora, *Canhembora, Canhimbora,* s. m. — escravo fugido, que geralmente vivia em quilombos ou malocas pelos matos. Beaurepaire-Rohan registra as variantes "caiambola, calhambola, canhambola, canhambora, canhembora, caiambora." Segundo Anchieta, citado pelo mesmo, o tupi "canhembara" significava fugido e fugitivo. Houve talvez alguma confusão com "quilombola", determinando todas as variantes em *ola, ora,* que ficam consignadas.

Quando, em 1917, Monteiro Lobato dirigiu o inquérito paulista sobre o Saci-pererê, reunindo depois em volume, o velho Canhambora ressurgiu nos depoimentos, desfigurado mas vivo ainda nas memórias fiéis. "O Canhembora foi, em outras eras, um terrível ladrão de gado, esconjurado solenemente pelos criadores prejudicados" (p. 246). O Sr. A. Reinke desenhou-o sob o aspecto do Caapora, governador das caças:

> Um caboclo velho, barbado e tido na zona como incapaz de mentir, conta que, quando moço, era caçador apaixonado. Saiu um dia para a diversão e não tendo reparado que esse dia era santo, soltou os cachorros no mato. Depois de muito esperar, ouviu o latido do melhor cachorro da matilha e logo após uma quantidade enorme de porcos-do-mato que, grunhindo, passavam junto dele; esperou o último e qual não foi o seu espanto quando viu, montado no último porco, um homem alto, coberto de pelos, só tendo nua uma roda, em torno do umbigo!
>
> Era o *Canhambora*, disse ele, e voltei num carreirão para casa e até hoje nunca mais cacei (pp. 148/149).

O resguardo dos dias de domingo e santificados indica a intervenção da catequese. Todos os monstros fabulosos da floresta e dos campos brasileiros, Curupiras, Sacis, Caaporas, Mapinguaris, Capelobos, matam o transgressor do mandamento.

É a última encarnação do Canhambora, o escravo fugitivo e rebelde, reunido ao séquito dos Sacis e dos Caaporas, majestades bárbaras e sugestivas do sertão bravio e das matas sonoras.

O CARBÚNCULO (RIO GRANDE DO SUL)

Uma das tradições vivas no Rio Grande do Sul, elemento precioso de sua literatura oral, é a estória do sacristão de São Tomé, o episódio miraculoso do *Carbúnculo*.

Expulsos os jesuítas e destruídas as reduções do Guaíra, vieram para o Rio Grande do Sul, na mesopotâmia dos rios Pardo e Jacuí. Novamente perseguidos espalharam-se para as Sete Missões ou para a margem direita do rio Uruguai, na redução de São Tomé, quase em frente à atual cidade de São Borja.

Um dia o sacristão da igreja de São Tomé reparou que as águas da lagoa vizinha referviam e borbulhavam. Aproximando-se para melhor observar, cessou o rumor das águas e saiu do fundo da laguna um *Teiú-iaguá*, espécie de tejídeo, lagarto escuro, lanhado de amarelo, tendo a cabeça cercada de um halo resplendente de luz ofuscadora. O sacristão reparou que o Teiú-iaguá tinha encravada no alto da cabeça uma pedra preciosa, de brilho deslumbrante. Era um carbúnculo. O sacristão levou o Teiú para casa, metido numa guampa (chifre de boi), e alimentava-o com cuidados minuciosos. O Teiú, cheio de poderes, ofereceu ao sacristão todas as riquezas da terra, minas, montes de ouro, sacos de moedas, fazendas de gado e de mate, estâncias, mulheres, prestígio. Sem se decidir, o sacristão ia abandonando seus cuidados profissionais, quase sem sair de seu aposento. O Teiú, ao cair da noite, mudava-se em linda mulher e o sacristão passava o tempo de forma espantosa. Descoberto o sacrilégio, preso e condenado o réu, levaram-no ao garrote. O Teiú-iaguá, que desaparecera, surgiu da lagoa, abrindo um sulco profundo que ainda hoje existe, correndo em auxílio do amigo. Gritos, estrondos, abalos, espocavam por todos os lados, fazendo estremecer as casas e espalhando terror no povo. O suplício não se consumou e o sacristão, arrancado do patíbulo por mão invisível, desapareceu. O Teiú-iaguá, levando o amigo no dorso encantado, atravessou o rio Uruguai a nado, descansou em São Borja e seguiu para o cerro do Jarau.

Mais de dois séculos se passaram. O sacristão está vivo, no cerro de Jarau, entre tesouros infinitos e raridades maravilhosas. Ainda hoje continua sem provar as amarguras da Morte, passeando entre as montanhas de ouro e joias, armas e móveis lindos, tudo inútil como pedras ao faminto.

O jesuíta Carlos Teschauer, que bem fixou a tradição, mostra seu caminho desde os Andes:

> Nos lugares metalíferos das regiões andinas aparecia à imaginação dos índios um ser vivente que despedia da cabeça uma luz vivíssima que muitos presumiam era o cobiçado carbúnculo segundo refere o P. Techo.[15] Esta aparição, que chamam também farol, tem continuado a apresentar-se aos olhos dos que nele reconhecem um indício certo das muitas riquezas que a terra ainda oculta, ora em minas, ora em tesouros escondidos por mão de homem. Sem dúvida é maneira estranha a de esconder um tesouro acendendo um farol. Já antes de Techo ocupou-se dele o arcediago Martinho del Basco Centenera, autor do poema histórico *La Argentina*, que viera ao Rio da Prata em 1573 na expedição do adelantado D. J. Ortiz de Zárate. Entre as coisas do novo mundo chamou-lhe a atenção o que ouvia dizer a respeito dum animalejo que trazia na cabeça uma pedra preciosa que cintilava como brasa e de cor de rubi e era conhecido pelo nome de carbúnculo.[16] Conta-nos que, depois de passar por muitos trabalhos para caçá-lo, quando o ia segurar entre as mãos, escapou-se-lhe o maravilhoso sáurio. A luz que despedia ofuscava a vista e fazia desviar o perseguidor. Será por isso que os guaranis lhe deram o nome de *anhangpitang* ou diabo vermelho que não é outro que o teynaguá (lagartixa) que mora na salamanca do cerro de Jarau acima descrito. Quando dali saiu a primeira vez, foi dado a olhos humanos contemplar maravilhados o peregrino esplendor, que o formoseia (*A Lenda do Ouro*, Rev. Instituto do Ceará, pp. 13/14, tomo XXV, Fortaleza, 1911).

O Teiú-iaguá, entretanto, não é um mito local. Flaubert, tão seguro em sua documentação clássica para construir a *Tentação de Santo Antão* (trad. de João Barreira. Liv. Chardron, Porto, 1902) cita o mesmo mito, corrente nos fabulários orientais, quando o eremita é tentado por Apolônio de Tiana:

> Hás de ver, estando a dormir sobre primaveras, o lagarto que só desperta todos os séculos, quando lhe cai, de amadurecido, o carbúnculo da testa (p. 128).

---

15 Techo. Hist. Prov. Parag. Lib. V. cap. 22. Acrescenta este autor que semelhante animal nunca puderam apanhar nem vivo nem morto, porque por suas irradiações devia os olhos e mãos dos perseguidores.

16 No poema *La Argentina* canto III, diz Centenera:
— *Y no lejos de aqui, por propios ojos*
— *El Carbunculo animal veces he visto.*

O carbúnculo pertence às pedras-talismã, pedras de encanto, de condão com direitos de alta magia. É a pedra do anel de Aladino. O carbúnculo é a brasa perenemente acesa e fascinadora. Brasa, fogo, ouro. O Teiú, animal veloz e morando em locas, covas, grutas, será um guardião de preciosidades na região das minas. Outrora era simplesmente o portador do carbúnculo, pedra encantada, que lhe caía de cem em cem anos, disputada e digna da grandeza do rei Salomão.

Vindo com os espanhóis, para a terra dos Andes e posteriormente ficando na *missonera*, o Teiú-iaguá nunca se adaptou ao ciclo ígneo do Mboitatá, do Batatá, da Cobra de fogo. Nenhuma estória aproxima um do outro mito. Batatá ou Batatão jamais esconderam ouro, atraíram cobiçosos ou se mudaram em moça bonita. O próprio Teiú-iaguá não é, como o Mboitatá, *todo de fogo*, a serpente luminosa, riscando a noite com seu clarão apavorante. O Teiú misterioso do cerro de Jarau tem a luz irradiante do carbúnculo que conduz cravado na cabeça. É, pois, um perseguido. O Mboitatá, ao contrário, persegue...

Ao tema Carbúnculo convergiu o das Mouras encantadas que guardam e possuem tesouros. O Sr. Augusto Meyer estudou a tese, *Prosa dos Pagos*, III, mostrando a origem castelhana, mesmo no processo inteiro do mito, talqualmente vive nos lábios gaúchos, recordando os mistérios do Carbúnculo e as maravilhas que cintilam, inúteis e perturbadoras, na salamanca do Jarau.

A CASA DE M'BOROQÉ (RIO GRANDE DO SUL)

Na região missionária do Rio Grande do Sul as lendas são comuns ao Uruguai e Argentina. Vêm todas do ciclo das grandes guerras, quando os jesuítas foram obrigados a ir deixando terras e posses onde haviam imprimido o inapagável acento de sua atividade inesquecível. O método do jesuíta era uma obstinada organização de trabalho, a ordem inflexível, diária e completa, o cuidado minucioso e sereno na administração. A lenda multiplica sua riqueza e onde o padre saiu ficou um rastro de ouro atraindo os olhos ávidos. Subterrâneos, poços, casas, torres, são esconderijos que esperam uma ressurreição de suas entranhas de pedrarias, alfaias cintilantes, montões de moedas, barras de ouro, imagens de prata, armas fabulosas e ainda roteiros para novas minas, novos tesouros, novos deslumbramentos. As Sete Missões no Rio Grande do Sul são centros de interesse para os sonhos das "botijas", malas, jarrões, caixas, tudo repleto de ouro. Como, no acervo conhecido, as riquezas incalculáveis não apareceram, ninguém acredita que o jesuíta as tenha levado mas as escondera nos rincões desertos ou abruptos. Os índios fiéis foram indicados para sabedores desses segredos de Golcondas perdidas nos cerros e encostas gaúchas, no fundo frio das lagoas imotas, sob a muralha de pedras. Os índios sabem do segredo mas não trairão a confiança. Não dizem. Não confiam. Não desertam. E muitos ficaram vigilando, no meio do mistério secular, os montões que enriqueceriam países inteiros.

A *Casa de M'Bororé* pertence a este ciclo. É uma casa branca, erguida na mata, num termo que ninguém sabe onde fica. Certo que deve existir porque os "antigos" sempre falaram no caso. É um casarão ermo, caiado, escondido, plantado numa lombada. A casa está repleta de barras de ouro, de prata, de alfaias, imagens, em pilhas, em montes, em rumas. Nos corredores jazem lotes de surrões, carregados de moedas. É a mesma estória dos tesouros de Quimivil e Culumpajao, as Casas Brancas que esperam seu descobridor em Uruguai e Argentina.

> O rondador da casa branca dia e noite anda em redor dela; é um índio velho, cacique que foi, *M'Bororé*, de nome, amigo dos santos padres das Sete Missões da serra que dá vertentes para o Uruguai.
> Os padres foram tocados pra longe, levando só a roupa do corpo... mas a casa branca já estava feita, sem portas nem janelas... e M'bororé, que sabia tudo e era cacique, de noite, e precatado, com seus guerreiros, carregou de todos os lugares para aquele as arrobas amarelas e as arrobas brancas, que não valiam a caça e a fruta do mato e água fresca, e pelas quais os brancos de longe matavam os nascidos aqui, e matavam-se uns aos outros.
> M'bororé desprezava essas arrobas; mas como era amigo dos santos padres das Sete Missões, guardou tudo e espera por eles, rondando a casa branca, sem portas nem janelas.
> Ronda e espera... (J. Simões Lopes Neto — *Lendas do Sul*, p. 75).

O padre Carlos Teschauer, S. J. saudosíssimo mestre do Folclore gaúcho, escreveu apenas que "Outro suposto depósito de ouro era *A Casa Branca* sem portas nem janelas de *M'Bororé* no alto Uruguai". Na *región misionera* argentina, M'Bororé deixou de ser o vigia para transformar-se em topônimo. M'Bororé é o local escolhido pelos jesuítas, expulsos pelo Rei D. Carlos III d'Espanha, para esconderijo dos tesouros.

284

Es creencia muy arraigada en las gentes de Misiones que los jesuítas, al ser expulsados, amontonaron todos sus tesoros en um pueblo que precaucionalmente habían hecho construir ex profeso em medio de la selva virgen y de cuya existencia sólo ellos tenían conocimiento, pues los que actuaron en su construcción desaparecieron.

Este pueblo, llamado Emboré, tenía sus casas sin puertas ni ventanas, y la entrada a ellas se hacía por subterráneos, cuyas bocas estaban ocultadas escrupulosamente. Los que transportaron los tesoros, que según las gentes de allí sobrepasaron en valor y cantidad a todos los que refieren los cuentos de las mil y una noches, desaparecieron a su vez y con ellos los rastros que conducían al famoso Emboré, perdido desde entonces entre las sombras de la selva impenetrable y las densas nubes de la leyenda (Juan B. Ambrosetti — *Supersticiones y Leyendas*, p. 124. Buenos Aires, [s/d]).

CAVALO-MARINHO (AMAZÔNIA)

O cônego Francisco Bernardino de Souza nas *Lembranças e Curiosidades do Vale do Amazonas* (p. 93, Pará, 1873), fala do Cavalo-Marinho:

> É esta a denominação de uma ilha, situada no rio Uaicurupá, a uma légua de distância da sua foz, e no município de Vila Bela da Imperatriz.
>
> Forma ela uma bela colina, que domina aquelas circunvizinhanças.
>
> É crença geral entre os índios e que se foi transmitindo também à gente civilizada, que por ali habita, que no cimo da colina existe um lago, que é habitado por um grande peixe, que tem as formas de um cavalo. Daí pois o nome da ilha do Cavalo-Marinho.
>
> Sendo ela toda de terra firme, isto é, não sujeita às inundações, de belo aspecto e de terreno próprio para a lavoura, é entretanto tal o terror que incute o fantástico monstro, que ninguém ousou ainda explorar a ilha, achando-se ela completamente deserta.
>
> No verão e quando as praias mostram-se descobertas, encontram-se em diferentes pontos uns como resíduos, nos quais notam-se ossos, cabelos, escamas, penas etc. Dizem os índios que são as fezes lançadas pelo peixe misterioso.

Vila Bela da Imperatriz é a atual cidade de Parintins, no Amazonas, 326 milhas de Manaus.

O Cavalo-Marinho, Hipocampo, do séquito de Netuno, vivia no Mediterrâneo, cantado pelos poetas e invisível aos olhos práticos dos marinheiros. Em qualquer mitologia greco-romana o Cavalo-Marinho aparece nadando junto ao deus que levantava as tempestades aos golpes do tridente de ouro. Espalhava-se essa fauna espantosa pela Ásia, levada no bojo das colônias gregas e derramou-se pelo mundo. Nas estórias árabes, persas, hindus, surge o Cavalo-Marinho. Nadou derredor das caravelas portuguesas e veio, vencendo o Mar Tenebroso, até o Brasil. Aqui se infiltrou nos contos, nas porandubas amerabas, nos autos populares. Nos velhos *Bumba meu Boi* havia o Cavalo-Marinho que, esquecido do embalo das ondas clássicas, dançava nos terreiros das fazendas, ao som de violas de arame e de rabecas obstinadas:

> Cavalo-Marinho
> Dança no terreiro,
> Que o dono da casa
> Tem muito dinheiro...

Os primeiros conquistadores e catequistas lusitanos que enfrentaram a África encontraram Cavalos-Marinhos que eram os hipopótamos. O frade dominicano frei João dos Santos na *Ethiopia Oriental* (Livro 2º, cap. III, p. 170, 1º vol., Lisboa, 1891) ensina que

> Nestes rios de Cuama e, no de Sofala, e nos demais de toda esta costa, se criam muitos Cavalos-Marinhos, mui ferozes e espantosos.

Era, pois, o Cavalo-Marinho um animal que existia. Trouxeram-no os colonos europeus e divulgaram sua existência curiosa na fácil retentiva dos aborígenes. Estes só tinham enxergado um cavalo depois que as caravelas de Pedro Álvares Cabral encostaram na terra brasileira. Não podiam ter notícia de animal que, existindo em época milenar, desaparecera da vida americana. O mito amazônico é uma estória portuguesa que o reverendo cônego Francisco Bernardino de Souza deu endosso para que fosse creditada aos indígenas inocentes.

No mundo amazônico o Cavalo-Marinho é de positiva vitalidade. Afirmam muitos tê-lo visto. É encantado. Vive no mais fechado da floresta. Para alguns é animal que muito raramente deixa as águas dos rios. Segundos depois de visto, salta e corre como um relâmpago, deixando a lembrança inextinguível de sua brancura deslumbrante, as crinas douradas e os olhos humanos e tristes.

José Coutinho de Oliveira (*Lendas Amazônicas*, p. 111, Belém, 1916) conta um episódio vivo. A cabocla Joana ouve, no meio da noite, piafás e bufos de um cavalo. Não os havendo por perto de seu casebre, acorda o marido que saiu para ver o animal. Ouviu ainda um relincho e a disparada de um cavalo pelo mato.

O Chico estava amarelo como çafrão e as crianças agarradas nele.

— Que foi isto? — perguntei.

— Era o Cavalo-Marinho, o mesmo que cêtrodia apareceu no capinzal do Mané Sobra — me respondeu ele.

Disque era branco como papo de tucano e tinha tanto pelo nas ancas que pareciam um colchão. Quando se virou para ele, com o barulho da porta, Chico viu no meio da testa uma estrela de ouro e as crinas de ouro, arrastavam no chão.

— E seu Chico deixou fugir essa riqueza toda, nha Joana?

— Que havéra de fazer, se o bicho correu como um veado? Diz esse povo que o cabelo da crina do Cavalo-Marinho é chamador de riqueza.

— Pois volte já, nha Joana, volte depressa e vá procurar no mato, para mim, um fio que por acaso o Cavalo tenha por lá perdido.

— Você está caçoando, mas o Chico viu o cavalo e tanto viu que teve medo de sair às quatro horas para destapar o igarapé.

CAVALO SEM CABEÇA (SÃO PAULO, MATO GROSSO, FRONTEIRAS DE MINAS)

É uma réplica necessária à Mula sem Cabeça, a Burrinha de Padre, do nordeste brasileiro. Parece que o espírito popular atendeu, por antecipação, o reparo do professor Basílio de Magalhães (*O Folclore no Brasil*, p. 70, nota 85):

> Ao meu sentimento de justiça repugna que somente se fira com tão horrível fadário a frágil filha de Eva, deixando-se impune o seu tonsurado sedutor, forte, a mais do sexo, na sapiência de tudo quanto há de telhas acima — céu, inferno, limbo e purgatório.

O Cavalo sem Cabeça é o padre que prevarica contra o mandamento da castidade sacerdotal. A escolha equina explicar-se-á pela associação de ideias com a forma bestial que encarna a cúmplice nas horas do castigo.

O Dr. João Barbosa de Faria, etnólogo da Comissão Rondon, disse-me ser o Cavalo sem Cabeça comum em Mato Grosso, especialmente nas cidades.

Cornélio Pires (*Conversas ao pé do fogo*, terc. ed. p. 155, São Paulo, 1927) alude ao mito que ele parece ter recolhido na fronteira com Minas Gerais:

> E o Cavalo sem Cabeça?
> — Esse... é bão nun sê falá... que Deus perdôe... diz-que são os padre que andaro troceno as muié dos otros...

O Cavalo sem Cabeça, entretanto, galopa também pela Europa. Gustavo Barroso, num artigo publicado no *Times*, de Londres, e depois reunido ao seu *Colunas do Templo* (p. 237) informa que

> ... essa ideia do animal fantástico sem cabeça surge em terras estranhas. O professor William A. Craigie, autor do Scandinavian Folk-Lore, fala-nos de uma aparição parecida: *a horse no bigger than a goat, but headless*. Sem cabeça se apresenta um cavalo do outro mundo nos pátios do Alhambra.

A forma teria vindo com a colonização e aqui se fundido no mito da Mula sem Cabeça.

CAVALO DE TRÊS PÉS (SÃO PAULO)

O Cavalo de Três Pés dispensa minúcias para sua identificação. Imprime no barro ou na areia das estradas apenas três pegadas fundas. Não consegui documentos sobre esse fabuloso corredor dos campos paulistanos. Não sei se ataca viajantes ou se limita a assombração aos rastros.

Veiga Miranda, em *Mau Olhado* (p. 132, São Paulo, 1925), cita, apenas, o Cavalo de Três Pés na fauna espantosa de sua terra...

A COBRA DE ASAS (BOM JESUS DA LAPA, BAHIA)

Na Cidade do Bom Jesus da Lapa, na margem do rio São Francisco, na Bahia, houve a tradição de uma serpente de asas, cobra emplumada que lembrava Quetzalcoatl da teogonia mexicana.

A serpente, como símbolo d'água, está espalhada por toda a Terra. Para o Brasil existia, entre os indígenas, a tradição da boiuna, o ciclo da *mboiassu*, a cobra-grande, senhora de tudo. Os Aruacos possivelmente foram os melhores divulgadores desse mito em que figuraram grandes serpentes. Com a escravidão negra ainda o culto vodu carreou a serpente, como elemento votivo, que nunca existira no Brasil. Os Chibchas, fixados no planalto da Cundinamarca, tiveram em Bachue a Eva geradora do gênero humano. Bachue tomou a forma ofídica e se tornou totem dos Muíscas. Sua residência privilegiada era no lago Guatavita, lugar das festas rituais, com pompas lentas e deslumbradoras. Gutavita foi um dos "El-Dorados" iniciais.

O Dr. João Barbosa de Faria, etnógrafo da Comissão Rondon, sabedor da vida ameraba, informou-me que os indígenas da região outrora povoada pelos Chibchas, e decorrentemente, os aborígenes da Colômbia e Venezuela, não atravessavam água corrente ou imota sem um leve cerimonial em homenagem a Bachue.

> *N'entre jamais dans le lit de ces fleuves qui coulent sans repos, que tu n'aies d'abord prié, l'oeil fixé sur leurs beaux courants, et baigné tes mains dans leurs limpides eaux.*

ensinava Hesíodo, há trinta séculos...

Teria havido influência da Bachue dos Chibchas? Esses Aruacos vieram descendo até Mato Grosso e ainda são os Terenas o grupo mais meridional da velha raça sonora, vivendo derredor de Miranda.

Para a existência dos mitos ofídicos no fabulário brasileiro os materiais foram trazidos pelos europeus e negros, outros já existiam no continente, com demonstração insofismável e ampla. Essas influências estão amalgamadas, fundidas, irreconhecíveis. Impossível identificar a preponderância de determinado fator étnico. Naturalmente cada folclorista pinta a serpente com as cores da sua bandeira doutrinária.

Na gruta calcária, que o penitente Francisco de Mendonça Mar descobriu em 1691 e a transformou em centro de romarias ao Bom Jesus, há uma cavidade que ainda hoje conserva a denominação de "Cova da Serpente". Nela residia um enorme ofídio, coberto de penas e podendo voar. Era a constante ameaça. Um dia, durante as "santas missões", um frade missionário pediu ao povo que rezasse, o maior número de vezes possível, o "Ofício de Nossa Senhora". Cada vez que rezasse, uma pena cairia ao monstro que, impossibilitado do voo e do alimento, morreria de fome. As orações começaram a subir, obstinadas e tranquilas, aos milhares. Tempos depois, aberta a grande pedra que vedava o acesso à gruta, encontraram-na vazia. A serpente de asas desaparecera para sempre...

A gravitação do mito para o ciclo católico da intercessão divina é um processo já estudado, em suas formas, no domínio do Folclore. Assim do romance da Delgadinha, Silvana ou Adozinda, analisado em Espanha por Menéndez y Pelayo, Almeida Garrett em Portugal, Vicuña Cifuentes em Chile e registrado no Brasil por Pereira da Costa e na Argentina pelo saudoso Lehmann Nitsche, Rodrigues de Carvalho encontrou uma interessantíssima versão, ligando o "rimance" ao ciclo da intervenção de São José.[17]

Sobre a serpente de asas da Lapa, na margem do rio São Francisco, na Bahia, escreveu o padre Turíbio Villanova Segura (*Bom Jesus da Lapa*, resenha histórica, p. 154, São Paulo, s. d. (1937?):

> Mais à esquerda existe uma cova, chamada da serpente, com várias estalactites, despontadas antigamente pelos romeiros; esteve fechada desde tempo imemorial até o ano 1936. Diz a lenda que nesta cova havia uma serpente com asas, que quando saísse devoraria a todos. E dizem que um grande Missionário, Frei Clemente, que pregou na Lapa como também na Barra e outros lugares do Rio São Francisco, no fim do século dezoito, aconselhou que todos rezassem o ofício de Nossa Senhora porque cada vez cairia uma pena à serpente e, caídas todas, não poderia mais voar e morreria. Parece que foram tantos os ofícios rezados que, quando a gruta foi aberta, a serpente, despenicada, tinha sumido!

AS COBRAS DA LAGOA DE ESTREMOZ (RIO GRANDE DO NORTE)

Em fins do século XVII criou-se o aldeamento de São Miguel de Guagiru, nas margens da lagoa, com índios da "língua geral" (tupis) e *tapuios* da nação Paiacu. Os missionários eram da Companhia de Jesus. Na expulsão dos jesuítas a aldeia passou a Vila Nova de Estremoz, com seu pelourinho erecto em 3 de maio de 1760. Foi a primeira vila do Rio Grande do Norte.

---

17 Para minúcia ver o meu estudinho "Um tema universal: O Pai que queria casar com a Filha", no volume *Vaqueiros e Cantadores*, editado pela Livraria Globo, de Porto Alegre, na coleção de Investigação e Cultura, dirigida pelo professor Dr. Josué de Castro, nº 6, p. 187, 1939. [Edição atual – São Paulo: Global, 2005. (N.E.)]

A lei provincial nº 321, de 18 de agosto de 1855, mudou a sede do município para a povoação de "Boca da Mata", elevada, pela mesma lei, ao predicamento de vila com o nome de "Ceará-Mirim". Suspensa a mudança pela lei nº 345, de 4 de setembro de 1856, foi definitivamente transferida a sede para Ceará-Mirim, pela lei nº 370, de 30 de julho de 1858. A lei nº 837, de 9 de junho de 1882, elevou Ceará-Mirim a cidade.

Estremoz, abandonada, esquecida, espoliada, reduziu-se a uma aldeia, povoada de lendas e de assombrações.

As duas cobras da lagoa de Estremoz constituem a mais viva tradição local, entre outras.

No "tempo dos frades" a lagoa era povoada por duas cobras enormes. Uma, muito feroz e atrevida, devorava os banhistas e quem atravessasse a lagoa se devia pegar com São Miguel para que a cobra não viesse agarrá-lo. Especialmente as crianças eram as vítimas preferidas pela fome inextinguível do ofídio. A outra cobra era mansa. Limitava-se a assobiar tristemente nas tardes em que seu companheiro nadava perseguindo os incautos.

Que cobras eram estas? Foram duas crianças pagãs que os índios jogaram dentro da lagoa, a conselho dos "pajés", para que os padres não as batizassem. Viraram cobras e estavam cumprindo penitência...

Num domingo, depois da missa, um padre missionário veio até a margem da lagoa e falou em nome de Deus, todo-poderoso, criador do Céu e da Terra. Intimou-as a comparecer na igreja, naquela tarde, às horas da bênção do Santíssimo Sacramento.

A cobra fêmea, tardinha, saiu da lagoa, arrastou-se, repelente e viscosa, para a vila, espavorindo quem a avistava. Atravessou a praça e enrolou todo o edifício da igreja com seu imenso corpo reluzente, juntando a cabeça e a cauda na soleira da porta principal. Do altar-mor, paramentado, o vigário admoestou-a à santa obediência e, erguendo a mão, abençoou-a. A cobra desenroscou-se, voltou, coleante e terrível, para as águas da lagoa. Nunca mais saiu nem fez mal. Vez por outra veem seu dorso negro, sobrenadando.

O companheiro, desobediente, não veio à igreja. O padre amaldiçoou-o da porta do templo, em voz alta e em latim.

A cobra excomungada nadou para o outro lado da lagoa, esgueirou-se pelo mato, ansiada e bufando como uma locomotiva, derrubando arbustos com o açoite furioso da cauda poderosa. No sítio "Jardim", justamente no lugar "Embaíba", estirou-se e morreu. Nesse local nunca mais nasceu capim e a estreita faixa de areia no meio da vegetação reproduz fielmente o contorno da serpente fantástica.

O mito indígena da *mboi-assu* está enxadrezado com os elementos católicos de maldição e bênção, com finalidades educacionais. A possível existência de uma cobra-d'água na lagoa de Estremoz serviu de tema para um sermão catequista, ao velho gosto das "santas missões" de outrora.

Documentário

Outra lenda, também de fundo religioso, é a das cobras devoradoras dos índios mansos, que ainda de madrugada se banhavam nas águas do lago profundo.

Duas eram elas. Chamadas ambas logo após à missa matinal, pela palavra persuasiva de certo frade milagroso, não tardou muito que a maior, emergindo lentamente das águas, se arrastasse submissa até à porta principal do templo, onde a esperava o taumaturgo em atitude contrita. Aí chegando, a cabeça disforme, quase rente às sandálias do franciscano, parou um instante, e logo prosseguiu movendo o corpo viscoso e negro em coleios que raspavam o chão no atrito do ventre escamoso, monstro pesado e tão longo que envolveu o convento no abraço das extremidades repelentes. A esta, porque assim veio obediente e arrependida, mandou que voltasse em paz para o fundo da lagoa, condenando a insubmissa ao exílio das águas para morrer, como morreu, sobre a areia escaldante do tabuleiro.

Eloy de Souza — *Alma e Poesia do Litoral do Nordeste*, pp. 32/33. Rio de Janeiro, 1930.

A COBRA-NORATO (PARÁ)

A Cobra-Norato, ou Honorato, é uma das mais populares tradições paraenses da região do Tocantins. Espalhou-se por toda Amazônia, mas parece ter sido o centro de dispersão o trecho compreendido entre Patos e Abaeté.

A mãe de Honorato ficara grávida de um Boto (*Steno tucuxi*) e tivera um rapaz e uma menina. Consultando um Pajé se devia matá-los, resolveu deixá-los à margem do rio Tocantins, onde eles ficaram "encantados".

Honorato era sensível e bom. A irmã, arrebatada e má, ficou conhecida como "Maria Caninana" (*Coluber paecillostoma*, ou *Spilotes pullatus*, de Lin). Era um verdadeiro demônio, afogando banhistas, fazendo naufragar embarcações, assombrando viajantes. O irmão, cansado de suas maldades, matou-a.

Como todos os seres fabulosos das águas,[18] Honorato era grande dançarino e costumava aparecer inopinadamente nos bailes ribeirinhos, encantando a todos pela sua elegância. Desaparecia para surgir, cinquenta léguas adiante, noutro baile, com igual sucesso. Numa mesma noite dançara em Abaeté e meia hora depois estava em Baião.

Na margem do rio ficava a pele enorme da cobra, esperando o regresso de Honorato. Se alguém sacudisse um pouco de leite e desse uma cutilada na cabeça da serpente, o bastante para que surgissem gotas de sangue, o rapaz estaria livre do encanto para sempre. Quando dormia em casa de sua mãe, ou durante os bailes, Honorato pedia insistentemente que o livrassem do bruxedo. Ninguém tinha coragem para enfrentar a cobra imensa, apavorante em sua imobilidade. Depois de anos e anos, um soldado em Cametá arrojou-se. Deitou leite na boca da serpente e feriu-a com um golpe de sabre. Honorato voltou definitivamente a ser um homem normal.

Os elementos formadores desse mito são muitos e o tecido, complexo e claro, não esconde as origens conhecidas. As serpentes fluviais tiveram seu ciclo, no Brasil com a *Mboi-assu*, com a já mestiçada *Boi-una*, ao norte da América austral, com Bachue, no México com vários deuses que tomavam a forma ofídica. Mas os nossos indígenas não conheciam os mitos antropomórficos, ou melhor, nenhum de seus duendes era homem e animal. Não tinham a ideia do "duplo" como os africanos e orientais. Essa pluralidade corpórea é um índice de influência alienígena.

Africanos trouxeram muitos mitos onde as serpentes figuravam, representando fenômenos meteorológicos ou forças subterrâneas, misteriosas e

---

18 Os seres misteriosos que vivem n'água amam a dança como a mais natural das ocupações. A Iara cantava, mas a Ondina não dispensava o baile, como as Nixes do Reno. No seu *Dictionnaire des Sciences Occultes*, Frédéric Boutet informa:
Souvent, le soir, la Nixe se mêle aux femmes humaines. On ne peut alors le reconnaître qu'à l'ourlet de sa robe qui est toujours humide. Elle prend part aux jeux et aux danses, elle choisit comme partenaire le jeune homme le plus beau, elle tourne avec lui au gré de la musique, l'ensorcelle, l'entraîne vers l'eau verte et profonde où il disparait avec elle (p. 237).

identificadas como sendo o "espírito da Morte". Mesmo os gênios bons, guia dos homens, ensinadores dos caminhos certos, tomam a forma da serpente, entre outros, ver o padre Dr. C. Tastevin: *Les idées religieuses des Africains*, La Géographie, t. LXII, Paris, 1934. Por esse fator, só havia ajuda para a divulgação. Os portugueses traziam as "Mouras Encantadas", quase todas em serpentes. O episódio, entretanto, guarda pouquíssimo da alma indígena do Brasil. É um conto mítico de alta percentagem mestiça.

Documentário

A orquestra rompeu uma valsa brilhante. Era meia-noite. O movimento geral havia cessado como por encanto e todos seguiam com atenção um único par que voava ao som da música pelo vasto salão. Era um moço esbelto, de uma formosura fascinante, cabelos louros, olhos azuis, vestido com primorosa elegância e que havia enlaçado a mais linda moça do salão, a filha do Dr. Figueiredo, Juiz de Direito da Comarca, e chegado não havia muito da Corte.

Nunca se havia visto dançar com tanta perfeição. Os dançarinos mal tocavam com a ponta dos pés o soalho luzidio e a música parecia guiar-se pelo compasso por eles marcado.

"O Honorato", "o Honorato", cada qual repetia ao seu vizinho.

— Quem é o Honorato? — perguntei eu ao coronel Siqueira.

— Pois você não sabe quem é o Honorato?

— É-me completamente desconhecido.

— Pois admira, aqui ninguém o ignora. O Honorato é um rapaz que se acha encantado em uma *Cobra-Grande* e habita no fundo do rio.

— Ora coronel, se isto me fosse dito por um homem ignorante... mas pelo senhor!

— Que quer, sou obrigado a aceitar os fatos. Eu lhe conto a lenda e depois dir-lhe-ei o que se passa.

Ainda no tempo colonial, veio para o Pará um português riquíssimo e, desejando aumentar os seus haveres, fundou no Tocantins, perto de Mocajuba, uma fazenda para o cultivo do cacau. Além do grande pessoal que consigo trouxe, acompanhou-o um seu filho de nome Honorato, rapaz de seus quinze a vinte anos, muito bonito e dado a conquistador.

Um dia este moço desapareceu sem que pessoa algum pudesse dele dar mais notícias.

Dizia então uma velha índia que havia visto o moço Honorato andar nos dias anteriores triste, passeando pelas praias do Tocantins, atraído, sem dúvida, pela beleza da Iara e que esta o havia levado para o fundo do rio.

O que é certo é que alguns anos depois, quando há alguma grande festa, à meia-noite aparece este moço, que dança, diverte-se e às três para as quatro horas da madrugada, quando a aurora começa a despontar, ele some-se sem que ninguém saiba para onde vai. Muitas vezes já se tem procurado sitiá-lo, colocando vigias por todos os lados para vê-lo sair e apenas uma vez muitos rapazes o viram atirar-se n'água do alto da ribanceira.

— Mas, coronel, isto é um absurdo, uma tolice.

— Não fale assim; há tanta coisa na natureza que nós não compreendemos, de que não sabemos a causa e, no entanto, não podemos negar.

— Mas este fato tem uma explicação natural. O Tocantins é continuamente navegado por canoas de *regatões*, por vapores e lanchas. Ora, não é de admirar que, uma ou outra vez, um desses viajantes apareça em uma festa e de repente se vá embora, para continuar viagem. Ninguém o conhece e a imaginação popular começa logo a criar mistérios.

— Não é assim. Ouça: há dois anos houve uma grande festa no engenho do capitão Pinheiro, no distrito de Abaeté, na véspera do Natal, e na mesma noite outra na casa do Manuel Francisco, que o senhor bem conhece, chefe político de nomeada em Baião. Pois bem, à meia-noite em ponto o Honorato aparecia no baile do Pinheiro em Abaeté, desaparecia às duas horas, para surgir às duas e meia em casa do Manuel Francisco. Qual a canoa, ou vapor, ou balão capaz de em meia hora percorrer a distância que vai de uma a outra coisa? Nem em oito horas!

— E o senhor poderia me dizer se conhece alguma Cobra-Grande capaz de fazer esse percurso em meia hora?

— O Honorato, porque é encantado.

Com tal resposta não pude conter uma gostosa gargalhada.

O coronel, enfiado deveras, replicou-me: — Pode rir-se à vontade, mas nem por isso o senhor pode destruir um fato confirmado por inúmeras testemunhas em todo o Tocantins, e no Amazonas até Óbidos. No Paraná Mirim de Óbidos é comum o aparecimento do Honorato. E até logo, são três e meia da madrugada; procura o Honorato e veja se é capaz de encontrá-lo em alguma parte aqui na fazenda.

Com efeito o tal rapaz louro havia desaparecido.

José Coutinho de Oliveira — *Lendas Amazônicas*, pp. 88/90. Belém, Pará, 1916. Essa lenda, *O Honorato*, fora narrada pelo Dr. João Hosannah de Oliveira na revista *Vozes de Petrópolis*. Por ela se vê a perfeita ausência do elemento indígena. Honorato é um português enfeitiçado por uma Iara...

Há, porém, no Pará uma lenda muito espalhada entre o vulgo e que já foi vulgarizada pela imprensa e em outras publicações por mais de um escritor. É a da *Cobra Honorato*.

E se dela me ocupo aqui é para estabelecer as variantes sobre o mesmo assunto.

Esta lenda é, relativamente, moderna e, portanto, acha-se compreendida no ciclo da manifestação mental do espírito que nos vem interessando.

A "pátria" de "Honorato" não está definitivamente assentada. Muitas são as regiões paraenses que disputam essa "glória"; porque a lenda é genuinamente do Pará.

Preliminarmente, devo dizer que há, no interior, a crendice de que as mulheres concebem, às vezes, de um bicho encantado.

Estão elas, às vezes, na roça, ou na beira do rio, sentem, de súbito, uma pancada no ventre e... pronto! estão grávidas! E quando nasce o filho é, quase sempre, uma cobra!

Essa história eu ouvi contada e afirmada como se tendo dado com mulheres conhecidas.

— Vá perguntar — dizia-me o Barata, o capataz da fazenda — à velha Joana Candiru, se com ela não aconteceu isto!

A mãe do "Honorato", pois, deve ter concebido nestas mesmas condições.

Honorato e sua irmã "Maria Caninana" nasceram gêmeos. E nasceram (segundo a minha variante) no paranã do Cachoeiri (paranã entre o rio Amazonas e o Trombetas, no município de Óbidos).

Quando nasceram, a mãe (que era mulher como acima ficou esclarecido) perguntou ao "curador" (Pajé) se devia matá-los ou jogá-los no rio. O "curador", então, respondeu que se os matasse ela morreria também. E então a mãe soltou-os no rio onde se criaram.

Honorato era bom e vinha sempre visitar a mãe. "Maria Caninana" era má e nunca veio. Andavam sempre juntos e percorreram todos os rios da Amazônia.

"Maria", sendo muito má, fazia sempre muitas travessuras, que desgostavam o irmão. Alagava canoas, mexia com os bichos, afogava viajantes, cometia, enfim, toda a sorte de maldades. No porto de Óbidos, por exemplo, existe uma Cobra-Grande, cuja cauda está no rio e a cabeça em terra, e bem debaixo do altar de Nossa Senhora Santa Ana, na igreja do mesmo nome.

"Maria" disse que ia mexer com a cobra, o irmão lhe disse que não fizesse tal. Ela, porém, teimou e, ao passar por ali, mexeu com a cobra, picando-lhe a cauda. A cobra deu um estremeção tão grande que rachou a terra até perto da igreja. (De fato, em Óbidos, há uma chanfradura no solo, acima do Mercado e em direção, mais ou menos, da aludida igreja.)

Tantos atentados cometeu "Maria" que, um dia, "Honorato" a matou e se viu livre dela.

"Honorato" era um moço encantado. Quando queria, à noite (só à noite) transformava-se em gente, deixando à beira do rio a monstruosa casca da cobra, em que vivia. Gostava muito de dançar. Era um moço alto e bonito. Muitas vezes ia dormir em casa de sua mãe e, então, pedia encarecidamente a esta que, antes do galo cantar, fosse ela à beira do rio, onde estava, sem ação, o seu corpo de cobra e que, deitando-lhe um pouco de leite na boca e dando-lhe uma cutilada que lhe fizesse deitar sangue, ficaria ele desencantado para sempre.

A mãe de Honorato foi, muitas vezes, tentar essa empresa, mas era tão grande, feia e monstruosa, a cobra, que ela não tinha coragem e voltava sem poder fazer o que lhe pedira o filho. Ele, porém, garantia que a cobra nada lhe faria de mal. O mesmo pedido fez ele a muitas outras pessoas, garantindo a mesma coisa, mas quando iam elas cumprir o pedido e viam o monstro, corriam aterrorizadas para trás, e por isso ele não podia desencantar.

Honorato viu, lutou e venceu, sempre, muitos bichos grandes e ferozes nas águas do Amazonas. Mas o monstro maior que ele viu foi uma piraíba (*Branchyplatystoma filamentosum*) na boca do rio Trombetas. (Outros dizem que isto se deu na foz do Amazonas.)

Honorato, sem se aperceber, ou dar pelo fato, entrou pela boca do monstro e já tinha andado um bom tempo, quando conheceu onde estava, e pôde voltar e salvar-se. Foi a única vez que Honorato teve medo.

Estando ele uma feita nas águas do grande Tocantins, chegou à cidade de Cametá. À noite, ali, procurou um soldado e lhe fez o costumado pedido. (Neste ponto todas as variantes são concordes: o fato deu-se mesmo em Cametá.) O soldado (invicto soldado!) foi à beira do rio, viu o monstro, mas não recuou como os outros: deitou-lhe leite na boca, deu-lhe a cutilada que fez sangue... e Honorato desencantou-se. O corpo da cobra foi queimado e reduzido a cinzas.

Depois disto (tão verdadeiro é o caso), houve muita gente que conheceu, falou e teve amizade com Honorato. Encontrei um caboclo que me afirmou convencidamente que Honorato... até tinha assentado praça no corpo policial do Pará. (Talvez por amizade e gratidão ao soldado de Cametá.)

José Carvalho — *O Matuto Cearense e o Caboclo do Pará*, pp. 19/21. Belém, Pará, 1930.

Esta é a versão corrente atualmente no Pará. Já está integrada no fabulário popular e perfeitamente assimilada.

A repercussão da Cobra Honorato no território do Acre chegou sem o nome. O Sr. Francisco Peres de Lima, no seu *Folclore Acreano*, pp. 110/111 (Rio de Janeiro, s/d, 1938) registra um episódio da Cobra-Grande tomando a forma de uma mulher bonita e voltando, depois de descoberta, como Melusina ao corpo horrendo.

CORPO-SECO
(SÃO PAULO, MINAS GERAIS, PARANÁ, SANTA CATARINA, NORDESTE DO BRASIL)

Da tradição sulista conheci a citação que do livro de Leôncio de Oliveira, *Vida Roceira* (segunda edição, p. 17) fez o professor Basílio de Magalhães:

> Homem que passou pela vida semeando malefícios e que seviciou a própria mãe. Ao morrer, nem Deus nem o diabo o quiseram; a própria terra o repeliu, enojada da sua carne; e, um dia, mirrado, defecado, com a pele engelhada sobre os ossos, da tumba se levantou, em obediência a seu fado, vagando e assombrando os viventes, nas caladas da noite.

No norte do Brasil o avarento, o incestuoso, o mau filho, tem o corpo rejeitado pelo túmulo. A terra não come a mão que se ergueu contra pai, mãe ou padre. O *Corpo-seco* que aterroriza o *hinterland* paulistano não é o mesmo do Norte. Nesta região o defunto, mumificado, esqueleto coberto com a pele, não abandona o sepulcro para ser visto a desoras pelos notívagos. Chamam também *Corpo-seco*, mas a referência se reduz ao encontro do cadáver ressequido e duro como pau, denunciando que houve pecado sem perdão divino.

Há também o *Corpo-santo* que é o cadáver incorrupto ou parcialmente conservado. É considerado prova de santidade. Avisam sempre que nos cemitérios os *Corpos-santos* são encontrados e, durante algum tempo, pedem milagres pela intercessão de quem mereceu ter o corpo respeitado pelos vermes. O *Corpo-seco*, ao contrário, é um aviso da perdição da alma. É um sinal infalível de que a "alma" anda penando, solta, sem finalidade supraterrena, indo e vindo na Terra, apegada aos lugares que amou em vida. Os membros da família apressam-se em promover missas em sufrágio da alma exilada do julgamento final, distribuindo esmolas e tendo o cuidado de reencher o caixão de cal viva, para que o *Corpo-seco* seja definitivamente corroído e, desaparecendo, mereça castigo ou prêmio.

No Paraná o *Corpo-seco* dá explicação aos fantasmas gritadores, ao estarrecente *Bradador*, espectro informe que assombra os povoados gritando e berrando na escuridão. O *Corpo-seco* é a morada do espírito estridente que vaga depois da meia-noite, enchendo de medo aqueles que ouvem a ressonância dos gritos apavorantes. Condenada a uma pena terrível, a alma dos grandes pecadores reside, durante o dia, no *Corpo-seco*, múmia esquecida e sem história, no deserto dos cemitérios do sertão sulista. Com a treva, abandonando o corpo, sai o *Bradador*, povoando de roncos e uivos o silêncio da noite.

A convergência dos espíritos bradadores, almas que gritam e choram, comuns no Folclore europeu, com o *Corpo-seco* é uma natural e lógica explicação popular. O cadáver ressequido, expulso da terra, parece rejeitado por ela e só se daria por um pecado excepcionalmente grave. O fantasma gritador deve ser, forçosamente, o espírito que animava o *Corpo-seco*. Ambos, espírito e corpo, cumprem uma sina, satisfazendo compromissos morais e religiosos.

Tanto o *Corpo-seco* como o *Bradador* são tradições correntes em Portugal, mas não conheço caso, como existe no Brasil, de sua reunião em um só mito de finalidade religiosa.

CURACANGA OU CUMACANGA (MARANHÃO E PARÁ)

No *Folclore no Brasil* (p. 98) o professor Basílio de Magalhães registrou a *Curacanga* maranhense "conforme dados fidedignos, ouvidos de quem nasceu naquela zona e que me foram transmitidos pelo Sr. J. da Silva Campos".

> Quando qualquer mulher tem sete filhas, a última vira *Curacanga*, isto é, a cabeça lhe sai do corpo, à noite, e, em forma de bola de fogo, gira à toa pelos campos, apavorando a quem encontrar nessa estranha vagabundeação. Há porém, meio infalível de evitar-se esse horrível fadário: é tomar a mãe a filha mais velha para madrinha da ultimogênita.

Citando M. Pádua Carvalho, Santana Neri informara, em 1889, a existência do mito em Pará, conhecido por *Kumacanga*. No *Folk-Lore Brésilien* (p. 31) está a *Kumacanga:*

> *Le loup-garou dont la tête se détache du corps, et qu'on appelle Kumacanga, est toujours la concubine d'un prêtre, ou bien le septième fils de leur amour sacrilège. Le corps reste à la maison; la tête seule sort, pendant la nuit du vendredi, et vole dans les airs comme un globe de feu.*

O professor Basílio de Magalhães liga a Curacanga ao ciclo dos protomitos ígneos, simultaneamente aos Lobisomens e ao Mboitatá. Curiosamente a Curacanga é um exemplo da convergência de elementos vários, de procedência europeia e ameríndia, fundidos e amalgamados.

Na Europa e Ásia há a tradição das cabeças humanas que voam, destacadas do corpo, atravessando os ares, espalhando pavor. Acreditava-se que o salgueiro fazia nascer cabeças humanas. Frédéric Boutet, no *Dictionnaire des Sciences Occultes* (Paris, [s/d], p. 46), lembra que

> *... le saule avait un esprit familier qui, logé dans ses branches, causait volontiers avec les femmes qui approchaient de l'arbre. Quant aux hommes, l'esprit s'amusait à leur faire peur ou à les mystifier.*

À página 47, Boutet inclui um desenho ilustrativo da *arbre magique* cheia de frutos que são cabeças de homens barbados.

Na Europa, no mito das *bruxas*, sabia-se que a sétima filha era destinada a servir a Satanás. Essa crendice viajou para o Brasil. Escreve Viriato Padilha (*O Livro dos Fantasmas*, p. 49. Rio de Janeiro, 1925):

> Toda a mulher que tiver sete filhos machos, pode ter a certeza de que um deles vira Lobisomem. E, sendo sete meninas, uma, mais cedo ou mais tarde, vira Bruxa.

No *Folk-Lore Chinois*, de Wieger (pp. 83/84, apud Gustavo Barroso em *O Sertão e o Mundo*, Rio, 1923, p. 20), encontra-se o mito do salgueiro com a cabeça sinistra, perseguindo transeuntes:

> ... viram uma cabeça de mulher, que pendia dum ramo de salgueiro. Soltaram, ambos, um grito de terror. A cabeça deixou-se cair ao chão e avançou para eles, aos pulos. Fugiram a toda carreira, refugiaram-se em casa e trancaram a porta. A cabeça veio bater contra a porta. Seguraram-na fortemente pelo lado de dentro, para conservá-la fechada. Então, a cabeça atacou os batentes às dentadas. A madeira estalava e se esmigalhava sob os dentes. Enfim, os galos cantaram. Então, ela foi embora, rolando, e atirou-se na lagoa.

Na América do Sul o mito possui formas típicas, mas denuncia a procedência europeia. Na Bolívia chamam Catecate. M. Rigoberto Paredes no interessante estudo que fez dos *Mitos, Supersticiones y Supervivencias populares de Bolivia* (La Paz, 1936, 2ª edição, p. 47) fixou a tradição terrificadora:

> *El Khatekhate, conceptúan que es la cabeza desprendida de un cadáver humano, que saltando de su sepultura, va rodando en busca del enemigo que en vida le causó males y lanzando a su paso gritos inarticulados y muy guturales, que en el silencio de la noche hacen un ruido extraño y espeluznante. Cuentan que, cuando encuentra al individuo perseguido, le liga las manos y los pies con el cabello crecido en su sepulcro, el cual es duro y resistente; le derriba al suelo y se coloca sobre el pecho del enemigo; le hinca los descarnados y afilados dientes y le chupa la sangre, mientras sus miradas de fuego están fijas, en el rostro del perseguido. La cabeza, conforme succiona, toma mayores proporciones y con su volumen, que no cesa de crecer y aumentar de peso, ahoga paulatinamente a su víctima, haciéndole antes sufrir una agonia dolorosa y cuando ha conseguido darle muerte vuelve, rebotando de contento por el suelo, hasta el lugar de su eterno descanso, la cabeza vingativa.*

Além da Catecate horrenda há o mito de que o feiticeiro, errando alguma fórmula do encantamento, tem a cabeça arrancada do corpo e voa, servindo os cabelos de asas, até o local da reunião. A própria Catecate aparece em cima dos tetos amigos, queixando-se, iluminando o interior com seus olhos de fogo.

Essa tradição convergiu para outro núcleo mais poderoso no fabulário ameríndio: o das aves noturnas, misteriosas e onipotentes. No Peru o *Kefke* é a mesma Catecate transformada em ave que voa durante a treva. Ninguém a viu, mas seus gritos lastimosos servem de pregão. O Kefke é a cabeça da bruxa, desprendida do corpo, depois do banho ritual nágua verde. Voa para o concílio dos outros Kefkes, no alto da montanha.

O indígena ouvindo o *kef, kef, kef, kef* do terrível pássaro, emudece e crava uma faca no chão, talqualmente fazem na Itália, Polônia e França contra o agouro ou passagem noturna das Bruxas. Se o golpe da lâmina no solo coincidir com a exata passagem do Kefke, este cai, enredado nos cipós e lianas do mato e pede misericórdia, oferecendo riquezas. É mais uma modificação do mito.

Frederico Alfonso Pezet, em sua comunicação *Peruvian Folk-lore* ao *Nineteenth International Congress of Americanists*, reunido em Washington (dezembro de 1915), descreve o Kefke (*Proceedings*, p. 466):

The Kefke is a mysterious night bird which has never been seen but whose cry is a warning of approaching evil and consequently is dreaded by the Indians. The Kefke is abroad at night, when the family has retired in the hut. Its awful wail, coming on the stillness of the night, kef, kef, kef, kef! instantly causes the Indians to shudder. All conversation ceases, they cross the left foot, and stick a knife into the ground. By doing this the evil bird is supposed to fly over without leaving any malefic influence on the house or its inmates. The belief is that the Kefke is the head of a witch that severs itself from her body every time she sleeps after bathing in green water. It is generally about midnight that the Kefke flies; it goes to the meeting-place of the other Kefkes on the summit of a mountain, there to hold council.

The Kefke beaten by the Indian who in due time has crossed his left foot and planted his knife in the ground falls into the bushes and becomes entangled, when he be-wails his misery, offering all kinds of rewards if only he will be released. The Indian hears these lamentations, but does not heed them, as he knows that he has already saved himself from the terrible Kefke's evil influence.

Friday is the day of the Kefke. The Indian is ready for him, and so when it comes, woe to him and his if he does not offset the evil influence in time, for otherwise his crops will certainly fail, his pet animals will die, his son will be drafted into the army, or some calamity will come to a member of his family or himself.

A Curacanga do Maranhão ou a Kumacanga do Pará têm as influências reconhecíveis das Bruxas europeias (sétima filha prefadada), da cabeça viva, passando nos Folclores asiáticos (China, Japão, etc.) e dos mitos ameríndios, a Catecate, cabeça vingativa e fantástica e o Kefke, forma ornitológica do espectro. A escolha da noite da sexta-feira, a noite da morte de Jesus Cristo, tornando-a simbólica, é uma interferência da catequese católica. *Friday is the day of the Kefke*, informou F. A. Pezet.

O informador de F. A. Pezet foi o Dr. Luís E. Valcarcel, de Cuzco (Luís Eduardo Valcarcel y Vizcarra), que sabe acompanhar um mito às suas fontes remotas e distanciadas. Pezet escreveu:

Dr. L. E. Valcarcel informs us that certain legends known to Orientals have found a place in the folk-lore of the ancient Peruvians, a thing most curious which deserves closer investigation.

O Kefke pertence à ornitologia assombrosa do Oriente.

A nossa Curacanga é, como a maioria dos mitos, um composto, súmula de colaborações anônimas e seculares, vindas dos muitos horizontes e ampliadas pela imaginação local, inquieta e rica.

O Sr. J. Barbosa Rodrigues Junior (Osvaldo Orico, *Mitos Ameríndios*, 2ª edição, p. 149, nota, Rio, 1930) traduz *huracanga*, o que detém e torce a cabeça, e dá a explicação plausível de ser, quase sempre nas grandes proles, meio imbecilizado o último filho, pela razão dupla do cansaço dos genitores e abundância de mimos.

A Curacanga ou a Cumacanga é uma convergência de mitos e não creio que pertença aos mitos ígneos. A presença do fogo não é uma característica e sim um elemento constitutivo nos seres fabulosos que vivem à noite.

OS FILHOS DE CHICO SANTOS (PARANÁ)

Todos os gêneros da família *Pipridae*, rendeiras, uirapurus, tangarás, figuram no Folclore, com algumas tradições curiosas. No Paraná, as chiroxífias têm uma lenda interessante.

Os tangarás (*Chiroxiphia caudata*, Swainson), chamados *dançadores*, são conhecidos em todo sul do Brasil pelo seu bailado, em círculos e voos curtos, regido por uma das aves do bando, com canto e resposta, num coro natural.[19] O ornitologista Emílio Augusto Goeldi (*Aves do Brasil*, pp. 334/335) descreve, nitidamente, a dança dos Tangarás:

> Eu próprio tenho assistido mais de uma vez aos concertos da *Chiroxiphia caudata*, principalmente em agosto e em regra nas primeiras horas da manhã. Um ou mais dos machos fazem ouvir de diferentes pontos um brado, que soa como um *tiú-tiú* expedido em tom breve, e dir-se-ia o sinal de chamada. A esse apelo observa-se que diversos figurantes se encontram algures no matagal, num ponto que abarca poucos centímetros. Vão a mais e mais aproximando-se uns dos outros, e afinal pousam em um ou mais galhos baixos de uma ou mais moitas vizinhas. Um indivíduo, que de preferência trepa num galho caído meio obliquamente, abre a dança com *tra*, *tra* muito distinto, com o qual voa de um galho, pousando num ramo depois de breve curva. Ainda não está sentado, e já o segundo lhe ocupou o lugar, voando igualmente com *tra*, *tra*, e novamente postando-se na vizinhança. A mesma manobra repetem em série todos os indivíduos reunidos, e o concerto dura um quarto de hora, meia hora, sem interrupção. Afinal, um dos indivíduos dá um sibilo agudo, solto com extraordinária aspereza, e fica tudo tranquilo. Está findo o concerto. Repete-se, porém, ainda várias vezes, em vários lugares da mata ao mesmo tempo, por sociedades diversas. Tanto quanto pude verificá-lo, pareceu-me que só os machos tomavam parte nele.

---

19 Fernão Cardim descreve, já em meados do século XVI, a dança dos tangarás. *Tratados da terra e gente do Brasil*, pp. 53/54.

Essa dança tem sugerido páginas e quadros inúmeros. No Estado do Paraná, entretanto, o Tangará se está transformando num mito local, num conto etiológico, demonstrando a vitalidade ininterrupta da imaginação popular.

O caboclo Chico Santos tinha vários filhos, desempenados e fortes trabalhadores, doidos por bailes, fandangos e rodas. Viviam dançando. Durante a Semana Santa não se puderam conter e dançaram animadamente. Adoeceram todos de varíola e, um a um, morreram. E cada um que ia morrendo tomava a forma do Tangará, o pássaro dançarino. E ficaram dançando, cada manhã, em rodeios e reviravoltas, cantando a mesma toada, até que Nosso Senhor tenha compaixão deles todos e os leve para o céu.

Essa tradição se conserva na marinha paranaense, na vila de Guarequessaba. É, como na formação do mito do Saci, outro processo, e de potencialidade idêntica, para explicar, pela associação de ideias a convergência de tipos, certos hábitos da avifauna brasileira, acomodando elementos éticos de fundo religioso.

O Sr. Francisco Leite, folclorista paranaense a quem devo a bondade desta comunicação, enviou para mim cópia de uma página de sua filha Ofir Leite, clara e justa visão da estória. Não é possível melhor nem mais expressivo documentário.

A dança dos Tangarás

Todas as lendas têm a sua origem na vida real e são um reflexo do nosso espírito. As florestas estão cheias de abusões e fantasmagorias, criadas pela ideia sempre inventiva dos nossos caboclos. Até as danças serviram de pretexto à invenção de uma das lendas mais interessantes do Paraná. Floriu na marinha. Em Guaraquessaba.

Certa vez, um viajante foi até aquela vila. Sol a pino. Desembarcando da frágil canoa, o canoeiro seguiu abrindo caminho na floresta, por um carreiro ziguezagueante. Reinava em tudo um grande silêncio, o silêncio modorrento da canícula.

O viajante ia atrás admirando a paisagem e a pletora da floresta cerrada. Iam silenciosos, quando de repente o canoeiro parou e fez sinal de cautela ao companheiro, para que pisasse sem ruído. Que seria? Pé ante pé, o excursionista veio vindo, veio vindo, e surpreendeu este quadro, para ele inédito: Oito ou nove passarinhos, de cor azulada e crista vermelha, trinavam e bailavam nos galhos de uma árvore quase desfolhada. Um dos pássaros, o chefe, estava pousado num ramo superior, e executava, harmoniosamente, um canto suave, com as penas encrespadas pela volúpia da modulação, a cabecita esticada, o bico entreaberto.

Quando terminou este solo, romperam os outros em coro.

Houve, depois, um descanso rápido, em que os orquestrantes começaram a saltitar, de dois em dois, numa espécie de quadrilha. A um apelo do chefe, retomaram seus lugares.

Recomeçou o chilreio, pondo-se o chefe a bailar, indo e vindo de um galho para outro. Enquanto isto, os bailarinos voavam, cantando, uns por cima dos outros, revezando-se, de modo que os primeiros ficavam atrás dos últimos, e estes atrás dos primeiros. Era um encanto vê-los!...

Curioso, o viajante quis ver de mais perto a dança. Mas fez ruído. E com isso os pássaros fugiram, de súbito.

— Que passarinhos são estes? — indagou o romeiro, apontando para o rumo em que eles desapareceram.

— "O Povo chama de Tangarás — informou o canoeiro — mas pro sinhô eu vô contá: São os fios do Chico Santos."

O viajante não entendeu o significado daquela revelação, e inquiriu: — "Filhos de quem?"

— "Eu lhe conto o causo — disse o caboclo, acendendo o seu cachimbo — Não vê que havia dantes nestes matos uma família de dançadores. Eram os fiio do Chico Santos. Que gente pra gostá de dança! Dançavam por nada. Fandangueavam até nas roça, interrompendo o trabaio. Batiam os tamanco no chão quase todas noite. Uma veis, meu sinhô, távamo na Semana Santa! Pois não é que a rapaziada inventô de fazê um fandango? E feis. Dançaram inté de manhã. Mas Deus, que vê tudo, castigô os dançarino. E sabe o que feis?"

— ? —

— "Deu a bexiga nos fiio do Chico Santos. E cada um que ia morrendo, ia virando passarinho. E agora andam aí cumprindo o seu fado... O meu avô sabia dessa história, por isso nóis nunca dançamo na Quaresma."

E concluiu, num longo suspiro de piedade:

— "Quem mandô eles dançarem na Semana Santa?"

OFIR LEITE

(Curitiba, Paraná)

O GOGÓ DE SOLA (ACRE)

O Gogó de Sola vive na região acreana e sua existência oscila entre a fábula e a realidade. Negam e afirmam, com veemência igual. O Dr. Paulo Bentes, conhecedor da terra, escritor e poeta, disse-me ter visto em Rio Branco um couro de um pequenino animal dado como sendo o Gogó de Sola. Pelo menos era o que afirmava o possuidor. O Sr. Francisco Peres de Lima é a fonte informativa impressa, única e definitiva, no seu interessante volume.

Este animal é assim chamado por ter uma parte no pescoço idêntica a de um couro curtido. Como a História Natural não afirma a existência desse animal, nós não podemos afirmar algo sobre sua vida. Supõe-se ser o *Gogó de Sola* um cão-do-mato, atacado de hidrofobia; tanto assim que só nos meses de fevereiro e março, devido à metamorfose da doença, é que ele é encontrado.

Possui o nocivo animal uma agilidade extraordinária, as suas dentadas são perigosíssimas e assemelham-se às das cobras venenosas; o seu tamanho é invulgar pela pequenez, por isso, o homem, quando atacado, não pode lançar mão das armas de fogo, como meio de defesa, porque seria inútil. Ao morder a sua vítima, fica agarrado por muito tempo, sendo nessa que ela o mata. A arma mais apropriada para esse caso é o *terçado* ou o cacete.

No mato, anda sempre trepado nos galhos das árvores, saltando de um lado para outro, numa aflição bem caraterizada de loucura.

Todo animal selvagem, a princípio, tem medo do homem; entretanto, isto não se dá com o *Gogó de Sola*, que apesar do seu tamanho minúsculo, avança contra o homem numa fúria inenarrável. É comum, nos meses acima referidos, esse animal em bando, sair nos lugares de habitação, causando verdadeiro terror aos moradores (Francisco Peres de Lima — *Folclore Acreano*, p. 105, Rio de Janeiro, 1938).

Procurando identificar o *Gogó de Sola*, obtive do professor Padberg Drenkpol uma orientação preciosa, fecho digno para esse registro.

"Como cachorro-do-mato poderia ser *Spéothos (Ictícyon) venaticus Lund*, das nossas matas virgens, raro, baixote, de pele cor de castanha, justificando talvez o epíteto de sola. Kappler (Brehms Tierleben, 1915) o descreve como 'extremamente feroz... ladrando e rosnando contra quem se aproximava', logo 'agressivo'! O corpo mede até 65 cm, mais um rabo de 14 — menor ainda é (43+22 cm) o 'cachorrinho-do-mato', o mustélida *Grison vittatus, Schreb.*, de cor mais clara, listrado em cima, embaixo castanho-escuro, podendo ser que o 'gogó' do pescoço sobressaia mais claro como 'de sola'. Parece 'muito corajoso', mas antes mais folgazão do que agressivo. Seu parente próximo, porém, a irara *Tayra* (*Galictis ou Galera) bárbara* L., maior (65+45 cm), sanguinária, 'mordendo furiosamente em roda, quando perturbada' (Brehm), logo, assanhadiça, parece fazer jus ao epíteto 'gogó de sola', porque 'na parte inferior do pescoço fusco tem uma grande mancha amarela' (Brehm) ou 'larga mancha semilunar amarela' (Goeldi). Pois bem, esta mancha parece mesmo um 'gogó' (pomo de Adão) mais claro, como 'de sola'. Quanto de longe se pode julgar, aquele animal acreano será provavelmente uma irara, 'pequeníssima' em comparação dos animais maiores que ataca, tanto mais que é baixa."

GUARÁ
(FRONTEIRA DO PARÁ-MARANHÃO)

Na fronteira do Pará com o Maranhão e neste último, entre o rio Gurupi e a serra Tiracambu, vive o *Guará*, feroz, insaciável, velocíssimo.

Tínhamos na fauna brasileira dois Guarás. Um canídeo, *Canis jubatus, Desm*, Aguará-assu, o iaguarussu do padre Fernão Cardim, uma espécie de cão selvagem. Uma ave, a *Ibis rubra* ou *Eudocimus ruber*, de Lin. Esse terceiro *Guará* pertence ao ciclo dos monstros ainda desconhecido para o catálogo. Nenhuma referência sobre seu nome encontrei nas narrativas de viagens ou livros amazônicos. Tive notícia apenas por um veterano trabalhador de seringais, Genésio Xavier Torres. Disse-me que o Guará era citadíssimo pelos companheiros maranhenses que cortavam seringa nos rios paraenses. Detalhou peculiaridades físicas e hábitos do Guará. Pela rude mão desse caminhador da selva sem nome entra o Guará na série dos animais assombrosos e de vida heroica na imaginação dos homens.

O Guará é da estatura de um veado catingueiro (*Cervus simplicicornis*, Illeger), mas parece com uma capivara (*Hydrocoerus capybara*, Erxl). É de cor avermelhada. Não tem chifres. Seu corpo se conforma de maneira singular. É estreito na frente e largo na parte posterior. A velocidade de sua carreira é incrível. Só é lento e tardio quando desce as encostas. Subindo aclives é um relâmpago. A explicação é outra anomalia teratológica do Guará: tem os intestinos soltos... Descendo as ladeiras, desce-se-lhe todo peso intestinal para o peito, sufocando-o, obrigando-o a uma marcha vagarosa, para respirar. Subindo, com os intestinos na posição normal, voam-lhe os cascos, como asas rápidas. Grita como o Mapinguari e o Pé de Garrafa. Grita como um ser humano e seus gritos atraem os incautos, supondo-o um companheiro transviado na serrania do Tiracambu. O Guará, avistando o viajante, ataca-o com um ímpeto irresistível de faminto, às dentadas de cão hidrófobo. Ninguém atravessa a região de sua morada senão em grupo de três a cinco pessoas. Mesmo um casal, o Guará enfrenta, com possibilidades de sucesso.

É vulnerável. A carne dos machos é imprestável, coriácea e fétida. A das fêmeas lembra a felpa seca das carnes dos veados. No assalto, a fêmea é mais ousada que o macho.

Não tem hora para deixar o esconderijo e saltar na estrada, aos berros. As tardes de verão, entretanto, parecem ser as preferidas. Raramente aparece à noite. Ouvem-lhe os gritos estridentes, dentro da escuridão e da mata, assombrando...

Qual seria a gênese desse mito? Hidrofobia no Guará, cão-do-mato, com ataques inopinados aos viajantes e subsequente renome, multiplicando a estatura pelo medo espalhado? E, naturalmente, convergência dos caracteres do Mapinguari, especialmente do Capelobo maranhense, que também grita e é veloz?

A forma indicada pelo meu informante único, a da capivara, não será adulteração do *Canis jubatus?* Quadrúpede, dando carreiras, avermelhado, saindo bruscamente da floresta? Os mitos do Capelobo e do Mapinguari teriam completado a visão do novo colega na galeria terrível dos ogres brasileiros.

JACARÉ, MÃE DO TERREMOTO (AMAZONAS)

O Conde Stradelli, no seu *Vocabulários* (p. 447), registra a tradição dos rios amazônicos, Negro e Branco e seus afluentes, onde o Jacaré (*Crocodilus sclerops*) é o responsável pelos tremores de terra.

> Uma velha lenda conta que é um jacaré que sustenta o Mundo, e que quando cansado da posição em que está procura outra e se mexe, faz tremer o Mundo. Por via disso o chamam *Jacaré tyrytyry manha*, Jacaré mãe do terremoto.

O jacaré, em todo fabulário indígena brasileiro, não tem papel saliente. Dele vivem restos, elos de tradições. Numa estória já deturpada que Brandão de Amorim recolheu, vemo-lo furtar o fogo a Tupana e esconder o lume detrás da orelha. No ciclo de Poronominare não aparece. Barbosa Rodrigues e Couto de Magalhães exilam sua torta silhueta dos contos amerabas.

Os antigos sempre ensinaram que o globo terrestre era sustentado por um gigante (Atlas) ou por animais, tartarugas, touros, aves e jacaré. Este, entretanto, não mereceu as honras de uma área semelhante a da tartaruga. O culto dos Egípcios, africanos-negros e asiáticos, ao crocodilo, veneração divina que tem feito a surpresa dos etnógrafos, não se passou para as três

Américas. O Amazonas, especialmente a ilha de Marajó, viveiro desses emidosáurios, não fornece vestígio de culto nem mesmo de respeito. O Egito venerava o crocodilo porque (escreve Diodoro Sículo, Livro I, LXXXIX) constituíam eles, boiando no Nilo, uma defesa natural contra os invasores da Arábia e Líbia. Diziam que Menes, perseguido por cães, fora transportado para outra margem por um complacente crocodilo. E, perto do lago Moeris, fundou a "cidade do Crocodilo", Crocodilópolis, em memória do sucesso.

Na Ásia, e para os negros africanos, o crocodilo é mágico, dono das águas e só devora quem lhe foi destinado por mão dos deuses. Podem ser irmãos de sangue (*blood-brother*) dos chefes e todos são entidades submetidas a Djata, divindade das águas. No Brasil não há essa tradição nem mesmo nas regiões vizinhas. A abundância dos caimãs e jacaretingas devia determinar um ciclo, mas tal não se deu. O índio brasileiro é um inimigo tenaz do jacaré que lhe devora os cherimbabos, animais de criação, e mata--o sempre que lhe é possível.

O Jacaré, Mãe do Terremoto, recolhido por Stradelli, é uma indicação de fio temático que certamente levará para longe a explicação atualmente desconhecida.

João Galafuz
(Pernambuco, Alagoas-Sergipe)

Curioso tipo de convergência a desse *João Galafuz*. Adapta-se o mito ígneo ao ciclo das "almas pagãs". O fogo, sendo sempre um anúncio do ouro ou sinal de castigo, haloa a figura misteriosa de um caboclo (indígena) que morreu sem as águas do santo batismo. Galafuz é um fogo-santelmo, arauto sinistro de mortes e tormentas, emergindo do seio do Mar. Vago, azulado e alto, brilha pelos rochedos, subindo aos picos, correndo nas ondas, clareando a prata das espumas, para apagar-se, brusco, como o próprio mistério que representa dentro da noite tropical.

Nas praias pernambucanas dizem que o duende luminoso tomou o nome do caboclo pagão, *João Galafuz*. Parece, entretanto, que Galafuz é africanismo, embora o tema seja universal, o fogo-fátuo.

Pereira da Costa descreve *João Galafuz*, em *Vocabulário Pernambucano* (Rev. do Instituto Arqueológico Pernambucano, vol. XXXIV, pp. 407/408. Recife, 1937):

João Galafuz — Nome com que a superstição popular designa uma espécie de duende, que diz aparecer em certas noites, emergindo das ondas ou surgindo dos cabeços das pedras submersas como um facho luminoso e multicor, prenúncio de tempestade e naufrágios; crença essa dominante entre os pescadores e homens do mar do norte do Estado, e principalmente de Itamaracá, dizendo-se, que esse duende marinho é a alma penada de um caboclo que morreu pagão, acaso conhecido por João Galafuz. A superstição tem curso também em outros Estados, nomeadamente em Sergipe, com o nome de Jean de la foice.

Em Alagoas o *João Galafaice* ou *Galafoice* pertence ao bando assustador dos negros raptores de crianças. É um preto velho, de surrão clássico, rodando as casas para levar os meninos que estão fora da defesa doméstica. Alfredo Brandão (*Os Negros na história de Alagoas*, p. 88, em *Estudos Afro-Brasileiros*, Rio de Janeiro, edição Ariel, 1935) ensina que

> A lenda de João Galafuz, prendendo-se talvez à luminosidade da água do mar, lenda que o Dr. Pereira da Costa descreve no seu folclore pernambucano, é aqui em Alagoas, alterada na história de João Galafoice — o qual seria um negro que nas trevas da noite agarrava os meninos que andavam fora de casa.

O Sr. João Emílio da Silva, sergipano, informou-me vagamente que o Jan Delafosse era uma "coisa de fogo que corria atrás da gente", bem recordadora da *res ignis* com que o venerável Joseph de Anchieta desenhava o Mboitatá em maio de 1560.

Certo é que Galafuz, Galafoice e Delafosse ou Delafoice são sinônimos dum só mito, expressando coisa idêntica, sem ocorrer, como pensava Gustavo Barroso, vocábulo francês.

As palavras "galalau" e "galamastro", significando a primeira o homem comprido, extremamente magro, e o "arreburrinho" português, a segunda, dão ideia de extensão. Possivelmente o Galafuz venha daí. É uma sugestão pobre, mas, tratando-se de mito das águas, e das águas do mar, não é ocioso lembrar o *galé*, doninha, e mesmo a povoação portuguesa de Trás-os-Montes, Galafura.

As adaptações locais justificam a viagem do duende.

O Galafoice alagoano, furtando crianças, é visivelmente uma deturpação do tipo chamejante do Galafuz pernambucano, na espécie, um legítimo *urmythos*, a inicial da série.

JURUTI-PEPENA
(PARÁ)

É tradição do Pará. José Veríssimo registrou-a.

Outra aroídea serve de corpo a que se recolhe uma pomba-juriti mítica, e àquela planta chamam *juruti-pepena*. É uma ave fantástica, que canta perto de vós e a não vedes que está talvez à vossa cabeceira e a não sentis. Podeis ver a planta com suas largas e lindas folhas verdes, estriadas de vermelho e branco, e ouvireis o pio lúgubre da ave, sem que possais jamais descobri-la. Isto é para eles objeto de grande terror, a ponto de não consentirem que se fale no *juruti-pepena* com menos preço. Aquele a quem este ente fabuloso acerta de escolher para vítima de seus malefícios, acaba paralítico. Com efeito, *pepena* significa em tupi-guarani aquele, o (*pé*) que quebra *pen*, donde, por uma derivação lógica e consentida, chega-se à ideia de aquele que paralisa, que quebra (inutiliza) braços e pernas, que torna paralítico, em suma.

"*Pepena*" é particípio do verbo "quebrar" e também "dobrar", valendo por "dobrado", "quebrado". Juruti, *iuru*, boca, colo, pescoço, gargante, e *ti*, branco, é a *Leptoptila rufaxila*.

A *Juruti-pepena* se prende aos mitos dos tajás (*calladium*). Vários tajás em Pará e Amazonas são apontados como misteriosos e tendo emprego especial e secreto na "pajelança". Há um Calladium que se torna onça, outro rã, os tajás vermelhos pertencem à fabricação de venenos destinados às mulheres que violam o sigilo de Jurupari.

A MÃE DO OURO
(RIO GRANDE DO SUL, SANTA CATARINA, PARANÁ, MINAS GERAIS, SÃO PAULO, TODO O SUL DO BRASIL)

"*Ubi Est Ignis Est Aurum*", diziam os antigos. Onde há fogo, há ouro. A égide das minas, madrinha dos veeiros, padroeira dos filões, defendendo pepitas e escondendo jazidas, só podia ter a forma de chama, lume que denunciava o metal rutilante e a um tempo o custodiava. Seria, inicialmente, apenas um clarão seguido pelos trovões. O relâmpago dizia a direção da *Mãe do Ouro* e os trovões a sua cólera. Mito ígneo, informe, passou ao ciclo do Ouro e daí, como vemos na versão do professor Manuel Ambrósio, de Minas Gerais, já pertence ao número dos fenômenos meteorológicos, confundido com a estrela cadente, a *Zelação*, inalação, esconjurada e tida, num só tempo, como capaz de satisfazer votos formulados durante sua trajetória cintilante. Essa tradição nos veio de civilizações caldaicas, através de Portugal, na endosmose da colonização. Em sua noite do voo sobre o Atlântico, dirigindo o *Argos*, Sarmento de Beires recordou o gesto secular.

> Pelas 22 horas, um aerólito despenhando-se no espaço, corta o azul do céu, com a faixa coruscante da sua trajetória. Lembrei-me da superstição popular, e desejei, com um frêmito vibrante de toda a minha alma, que o *Argos* atingisse Natal! (*Asas que Naufragam*, p. 242. Lisboa, 1927).

Já em Paraná a *Mãe do Ouro* se fixa antropomorficamente. É uma mulher sem cabeça. A escolha do sexo dar-se-ia pela influência tupi--guarani em cuja teogonia todas as coisas têm a *ci*, uma mãe criadora. Para São Paulo, atualmente, o mito infiltrou-se no ciclo das Mães-d'Água. Lemos que a *Mãe do Ouro* reside, inexplicavelmente, numa gruta, num rio, rodeada de peixes embora atravessando os ares num cortejo de luzes vivas. Da Mãe-d'Água assimilou a sedução. No depoimento de Cornélio Pires os homens deixam família e amigos, arrastados pela *Mãe do Ouro*, talqualmente a Iara verde e sonora.

Perdida, de ano em ano, sua finalidade protetora, a *Mãe do Ouro* converge naturalmente para os mitos de existência palpitante na memória coletiva. Vem, vagarosamente, para o ciclo dos Batatá, a velha *Mboitatá*, com estágios na fase meteorológica. Finda a missão nas minas esgotadas, o nume emigrará para outras formas e continuará a vida perpétua que lhe fora doada.

A *Mãe do Ouro* nos aparece vindo do sul para leste, entrando pelo Rio Grande do Sul, nas missões, com índios guaranis. Como essa região está povoada das lendas do ciclo do ouro, com as salamancas, cerros bravos, animais luminosos como nhandus, gatos, teiuiaguás que correm, voam e desaparecem nas coxilhas num halo faiscante, a *Mãe do Ouro* viajou, de cerro em cerro, com um séquito de tempestade, para as terras onde os homens extraíam o metal amarelo.

Em Minas Gerais surge sua forma como uma serpente. É sua desaparição na cobra de fogo, o fogo punidor dos destruidores de pradarias, registrados pelo padre Anchieta no século XVI.

A literatura da *Mãe do Ouro* sempre nos veio das bandas do Plata, evocada pelos jesuítas das Reduções. Deve haver no Folclore árabe qualquer fio que articule o mito, pela Espanha, com os árabes. Assim ainda o Rio Grande do Sul guarda os Zaoris, as furnas encantadas, as bolsas inesgotáveis, todos os elementos do fabulário oriental.

Documentário

Mãe do Ouro. Mulher sem cabeça que habita debaixo da serra de Itupava, entre Morretes e Antonina, província de Paraná. Tem a seu cargo guardar as minas de ouro. Onde ela está é prova evidente que há ouro e por isso tomou o nome. Há poucas pessoas da localidade que afirmam a ter visto.

Vale Cabral — *Achegas ao estudo do folclore brasileiro.* Gazeta Literária, p. 350, Rio de Janeiro, 1884.

A *Mãe do Ouro.* O que é hoje serra de pedra já foi gente vivente: foi gente num tempo muito antigo, e por um castigo do céu, endureceu de repente e caída ficou onde estava...

Onde estavam sozinhos ficaram serros e serrotes; onde estavam apinhoscados ficou a serraria encordoada.

E os seus ossos aí estão acimentados, em pura pedra virados; a carne que os cobria deu terra negra; os cabelos são os matos, matos que bebem o sangue, que nos parece e nós apenas cascatinhas e vertentes; os lugares ocados que aparecem são os buracos do seu corpo, da sua boca e olhos, do seu nariz e ouvidos... As veias deram em ferro, e os nervos, como parte delicada, viraram-se em ouro e são os veeiros amarelos que se entranham por aí abaixo, adentro da crosta, tal e qual como os nervos estão entranhados na carnadura da gente.

Mas o que governa tudo, que não se sabe o que é, que é a Alma, que não morreu, essa é que é a *Mãe do Ouro*, porque ela, que não entrou no castigo, é que defende os nervos dos castigados, os veeiros da fortuna, para que no dia do Perdão cada um ache o que seu é...

Aí está por que, quando troveja, tantos raios caem sobre certos serros e tanto ventarrão esbarra neles... é a *Mãe do Ouro* que chama socorro...

Às vezes rebenta um serro destes com estrondo grande; se é de noite, no fogo que se vê sair, vai a cuidadeira de mudança para outro; se é de dia, é sempre no pino do meio-dia, e na luz do sol que encandeia os olhos, apenas sente-se o rumo que ela toma, só o rumo, mas não o lugar novo em que ela vai fazer morada nova.

> J. Simões Lopes Neto — *Lendas do Sul*, pp. 73/74. Pelotas, Rio Grande do Sul, 1913.

A *Zelação*. Quando a estrela corre e desaparece além, é ela, é ela... a zelação — serpente mãe do ouro vivo, encantado.

Para quebrar esse encanto, o feliz que a encontrar, se souber, cortará o seu dedo e com coragem deixará cair sobre ela um sangue virgem, ou conduzirá àquelas paragens um filho pagão de idade de sete anos.

> Manuel Ambrósio — *Brasil Interior* (Palestras populares — Folclore das margens do São Francisco), p. 61. Januária, Minas Gerais, 1912; edição em São Paulo, 1934.

Ante a Mãe de Oro... Tamêm é má p'ra quem bole co'ella... Mora nas grota, nos riu, intuda a parte, mais ai daquelle que ella prisigui! O sojeito larga famia, larga amigo, larga tudo, mór'de'ella! Num ai munto tempo passô no céo, alli por riba do chapadão, ua *Mãe de Ouro*.

— Um bólido...

— Era isso... U'a bola de fogo de oro que foi rebentano p'ros quinto...

> Cornélio Pires — *Conversas ao pé do fogo*, 3ª edição, p. 156, São Paulo, 1927.

Lá embaixo, muito longe, onde as águas varavam por um subterrâneo, morava a *Mãe do Ouro*. Às vezes saía, pelas tardes, com um longo cortejo de luzes de todas as cores, atravessando pelo ar, serenamente, como se fosse um desses papagaios de papel, que as crianças soltam ao vento em agosto. Da sua cabeleira de estrelas iam caindo todas, uma a uma, apagando-se e virando pedras. A mulher que visse desprender--se uma dessas luzes e fizesse um pedido, antes de ela apagar-se, seria servida pela *Mãe do Ouro*. Mas ficar-lhe-ia pertencendo para sempre: todas as noites, enquanto dormisse, o seu corpo sairia todinho da pele, sem ninguém perceber, sem a própria pessoa ao dia seguinte lembrar--se, e ia aparecer no palácio da *Mãe do Ouro*. Ali se realizavam festas maravilhosas, as mulheres mais lindas, casadas e donzelas, compareciam, envoltas em roupagens riquíssimas e transparentes, vendo-se umas às outras, mas sem se poderem falar, sem se poderem tocar, com os cabelos transformados em algas luminosas, com as pernas justapondo--se, confundindo-se, alongando-se — em forma de cauda de peixe. Iam ser amadas pelos gênios encantados do rio, príncipes antigos, mortos nas grandes guerras, de uma formosura de estátuas, que se recolhiam à noite ao fundo das águas e de manhã partiam diluídos nos nevoeiros, longas figuras, esguias, cor de cinza, dançando a ronda das nuvens.

Entrelaçavam-se demoradamente, cada um a cada uma, e as horas marcavam delícias orgíacas, valsas infinitas cantaroladas pelos seixos, pelas areias luminosas, ao coro dos rochedos de uma e da outra margem, num ritmo dolente e suave. Os salões do palácio eram grutas imensas, sucessivas, cada qual com a luz de uma cor, esta azulada, aquela verde, aquela outra rósea ou violeta... As águas formavam coxins, tapeçarias, leitos macios, condensando-se, colorindo-se, erguendo-se em docéis, repregando-se em planejamentos amoráveis e discretos. E pelos recantos, os pares se dissimulavam, zumbia a colmeia dos beijos, soluçavam as carícias nupciais, ardentes, de intermináveis desejos.

Quando uma rapariga se erguia do leito fatigada, de olheiras fundas, ela ouvia dizer muitas vezes:

— Coitada!... Passou decerto a noite no palácio da *Mãe do Ouro*... Sabe Deus a troca de que favores andaria essa tontinha por lá...

Veiga Miranda — Mau Olhado, pp. 31/33, São Paulo, 1925.

A *Mãe do Ouro*. A tradição de nestes cerros se terem achado minas e tesouros excita no homem do campo a suspeita que encerram os meios de fazê-lo sair da sua pobreza. Oferecem-se a seus olhos, ouvidos e fantasia vários fenômenos que o maravilham: lampejos, estrondos, vozes, bramidos. Um ente sobrenatural fantástico os informa ou vive nele segundo sua convicção. São lugares encantados.

Para o homem primitivo e o vulgo ignaro reúnem estes lugares as condições próprias dos seres organizados. As pedras que servem de alicerces da serra ou montanha formam os ossos de monstro; a terra que os enche representa as fibras e carne; as veias metálicas equivalem a seus nervos e veias; as profundas cavernas são suas negras bocas. Possui também uma alma, a *Mãe do Ouro*. Por isso é que se observa que o monstro se enfurece e treme com furor, estremece com delírio, brame de ira e desafoga com estrépito o concentrado fogo de suas paixões, trovoando e relampagueando. Também Bartholomeu de Las Casas conheceu a lenda da *Mãe do Ouro*.

Está aí um cerro que se enfurece, dizem no rio da Prata, dos que relampagueiam e trovoam e bramam quando alguém se aproxima deles ou pretende extrair-lhes os tesouros, que escondem em suas profundidades.

A *Mãe do Ouro*, que informa os metais subterrâneos, às vezes abandona um cerro para mudar-se para outro. Muitas vezes vizinhos e não vizinhos do cerro do Jarau observaram como saiu deste e dirigiu-se até os três cerros de la Cruz em Corrientes a *Mãe do Ouro*. Há uns cinquenta anos, escreve Granado, que rebentou com grande estrépito um pequeno cerro dos muitos que contêm o ondulado terreno do Uruguai. Qual teria sido a causa deste fenômeno? A *Mãe do Ouro* que se foi para o Brasil, em cuja direção iam os lampejos que despedia e se dava o estampido. Quando o tempo se decompõe ou a meio-dia, nos dias de muito calor, é a ocasião em que se realizam os mencionados fenômenos.

Pe. Carlos Teschauer — *A Lenda do Ouro*, revista trimensal do Instituto do Ceará, tomo XXV. pp. 7/8. Fortaleza, 1911.

MÃO-PELADA (MINAS GERAIS)

O *Mão-Pelada* aparece no campo e nas matinhas aos viajantes descuidados. É um pequenino urso, de olhos fascinadores e misteriosos, tendo uma pata dianteira despida de pelos. As estórias que correm sobre o *Mão--Pelada* o fazem temido. Atrai os caçadores para o seu antro e devora-os. Ataca bruscamente quem encontra. Quando sabem notícia da visita do *Mão-Pelada* em um lugar, despovoam-se os caminhos. No Brasil Imperial o *Mão-Pelada* era o pavor incontido e tremendo para os negros escravos que atravessavam as estradas, correndo, esperando a aparição terrificadora do animal fantástico.

A tradição comum é que o *Mão-Pelada* é "encantado". Os cachorros não o perseguem, mesmo ouvindo a pequena distância seu grunhido rouco. Os olhos do *Mão-Pelada* vencem a fúria dos melhores cães de caça. Quem matar um *Mão-Pelada*, e poderá ser morto a tiro, facilmente, bastando ter pontaria certa, terá o mais seguro remédio desse mundo contra o reumatismo: a banha do *Mão-Pelada*. Tanto mais difícil o remédio, maior seu renome.

O *Mão-Pelada* não habita nem assombra apenas nas terras brasileiras. Vive na Argentina, especialmente em Catamarca, Tucumam, Santiago del Estero, Chaco, e lá também é chamado *El Mano Pelado*. Possui os mesmos atributos e espalha assombros idênticos.

Que há de verdade sobre o *Mão-Pelada?* Despido de encantamento, existe, e é um animal inofensivo, mamífero plantígrado, da família dos *Procyons Cancrivori*, espécie *Brasiliensis Yhering*. Habita o Brasil, Argentina, Bolívia, Paraguai e América do Norte, tendo vários nomes na América Central.

Em Catamarca (Argentina) e noutras paragens chamam-no *Mayuatoc*. O feroz *Mão-Pelada* dorme todo o dia empoleirado numa árvore e sai, à tardinha, para procurar alimento. Come pássaros, rãs, crustáceos, moluscos, subindo às ramas altas para devorar ovos. Come tudo, desde frutas aos peixes. Só não come gente, morta ou viva, como o apresenta a tradição. Rafael Cano, estuda o *Mayuatoc* no seu magnífico *Del Tiempo de Naupa* (Buenos Aires, 1930, pp. 176 e segs.):

> *Es de cara blanca con una faja negra que la atraviesa la frente, a la altura de los ojos; na piel está cobierta de pelos cortos de color parduscos, lo mismo que la cola. Mide unos cincuenta centimentros de largo, y la cola, veinte.*
>
> *Pisa con toda la mano y planta del pie, estampando en el suelo una huella parecida al pie de una criatura, aunque un poco alargado El rastro queda bien impreso en los terrenos pantanosos a orillas de las acequias.*
>
> *Cuando los perros descubren el rastro, lo siguen "llorisqueando" y de improviso se detienen, miran hacia todos lados y regresan bajando la cola, como consultando al cazador.*
>
> *Esta extraña actitud de los perros, ha sido también observada en el Chaco, sin que se sepan explicarse la causa.*
>
> *Los paisanos se tornan silenciosos, o se miran de soslayo, y continúan la marcha, dominando así un íntimo escozor, que habla de cosas extraterrenas.*
>
> *La fantasía popular propala a todos los vientos, que se trata de un animal sanguinario y peligroso, cuya grasa constituje un remedio infalible para los enfermos de reumatismo.*
>
> *El Mayuatoc es un animal tímido, y aunque está provisto de los fuertes comillos, cualquier perro puede facilmente dominarlo en lucha. La hembra suele tener de dos a cuatro cachorritos, y si se les cría mimandolos, se domestican en las casas.*
>
> *Mayuatoc, significa en lengua keswa,* Zorro de Río. *En efecto: Ma, es agua; yu, partícula que indica movimiento, y atoc, zorro* (Lafone Quevedo).
>
> *A fin de que no haya lugar a confusión, dejo constancia: que el Mayuatoc, que habita los esteros y ciénagas de la provincia de Catamarca, es lo mismo que en Tucumán, Santiago del Estero, Chaco y Brasil, llaman:* El Mano Pelada (Mão-Pelada).

Dessa forma, desencantado, assiste o *Mão-Pelada* ao ocaso melancólico do seu domínio assustador.

Rodolfo von Ihering, fixou, em definitivo, o fabuloso *Mão-Pelada*, afastando-lhe os atributos de assombro:

Mão-Pelada: ou *Guaxinim* ou *Jaguacinim*. Carnívoro da família dos *Procyonideos, Procyon Carcrivorus,* plantígrados como os ursos e os coatis. O corpo mede até 65 cm e a cauda 40 cm; o pelo é curto e denso, arrepiado na nuca; a cor é cinzento--amarelada, salpicada de preto, por serem desta cor as pontas dos pelos maiores. As pernas, principalmente nas extremidades, são pretas, bem como a face e as órbitas; aí esta cor destaca-se bem, devido às faixas brancas, no supercílio e focinho. A cauda é anelada, alternando o preto com o amarelo. Habita todo o Brasil, mas só junto aos brejos, inclusive nas regiões do mangue e, graças ao seu modo de andar plantígrado, assentando toda a mão, consegue caminhar sobre os lodaçais, onde ninguém o pode perseguir. Sabe também trepar em árvores. Alimenta-se de pequena caça e vegetais, apreciando muito a cana-de-açúcar e tem predileção pelos caranguejos. Sua carne, por se fétida, como também o couro, ninguém aproveita. É temível inimigo dos criadores de galinhas ou, mais positivamente, apaixonado amigo das aves domésticas, causando, assim, sérios e contínuos estragos. Repare-se na etimologia dos nomes indígenas: jaguacinim (ou guaxinim, abreviadamente) e guarachaim (ou grachaim): *guará-* ou por extenso *jaguara-* são os carnívoros em geral. Vários autores, não atendendo bem às subtilezas dos nomes, às vezes truncados, confundiram assim o *Mão--Pelada* com o *grachaim*.

É o que resta do terrível *Mão-Pelada...*

Pelo norte do Brasil não há o *Mão-Pelada* e sim o Guaxinim, que Teodoro Sampaio diz provir de *guá-chin*, o que rosna, o roncador, "alusão ao hábito deste animal de rosnar, quando se lhe toca na cauda", classificando-o como *Galictis vittata*. O Guaxinim nortista não mereceu as honras de qualquer lenda, nem mesmo possui o menor traço na superstição popular. Apenas dizem-no um estragador dos canaviais e obstinado caçador de caranguejos nos mangues. Seu processo de caçador de caranguejos é eminentemente pessoal. Avistando-os, corre sobre a lama. Os caranguejos somem-se rapidamente e o Guaxinim, indo até às locas, mergulha lá dentro a longa cauda, como um anzol. E, quase de cócoras, ganindo e gemendo, fica esperando que seja "fisgado". Finalmente, irritado com a cauda do Guaxinim, o caranguejo ferra. Num puxão súbito e furioso pela dor, o Guaxinim sacode o caranguejo fora do buraco, atira-o, no mesmo impulso ao chão e vai triturá-lo. Antes, porém, dedica alguns minutos ao tratamento da cauda, lambendo-a, lamentando-se, aos rosnados e roncos, pelo sacrifício e dedicação que o caranguejo compensará.

Documentário

O moleque vinha a pé, com uma foicinha ao ombro.

A princípio hesitou em prosseguir a marcha, e recuou assustado; mas, voltando logo a si desse primeiro movimento, talvez porque visse o animal dar-lhe as costas indiferentemente e seguir adiante, apressou também o passo para a frente.

Pôde então reparar na fera estranha, que tão pouco-caso fazia da gente: tinha o pelo fulvo como o de uma onça-vermelha, a cauda comprida e movediça, o fio do lombo preto e lustroso.

No mais, era um lobo de maior corpulência, querendo emparelhar na altura com um bezerro novo. A cara era mais para o redondo do que para o comprido.

O que causava espécie ao negro é que o bicho não trotava, nem corria, como o lobo, mas galopava a três pés, deixando ver uma das patas dianteiras encolhida e pelada.

Ou fosse obra de algum mandingueiro de dois pés, ou fosse mandinga do próprio bicho, de vez em quando, voltava a cara para o negro, a ver se o acompanhava.

... o moleque sentiu certa fascinação pelos olhos da fera.

Que diabo de coisa haveria neles?

Mostravam uma luz a modo de fogo azulado e parecia que, ameaçando e rindo, chamavam a gente para algum mistério terrível.

O Congo não parou mais, varando capões, descendo bocainas, galgando morros, na batida do *Mão-Pelada*.

....

Naquelas alturas, parecia que do pelo do bicho faiscava o mesmo fogo azulado que lhe chamejava nos olhos. Estes viravam-se ainda para o João Congo, de espaço a espaço; agora, as chispas que despediam eram de assustar.

Só, no meio do mato, já noite, tendo diante dos olhos a escuridão e no meio dela aquele bicho infernal a deitar fogo pelos olhos e cabelos, Congo reuniu todas as forças para vencer o terror e fugir à fascinação. Era preciso passar adiante.

....

Ao aproximar-se da ponte velha sobre a corrente, João Congo viu que o *Mão-Pelada* lançou-lhe um derradeiro e mais demorado olhar; depois, vomitando fogo pelos cabelos, pela ponta da cauda, pelos olhos e pela boca, deu um miado fortíssimo e saltou fundo.

....

O moleque não teve tempo de encomendar sua alma, porque o *Mão-Pelada* cresceu logo para cima dele, com as duas enormes patas para o ar, as unhas aduncas desembainhadas, a fauce escura arreganhada, de onde rompiam rugidos ferozes. Parecia que o fim de João Congo seria o de ser ali mesmo esmigalhado como um pinto sob a pata de um cavalo.

Parecia, mas não foi; e não foi porque Deus não quis. Contando não se acredita, mas as coisas se passaram deveras. Tudo foi num abrir e fechar de olhos: o *Mão-Pelada*, marcou o pulo; João Congo encolheu-se como um nhambuzinho velhaco; o *Mão-Pelada* pulou por cima dele; João Congo caiu para trás. Mas, ou fosse grande demais o bote do bicho, ou o moleque fizesse por mergulhar por baixo dele — o certo é que a fera foi direito em cima do precipício, ao mesmo tempo que o moleque, despencando da beira do barranco, caía por ele abaixo e agarrava-se, aqui, acolá, em moitas de capim e raízes de árvores.

....

... era dia claro quando Quindana, mandado com outros pelo senhor velho em busca do moleque, foi descobri-lo dependurado de um galho de pau-d'óleo crescido à beira do precipício e enredado numa rodilha de cipó, suspenso no espaço.

....

Por muito tempo, depois de içado à beira do barranco, à força de braços, conservou-se mudo. Quindana deu-lhe alguns tapas nas costas e o sacudiu violentamente, perguntando-lhe, aos gritos, se ficara mudo e pateta. Nada, nenhuma resposta!

Afinal, dando um grande suspiro de alívio, como se desengasgasse naquele instante, João Congo urrou:

— Oia! Oia! o *Mão-Pelada*!...

Afonso Arinos — *Histórias e Paisagens*, pp. 70 e seguintes. Rio de Janeiro, Livraria Francisco Alves, 1921.

MATINTAPEREIRA
(PARÁ, AMAZONAS, ACRE)

A Matintapereira, *Mati-taperê* ou *Matim-taperê*, é uma tradição fabulosa do Pará. Não há paraense que ignore e não conte uma estória da Matinta. Como, durante anos e anos, o Pará foi o grande centro de atração para os nordestinos, milhares de sertanejos, do Ceará a Paraíba, ficaram impregnados de superstições *paroaras* e espalharam no Nordeste o prestígio terrífico da Matintapereira, seu nome atual e mais conhecido.

Que vem a ser Matintapereira? José Veríssimo descreve o mito que estaria confundido com o do Curupira, Caapora e com o Saci:

> O *Matin-taperê* é um tapuinho, de uma perna só, que não evacua nem urina, sujeito a uma horrível velha, a quem acompanha às noites de porta em porta, a pedir tabaco. A influência estrangeira, e sem dúvida a portuguesa, pôs-lhe na cabeça um barrete vermelho e confundiu-se com os "pesadelos" da grande corrente mitológica indo-germânica, representando-o como tal. Quem na luta noturna conseguir arrancar-lhe o barrete terá conquistado a felicidade. A velha que o acompanha canta, na toada de um passarinho a que me vou referir, esta canção que não compreendo, mas que deve evidentemente ser o resto de um mito:

> Matintapereira
> Papa-terra já morreu;
> Quem te governa sou eu.

Como se vê, na cantinga o nome está adulterado: existe nas nossas capoeiras uma avezinha que à noite canta triste e monotonamente o seu assobio fino, na mesma toada do Matin-ta-perê; não podemos saber se foi essa avezinha a origem desta crença entre os índios; a sua existência ainda hoje justifica a persistência dela, pois que, se ouvem o passarinho por horas mortas, fazem-lhe os esconjuros cristãos: Cruz! Credo! benzem-se e dizem que "é o Matin-tapereira".

Outros figuram-no como um velho, a cabeça amarrada com um pano ou lenço, como pessoa doente, também a pedir tabaco.

Em Manaus, o último e já decrépito ramo da tribo ou família desse nome, o velho Paulico, ali muito conhecido, disse-me que o Matin-taperê é um feiticeiro (são suas próprias expressões) que usa uma flauta na qual toca "matin-taperê", flauta que o faz voar, e referiu-me ter conhecido um tal Júlio que era Matinta-perê e andava por toda a parte graças à sua flauta — o que o não impediu (a reflexão é minha) de ser preso por cabano e enviado ao Pará, depois do que Paulico nunca mais soube dele.

O que concluir disto tudo? Por ora, e sem ulteriores indagações, nada, senão que a crença existe, vaga e sem forma definida. O nome de Matin-taperê, segundo me foi observado por alguém, é talvez corrupção de *Mati-uatá-peréré*, isto é, Matin anda gritando. Mas, quem será e o que quererá dizer este Mati? Não sei; o que me parece é que a tradução nada tem de inaceitável e que, até certo ponto, se coaduna com as diferentes versões expostas sobre este tipo mítico, pois em todas elas ele é um indivíduo nômada, que anda a gritar, ou o seu assobio de pássaro, ou a pedir tabaco, ou na sua flauta ("Populações Indígenas da Amazônia", in *Revista do Instituto Histórico Brasileiro,* Tomo L, pp. 349/351, Rio de Janeiro, 1887).

É, como se vê, a origem do mito do Saci-pererê, mito ornitomórfico que se confundiu com os do Curupira-Caapora, determinando um terceiro tipo fabuloso. Mantém-se em Pará-Amazonas a crença de que a Matintapereira vem pela manhã cobrar o fumo (tabaco) prometido à noite durante sua passagem aterradora.[20]

Inicialmente a Matinta era apenas um núncio de desgraças ou, para os indígenas, uma breve visita da alma de seus mortos. Passou posteriormente a pertencer aos direitos de certos pajés e feiticeiros que se podiam transformar em Matinta e, pela madrugada, retomar a forma anterior. Agora já possuo depoimento de mulheres jovens que se "viram" em Matintas.

> José Brabo, morador na Colônia de Areia, Pará, tinha uma cabocla nova como sua companheira de casa. Uma noite foram convidados para um baile na Barra e José Brabo ficou sem condução para atravessar o rio. A cabocla tranquilizou-o. Fê-lo vestir a sua roupa de festa, caminharam até a margem do rio. Aí a mulher pôs os chinelos do companheiro em cruz, cobriu-os com o chapéu, resmungou orações, batendo com os braços e rodando o corpo. Recomendara a José Brabo que fechasse os olhos e não os abrisse sob pena de morte. O homem ouviu o bater de asas de um grande pássaro e sentiu-se suspenso por debaixo dos braços. Assim atravessou o rio rapidamente e foram para o baile. Madrugada regressaram da mesma forma. Antes de pousar, o pássaro soltou um longo grito apavorante "Matintá-perei-rá". José Brabo não sabe como a companheira se desencantou porque estava assombrado. Abandonou a mulher logo depois. A velha Luzia Quitéria Ferreira, que ouviu esta estória do próprio José Brabo, é a depoente.

Documentário

De Paraíba, a 1º de fevereiro de 1927, Ludovico Schwennhagen escreveu-me uma longa carta sobre as sociedades femininas, secretas, no Brasil. Schwennhagen não satisfeito em dar explicações etnográficas e etimológicas, concebeu uma série de associações de mulheres no extremo norte do Brasil, conservando, na medida do possível, as tradições das Amazonas, de cuja existência e fixação Schwennhagen estava convencidíssimo. Destaco a parte em que o malogrado estudioso estudava, à sua

---

20 Ver neste livro *O problema do Saci.*

maneira, a Matintapereira. É uma pequenina homenagem ao dedicado, desinteressado, humilde e original Ludovico Schwennhagen.

Muito diferentes são as sociedades chamadas *Matintapereira* que existem no interior do Pará e Amazonas. O nome é uma modernização da palavra tupi *mati-tapereira*, que traduz Teodoro Sampaio "o pequeno demônio das ruínas". Essa tradução é muito boa, mas é preciso explicá-la. Tapera é uma aldeia abandonada de que ficaram algumas ruínas. Quem mora numa tapera é um tapereira. A palavra *mata* pertence à língua primitiva e parece em muitas línguas posteriores. O significado original é "coisa qualquer da natureza". No inglês *matter* conservou esse significado até hoje. No germano *matte* é um terreno plano, coberto com boas plantas de pasto; no português *mato* e *mata* significam floresta; no latim "materia" é o elemento concreto da natureza. No tupi encontramos *mata* como significado de coisa grande, e *mati* para coisa pequena.

No nosso caso da *Matintapereira*, o *mati* significa um ente misterioso, nem ave, nem quadrúpede, nem serpente, mas tendo de todos estes alguma coisa; esse ente mora nas ruínas, junto com onças, corujas e cobras. Para a fantasia de crianças e mulheres tímidas não se pode imaginar um ente mais perigoso do que aquele. Assim formou-se para as mulheres, que fugiam do barracão da maloca e ficavam num lugar escondido, o apelido de *tapereiras* e mais tarde chamou-as o povo *mati-taperereiras*. Também as mulheres aproveitaram desse nome para espalharem medo e obrigarem o povo a comprar sua tranquilidade por largas dádivas.

Essa categoria de sociedades femininas é muito antiga e elas existem até hoje. Eu encontrei membros duma tal sociedade no Pará, na zona da Estrada de Ferro de Bragança, onde elas aparecem em todas as colônias agrícolas. Elas têm rapazes de 10 a 14 anos como serventes e nas noites sem luar passa um desses rapazes na lima da Estrada de Ferro, ou nas travessas da colônia, dando o grito alarmante e longe-tirado do *matintapereira*. O rapaz corre e dá esse grito em curtos intervalos. O povo, ouvindo o grito bem conhecido, fecha todas as portas e janelas, os meninos ficam com medo e ninguém fala uma palavra, para não chamar o "perigoso demônio" para sua casa. No dia seguinte todos contam que de noite "passou a matinta-pereira", e quem queria evitar qualquer sinistro, devia fazer caridade. Também todos sabem que durante o dia chegará uma mulher velha que pedirá tabaco.

Realmente, a mulher vem e senta-se na porta da casa, sem falar. A dona da casa manda um rapaz corajoso para perguntar à velha o que ela quer. Ela responde: — "Quero tabaco". O melhor é dar logo a ela tabaco, cigarros ou charutos e mais alguma coisa para comer e levar. Ela toma tudo, sem falar, e sendo satisfeita, ela se vai embora. No caso de não ser satisfeita, ela pede água e tenta entrar no quintal, sob qualquer pretexto. Ali ela se senta, como se estivesse fatigada e examina clandestinamente tudo o que está lá. Na noite seguinte desaparece qualquer coisa; mas o furto fica manejado com tal esperteza, que nunca se encontra os malfeitores.

(Cópia fiel de original em meu poder)

MINHOCÃO

O Minhocão, do ciclo da Cobra-Grande, da Boiuna amazônica, é o monstro que povoa de mistérios as águas do rio São Francisco. Não o desenham exatamente como uma cobra, mas um minhocão, molenga e feroz, sem fazer favores como a Mãe-d'Água e o Caboclo do rio. Persegue para comer, vira barcos espalhando pavores. O Minhocão explica fenômenos naturais de erosão. As barrancas do rio, cortadas a pique, escavações fundas, covas circulares que lembram bocas de túneis, terras afundadas subitamente pelo solapamento das bases submersas, são os trabalhos do Minhocão. Anfíbio, deixa o São Francisco e vara terra adentro revolvendo planícies, achatando aclives, fazendo lendas. Onde, numa várzea, há uma depressão regular, comprida e estreita, diz-se ser a medida do corpanzil do Minhocão que por ali passou, com cem braças de fundura, trabalhando misteriosamente numa tarefa sem-fim. Ubíquo, naufraga as barcas com rabanada doida e está dormindo com a imensa cabeça debaixo do altar-mor da matriz de Cabo Verde, em Minas Gerais, como a outra irmã que dorme sob outro altar-mor, na catedral de Belém do Pará.[21] Auguste de Saint-Hilaire encontrou-lhe rastros em Minas e Goiás. Símbolo fluvial, a serpente está em todas as literaturas do mundo exercendo as funções que o Minhocão se encarrega modestamente de realizar no rio São Francisco. Em toda a parte ela representa fenômenos meteorológicos, explica o arco-íris para América do Sul, para os negros Cabindas, Mandingas e Baías de Camerum. Faz chover. Dissipa neblinas. Anuncia bom tempo. Em naua,

---

21 José Coutinho de Oliveira — *Lendas Amazônicas*, p. 101. Belém do Pará, Livraria Clássica, 1916.

serpente é *coatl*, vocábulo indispensável na teogonia mexicana. Vem do radical *co*, vasilha, vaso, camuci para líquidos, e *atl*, água.[22]

No Brasil o ciclo da Mboia-açu é vasto e dificilmente estudado pela dispersão dos elementos e sua adaptação subsequente noutros ciclos. Assim mesmo é a Cobra-Grande uma força anterior aos mitos antropomórficos, mandando fechar a noite num caroço de tucumã para a filha recém-casada poder dormir. Nas pequenas lendas que Barbosa Rodrigues e Couto de Magalhães salvaram, ainda a Cobra-Grande é poderosa, cheia de encantos sobrenaturais, dominando a natureza e quando deixa a Terra é para viver no céu, transformada em constelação.

Os negros e brancos aproveitaram o Minhocão para contar as estórias que traziam de suas terras. O Minhocão foi recebendo contingentes inesperados, poderes, ódios, tendências, responsabilizando-se por episódios passados em Portugal, Espanha e África. O Minhocão já tem variedades para transformar-se. Vira surubim (*Platystoma tigrinum*). Vira pássaro branco, grande, com o pescoço muito comprido. Ensina H. Chatelain que *the metamorphosis into a variety of animals are of frequent occurrency in all Bantu fiction*. Mas não é uma característica do fabulário bantu. Malaios têm essa prerrogativa da multiformidade. Nos contos europeus as fadas eram o que desejavam ser. Mas já se mostrou que a influência é oriental, asiática. Durante séculos teve a Europa um núcleo irradiante de mistérios, milagres, encantamentos, segredos, magia. Foi a Espanha árabe. São as "mouras encantadas" as "salamancas" da Península Ibérica que se replantaram, para frutificar, no Brasil.

O Minhocão foi um dos alvos magníficos. A Boiuna não ficou tão exposta, mas já está no ciclo do Navio Fantasma.

Assim o monstro negro que passeia sua imponência pelo São Francisco existe realmente. É um material que perpetuamente se renova na alma imaginosa dos homens...

Documentário

Um desses assuntos maravilhosos é constituído pelo *Minhocão* de que já se ocuparam homens de reconhecido valor, entre os quais Saint-Hilaire. Eu o conhecia de Minas Gerais, desde os 12 anos de idade.

---

22 Júlio Trajano de Moura — "Do Homem Americano" in *Revista do Instituto Histórico Brasileiro*, Tomo 100, vol. 154, p. 631.

Repetia-se entre pessoas de minha família que meu avô Tenente-Coronel do Exército Francisco Inocência de Miranda Ribeiro, atravessando o Rio São Francisco, uma vez, em canoa em que trazia um cão, este de súbito caiu nágua e desapareceu. Ordenou então o Tenente-Coronel a um índio que mergulhasse e procurasse o cão. De faca entre os dentes, mergulhou o bugre, voltando em breve para informar que o animal estava morto e sendo devorado por um Minhocão. Não houve forças capazes de fazer o índio entrar nágua outra vez, nem pessoa alguma da comitiva se animava a isso. Bem poderia ser patranha do índio.

....

Disseram-me que em Corumbá, até havia uma pessoa que vira o Minhocão. Procurei-a. Era um velho italiano, um dos mais velhos moradores da cidade, antigo capitão de navio reduzido à vida sedentária de administrador de fazendas. "Não, disse-me ele, eu não vi o Minhocão, vi o seu rastro. Meu filho sim, o viu uma vez e correu dele às léguas. Disse-me que era preto e parecia um enorme bote de quilha para cima. O rapaz estava numa canoa no Rio Paraguai; encostou-se à terra e correu com todas as forças para casa. Fui ver o lugar e encontrei o seu rastro, na lama e no Água-Pé.[23] Era uma depressão enorme, um sulco muito largo que só uma embarcação grande poderia ter produzido; e por toda a redondeza só havia canoas e essas mesmo pequenas."

Mera fantasia! No continente, com tais dimensões e hábitos aquáticos só se fossem os enormes dinossauros do Período Terciário — esses já passaram nos tempos que não se conta. Na nossa fauna não há monstros de tão grande porte.

A hipótese de Saint-Hilaire, de que o Minhocão fosse a *Lepidosiren* é inaceitável, pois este peixe mal atinge a um metro em todo o comprimento, quando perfeitamente adulto.

O Minhocão é um mito, equivalente à lenda popular da Sucuri matar um boi, esmagando-lhe os ossos e o engolir quase todo, deixando de fora os chifres que só caem depois de podres!

Força de imaginação...

Alípio de Miranda Ribeiro — "Ao Redor e Através do Brasil", na revista *Kosmos*, nº 12, Rio de Janeiro, dez. 1908.

---

23 Bancos de uma planta aquática, do gênero *Pontederia*.

Piramboia (*Lepidosiren paradoxa*. Fitzinger). De *Pirá-mboia*, peixe-cobra. Caramuru, Pirarucu-boia, Traíra-boia, Carapaná em Goiás, assim como Aruaná e Aramô, para os índios Macuxis, Loalach para os Lenguas do charco paraguaio. Sobre esse interessante anfíbio, ver Emílio Goeldi no *Boletim do Museu Paraense*, vol. 1º, nº 4, p. 438, 1896, e vol. II, nº 2, p. 247, 1897. O sábio Dr. Alípio de Miranda Ribeiro publicou um estudo completo no vol. XV dos "Arquivos do Museu Nacional", p. 167, Rio de Janeiro, 1909. No sul do país dão o nome de Piramboia ao "mussu" (*Symbranchia vulgaris*, Bloch.).

Luis da Camara Cascudo — *Peixes no Idioma Tupi*. A hipótese de Saint-Hilaire está na p. 139 da *Viagem às nascentes do Rio São Francisco pela Província de Goiás*, tomo II, Col. Brasiliana, vol. 78, São Paulo, 1937.

E o Minhocão?
Ah! isto é sério! Porque existe mesmo, que eu já vi; de longe, felizmente. É um bicho enorme, preto, meio peixe, meio serpente, que sobe e desce este rio em horas, perseguindo as pessoas e as embarcações; basta uma rabanada para mandar ao fundo uma barca como esta nossa. Às vezes toma a forma de um surubim de um tamanho que nunca se viu; noutras, também se diz, vira num pássaro grande, branco, com um pescoço fino e comprido, que nem uma minhoca, e talvez por isso é que se chama o Minhocão.

J. M. Cardoso de Oliveira — *Dois Metros e Cinco*, p. 490, Rio de Janeiro, H. Garnier, editor, 1909.

— Há algum tempo, há muitos anos já, o *Minhocão* veio vindo, veio vindo... Às vezes vinha por cima da serra, às vezes vinha pela várzea. E vinha derrubando tudo, arrasando tudo. Uma hora subvertia um estirão inteiro... Aí no Cabo Verde, então, ele fez estrago! Mas, ao depois, decerto de canseira, entrou pela terra adentro e agarrou a dormir toda a vida. É um bicho comprido... Vancê vai imaginando só: A cabeça está bem debaixo da igreja matriz. A cauda está a légua e meia, na Lagoa, lá na Vargem Grande. No dia que esse bichão acordar... adeus Cabo Verde! Vai tudo raso! Sacode tudo! "Soverte" tudo!

João Felizardo — "O Minhocão" (lenda mineira), in *Revista do Brasil*, nº 58, p. 139, São Paulo, out. 1920.

O NEGRINHO DO PASTOREIO
(RIO GRANDE DO SUL)

Naquele tempo os campos ainda eram abertos, não havia entre eles nem divisa nem cercas; somente nas volteadas se apanhava a gadaria chucra e os veados e as avestruzes corriam sem empecilhos.

Era uma vez um estancieiro, que tinha uma ponta de surrões cheios de onças e meias doblas e mais muita prataria; porém era muito cauila e muito mau, muito.

Não dava pousada a ninguém, não emprestava um cavalo a um andante; no inverno o fogo de sua casa não fazia brasas; as geadas e o minuano podiam entanguir gente, que a sua porta não se abria; no verão a sombra dos seus umbus só abrigava os cachorros; e ninguém de fora bebia água das suas cacimbas.

Mas também quando tinha serviço na estância, ninguém vinha de vontade dar-lhe um ajutório; e a campeirada folheira não gostava de conchavar-se com ele, porque o homem só dava para comer um churrasco de tourito magro, farinha grossa e erva cauna e nem um naco de fumo... e tudo, debaixo de tanta somiticaria e chora-deira, que parecia que era o seu próprio couro que ele estava lonqueando. Só para três viventes ele olhava nos olhos: era para o filho, menino cargoso como uma mosca, para um baio cabos negros, que era o seu parelheiro de confiança, e para um escravo, pequeno ainda, muito bonitinho e preto como carvão e a quem todos chamavam somente o — Negrinho.

A este não deram padrinho nem nome; por isso o Negrinho se dizia afilhado da Virgem, Senhora Nossa, que é madrinha de quem não a tem.

Todas as madrugadas o Negrinho galopeava o parelheiro baio; depois conduzia os avios do chimarrão e à tarde sofria os maus-tratos do menino, que o judiava e se ria.

Um dia, depois de muitas negaças, o estancieiro atou carreira com um seu vizi-nho. Este queria que a parada fosse para os pobres; o outro que não, que não! que a parada devia ser do dono do cavalo que ganhasse. E trataram: o rito era trinta quadras, a parada, mil onças de ouro.

No dia aprazado, na cancha da carreira havia gente como em festa de santo grande.

Entre os dois parelheiros a gauchada não sabia se decidir, tão perfeito era e bem lançado cada um dos animais. Do baio era fama que quando corria, corria tanto, que o vento assobiava-lhe nas crinas; tanto, que só se ouvia o barulho, mas não se lhe viam as patas baterem no chão... E do mouro era voz que quanto mais cancha, mais aguente, e que desde a largada ele ia ser como um laço que arrebenta...

As parcerias abriram as guaiacas, e aí no mais já se apostavam aperos contra rebanhos e redomões contra lenços...

— Pelo baio! Luz e doble!...

— Pelo mouro! Doble e luz!...

Os corredores fizeram as suas partidas à vontade e depois as obrigadas; e quando foi na última, fizeram ambos a sua senha e se convidaram. E amagando o corpo, de rebenque no ar, largaram, os parelheiros meneando cascos, que pare-cia uma tormenta...

— Empate! Empate! gritavam os aficionados ao longo da cancha por onde passava a parelha veloz, compassada como numa colhera.

— Valha-me a Virgem madrinha, Nossa Senhora! — gemia o Negrinho. — Se o sete léguas perde, o meu senhor me mata! Hip! Hip!

E baixava o rebenque, cobrindo a marca do baio.

— Se o corta-vento ganhar é só para os pobres!... — retrucava o outro corredor. Hip! Hip!

E cerrava as esporas no mouro.

Mas os fletes corriam, compassados como numa colhera. Quando foi na última quadra o mouro vinha arrematado e o baio vinha aos tirões... mas sempre juntos, sempre emparelhados.

E a duas braças da raia, quase em cima do laço, o baio assentou de supetão, pôs-se em pé e fez uma cara-volta, de modo que deu ao mouro tempo mais que preciso para passar, ganhando de luz aberta! E o Negrinho, de em pelo, agarrou-se como um ginetaço.

— Foi mau jogo! — gritava o estancieiro.

— Mau jogo — secundavam os outros da sua parceria.

A gauchada estava dividida no julgamento da carreira: mais de um torena coçou o punho da adaga, mais de um desapresilhou a pistola, mais de um virou as esporas para o peito do pé... Mas o juiz, que era um velho do tempo da guerra de Sepé-Tiaraú, era um juiz macanudo, que já tinha visto muito mundo. Abanando a cabeça branca sentenciou, para todos ouvirem.

— Foi na lei! A carreira é de parada morta; perdeu o cavalo baio, ganhou o cavalo mouro. Quem perdeu, que pague. Eu perdi cem gateadas; quem as ganhou venha buscá-las. Foi a lei!

Não havia o que alegar. Despeitado e furioso o estancieiro pagou a parada, à vista de todos atirando as mil onças de ouro sobre o poncho do seu contrário, estendido no chão.

E foi um alegrão por aqueles pagos, porque logo o ganhador mandou distribuir tambeiros e leiteiras, covados de baeta e baguais e deu o resto, de mota, ao pobrerio. Depois às carreiras, seguiram com os changueiritos que havia.

O estancieiro retirou-se para a sua casa e veio pensando, pensando, calado, em todo o caminho. A cara dele vinha lisa, mas o coração vinha corcoveando como touro de banhado lançado a meia espalda... O trompaço das mil onças tinham-lhe arrebentado a alma.

E conforme apeou-se, da mesma vereda mandou amarrar o Negrinho pelos pulsos a um palanque e dar-lhe uma surra de relho.

Na madrugada saiu com ele e quando chegou no alto da coxilha falou assim:

— Trinta quadras tinha a cancha da carreira que tu perdeste; trinta dias ficarás aqui pastoreando a minha tropilha de trinta tordilhos negros... O baio fica de piquete na soga e tu ficarás de estaca!

O Negrinho começou a chorar, enquanto os cavalos iam pastando.

Veio o sol, veio o vento, veio a chuva, veio a noite. O Negrinho, varado de fome e já sem força nas mãos, enleou a soga num pulso e deitou-se encostado a um cupim. Vieram então as corujas e fizeram roda, voando, paradas no ar e todas olhavam-no com os olhos reluzentes, amarelos na escuridão. E uma piou e todas piaram, como rindo-se dele, paradas no ar, sem barulho nas asas.

O Negrinho tremia, de medo... porém de repente pensou na sua madrinha Nossa Senhora e sossegou e dormiu.

E dormiu. Era já tarde da noite, iam passando as estrelas; o Cruzeiro apareceu, subiu e passou; passaram as Três Marias; a estrela-d'alva subiu... Então vieram os guarachains ladrões e farejaram o Negrinho e cortaram a guasca da soga. O baio sentindo-se solto rufou a galope, e toda tropilha com ele, escaramuçando no escuro e desguaritando-se nas canhadas.

O tropel acordou o Negrinho; os guarachains fugiram, dando berros de escárnio.

Os galos estavam cantando, mas nem o céu nem as barras do dia se enxergavam: era a cerração que tapava tudo.

E assim o Negrinho perdeu o pastoreio. E chorou.

O menino maleva foi lá e veio dizer ao pai que os cavalos não estavam. O estancieiro mandou outra vez amarrar o Negrinho pelos pulsos a um palanque e dar-lhe uma surra de relho.

E quando era já noite fechada ordenou-lhe que fosse campear o perdido. Rengueando, chorando e gemendo, o Negrinho pensou na sua madrinha Nossa Senhora e foi ao oratório da casa, tomou o coto de vela aceso em frente da imagem e saiu para o campo.

Por coxilhas e canhadas, na beira dos lagoões, nos paradeiros e nas restingas, por onde o Negrinho ia passando a vela benta ia pingando cera no chão; e de cada pingo nascia uma nova luz, e já eram tantas que clareavam tudo. O gado ficou deitado, os touros não escarvaram a terra e as manadas chucras não dispararam... Quando os galos estavam cantando, como na véspera, os cavalos relincharam todos juntos. O Negrinho montou no baio e tocou por diante a tropilha, até a coxilha que o seu senhor lhe marcara.

E assim o Negrinho achou o pastoreio. E se riu...

Gemendo, gemendo, o Negrinho deitou-se encostado ao cupim e no mesmo instante apagaram-se as luzes todas; e sonhando com a Virgem, sua madrinha, o Negrinho dormiu. E não apareceram nem as corujas agoureiras nem os guarachains ladrões; porém pior do que os bichos maus, ao clarear o dia veio o menino, filho do estancieiro e enxotou os cavalos, que se dispersaram, disparando campo fora, retouçando e desguaritando-se nas canhadas.

O tropel acordou o Negrinho e o menino maleva foi dizer ao seu pai que os cavalos não estavam lá...

E assim o Negrinho perdeu o pastoreio. E chorou.

O estancieiro mandou outra vez amarrar o Negrinho pelos pulsos, a um palanque e dar-lhe, dar-lhe uma surra de relho... dar-lhe até ele não mais chorar nem bulir, com as carnes recortadas, o sangue vivo escorrendo do corpo... O Negrinho chamou pela Virgem sua madrinha e Senhora Nossa, deu um suspiro triste, que chorou no ar como uma música, e pareceu que morreu...

E como já era de noite e para não gastar a enxada em fazer uma cova, o estancieiro mandou atirar o corpo do Negrinho na panela de um formigueiro, que era para as formigas devorarem-lhe a carne e o sangue e os ossos... E assanhou bem as formigas; e quando elas, raivosas, cobriram todo o corpo do Negrinho e começaram a trincá-lo, é que então ele se foi embora, sem olhar para trás.

Nessa noite o estancieiro sonhou que ele era ele mesmo, mil vezes e que tinha mil filhos e mil negrinhos, mil cavalos baios e mil vezes mil onças de ouro... e que tudo isto cabia folgadamente dentro de um formigueiro pequeno...

Caiu a serenada silenciosa e molhou os pastos, as asas dos pássaros e a casca das frutas.

Passou a noite de Deus e veio a manhã e o sol encoberto. E três dias houve cerração forte, e três dias o estancieiro teve o mesmo sonho.

A peonada bateu o campo, porém, ninguém achou a tropilha e nem rasto.

Então o senhor foi ao formigueiro, para ver o que restava do corpo do escravo.

Qual não foi o seu grande espanto, quando chegando perto, viu na boca do formigueiro o Negrinho de pé, com a pele lisa, perfeita, sacudindo de si as formigas que o cobriam ainda!... O Negrinho, de pé, e ali ao lado, o cavalo baio e ali junto, a tropilha dos trinta tordilhos... e fazendo-lhe frente, de guarda ao mesquinho, o estancieiro viu a madrinha dos que não a têm, viu a Virgem, Nossa Senhora, tão serena, pousada na terra, mas mostrando que estava no céu... Quando tal viu, o senhor caiu de joelhos diante do escravo.

E o Negrinho, sarado e risonho, pulando de em pelo e sem rédeas, no baio, chupou o beiço e tocou a tropilha a galope.

E assim o Negrinho pela última vez achou o pastoreio. E não chorou, e nem se riu.

Correu no vizindário a nova do fadário e da triste morte do Negrinho, devorado na panela foi formigueiro.

Porém logo, de perto e de longe, de todos os rumos do vento, começaram a vir notícias de um caso que parecia um milagre novo...

E era, que os posteiros e os andantes, os que dormiam sob as palhas dos ranchos e os que dormiam na cama das macegas, os chasques que cortavam por atalhos e os tropeiros que vinham pelas estradas, mascates e carreteiros, todos davam notícia — da mesma hora — de ter visto passar, como levada em pastoreio, uma tropilha de tordilhos, tocada por um Negrinho, gineteando de em pelo, em um cavalo baio! Então, muitos acenderam velas e rezaram o Padre-Nosso pela alma do judiado. Daí por diante, quando qualquer cristão perdia uma coisa, o que fosse, pela noite velha o Negrinho campeava e achava, mas só entregava a quem acendesse uma vela, cuja luz ele levava para pagar a do altar de sua madrinha, a Virgem, Nossa Senhora, que o remiu e salvou e deu-lhe uma tropilha, que ele conduz e pastoreia, sem ninguém ver.

Todos os anos, durante três dias, o Negrinho desaparece: está metido em algum formigueiro grande, fazendo visita às formigas, suas amigas; a sua tropilha esparrama--se; e um aqui, outro por lá, os seus cavalos retouçam nas manadas das estâncias. Mas ao nascer do sol do terceiro dia, o baio relincha perto do seu ginete; o Negrinho monta-o e vai fazer a sua recolhida; é quando nas estâncias acontece a disparada das cavalhadas e a gente olha, olha, e não vê ninguém, nem na ponta, nem na culatra.

Desde então e ainda hoje, conduzindo o seu pastoreio, o Negrinho, sarado e risonho, cruza os campos, corta os macegais, bandeia as restingas, desponta os banhados, vara os arroios, sobe as coxilhas e desce às canhadas.

O Negrinho anda sempre à procura dos objetos perdidos, pondo-os de jeito a serem achados pelos seus donos, quando estes acendem um coto de vela, cuja luz ele leva para o altar da Virgem, Senhora Nossa, madrinha dos que não a têm. Quem perder suas prendas no campo, grande esperança: junto de algum mourão ou sob os ramos das árvores, acenda uma vela para o Negrinho do pastoreio e vá lhe dizendo — Foi por aí que eu perdi... Foi por aí que eu perdi... Foi por aí que eu perdi...

Se ele não achar... ninguém mais (J. Simões Lopes Neto — *Lendas do Sul*, pp. 61/69, Pelotas, Rio Grande do Sul, 1913).

Em alguns lugares de São Paulo o Saci-pererê dá-se ao luxo de procurar objetos perdidos. No inquérito sobre o Saci (p. 223) aí aparece o negro Djim fazendo encontradiço o que se perde à custa de um ovo fresco. Essa imprevista atividade do Saci levou o professor Basílio de Magalhães a incluir o Negrinho do Pastoreio no ciclo do Saci. Contra a dedução insurgem-se os folcloristas do Rio Grande do Sul, ciosos da lenda suave e comovedora do pequenino escravo martirizado. As características do Saci, realmente, não se encontram no Negrinho do Pastoreio. Nem os vícios nem as diabruras. A lenda, narrada em Apolinário Porto-Alegre (1875), Simões Lopes Neto (1913), Bilac (1924) registram a mesma figura sofredora sem a mais leve alusão a um qualquer detalhe que coincidisse com o irrequieto Saci. Um folclorista gaúcho, Roque Callage, defendeu o Negrinho do Pastoreio com abundância de coração e vivo entusiasmo nativo.

> Para falarmos a verdade, o Rio Grande do Sul tem uma única lenda sua, diretamente ligada ao homem e ao meio, expressão típica do ambiente que a gerou (p. 5). O espírito verdadeiramente rio-grandense ideou apenas uma única lenda de pura feição local, que é, como já dissemos, a do Negrinho do Pastoreio (21).
>
> Ao contrário do que pensa Basílio de Magalhães, a conhecida lenda rio-grandense não tem ligação alguma com o Saci brejeiro que de cachimbo apagado na boca ataca, à noite, o caminhante nas estradas. O Negrinho ou o Crioulo do pastoreio é exclusivamente nosso, pelo seu feitio, pelo papel que o mesmo representa na vida campeira e pelo seu próprio martírio, que é um dos tantos episódios reais da escravidão, ele se afasta por completo do Saci. A única semelhança existente entre um e outro é de serem negros, mas isso não é o bastante para se estabelecer a ligação entre ambos.
>
> Mantemos a exclusividade dessa lenda. Sendo verdadeiramente a única que possuímos, ela é entretanto de uma tecedura admirável, de uma intensa e comovedora ação dramática (pp. 22/23).
>
> E quantas vezes na nossa distante infância humilde lhe oferecemos a piedosa velinha do ritual para que de novo voltassem à desejada posse os brinquedos perdidos... (p. 24). (Roque Callage — *No Fogão do Gaúcho*, Porto Alegre, Ed. Livraria Globo, 1929).

O Negrinho do Pastoreio é lenda cristã, divulgada com finalidades morais. O Negrinho é sem pecado, uma vítima. É um acessório à bondade de Nossa Senhora, madrinha dos que não a têm. Perdendo duas vezes a tropilha que acha miraculosamente, O Negrinho, por associação natural, é padroeiro dessa atividade nos "pagos" gaúchos.

A morte cruel sempre determina um movimento de piedade que haloa de mistério a entidade martirizada. Entre as populações do campo raramente o assassinado de emboscada deixa de ter sua cruz chantada no lugar da morte e constituindo posterior centro de orações e promessas.

Se o Rio Grande do Sul possui o *Negrinho do Pastoreio*, a Argentina tem *El Quemadito* na região de Catamarca e agora tradição esparsa por quase todo território.

Em 1830, durante a guerra civil argentina, o coronel Ache, comandando forças unitárias, acampou em Miraflores e divertia-se num baile ao ar livre quando levaram à sua presença um rasteador de *lachiguanas,* abelhas negras que fabricam deliciosíssimo mel. Chamava-se o homem José Carrizo e, de amedrontado e tímido, nem sabia falar. Os soldados diziam que ele era espião do general Quiroga e o coronel Ache, sem ouvi-lo, sem atender seus soluços, mandou-o fuzilar imediatamente. Para poupar-se munição, tiveram a ideia de sacudir o pobre homem numa imensa fogueira que crepitava perto do baile. E José Carrizo foi queimado vivo, inocente. Seus gritos comoveram os assistentes e o coronel Ache, para animar o baile, dançou uma *cueca catamarqueña* com donaire e desenvoltura moça.

Os restos carbonizados do malfadado rastejador de *lachiguanas* foram sepultados entre Miraflores e Huillapima (Capayán) e sobre seu túmulo plantaram um cruzeiro. E corre a mesma lenda que nimba a silhueta negra do pequenino escravo gaúcho.

> *Personas desconocidas, o quizás los deudos de la víctima, construyeron posteriormente la cruz de madera que aún existe clavada al tronco de un quebracho, y desde hace más de medio siglo, todos los viajeros que pasan frente a la misma, se descubren respetuosamente y dejan una limosna para "El Alma del Quemadito", como le llaman en la región.*
>
> *Cuando se extravía un animal en el monte, los camperos acuden a pedirle que realice el milagro de encontrarlo, y como nunca les defrauda, día a día se acrecienta la fe en el "finao".*
>
> *Actualmente es un respeto religioso que tienen por él y sus numerosos devotos le encienden velas y rezan.*
>
> *José Carrizo murijó quemado y "sin confesión", entre las áridas tierras y jarillales de Capayan. La cruz colocada a la vera del camino, constituye una vivida protesta contra el crimen injusto de que fué victima, la cual, con el transcurso de los años, ha llegado a convertirse en objeto de culto popular* (Rafael Cano — *Del Tiempo de Ñaupa*, pp. 261/262, Buenos Aires, 1930).

Barbosa Rodrigues também incluiu o *Negrinho do Pastoreio* como um símile do *Saci*. Creio que foi levado pela cor, pelo hábito da montada entre os dois seres. Em São Paulo o Saci também encontra objetos perdidos a troco de ovos frescos. Esse atributo do pretinho não será uma deformação da lenda guasca? O Saci aliado ao cristão é uma anomalia inadmissível. Ele não foi criado para ajudar senão que se perca a paciência.

A lenda do *Negrinho do Pastoreio* é visivelmente cristã e regional. O *Quemadito* argentino responde pela vitalidade das tradições e sua expansão sentimental é contínua.

ONÇA-BOI (AMAZONAS, ACRE)

Genésio Xavier Torres, servente do Tribunal de Apelação no Rio Grande do Norte, andou, muitos anos, pelos rios da Amazônia e Acre, tirando seringa, cortando caucho e apanhando castanhas. Afirma-se que a *Onça-boi* é o animal mais temido pelos caçadores e sua existência está, diz ele, fora de qualquer dúvida. É uma onça-pintada, com a peculiaridade de possuir patas como o boi; patas redondas, cascos fortes que deixam rastro inconfundível. Naquelas paragens não há gado que justifique a pegada. A *Onça-boi* anda sempre casalada e nisto reside o maior perigo. O caçador perseguido pela *Onça-boi* estará perdido se não a puder matar imediatamente. Como os cascos não permitem a subida nas árvores, elas ficam, dias e noites, vigiando o caçador que, procurando salvar-se, empoleirou-se num galho. Quando uma das onças está com fome, retira-se e a companheira permanece de sentinela. Essa vigia alternada esgota as forças do homem que termina caindo exausto da árvore e sendo devorado.

Todos os caçadores contam a mesma estória.

No acampamento nº 23, perto da boca do rio Abunã, no Madeira, a turma de caçadores encarregada de prover de alimentos da mata aos trabalhadores, vez por outra encontrava o rastro redondo das *Onças-boi*. E apesar de ser constituída por homens veteranos de caça e pesca, mateiros com vinte anos de floresta, nenhum ousava "entrar", no pavor do encontro terrível.

O Sr. Francisco Peres de Lima (*Folclore Acreano*, p. 107, Rio de Janeiro, 1938) escreve sobre a *Onça pé de boi:*

Esse animal sai do círculo dos bichos fabulosos e imaginários, porque de fato existe.

Não discutamos...

ONÇA-MANETA
(SÃO PAULO, MINAS GERAIS)

Apenas um escritor, de meu conhecimento, Veiga Miranda (*Mau Olhado*, p. 132, São Paulo, 1925) alude à *Onça-Maneta*. Cita simplesmente, sem detalhes, acidentalmente. A Onça-Maneta, entretanto, é senhora de grande área de prestígio e deixa o rastro de suas três patas nas areias de dois Estados brasileiros.

É um animal que perdeu uma das patas dianteiras. Identificam-no pelos vestígios. De espantosa ferocidade, força incrível e mais ágil, mais afoita, continuamente esfomeada, ataca rebanhos e currais, lutando rapidamente para desaparecer e retomar adiante o fio das mesmas proezas.

Não a fazem gigantesca nem com faculdades de metamorfose imediata em árvore, pedra ou um outro animal ou ave. A Onça-Maneta se mantém onça e suas aventuras são deformadas pelo medo e pela fama.

Naturalmente a origem foi uma onça que, ferida numa pata ou tendo-a decepada em luta, conseguiu fugir dos caçadores e da matilha de cães e, por algum tempo, ferida e doida de raiva, guerreara fazendas e onceiros, numa despedida heroica.

PISADEIRA
(SÃO PAULO, FRONTEIRAS DE MINAS GERAIS)

O Pesadelo, a *nocturna oppressio* romana, sempre foi explicado pela intervenção maléfica de um íncubo, demônio ou espírito perverso. Para quase todos os povos da Terra, o Pesadelo, a clássica *Onirodynia*, era devido a um gigante ou um anão, uma mulher ou um homem horrendo que, aproveitando o sono, sentava-se sobre o estômago do dormente e oprimia-lhe o tórax, dificultando a respiração. Em português e espanhol (*pesadilla*) deriva de *peso, pesado*. Na maioria dos outros idiomas conserva-se o vestígio da velha tradição sobrenatural do Pesadelo.

No francês *cauchemar*, por *chauchemar*, do antigo verbo *chaucher*, calcar, latim *calcare*, e do germano *mar*, demônio, íncubo. No alemão vemos *alpdrücken*, de *alp*, efialta, íncubo, e *drücken*, comprimir, apertar. O italiano mantém a palavra íntegra, *ínculo*. Em inglês *nightmare*, o demônio da noite, o diabo noturno, como também no holandês *nagtmerrie*. Não é dispautério crer o indígena brasileiro que o Pesadelo era uma velha que o visitava, com seu cortejo de agonias indizíveis. Chamavam-na os Tupis, Kerepiíua. Não era bem a *Kerpi-manha*, a mãe do sonho, correspondendo ao Anabanéri dos Baniuas, moça sem pernas que descia do céu no arco-íris, e que era o sonho. Quando, depois da catequese, Jurupari passou a significar "demônio noturno", aparecendo junto aos adormecidos guerreiros, traduzia-se seu nome como sendo a contratação de *í-ur-upá-ri*, o que vem à, ou sobre a cama, na lição de Batista Caetano de Almeida Nogueira.

Os sertanejos do nordeste brasileiro creem numa velha ou num velho de barbas brancas que lhes arranha a face durante a opressão. Amanhecem fatigados e quase todos dizem ter lutado com o fabuloso velho que possui força espantosa.

Ninguém explica o Pesadelo senão por uma vontade malévola e de origem extramaterial. É o íncubo, o velho, a velha, o anão, o Efialto, o gigante, a Pisadeira, os supremos responsáveis...

Dada a importância dos bons e maus sonhos na História do Mundo, sua influência política e religiosa, o sábio W. Heinrich Roscher, estudando os sonhos diabólicos ou pesadelos (*alpträum*), chegou a formular o esquema duma mitologia patológica, dando o Pesadelo como origem dos demônios, monstros, tradições de encanto, transformações, bestiário fantástico, etc. A esse capítulo da sua monumental "Enigma da Esfinge" (*Das Rätsel der Sphinx*) Roscher denominou por um sinônimo do Pesadelo, *Ephialtes*, o gigante mitológico, filho de Netuno e de Aloé, que tentou escalar o Céu e caiu sob as flechas de Apolo e Diana, a luta convulsa do Sol e da Lua contra as grandes vagas orgulhosas que ameaçam a amplidão...

A ideia do professor Roscher foi catalogada entre as mil e uma tentitivas de "interpretação demopsicológica", que têm tido o condão de complicar, até o infinito, os simples contos do populório universal. Naturalmente o Pesadelo, com tais e tão eruditas e espalhadas credenciais, continua figurando no Folclore do Brasil com as mesmas roupagens de outrora. Sua legitimidade reside na velhice...

De Portugal, entretanto, nos vieram os maiores elementos do Pesadelo brasileiro. J. Leite de Vasconcelos reuniu algumas versões no seu *Tradições Populares de Portugal* e são ainda hoje as explicações da origem da *Pisadeira* atormentadora dos nossos matutos e caipiras. No Algarve é o *Fradinho da Mão Furada*.

> O Fradinho da Mão Furada entra por alta noite nas alcovas, e pelo buraco da fechadura da porta (cf. as Bruxas). Tem na cabeça um barrete encarnado (cf. o Diabo), escarrancha-se à vontade em cima das pessoas e a ele são atribuídos os grandes pesadelos. Só quando a pessoa acorda, é que ele se vai embora (p. 289). O Pesadelo é o Diabo que vem com uma carapuça e com uma mão muito pesada. Quando a gente dorme com a barriga para o ar, o Pesadelo põe a mão no peito de quem dorme e não deixa gritar (idem, p. 290).

De Portugal, evidentemente, nos veio a *Pisadeira*. Mas de onde Portugal recebera o mau-sonho, a *nocturna oppressio?* A influência da Provença nas terras portuguesas foi longa e poderosa. Provençais espalharam ritmos e processos para os versos primitivos. Para os provençais o Pesadelo é uma velha, com as manias da "Pisadeira". Apenas, em Provença e Portugal, desce pela chaminé, caminho ao tórax do adormecido.

Mistral, no canto VI do *Mireio*, evoca a *Chauchovièo*, a feia, mas legítima progenitora da nossa Pisadeira:

> *Eila, vesés la Chaucho-vièio?*
> *Pèr lou canoun di chaminèio,*
> *Davalo d'à cachoun sus l'estouma relènt*
> *De l'endourmi que se revésso;*
> *Mudo, se i'agrouvo; l'óuprèsso*
> *Coume uno tourre, e i'entravésso*
> *De sounge que fan afre e de pantai doulènt.*

E, na tradução portuguesa de F. R. Gomes Junior (p. 239, H. Garnier, 1910):

> Por aí vedes o Pesadelo?
> Pelo tubo das chaminés
> Desce furtivamente sobre o peito úmido
> Do adormecido que cai;
> Mudo, se agacha, o oprime
> Como uma torre e o encabresta
> De sonhos que fazem horror e dolorosos.

Documentário

E a Pisadeira?

Essa é ua muié muito magra, que tem os dedos cumprido e seco cum cada unhão! Tem as perna curta, cabelo desgadeiado, quexo revirado p'ra riba e nari magro munto arcado; sombranceia cerrado e zóio aceso... Quando a gente caba de ciá e vai durmi logo, deitado de costa, ele desce do teiado e senta no peito da gente, acarcano... acarcano... a boca do estámo... Purisso nunca se deve dexá as criança durmi de costa.

— Talvez seja o pesadelo...

— É... deve sê... é quistan de nome.

Cornélio Pires — *Conversas ao pé do fogo*, pp. 152/153, 3ª edição, São Paulo, Companhia Editora Nacional, 1927.

A Porca dos Sete Leitões (são paulo, Fronteiras de minas gerais)

É comum nos registros do Folclore a presença de animais que seguem os transeuntes noturnos, com gemidos apiedadores. Socorridos, desaparecem ou quase esmagam o confiado notívago sob seu peso. Os franceses têm o "carneiro pesado", *Mouton Pesant*, que, desde o século XVIII, acompanhava os passeantes, balindo desconsoladamente, como perdido. Posto nos ombros, o inocente carneirinho pesava mais do que um camelo e dificilmente, à custa de orações, o improvisado carregador conseguia jogá-lo fora. No Poitou os pastores notam, no meio do rebanho, ovelhas aparentemente exaustas e famintas, que balem lamentavelmente. Recolhidas ao aprisco, assombram o redil inteiro e se somem como fumo.

Quem viaja durante a noite vai encontrando esses fantasmas. Na França ainda galopa o horrendo *Chevauléger*, besta espantosa, com a forma de cavalo, olhos de fogo, que olha rindo, com todos os dentes de fora. Ainda há o desnorteante *Chien à la grand queue*, cachorro cuja cauda não tem fim...

Em São Paulo, e fronteiras com Minas Gerais, aparece a Porca dos Sete Leitões, pertencente a essa dinastia terrífica. Quem anda a desoras ouve, pelas estradas desertas, ao derredor do cruzeiro que preside a praça, nos becos estreitos, o ronco surdo de uma porca e os insistentes grunhidos de um grupo de bacorinhos novos. Se o homem tiver coragem de voltar-se para examinar, terá justamente os segundos necessários para notar a espécie suína e a filharada roncante. Depois, leitões e porca, desaparecerão inexplicavelmente, para reaparecer e sumir-se...

Mas a visagem prefere visitar os homens casados, amigos de ocupações dispensáveis e alheias ao matrimônio. Daí haver quem a defenda e deseje a multiplicação do gênero em todas as estradas e avenidas mal iluminadas do Brasil.

Karl von den Steinen encontrou a crendice em Cuiabá noutra explicação. É o castigo aos métodos anticoncepcionais, ao aborto provocado.

O mito é português e J. Leite de Vasconcelos citou-o nas *Tradições Populares de Portugal* (Porto, 1882).

> Às Trindades, que é a hora aberta, é quase de fé que nas encruzilhadas se vê coisa ruim, na forma de uma porca com bácoros, ou galinha com pintos, ou uma destas mães com os pequenos da outra. *Coisa-Ruim* o que venha a ser, não sei; parece, porém, ser coisa mandada pelo Diabo, ou o Diabo mesmo (informa D. Maria Peregrina da Silva nas *Superstições Populares do Minho*, in *J. Leite de Vasconcelos*, p. 298). E ainda:
>
> O Diabo aparece pelos corgos (ribeiros) em figura de uma Porca com sete leitões (Mondim da Feira). Em Resende dizia-se que no sítio do Boqueirão do Paço aparecia uma porca ruça com uma manada de sete leitões ruços, e que esta Porca era o Diabo (idem, pp. 313/314).

Também existe em Espanha e além. Na terra portuguesa podia ter sido trazido o mito pelos provençais. No séc. XIII cantava El-Rei D. Diniz:

> Proençaes soen mui bem trobar,
> e dizem eles, que é con amor;

Certamente não cantavam apenas, mas diziam as estórias da região encantada em que viviam. Frederico Mistral recorda a "porca" que aparecia diante dos desregrados.

> *On parlait aussi d'un cheval ou d'un mulet, d'autres disaient une grosse truie, qui apparaissait, parfois, devant les libertins qui sortaient du cabaret.* (Mistral — *Mes Origines. Mémoires et Récits.* p. 37. Paris, Lib. Plon. [s/d] 1929.)

A "porca", velhíssimo símbolo de apetites baixos, de predileções inferiores, de suja carnalidade sexual, bem expressa a égide sob a qual colocam as esposas as atividades clandestinas dos maridos.

Documentário

A Porca dos Sete Leitões... Essa gosta mais de vivê rodeano igreja na vila e as cruis da estrada, c'oa leitoada chorano de atrais.

— É má?...

— Cumo quê...

— Intê que não... Interrompeu a Christina...

— Essa sombração é muito bão: Só pressegue os home casado que vem fora de hora p'ra casa...

> Cornélio Pires — *Conversas ao pé do fogo,* p. 156, 3ª edição. Comp. Editora Nacional, São Paulo, 1927.

Aparição noturna, semelhante às Mulas sem Cabeça, e que se observa em ruas solitárias, é a *Porca com Leitões*. Trata-se então sempre da alma duma mulher que pecou contra o filho nascituro. Quantos forem os abortos, tantos serão os leitões.

> Karl von den Steinen — *Entre os Aborígines do Brasil Central* (tradução de Egon Schaden) p. 707. Separata da *Revista do Arquivo*. Departamento de Cultura, São Paulo, 1940.

A PRÍNCESA ENCANTADA DE JERICOACOARA (CEARÁ)

As dunas de areia que o vento empurra e amontoa guardam tradições explicadoras de suas formas ou localizações. Em várias praias as areias cobriram as casas de pescadores, fazendo desaparecer aldeias marcadas em roteiros antigos. No município de Baixa-Verde, Rio Grande do Norte, a praia de São Bento do Norte tem o nome de Caiçara-Nova. A Caiçara-Velha está debaixo duma fila de dunas. Havia uma capelinha, muitas casas. A areia cobriu tudo. Naturalmente os fantasmas continuam vivendo subterraneamente a mesma vida de outrora. Em certas noites o sino toca chamada de "missa" que as sombras ouvem, recolhidas sob o telhado do templo que está a dez metros de fundura. No Ceará, a aldeia de Almofala repete a mesma estória.

Em Jericoacoara, terra histórica do Ceará, há, sob um serrote onde o farol alumia a escuridão das noites, uma princesa encantada, morando numa gruta, cheia de riqueza. Só se desencantará se alguém for sacrificado. A princesa está transformada numa serpente, com a cabeça e os pés femininos. Faz-se uma cruz com o sangue humano no dorso da cobra. E ela voltará à forma humana, para sempre.

Essas princesas-serpentinas são comuns no Folclore nortista. Mário Melo fala da furna da serra Talhada, em Vila Bela, Pernambuco, morada duma princesa. Escreve Mário Melo ("Lendas Pernambucanas", in *Revista do Instituto Arqueológico Pernambucano*, vol XXIX, p. 34, Pernambuco, 1930):

> De uma feita, explicou-me, passarinhava nas imediações com um companheiro e teve desejo de desvendar o mistério. Entrou, com aquele, esgueirando-se. Um pouco adiante, viu uma jiboia (cobra-de-veado). Levantou a espingarda em atitude de pontaria e ia desfechar o tiro quando o companheiro lhe bateu ao ombro advertindo que não atirasse, porque a cobra era a princesa encantada que ali habitava e, com o derramamento de sangue, se desencantaria e estariam perdidos. Recuou, recuaram e não entraria mais na furna.

Essas princesas tornadas serpentes são vestígios do ciclo das Mouras na Península Ibérica. Em Portugal quase a totalidade das Mouras Encantadas vive sob as escamas reluzentes de imensos ofídios repelentes. Nas noites de São João ou Natal, antes da meia-noite, voltam à forma humana, tornadas mulheres lindas, cantam, penteando-se com os pentes de ouro. Junto, imóvel, a pele da serpente espera a volta do corpo para a continuação do fado. O ferimento, mesmo diminuto, bastando merejar sangue, é o regresso à humanidade, a volta ao humano, como diziam os cabalistas. A Cobra Honorato, a Cobra-Norato, de tantas estórias em Pará, deixaria a sina se alguém a ferisse a ponto de "fazer sangue". É o remédio heroico contra a licantropia.

A tradição de Jericoacoara é legitimamente portuguesa e a princesa enfeitiçada é uma "moura", esquecida dos castelos e alcaderias esborcinadas, guardando ouro, joias, armas de pedraria, barras de prata, montões de moedas, para o audacioso que se atreva a "quebrar-lhe" o encanto.

A serpente, o animal sem idade, o animal sábio, é o invólucro preferido pela alta e velha magia árabe. As tradições orientais estão cheias de rainhas e princesas que vivem como grandes cobras, sujeitas a uma penitência cujo fim depende dum gesto humano e cavalheiresco. Não lembrava aos "gênios" orientais a ideia de Odin, haloando o sono de Brunilda com uma moldura de chamas.

Toda a Europa sabe a tradição de Melusina, a fada amorosa da Casa dos Lusignan. Filha da fada Pressina, Melusina se tornava serpente todos os sábados. Durante uma caçada, Raimondin, filho do conde de Forez, encontrou-a numa floresta do Poitou. Apaixonaram-se um pelo outro. Melusina construiu milagrosamente o castelo de Lusignan. Viviam amorosamente. Nasceram oito filhos, fortes e belos, mas portadores de anomalias. Vriam, o primogênito, tinha a face mais larga do que longa e um olho era vermelho e o outro azul. Odon, o segundo, possuía orelhas enormes. Guion, o terceiro, apresentava os olhos colocados desigualmente. A face do quarto filho, Antônio, era marcada por uma garra de leão. Renault, o quinto, parecia um Ciclope, com seu único olho, mas enxergava perfeitamente numa distância de vinte e uma léguas. Godofredo, o sexto, orgulhava-se de ter apenas um dente que lhe saía da boca mais de uma polegada. O nariz de Froimond, o sétimo, mostrava a extremidade peluda como se fosse uma toupeira. Não se sabe o nome do oitavo, que se fez monge. Esse tivera três olhos...

Melusina fizera o conde Raimondin de Lusignan jurar que não a procuraria ver durante os sábados. Anos depois, mordido pela curiosidade, o fidalgo abriu um furo com a espada na porta do aposento onde a esposa se banhava. Viu-a como uma enorme e horrenda serpente. Gemendo de dor, Melusina desapareceu por uma janela. Nunca mais o marido a tornou a ver. Até o dia do juízo, a fada ficará serpente. Fiel ao seu amor, cada vez que o castelo de Lusignan mudava de senhor ou um dos chefes da família ia morrer, Melusina aparecia nos altos torreões do castelo, chorando. Três dias voltava em sua ronda angustiada, anunciando a visita do anjo da Morte.

Não é demais, pelo exposto, que a princesinha de Jericoacoara espere seu Siegfried sem medo e sem mácula, armado de coragem e resplandecente de amor...

Documentário

Dizem alguns habitantes de Jericoacoara que sob o serrote do farol jaz uma cidade encantada, onde habita uma linda princesa.

Perto da praia, quando a maré está baixa, há uma furna que só se pode entrar de gatinhas. Essa furna de fato existe.

Só se pode entrar na boca da caverna, mas não se pode percorrê-la, porque, dizem, ela é fechada por enorme portão de ferro.

A princesa está encantada no meio da cidade que existe além do portão. A maravilhosa princesa está transformada numa serpente de escamas de outro, só tendo a cabeça e os pés de mulher.

Diz a lenda que ela só pode ser desencantada com sangue humano. No dia em que se imolar alguém perto do portão, abrir-se-á a entrada do reino maravilhoso. Com sangue será feita uma cruz no dorso da serpente e então surgirá a princesa com sua beleza olímpica no seio dos tesouros e maravilhas da cidade.

E então, em vez daquela ponta escalvada e agreste, surgirão as cúpulas dos palácios e as torres dos castelos, maravilhando toda a gente.

Na povoação há um feiticeiro, o velho Queiroz, que narra, com a fé dos profetas e videntes, os prodígios da cidade encantada.

Na palma de sua mão aberta aparece a princesa, tal como era antes do encantamento. Aparecem também as vistas magníficas da cidade escondida.

Certo dia o Queiroz, acompanhado de muita gente da povoação, penetrou na gruta. O feiticeiro ia desencantar a cidade. Estavam em frente ao portão, que toda a gente diz ter visto. Eis que surge a princesa à espera do desencanto. Dizem que ouviram cantos de galos, trinados de passarinhos, balidos de carneiros e gemidos estranhos originados da cidade sepultada.

O velho mágico, entretanto, nada pôde fazer, porque no momento ninguém quis se prestar ao sacrifício.

Todos queriam sobreviver, naturalmente para se casar com a princesa. O certo é que o feiticeiro pagou caro a tentativa. Foi parar na cadeia, onde permanece até hoje.

O Ismael diz que o seu cunhado acompanhou o velho feiticeiro à gruta e o dito cunhado afirma que tudo correu como acabamos de narrar.

A cidade e a princesa ainda esperam o herói que se decida remi-las com seu sangue. Esta ainda continua na gruta, metade mulher, metade serpente, como Melusina, e também como a maioria das mulheres.

Olavo Dantas — *Sob o Céu dos Trópicos*, pp. 194/196, Rio de Janeiro, 1938.

TIBARANÉ
(MATO GROSSO)

O Tibarané em Mato Grosso é um indígena velho, de rosto enrugado, maltrapilho, andando silenciosamente ao entardecer. Quando as crianças assobiam, o Tibarané se aproxima manso, pedindo fumo. Se não lhe satisfazem a súplica, carrega o menino.

Os Negros velhos, mineiros, fluminenses, cariocas, de Pernambuco ao Ceará, aqui têm sua réplica autóctone. O Tibarané emprega processos quase idênticos, exceto a exigência do fumo que é um vestígio dos seres espantosos da floresta, o Curupira, o Saci-pererê, o Caapora. Como em Mato Grosso a influência tupi-guarani não é tão intensa e contínua como nas outras regiões do Brasil, tendo mais o domínio dos índios Guanás que desceram dos Andes e dos Bororos que vieram do Chaco, só a força espiritual envolvente dos mitos tupi-guarani atua, deixando reminiscências, levadas pelas "bandeiras" ou já diluídas na miscigenação incessante, no âmbito de lendas locais.

Daí dizermos que o Tibarané resume os "velhos" que nos vieram da Europa, porque entre indígenas e africanos os "velhos" não têm a faculdade de amedrontar crianças, com alguns elementos da selva e das modificações que transformam os mitos vivos nalma do povo.

Seria o Tibarané um simples mito de convergência, curioso em seu aspecto local, pois em nenhuma parte deparei índios velhos com missão do "homem do surrão", do "negro de Angola", do "Papa-figo". Mas o mito é mais original porque é um documento de transformação ornitomórfica em antropomórfica.

O Tibarané é uma ave noturna, de canto persistente e tênue, lembrando o assobio infantil, informa-me o Dr. João Barbosa de Faria. No Rio de Janeiro, onde o encontrei e conversamos, em julho de 1938, falou-me das aves agoureiras mato-grossenses, como a *macauã* e citou o *Tibarané* como uma das mais divulgadas e temidas entre o populário.

Não me citou lendas nem aventuras do Tibarané nem como se exercia sua ação espiritualmente maléfica. Julguei-o filiado ao ciclo das aves de agouro, como acauã (*Herpetotheres cachinnans*, Lin), o xincoã (*Coccyzus melanocoryphus*, Vieill), o Alma de Gato (*Piaya cayana*, Lin), o urutau (*Nyctibius grandis*, Gm). A *macauã* de Mato Grosso parece-me a mesma Acauã. Arrolei o Tibarané na lista.

O desembargador José de Mesquita, atendendo um meu pedido, entre outros informes, mandou sua crônica, publicada em março de 1929, sobre o Tibarané. O processo que dera da *Tapera naevia* (Lin) o Saci pretinho, unípede, perturbador dos caminhos, fundindo tradições em suas travessuras de Egipan de ébano, repetia-se em Mato Grosso com o Tibarané, fazendo-o convergir para o "velho", assombrador de meninos, como em Paraná os filhos de Chico Santos, dançarinos impenitentes, tornaram-se numa revoada de Tangarás (*Chicoxiphia caudata,* Swainson).

Não me foi possível identificar Tibarané em parte alguma. Catálogos e relações de aves brasileiras foram percorridos inutilmente. O professor J. A. Padberg-Drenkpol, consultado, enviou-me a resposta subsequente. Nos seus limites ficam todos os meus conhecimentos na espécie. Diz o professor Padberg-Drenkpol então do Museu Nacional:

> Mais problemática ainda é a *Tribarané*, nome que não acho em parte alguma. Por sua descrição de "ave mato-grossense, crepuscular, que dá uns assobios é dada como encantada", poderia ser um Caprimúlgida ou Bacurau (Noitibó), talvez aquele *Nyctidromus albicollis*, mencionado em minha carta. Nem acho explicação do nome que não parece tupi (Seria talvez: *tapera-nê*, "andorinha fétida"???). Eis quanto posso conjeturar.

Documentário

— Não assobia à noite, meu filho — advertiu-lhe *siá* Felícia. — Olha que vem o Tibarané.

— Histórias, minha mãe — disse Rodrigo, dando de ombros e continuando a assobiar.

Eis senão quando surge ao lado dele, sem que visse donde viera, um bugre velho, de má catadura, feições muchibentas, a modo jenipapo, a pedir-lhe um pedacinho de fumo. Era o Tibarané da lenda popular, "alma de bugre", que aparece a quem assobia depois do anoitecer. Rodrigo sentiu um calafrio correr-lhe as veias e gritou por sua mãe que, às pressas, viera de dentro de casa trazendo o estranho pedido, com que, sem mais, se retirou o indesejável visitante...

José de Mesquita — "Tibarané", em *A Cruz*, p. 2. Nº 867. Cuiabá, Mato Grosso, 10 mar. 1929.

VAQUEÍRO MÍSTERÍOSO
(TRADÍÇÃO EM TODAS AS REGÍÕES BRASÍLEÍRAS DE PASTOREÍO)

Em todas as regiões brasileiras de pastorícia, antigo Nordeste, Mato Grosso, Goiás, Minas Gerais, Bahia, há a tradição de um vaqueiro misterioso, sabedor de segredos infalíveis, mais destro, mais hábil, mais afoito, melhor cavaleiro, que todos os outros reunidos. Usa vários nomes. Ninguém sabe onde ele mora nem a terra em que nasceu. Aparece nas horas de vaquejada ou apanha de gado novo, ferra ou batida para campear. Vence a todos os companheiros. Recebe o pagamento. Desaparece para surgir, vinte, cinquenta léguas diante, noutra "fazenda", repetindo as façanhas julgadas sobrenaturais.

Monta um cavalo velho ou uma égua aparentemente imprestável e cansada. Mal vestido, humilde, sofrendo remoque dos vaqueiros e campeadores, termina sendo o primeiro, o mestre supremo, aclamado como um herói, desejado pelas mulheres, convidado para os melhores lugares pelo fazendeiro. Recusa todas as seduções e remergulha no mistério.

Aparecendo numa "fazenda", o vaqueiro desconhecido cerca e encaminha para o curral, ele sozinho, quase toda gadaria e em pouquíssimas horas. Galopa léguas e léguas em minutos. Imobiliza touros possantes com um gesto ou uma palavra. Seu cavalo é um relâmpago. No Nordeste, nas vaquejadas, corre sempre para "derrubar" e nenhum novilho, nenhum garrote, foge à irresistível "mucica" que o sacode, três vezes de patas para o ar, ao chão, entre palmas. Correndo de "esteira" não há boi-marruá, novilhote reboleiro ou vaca-velhaca que "espirre" para o mato, "ganhando o fechado". No copo, garfo e alegria é sem rival.

Meu tio Luís Manuel Fernandes Pimenta, pequeno fazendeiro no município de Augusto Severo (RN), contava maravilhas de um vaqueiro misterioso chamado Ventura, preto de cor, mas branco nas ações.

Aceitando o oferecimento de 200$, quantia fabulosa para a época, enfrentou um touro que se escapara de mais de trinta vaqueiros veteranos do "limpo e do carrasco". Correu a pé, emparelhado com o animal em que pôs a mão na anca e o trouxe para o curral como se fora borrego.[24]

---

24 Kerginaldo Cavalcanti registra episódio idêntico, sucedido no agreste do Rio Grande do Norte, no seu conto "Manuel Bruto" (*Contos do Agreste*, p. 77. Tip. do Instituto, Natal, 1914). Dessa excepcional habilidade há a narrativa, de Manuel Rodrigues de Melo, "Preto Ruivo", no *Várzea do Assu*, p. 99. São Paulo, Ed. dos Cadernos, 1940.

Noutras vezes é um vaqueiro que determina, ele sozinho, a salvação duma boiada inteira que "estourara".

O Sr. Gustavo Barroso (*Ao som da viola*, p. 714) conta um desses episódios lembrados nas latadas das fazendas, nas horas dominicais:

> Tendo morrido numa cidade do sertão um homem, cuja riqueza era de origem misteriosa, verificou-se que o mesmo a tinha obtido com uma *pauta* infernal. Estavam todos os convidados de roupa preta na sala, rodeando o caixão já fechado, quando ali entrou um vaqueiro alto, moreno, de olhos brilhantes, cuja roupa de couro de veado capoeiro produziu verdadeiro contraste no meio daqueles trajes de luto. Todo o mundo pensou que fosse o vaqueiro duma das fazendas do morto, chegado de surpresa. Mas o estranho personagem não falou com ninguém, não tirou da cabeça o seu pesado chapéu de couro de bode, olhou algum tempo o caixão e desapareceu. Quando abriram o caixão para a viúva despedir-se a última vez do marido, estava vazio...

Em Minas Gerais o vaqueiro misterioso tem o nome de Borges. É um mágico. O professor Manuel Ambrósio descreve o Borges:

> ... era um vaqueiro ambulante, misteriosamente aparecendo por fazendas em ocasiões de difíceis vaquejadas em que pintava proezas admiráveis. Nos sertões do norte mineiro dele se fala ainda com essa crença supersticiosa cheia de infância e desalinho, marcando datas, lugares, perigos inimagináveis, quase impossíveis, salvando gerações, vivendo de todos e por toda a parte, sempre o mesmo, inextinguível. Franzino, mulato de mediana estatura, pouco idoso, falando pouco e muito descansado, sempre vestido de perneira e gibão, cavalgando eternamente uma égua muito feia e magra ocultando a larga fronte, olhar expressivo e barba espessa e comprida sob um grande e desabado chapéu de couro — tal a figura simpática do Borges. Quase nunca era procurado porque, boêmio dos campos, sua residência certa ignorava-se.

Nos sertões de Urucuia fez vinte e oito léguas em sessenta minutos. Uma viúva rica perdera seu cavalo de estimação. Borges trouxe-o em pouco tempo, recomendando que o banhassem sem tirar o freio. Horas passadas o escravo, que levara o "castanho" ao rio, vendo o inquieto e batendo com sede, estorvado pela brida, retirou-a. Desapareceu o cavalo e ficou apenas a ossada, coberto com o couro.

O fim desse fabuloso Borges é sinistro. Morreu transformado numa onça, a Onça-Borges. O professor Manuel Ambrósio registrou perfeitamente a tradição:

Pastoreava uns gados o famoso vaqueiro por uns desertos, onde se embrenhara com um auxiliar seu discípulo e amigo. Cinco dias eram decorridos e eles mortos de fadiga, de fome e sede. Exaustos e sem tempo de tornar a casa por muito tempo, apertava-os mais e mais a penúria.

Borges era forte e destemido; queria além disto experimentar e ao mesmo tempo preparar seu discípulo, que não primava muito por aquelas qualidades.

— És muito fraco, meu rapaz! Tenho dó de ti. Sentes muita fome, não é assim? Coragem! Aprenda ter coragem! Agora mesmo vou matar aquela novilha gorda que ali vês; terás ocasião de testemunhar uma das minhas, e porque te estimo e muito, quero ensinar-te o que ignoras. Vou tornar-me em uma onça canguçu; sangrarei a novilha: beberemos depois o sangue e não faltará mais carne boa, fresca, seca e gorda.

O discípulo arregalou muito os olhos.

— Não te admires se prometes-me não ter medo, tanto melhor; provar-te-ei o que disse, e para que não duvides um instante, espere um pouco aqui.

E entrou para um cerrado, onde demorou-se algum tempo. O discípulo tremia, apesar da muita confiança que depositava no mestre; parecia-lhe vê-lo surgir na verdade, como onça, daquele antro.

— Toma este maço de folhas: agora você vai ver-me, mas pura onça. Matarei, como disse, a novilha e voltarei para você com a boca muito aberta. Nada de medo, moço! Aperte bem este maço de folhas na mão, e quando me dirigir para você, sem deixar cair uma só, tire do meio esta folha (e indicou-a); coloque-a na minha língua sem demora e eu me transformarei logo. Se você não tem coragem, seja franco; do contrário, não me arriscarei a semelhante sacrifício.

Entrou Borges segunda vez no cerrado e não tardou que dele saltasse um disforme canguçu, que investindo o gado, derribara a mencionada novilha, sangrando-a num volver de olhos. Saciada a sede, escancarou as fauces o canguçu em busca do discípulo. Este, tomado de pavor, de há muito fugira a todo o pano.

A onça o perseguiu por toda a parte durante muitos dias e sem resultados. Caçadores que andavam por longínquas e ermas esperas de veados e antas, muitas vezes falavam de uma onça singular que conversava a sós nos desertos. Dizia-se que era mentira de tais caçadores.

Em breve, pelas fazendas aparecera uma terrível mortandade de gados. Uma onça descomunal, atrevida e valente assolava essas regiões atacando currais que os não haviam seguros em parte alguma, até que tragicamente viera cair e acabar-se em um desses do modo porque sabemos, sendo reconhecida nesse dia pelo discípulo traidor que pesaroso assistira ao triste desenlace.

A onça depois de uma luta desesperada, conseguira transpor o fojo que lhe fora preparado; mas, para morrer atravessada nos chuços, zagais e muitos tiros certeiros de clavinas. Naquele duro momento, conta-se, que ao dar com os olhos no ingrato discípulo que ali se achava entre os matadores, soltara um terno e prolongado gemido que nada tinha de selvagem, seguido do último suspiro.

Essa faculdade de transformar-se um homem em tigre é atributo de alta magia. Creem os africanos que seus *m'gangas* tenham tal poder. Para que não rotulemos o pobre Borges na área negra, multiplicada pela unilateralidade de alguns estudiosos, digamos que os asiáticos também possuem essa tradição.

> Os Mantra de Johor [na Península Malaia] mesmo os cristianizados, creem que um tigre em seu caminho só pode ser um ser humano que, vendendo-se ao espírito maligno, toma, por magia, a forma deste animal, para saciar sua vingança ou malignidade. Afirmam que, regularmente, um pouco antes de encontrar um tigre, poder-se-ia ver um homem desaparecer na direção de onde o animal saltou.[25]

A folha na boca pertence ao ritual da magia popular. Tenho encontrado a folha empregada em misteres milagrosos. Com uma folha na boca, roupa ao avesso, passa-se entre os cães mais furiosos sem perigo. O velho *Livro de São Cipriano*, oráculo do populário português, registra inúmeras "receitas" para tornar-se uma criatura invisível e mais habilidades. A folha, colhida ou especialmente preparada com ritual complexo, é trazida na boca durante a "encantação". Na tradicional festa religiosa de Nossa Senhora da Guia, na Estremadura, um devoto entra, com um bolo, dentro dum grande forno aquecido, levando na boca uma folha ou uma flor retirada ao andor da Padroeira.

O vaqueiro misterioso, o Onça-Borges dos mineiros, o Ventura do nordeste, é figura lusitana, com as inevitáveis diferenciações mestiças e locais. Moralmente, é um símbolo da velha profissão heroica, sem registros e sem prêmios, contando-se as vitórias anônimas superiores às derrotas assistidas pelas serras, grotões e várzeas, testemunhas que nunca prestarão depoimento para esclarecer o fim terrível daqueles que vivem correndo atrás da morte.

Documentário

O sobrado do Gás era um casarão azul à esquina da rua Formosa, em frente à venda do Felinto Teotônio. Embaixo, os escritórios da Companhia do Gás. Em cima, moradia da rica viúva do comendador Luís Ribeiro. Eu não gostava de pisar a calçada do sobrado e preferia a do judeu Natalino por causa do defunto comendador, que nem ao menos conhecera. Contava-se que ele enriquecera mediante um pacto com o diabo. No dia em

---

25 W. Skeat and Blagden — *The pagan races of the Malay Peninsula*, vol. II, p. 325, cit. por Lévy-Bruhl, *L'Âme Primitive*, p. 33.

que morrera, já deitado no caixão e a casa cheia de gente, apareceu um vaqueiro todo vestido de couro. Ao princípio pensaram fosse um dos vaqueiros de suas fazendas chegado de surpresa e que não tivera tempo de mudar a roupa. Mas o homem era estranho, andando para lá e para cá com as suas perneiras e o seu gibão de couro de veado, no meio de todas aquelas pessoas de roupas pretas. Não dava palavra e seu olhos faiscavam. De repente, como por encanto, desapareceu. Foram fechar o caixão e verificaram que estava vazio! Enterrou-se assim mesmo. O sobrado foi destruído por um incêndio em 1897.

> Gustavo Barroso — *Coração de Menino*, pp. 119/120. Rio de janeiro, Getulio M. Costa editor, 1939.

ZAORÍS (RÍO GRANDE DO SUL)

São Zaoris os homens nascidos numa Sexta-Feira da Paixão. Têm nos olhos um brilho especial, misterioso, inconfundível. Nada há oculto para eles. Veem através dos corpos opacos. Os tesouros enterrados, as minas de ouro cujos filões são desconhecidos, as jazidas diamantinas, todas as riquezas são perfeitamente avistadas, identificadas, localizadas, debaixo da terra ou no âmago das pedras, pelos olhos luminosos dos Zaoris. Assim como um vedor pesquisa e mostra a nascente d'água subterrânea, sem aparelho eletromagnético, os Zaoris mostram as barras de ouro e prata, os montes de joias, as alfaias preciosas, as armas raras, dez a vinte metros de chão adentro.

Os Zaoris são figuras indispensáveis nas lendas do Ciclo do Ouro, na América do Sul. Estão nos fabulários *plateño*, paraguaio, chileno. Encarregam-se especialmente de indicar onde os jesuítas, expulsos das missões, ou os Incas, príncipes nativos perseguidos pelos espanhóis, guardaram seu ouro inacabável. Os Zaoris são os desencantadores dos segredos. Deviam ter vindo de longe para não possuir a solidariedade secular em não revelar os tesouros salvos à ganância dos civilizados.

Essa faculdade de descobrir tesouros escondidos é velhíssima. Fazia parte da Geomancia. O "mestre" que adivinhava segredos riscando o solo com a dedução de figuras geométricas postas ao acaso, tinha o condão de mostrar riquezas disfarçadas pelos usurários de todos os tempos. O Oriente estava cheio desses geomânticos que doavam milhões recebendo uma moeda de pagamento. Essa criptoscopia era congênita ou adquirida, depois de estudos longos e uma existência de iniciações cabalísticas. Nas *Mil e Uma Noites* vemos um determinado unguento, passado nas pálpebras, dar o poder dos raios Röntgen.

Como o uso de enterrar dinheiro é verdadeiramente oriental, tendo sido sempre o meio dos milionários ocultarem os cabedais da avidez dos soberanos, era natural o nascimento dos Zaoris, reveladores de tanto ouro confiado à terra escura. Vieram eles, de longe, para a América.

Os Árabes chamam ao geomântico *Zahari*. O Dicionário Enciclopédico Hispano-Americano ensina que:

> Zahori, *del árabe Zahari, geomantico, persona a quien el vulgo atribuye la facultad de ver lo que está oculto, aunque sea debajo de la tierra* (Vol. XXIII, p. 207).

Em Damasco certos Zaoris conversam e veem os espíritos dos mortos. Eles ensinam aos Zaoris onde deixaram suas riquezas agora inúteis. Curiosamente, os Zaoris não podem encontrar ouro para uso próprio. A propriedade miraculosa reverte em benefício alheio. Os Zaoris árabes são tradicionalíssimos, embora ninguém dê notícia exata de fortuna por eles deparada.

Mas, entre os árabes, há o costume secular de enterrar dinheiro para furtá-lo às requisições dos chefes. Os árabes enterram dinheiro e enterram até cereais, trigo, milho, fava. Os inspetores trazem cães amestrados no faro do bafio dos cereais enterrados. Esses cães, *kelbs* e *eslugui,* descobrem os depósitos. Os Zaoris são os *kelbs* e os *eslugui* fabulosos para o ouro. Todos os ricos árabes têm o cuidado de confiar à terra seus haveres amoedados. Falando de Mulai Abd-es-Salem (1851-1892), chefe supremo e hereditário da sociedade e ordem religiosa dos Mulêi-Taieb, escreveu Rui da Câmara (*Viagens em Marrocos*, p. 161. Livraria Internacional, Porto, 1879):

> Deve ter uma fortuna fabulosa, enterrada como é uso e costume no seu país.

Esse hábito nos veio e o "dinheiro enterrado" é um dos maiores centros de interesse em todo populário brasileiro. Os Zaoris, entretanto, não vieram para o Norte. Ficaram no Rio Grande do Sul, empurrados pela memória espanhola das "missões" e o concomitante ciclo do Ouro.[26]

---

26 Ver o magnífico estudo do padre Carlos Teschauer, S. J., *A Lenda do Ouro*, na revista do Instituto do Ceará, vol. XXV, pp. 3/49, Fortaleza, 1911. O mesmo estudo, resumido e sem os documentos, foi reimpresso no *Almanaque do Globo*, p. 113, Porto Alegre, 1927.

Para essa faculdade criptoscópica dos Zaoris convergiu ainda a moeda árabe *zahen* que, numa emissão de valor duplo, era chamada *Zeheri*. Enterrar os *Zeheris* era um hábito e os Zaoris, pela semelhança do vocábulo e prática de geomancia, assimilaram a tradição, tornando-se os que procuravam, com olhar milagroso, as pilhas de *Zaheris* ocultas.

O padre Teschauer no seu estudo sobre a *Lenda do Ouro* diz apenas:

> Os *Zaoris*. Há outra classe desses tesoureiros, os chamados *Zaoris*, que possuem a invejável faculdade tão celebrada em nossos tempos dos raios de Röntgen, de penetrar com os olhos a mais densa obscuridade. Não há paredes nem muralhas assaz grossas que não passe sua vista penetrante.
>
> Seu principal ofício consiste em descobrir minas e tesouros escondidos. Dizem que dispõem deste raro privilégio as pessoas que nasceram numa sexta-feira santa. Quem souber conquistar o favor dos tais não pode demorar em descobrir ao menos um destes imensos tesouros, que enterraram os vassalos dos Incas e outros nestas terras sul-americanas.

Simões Lopes Neto, que registrou o mito, fê-lo deformadamente, com intuitos mais literários que folclóricos.

Assim, nas terras americanas, velho de séculos, passa o Zaori, avistando ouro debaixo da terra e misérias ao alcance da mão.

A origem do Zaori árabe explica sua viagem para o Rio Grande do Sul através de Espanha, na endosmose do Plata. Era o Zaori popular na terra espanhola, com os mesmos atributos que lhe assistem na zona gaúcha. Francisco de Quevedo os citava no século XVII, *Los Sueños, Visita de los Chistes,* ed. Sopena, Barcelona, 1622, p. 235:

> *Nació viernes de Pasión*
> *para que ZAHORI fuera,*
> *Porque en su dia muriera*
> *el bueno y el mal ladrón.*

No *Entremés del Viejo Celoso*, Cervantes cita o *zahori que dicen que ve siete estados debajo de la tierra.*

ZUMBI
(BAHIA, SERGIPE, RIO DE JANEIRO)

Vem do Quimbundo *nzumbi*, espectro, duende, fantasma. Confunde-se com seu homófono *zumbi*, provindo de *nzámbi*, divindade, potestade divina e, por translação, aos chefes sociais. *M'ganga, Zumbi,* dizem os negros Cabindas, referindo-se a Deus. Zumbi foi o título do chefe dos rebelados pretos que se refugiaram no quilombo dos Palmares, na serra da Barriga, em Alagoas, a *Troia Negra,* de Nina Rodrigues. Pereira da Costa enganou-se dando um nome pelo outro quando estudou o verbete em seu *Vocabulário Pernambucano.*

Zumbi é um negrinho, confusão com Saci, que aparece nos caminhos e é o companheiro da Caapora (Caipora) em Sergipe. Pede também fumo e bate ferozmente em quem não o satisfaz. É pequenino, ágil, nu, procurando as crianças que vão apanhar frutas silvestres para desnorteá-las, dando assobios finos e prolongados, ou surrá-las, como o Curupira. Sílvio Romero funde o Zumbi com o Lobisomem sergipano, sem aduzir material convincente. O Zumbi corre especialmente através do mato ralo, a capoeira, vendo-se rápido e impressionante, seu vulto cor de ébano lustroso.

No Rio de Janeiro, o visconde de Beaurepaire-Rohan fala num "Zumbi da meia-noite", diabinho atormentador, espécie dos *diables Vauverts,* de Montrouge, perto de Paris, *farfadets* maliciosos e zombeteiros. Zumbi também se diz do feiticeiro. Há vagamente uma tradição de um Zumbi retraído, misterioso, taciturno, saindo apenas à noite. Nina Rodrigues escreveu:

> ... segundo a impressão que dele recebi na infância, nos contos das amas de menino, assim se designaria um ser misterioso, algo de feiticeiro, escuso e retraído, só trabalhando e andando e desoras. Daí a sentença popular "Você está feito *Zambi*" para crismar aquele que é de natural macambúzio, ou tem o vezo de passar as noites em claro, ou ainda prefere o trabalho a horas mortas.

Nesta acepção, registra Pereira da Costa *Zumbi* (Nina Rodrigues escrevia *Zambi*):

> *Zumbi — Estar feito zumbi*: com insônia, velando pela noite, e vagueando por semelhante motivo ou mesmo por hábito. Esta fase vem das prevenções e vigílias do *zumbi,* o chefe negro da república ou quilombo dos Palmares, tão célebre nos nossos anais, para não pegaram-no desapercebido com a sua gente em qualquer ataque noturno; e daí, naturalmente, *zumbi* na acepção de *lobisomem,* segundo Sílvio Romero.

Pereira da Costa transcreve alguns períodos de Nina Rodrigues e acrescenta:

> O vocábulo *zumbi* ficou também na tradição popular para designar um ente fantástico, que segundo a crendice vulgar, vagueia no interior das casas em horas mortas; um lugar ermo, tristonho, sem meios de comunidade...

Zumbi é um topônimo muito conhecido em todos os Estados do norte do Brasil e também Rio de Janeiro, Bahia, Sergipe, Rio Grande do Norte, etc. Como pertencente ao ciclo da angústia infantil, Zumbi não é tão vulgar. Há, entretanto, citação abonada por Macedo Soares: *olha zumbi...*[27]

Vale Cabral estuda as várias acepções do Zumbi. Para ele são muitas. Zumbi é, para os angolenses, gente que morreu, alma do outro mundo (a); na tradição oral de outras nações africanas, é fantasma, Diabo que anda de noite pelas ruas e quando os Negros veem uma pessoa astuciosa que se mete em empresas arriscadas, dizem: "Zumbi anda com ele", isto é, o Diabo anda metido no corpo dele (b); havia no Rio de Janeiro o "Zumbi da Meia-Noite", espectro que vagava alta noite pelas ruas e que intimidara muita gente, segundo informação de Beaurepaire-Rohan (c); termo africano (Banguela) que significa alma. "Eu hoje vi uma alma", *ê têrei damoni zumbi*, e também *otirurum* em vez de Zumbi. O Zumbi muitas vezes se revela em pequena estatura humana e cresce à proporção que alguém dele se aproxima para curvar-se e em forma de arco sobre a pessoa. Outras vezes oculta-se, e impede a um cavaleiro prosseguir, tomando-lhe as rédeas do animal. Os animais de montaria o conhecem e evitam passar pelos lugares onde ele estiver, o que é denunciado por um ronco surdo do próprio Zumbi. (Rio de Janeiro. Informação do Sr. Dr. Luís Rodrigues da Costa Júnior) (d); alma de preto transformada em pássaro que fica ao escurecer na porteira das fazendas, dos pastos ou nos lugares ermos, gemendo e chamando os transeuntes pelos nomes, e às vezes ao meio-dia canta e lamenta a vida que levou como escravo e diz: "Zumbi... biri... ri... coitado... zumbi... biri... ri... coitado." (Sul da província de Minas Gerais. Informação do Sr. Carlos Frederico de Oliveira Braga) (e); e mais outras versões que não ampliam o mito.

Com o *Gunocô* dos bantus, o Zumbi é um dos elementos constitutivos de sua existência o Saci-pererê.

W. S. Seabrook, que estudou os mitos e superstições negras do Haiti (*La Isla Magica*, trad. de J. Canalejas, pref. de Paul Morand), registra *zombies*. O Zumbi haitiano é um cadáver animado, por força mágica do feiticeiro, por uma vida aparente e empregado exaustivamente nos trabalhos

---

27 Macedo Soares — *Sobre algumas palavras africanas introduzidas no português que se fala no Brasil*, in *Revista Brasileira*, IV, p. 269, Rio de Janeiro, 1880.

do campo, sob a vigilância do encantador. São insensíveis ou Zumbis e alimentados parcamente e sem sal. Se provam sal, *sentem* que estão mortos e voltam para a sepultura, sendo impotente o mágico para obstar-lhes o regresso ao repouso.

No Brasil não se conhece, em seu fabulário, essa modalidade sinistra de exploração humana...

ADENDOS

O FABULÁRIO POÉTICO
A CABEÇA ERRANTE
UM DOCUMENTO INÉDITO DE GONÇALVES DIAS
AS AMAZONAS
MITOS PARAÍBANOS
MITOS DE ALAGOAS
MITOS DE SANTA CATARINA
MITOS DE SERGIPE
VON MARTIUS E OS MITOS AMAZÔNICOS

Documentário: Luís da Costa Pinheiro — J. Capistrano de Abreu — Pereira da Costa — Gonçalves Dias — Téo Brandão — Ademar Vidal — Crispim Mira — Juvêncio Mendonça — Clodomir Silva.

ADENDOS
· · · · · · ·

O FABULÁRIO POÉTICO

Um poeta popular, Luís da Costa Pinheiro, é autor de um folheto registrando os principais mitos do nordeste e norte do Brasil. Escrevendo para o povo em cujo seio vive, o poeta, com ortografia curiosa e comentários imprevistos, passa em revista as assombrações que vivem no espírito coletivo de toda uma imensa região. Transcrevendo os versos, comprovo apenas a vitalidade dos mitos. Alguns estão deformados, visivelmente pelo próprio vate, como o Mapinguari que ele confunde com a Matinta-pereira e chama "Martim Pereré". A parte sobre os mitos do mar são conhecidíssimos nas praias e muitos episódios tenho-os ouvido, narrados pelos pescadores, veteranos em pescarias com "terra encoberta".

O LUBZHOMEM DO MAR[1]

Caipora, Mãe-d'Água, fantasma, Burra de Padre,
reino encantado e outras visões terríveis que
aparecem a noite, pelo mundo afora

Muita gente acredita
Em Lubzhomem, em caipora,
Fantasma e burra de padre,
Que andam fora de hora,
Se o amigo acredita
Leia a historia bonita,
Dos fatos que narro agora.

---

1   A ortografia é respeitada na transcrição.

O mar é um grande abismo
Que parece encantado,
Não ha sabio neste mundo
Por mais que seja ilustrado,
Que conheça seus encantos
Geme, suspira sem prantos
E é amalassombrado

No mar se vê gente morta
Junto a embarcação,
Gritos, gemidos e ais
De cortar o coração
Jangadas correr sem gente
De outra tomar a frente
É apenas uma iluzão.

No Rio Grande do Norte
Desde da antiguidade
Na praia de Ponta Negra,
Era grande a novidade
Na noite que tinha luar,
Viam jangada encalhar
Trazendo peixe a vontade.

Quem botava para cima
Corria para ajudar,
Desaparecia a mesma
Sem nada mais encontrar,
Retirava-se assustado
Todo atemorizado
Com o Lubzhomem do mar.

De dentro do mar saia
Um grande tonel correndo
Quando a maré estava seca
Sentiam o chão estremecendo,
Com tanta velocidade
Que a fraca humanidade
Ficava toda tremendo.

Em todo mar aparece,
Coisas de admirar,
Pescadores de jangadas
Que no alto vão pescar,
Quando arreiam os tauássus,
Fantasmas negros e nus
veem nas ondas boiar.

Puxam embaixo na poita
Fazendo alagar a prôa,
O proeiro corta a mesma
Pois a cousa não é bôa,
Os fantasmas a saltar
Fingindo querer virar
A jangada, ou a canôa.

No alto mar, aparece
Um navio uma visão,
Com as lampadas acesas
Com magnifico clarão,
Quando perto vai chegando,
Em vento vai se virando
Deixa todos em confusão

Aparece objetos
A noite no alto mar
Pranchões, garrafas, baús,
E quando alguem vai pegar,
Bota o barco a todo pano
Pode correr todo ano,
Porem não pode alcançar.

Muitos teem visto cidades
O comercio em movimento,
Vai encostando o navio
Para comprar mantimento,
A mesma dezaparece
E a tempestade cresce,
Que é horrivel o turmento.

Pescadores tem contado
Que a noite no alto mar,
Aferram peixes enormes
Que cansam de trabalhar
Sôam que mudam de clima
Quando o peixe chega em cima
É nada pode acreditar

Teem visto procissões,
Nas ondas do mar profundo
Com muito mais cerimonha
Das que se faz neste mundo
A depois dezaparece
E a tempestade cresce
Ficando o mar furibundo.

Na prainha do Ceará,
Naufragou-se um navio
No tempo da antiguidade,
Não poude então ter desvio,
Era forte e magestoso
Possante e mui valoroso,
De comodo bom e sombrio.

Ainda hoje se vêr
O casco dele enterrado
A onde se naufragou
Ficara amalassombrado
Alguem ir lá não se afoite.
Aparece a meia noite
Por completo iluminado.

Os habitantes da praia
Já estão acostumados
Não ligam mais importancia
De ver estão enjuados
E tão vizivel a vizão
Que verem com perfeição
Os nautas dentro animados

A trabalhar no navio
Fazendo a baldeação
Uma orquestra harmoniosa,
Com brande animação
Muitos a cantar modinha
Essa visão na prainha,
Faz chamar muito atenção

Gritos de todas as formas
Se ouve o povo gritar
Com a ilusão de vivos,
Sem um til disso faltar
Vai até tarde a visão
Só tem dezaparição
Perto do galo cantar.

No porto de Fortaleza
Aparece outro navio,
Que ancora nesse porto
Sem consentimento previo,
Quando vão o vizitar,
Desaparece no mar,
Ficando o pessoal frio

Botam a gazolina a toda
Para com urgencia chegar
Quando dão fé o navio
Tem se sumido no mar,
Quando voltam estar no porto
Todo pessoal, é morto
Cristão não pode alcançar

É sinistro de uma forma
Que faz até duvidar,
Quando chega arreia o ferro
E põe-se então a apitar
Pedindo urgente visita
Uma visão esquezita
O lubzhomem do mar.

Dizem que ele uma noite
Pedira vizita urgente,
Conseguiram vizita-lo
O medico ia na frente
Quando a lancha foi chegando
O navio foi mergulhando
Sobre as ondas de repente

Contam que um pescador,
Estava a pescar no mar,
Quando passava o navio
Ouvira um perguntar
Tem peixe para vender?
Nós estamos sem comer
Preferimos um jantar.

E perto do jangadeiro,
Ficou o mesmo parado,
O pescador foi vender
O peixe que tinha pegado,
Não lembrou-se de São Roque
O navio deu-lhe um choque
Que quase morre assombrado.

Ouvira a uma voz dizer
Gente que morre não come!
E outra que contra dizia
Saiba que estamos com fome
O pescador já temido,
Com o lub, referido
Que nesta ocasião se some.

363

Sempre vive aparecendo
Que causa espanto falar,
Aparece aos pescadores
Na noite que vão pescar,
Verem o mar se encendiando
As chamas se levantando
É o Lubzhomem do mar.

O mar é misterioso
Isto estar aprovado,
Dizem que dentro dele
Existe reino encantado
Porem nisto o leitor não creia
Porem existe uma Sereia
Que canta até um bocado

Dizem que sempre aparece,
Na linha do alto mar,
Cantar lindo como ela
Mulher não pode cantar,
Quando começa a canção
Detona-se um canhão
Para ela se calar.

O mar, é todo composto
De materia diferente,
Existe a vizão do peixe,
Que aparece frequente
Parece mitiologia
Porem não é fantazia
É cousa seria existente

A Mãe-d'Água é um ser
Com aparencia de gente,
Tem beleza encantadora,
De uma mulher excelente,
De aspecto mui sombrio
Habita dentro de um rio
Encantada eternamente.

É a deusa que governa
Nas aguas a peixaria,
Quando não quer não se mata
Um peixe na pescaria,
Logo aparece a visão
Aterrorizando o cristão
Nada mata nesse dia.

Aparece um tarrafeiro
Tarrafiando na frente
Ver-se a tarrafa cair
Na agua perfeitamente
O freguez pesca que sôa,
Percorre toda lagôa
Porem não pega um vivente

Engancha a tarrafa na areia
Que fica bem enganchado
Se esforça para tirar
Fica com o braço cançado
É uma terrivel afronta
Se mergulha em baixo encontra
Um monstro dentro deitado.

Quando o freguez vai pescar
Em noite muito escura,
Em lugar d'agua profunda
Com seis metros de fundura,
Aparece um tarrafeiro
Pescando no aguaceiro
Com agua pela cintura.

Muitos n'água tem cobrido
Cabeças como de gente,
Engancha no chumbo da tarrafa
E quebra a corda da frente,
Deixa o aparelho enganchado
Corre para casa assombrado
Fica com isso doente.

É uma mulher tão linda
Que faz o homem encantar,
Sempre aparece despida
Nas aguas a se banhar
De cor branca muito bela
Porem bolindo com ela
Faz a gente se afogar.

De repente dizem que faz
As aguas do rio crescer,
O cristão fica inerte
Sem coragem para correr,
O rio fica profundo
O infeliz vagabundo
Tem que dezaparecer.

365

Existe a visão da caça
Uma mulher invisivel,
Conhecida por *caipora*
Que é perversa e terrivel,
Habita em uma mata
Mete nos cães a chibata
É uma coisa impossivel.

As femes são sedutoras
Caboclas bem moreninhas
Andam despidas no mato
Do tamanho de creancinhas,
Possuem força gigante
De natureza irritante
E ferocidades mesquinhas.

Os machos são perigosos
Não gostam do caçador,
Antes pelo o contrario
Ao homem teem horror,
Faz-se dele inimigo,
Quando quer bota em castigo
Seja lá ele quem for.

As femes namoram o homem
Com amizade singela
E é obrigado ele dar
Todo dia fumo a ela
No dia que não levar,
Terá muito que apanhar
E perde a amizade dela.

Porem não faltando fumo
É constante seu amor,
Mata caça facilmente
Ela entrega ao caçador,
Se isso for descoberto
O castigo terá por certo
Apanhar que causa horror.

Faz montaria na caça
Do caititú ao veado,
Com a caçaria na frente
Como quem vaquêja gado,
Se o caçador atirar
No bando quando passar
Ha de ficar enrascado.

Ela agarra o freguez
No tronco do mocotó
E para dar-lhe uma surra
Quebra um grosso cipó
Se o freguez não correr,
Se desta vez não morrer
Apanha que causa dó

O *lubzhomem* se vira
De um amarelo enjanbrado,
Que se mete a virar bicho,
Para poder correr fado
A onde um burro se espoja,
O amarelo se arroja
E fica em bicho virado.

Percorre o mundo inteiro
Antes do galo cantar
Quando encontra uma pessoa
Se bota para chupar,
Estando em luta cerrada
Dando-se uma furada
Faz ele dezencantar.

Quando mata bebe o sangue
Deixa a carne por subejo,
Come estrume de galinha
E ossos de carangueijo,
No lugar que tem matança
Come até encher a pança
É quando mata o desejo.

Dizem que a *burra de padre*
É muito mais perigosa
Que para desencantá-la
Não é de graça nem proza
Só corre com tinideira
É danada de coiceira,
E de presença horroroza

Disem que ela se gera
de uma famosa concubina,
Na morada de um padre,
Que maculou a batina,
Por causa da maldição
Se vira nessa visão
Que é assim tão ferina.

367

O Fantasma é um monstro
Uma visão do luar,
Quando aparece ao cristão
Põe-se a se envergar,
Para o lado do cristão
Se ele não correr então
Terá que se assombrar.

Disem que ela se gera,
Do espírito do animal,
Em logares de capoeiras
É onde aparece afinal,
Porem não mata ninguém
Quase em toda parte tem
Esse obreiro do mal

Verem sombras esquizitas
Sobre as ondas do mar,
Choros de velhos, e crianças
De fazer admirar,
Tiros como de canhão
Campos com vegetação
Que faz até espantar.

Homens nadando no alto
Estão cansados de ver,
Outros a vagar nas ondas
Gemendo para morrer
Cabeças como de gente
Na agua viva corrente
Fingindo querer morder.

Porem com o canto dela
Faz o navio se perder,
O povo se esquece dele
Com ela a se entreter,
Quando o povo perde a vida
A Sereia referida
Vai os cadaveres comer.

Aparece outras diversas
A noite no oceano,
Verem navios mergirsem
Naufragar com todo pano,
A implorar o socorro
Gritando disendo eu morro
Porem tudo é um engano.

368

Existe também um fogo
A quem chamam *batatão,*
Queima as carnaúbeiras,
Que fica feito carvão,
Quando o dia amanhecer
Pode reparar que ver
Com a mesma perfeição.

Disem que o Amazonas
É um lugar arriscado
Além das feras que tem
E muito amalassombrado
Tem a *mãe da siringueira*
Uma visão feiticeira
Que faz o homem azalado.

Quando se vai tirar leite
Algura o aviso máu,
Sai na frente do freguez
A cortar também o páo
Se ele teimar a cortar
Todo leite que tirar
Não dar para um mingáu.

Existe outra visão
Um tal *Martim Pereré*
Da forma de uma pessôa
Com escama de jacaré
Se alimenta com caça
Disem que ele não passa
Aonde tem garapé

Grita com a voz humana
O cristão arremedando,
Quando pega uma creatura
De repente vai matando,
Com dentes de puro aço
Bota de baixo do braço
Sai em pedaços rasgando.

No canal do rio profundo
Existe o *bôto* encantado,
Inimigo das crianças
Esse animal malvado,
Moço ou mulher casada
Indo no rio embarcada,
Faz o batel alagado.

Das 5 as 6 da tarde
Não se anda com criança
Porque o Bôto encantado
Tem atração que alcança
De dentro d'água do rio
Dar um choque tão macio
Que faz perder a lembrança

A CABEÇA ERRANTE

Estudando os Caxinauás índios Panos, do rio Iboaçu, afluente do Muru, tributário de Tarauacá, no território do Acre, J. Capistrano de Abreu recolheu o mito da origem da Lua *(Ensaios e Estudos*, terceira série, edição Sociedade Capistrano de Abreu, pp. 331/332. Rio de Janeiro. 1938). O tema da cabeça errante e falante aí aparece como centro etiológico. É a explicação do próprio astro. Confira-se com o mito do Maranhão e Pará referente a Curacanga ou Cumacanga.

Também Leo Frobenius na edição francesa da sua *Histoire de la Civilisation Africaine* (Gallimard, Paris, sétima impressão. 1936) transcreve um conto em que a *mante religieuse* se transforma em antílope morto. Decepada a cabeça por umas crianças, estas ficam assombradas ouvindo a cabeça falar e mover-se e fogem. O pseudoantílope se recompõe e desaparece. (pp. 244/247). A *mante religieuse*, de Linneu, é o nosso louva-a-deus ou põe-mesa.

O homem cortou o pescoço dele, deixou lá, outros foram buscar. Quando chegaram lá botaram a cabeça dentro de um saco. Adiante a cabeça caiu no chão; botaram outra vez a cabeça no saco; chegou adiante, tornou a cair. Forraram o saco com outro mais grosso, adiante a cabeça tornou a cair. Levaram a cabeça para mostrar aos outros.

Não puseram mais a cabeça no saco; deixaram no meio do caminho, foram embora. A cabeça veio rolando atrás deles. Chegaram a um rio, nadaram, a cabeça cortada veio atrás.

Depois treparam a um bacuparizeiro carregado de bacuparis[2], para ver se a cabeça passava adiante. A cabeça ficou debaixo e pediu também bacuparis. O homem sacudiu os bacuparis, a cabeça foi buscá-los. Pediu mais. O homem sacudiu os bacuparis dentro d'água, a cabeça disse que lá não ia buscar. Então os homens atiraram os bacuparis para bem longe, para a cabeça ir buscar e eles irem embora. Enquanto a cabeça ia, os homens desceram o pau e foram embora.

---

2 Bacuparizeiro. É a *Platonia insignis*, Mart.

A cabeça voltou, olhou para o bacuparizeiro, não viu ninguém, continuou a rolar pelo caminho. Os homens tinham ficado esperando, para ver se a cabeça vinha atrás. Viram a cabeça vir rolando, correram, chegaram a casa, disseram aos outros que a cabeça vinha rolando; fecharam as portas.

Fecharam as casas todas. A cabeça chegou, mandou abrir as portas. Os donos não abriram de medo. Então a cabeça pensou no que ia ser. Se fosse ser água, bebiam. Se fosse ser terra, andavam por cima. Se fosse ser casa, os homens moravam nela. Pensou o que ia ser. Se fosse boi, matavam e comiam. Se fosse vaca, tiravam leite. Se fosse farinha, comiam. Se fosse feijão, cozinhavam. Se fosse sol, quando os homens estivessem com frio, esquentava os homens. Se fosse chuva, nascia capim, os bichos comiam.

Pensou e disse: vou ser lua.

Gritou: abram as portas, quero tirar minhas coisas. Não abriram, ela chorou. Gritou: deem-me ao menos meus dois carretéis de linha. Sacudiram os dois carretéis por um buraco, ela apanhou-os, atirou-os para o céu. Pediu — aqui não sei bem, parece que foi a São Pedro —, pediu que atirasse uma varinha para ir enrolando a linha e ela poder subir. Então disse: adeus, meu povo, vou para o céu.

Foi subindo. Os homens abriram as portas depressa. Ia subindo. Os homens gritaram: vais para o céu, cabeça? Não respondeu. Assim que ia chegando ao céu ia logo virando lua. À tardinha, às 7 horas, a lua estava clara, bonita. Os homens ficaram assustados: é a cabeça que foi virar lua.

Tuxini (é um *caxinauá*, informante de Capistrano) acrescentou à guisa de comentários:

O homem teve palavra, não queria ser bom para ninguém, foi ser lua. A lua não presta para nada. Só quando vamos à guerra é que andamos de noite.

Pereira da Costa (*Folclore Pernambucano*, p. 99) recolheu uma estória duma cabeça errante:

> Costumava um menino que transitava todos os dias por essa estrada bater com uma chibata na caveira ao passar por ela. Certo dia, porém, indignada com semelhante procedimento, segue os passos do travesso menino, entra com ele em casa, e queixa-se à sua mãe, dizendo com voz fanhosa, como a das almas do outro mundo:

Minha senhora,
Veja seu filho;
Se ele vai, se ele vem.
Pau no nariz;

Se ele passa p'ra lá,
Pau no nariz;
Se ele passa p'ra cá,
Pau no nariz.

A mulher prometeu providenciar e a caveira voltou tranquilamente para o seu lugar.

Essa tradição é, portanto, portuguesa e ouvi-a contar, ponto por ponto, por emigrantes recém-vindos.

Ráhu, o demônio dos hindus, tem apenas a cabeça imortal e somente ela age e assombra, tentando devorar o Sol e a Lua, provocando os eclipses. Ráhu bebera a divina ambrosia, o sagrado *amrita*, disfarçado em deus. Vixnu, descobrindo-o, decepou-lhe a cabeça com um golpe, sacudindo o corpo no abismo. Mas a cabeça de Ráhu ficou imune da Morte por ter bebido o *amrita*. E ainda vive, espavorindo...[3]

UM DOCUMENTO INÉDITO DE GONÇALVES DIAS

Devo ao meu amigo Dr. M. Nogueira da Silva, a maior autoridade brasileira em bibliografia de Gonçalves Dias, cópia de uma carta, datada do Rio de Janeiro, em 1º de outubro de 1846, a D. Maria Luiza Ferreira Vale casada com o Dr. Alexandre Teófilo de Carvalho Leal, grande amigo do poeta. Nos trechos que transcrevo alude Gonçalves Dias às entidades fabulosas que viviam no Maranhão de seu tempo.

Eu grito e clamo a quem me quer ouvir: — Fugi de poetas! fugi deles; são esquecidos! São caprichosos! têm manias! têm coisas que ninguém entende! Meu Deus, eu sou o primeiro a desacreditar a confraria — tanto que eu daria um braço — uma perna — um olho para que me não chamassem poeta, ou dissessem pelo menos: é, mas não parece. Não, Senhora; não aconteceu assim. O *Capeta da Mão Furada*, como dizem as velhas de minha terra — minha avó entre outras, — o sobredito Capeta torceu as coisas com tal jeito que inverteu a frase a ponto de que dizem de mim e

---

3 Conferir com a documentação referente a Curacanga ou Cumacanga.

a respeito de poetas: Parece, mas não é; isto é, que tenho o pior *of these gentlemen* (Eu pasmo de saber tanto inglês!), sem ter as qualidades boas de *ces Messieurs là*.

O que é porém muito certo — certíssimo — e muito certíssimo, é que por toda a parte do mundo vou deixando pedacinhos de mim mesmo, e, às vezes, *pedacinhos* bem grandes. Não me admirarei quando algum dia a minha filosofia me vier dizer ao ouvido: "Já não tens coração; gastaste-o todo e nada te ficou!" Eu hei de ficar bem assombrado — como quem viu *Cavala Canga* ou *Lobisomem* a fazer diabruras; — e não hei de pasmar tanto de ter gasto o coração, como de me ter ele durado tanto tempo.

O *Capeta da Mão Furada* é a transformação brasileira do Fradinho da Mão Furada que em Portugal personalizava o Pesadelo. Em certas regiões portuguesas o Fradinho da Mão Furada é sinônimo de Satanás. Assim estudou J. Leite de Vasconcelos (*Tradições Populares de Portugal*, p. 288). Felinto Elísio comentando suas traduções das *Fables* de la Fontaine, anotando a segunda do sétimo livro (*La mal mariée*) escreveu: "Creio que ainda em Portugal dão o nome de trasgos aos fradinhos da mão furada; se não é que acostumados à francesa, lhe não chamam já lutins." (Obras de Felinto Elisio, tomo XII, p. 267. Lisboa. MDCCCXXXVIII). Antônio Prestes, no *Auto do Mouro encantado*, aludia:

> ... e o Pesadelo também
> da Mão furada e que tem
> Arrecadas nas orelhas.

J. Leite de Vasconcelos recolheu em Guimarães uma oração duma velha onde se encontra a figura do duende materializador do Pesadelo:

> Nossa Senhora me dixe
> Que me deitasse e dormisse,
> E que medo num tomasse,
> Nem ó Mar, nem à onda,
> Nem ao homem de má sombra,
> Nem ao fraco Pesadelo
> Que tem a Mão Furada
> E a unha revirada.

Conferir com a "Pisadeira" que, em São Paulo, ainda se apresenta com unhas enormes, *unhão*. O Saci-pererê, por natural convergência, já possui a mão furada. No inquérito O *Saci-pererê*, São Paulo, 1917, informa-se: "Como se sabe o Saci tem a mão furada" (p. 57) "... tem as mãos furadas, o raio do moleque" (p. 73).

Cavala-canga é chamada no interior do Maranhão a *Mula sem Cabeça*, a mesma *Burra* ou *Burrinha* do nordeste brasileiro. Gonçalves Dias não esquecera a popular assombração e citou-a. Viriato Correia (*Contos do Sertão*, Livraria Garnier, [s/d], Rio de Janeiro regista: "Na vila era voz geral que a rapariga, em noites de sexta-

-feira, por ser caseira do reverendo, vinha para a porta da igreja virar *cavala-canga*, dando "esturros" infernais. Havia quem afirmasse: a Janoca Lavandeira e a Germana do Félis juravam que certa vez a viram transmudada em *mula-sem-cabeça*, espinote-ando aos coices, no pátio da matriz". (p. 144).

Em nota, à mesma página, Viriato Correia escreve: *Cavala-canga*, no interior do Maranhão, é sinônimo de *Mula sem Cabeça*.

AS AMAZONAS

Jurupari ainda aterroriza e seus preceitos são seguidos por milhares de indígenas. Montando o caitetu, Caapora galopa pelas matas guiando a caça. O Saci assusta os viajantes, acendendo seu cachimbo de fumo empres-tado. O Curupira passeia nas florestas. Mboitatá clareia os caminhos com o lume azulado do seu mistério. No fundo dos rios sobe a voz irresistível das Mães-d'Águas. As Amazonas desapareceram...

Quase à foz do Nhamundá, encontrou-as Francisco de Orellana, em 22 de junho de 1541. Frei Gaspar de Carvajal desenhou-as com as cores clássicas. No meio da indiada brônzea destacam-se dez ou doze mulheres que combatem ferozmente.

> *Estas mujeres son muy blancas y altas y tienen muy largo el cabello y entranza-do y revuelto a la cabeza, y son muy membrudas y andan desnudas en cueros, tapa-das sus verguenzas, con sus arcos y flechas en las manos, haciendo tanta guerra como diez indios*, [informa o frade, que perdeu um olho na batalha].

De prova testemunhal esta é a única.

Frei Gaspar não alude à ablação do seio para melhor manejo do arco como as irmãs que viviam às margens do Termodon. Daí teria provindo a denominação, sem-seio, *a-mazonos*. Parece, com as narrativas de viragos briguentas, que a origem seria outra. Possivelmente a de Otrokoski que lhes dava *am'azzon, qui signifie femme robuste dans quelques dialects slavons* (Ferd. Hoefer, anots. à Bib. Hist. de Diodoro Sículo, t. I°, p. 165, nota 2). Ainda deve ser esse o sentido se lembrarmos que o ameraba Apariá dissera a Orellana que as *cunhapuiarás* significavam "mulheres poderosas". Carvajal escreveu "caudilhos", mas Southey explica o natural engano.

Na literatura oral brasileira as Amazonas não deixam rastro. Os vestí-gios deparados nas lendas amazônicas (do rio Negro e afluentes) coligidas por Brandão de Amorim não podem alicerçar a defesa real da tradição. Interessando o assunto, leia-se *O Reino das Mulheres sem Lei*, de Ângelo

Guido (Liv. Globo, Porto Alegre, 1937) e o tema está amplamente fixado com clareza e brilho.

Essas mulheres brancas, altas e membrudas, não interessaram a imaginação do nosso povo. Em nenhuma estória vejo-as passar, armadas de arco, vencendo os homens. Lindo assunto literário, absorve o amor minucioso de eruditos ou românticos. Indígenas, mestiços, mamelucos, ignoraram a vida sonora das *icamiabas*.

Elas surgem, curiosamente, em Portugal, vivendo nas próprias tradições populares, figurando nas assombrações, influindo nos pavores infantis. J. Leite de Vasconcelos (*Tradições Populares de Portugal*, p. 279, Porto, 1882) estuda rapidamente as Almazonas ou Almajonas, mulheres altas, gordas, brancas, com seios tão vastos que os podem atirar por cima dos ombros, alimentando, desta forma, os filhos nas costas. Assim as descrevem em Maia, Minho, Beira Alta. Com o mesmo nome e também de "Alamoas" são conhecidas em Famalicão. Alamoa é o duende feminino, misto de fogo-fátuo-iara-ondina que transvia os homens na ilha de Fernando de Noronha.

Esse gesto de sacudir as mamas por sobre o ombro é pormenor sabido em muitas estórias de origem negra. Nina Rodrigues recolheu um episódio na Bahia (*Os Africanos no Brasil,* pp. 305/307), e o padre Constantino Tastevin chama *Li N'gwa Se N'gwe* a mãe-comum dos negros Bayas que moram nas fronteiras de Camerum, possuidora de tetas semelhantes. Não se trata, evidentemente, de um característico do fabulário africano. Gigantes, Ogres, Olharapos, Olhapins, Maria da Manta, Almanjonas são entidades brancas e de fontes sabidamente europeias, quanto ao mais próximo veículo de sua viagem à Península Ibérica. As mulheres grandes e alvas popularizadas como Almanjonas são em Portugal justamente as que têm os hábitos de luta, a maneira brutal e desenvolta, a estatura avantajada, tal qual as focalizara frei Gaspar de Carvajal no remoto junho de 1541. Trata-se de uma tradição que nos veio por mão de letrado e entre letrados ficou e andou, endoidando aventureiros e dando cabelos brancos aos estudiosos de asas impacientes.

As Amazonas impressionaram muito as inteligências dos colonos, mas dos colonos que tinham livros. Debalde, nas almas palpitantes do povo que veem Mapinguaris e Capelobos, procuraremos o rastro viril da Amazona, valente e nua, batendo contra Orellana, há quatrocentos anos.

Por isso não as deixei entrar neste livro...

MÍTOS PARAÍBANOS

Ademar Vidal recenseou alguns mitos da Paraíba, especialmente da capital. O escritor moldura cada um em seu ambiente natural, dando melhor impressão dos ares em que a fábula se mexe. Os principais, trazidos a depor, foram Mingusoto, Cotaluna e Flor do Mato.

Mingusoto é informe e aterrador. É uma espécie crescida do "Alma de Gato" que amedronta as crianças. Mingusoto, infixo, desmarcado em sua influência, é infinito nas manifestações que o pavor multiplica. Dizem-no senhor dos elementos, águas vivas dos rios, águas mortas das lagoas e barreiros. Mas já está com os elementos europeus deturpadores. Fantasma poderoso que domina os lençóis subterrâneos, gemendo no silêncio das noites, dá-se ao sestro de abrir as igrejas organizando mudas, enormes e lentas procissões noturnas que se desenrolam com o cerimonial terrífico das aparições coletivas, pululantes na Idade Média. Essas procissões que surgem e desaparecem, com suas bandeiras, pálios, irmandades coguladas, fiéis, confundindo-se na treva, vêm da Europa e não há figura legendária que não as tenha visto em Sevilha, Roma ou Heidelberg. O doutor Fausto, dom João, o violinista Paganini deram depoimentos...

Mingusoto, além desses hábitos de assombração cristã e litúrgica, materializa-se no leão de bronze ou no galo de ferro que coroam as torres de São Bento e São Francisco, em João Pessoa, igrejas apontadas como residenciais. Também o descrevem vivendo nas praias da Camboinha ou de Tambaú. Curiosamente o abantesma ainda não escolheu corpo definitivo para visitas sistemáticas. "Interessante que não se conhece a sua forma exata de gente. Nem mesmo se desconfia dela. Pelo nome é que conclui parecer mais de homem que de mulher. Domina as matas, o mar e os rios. É dono dos elementos", informa Ademar Vidal.

Mas não há registro de atividades características do Mingusoto. "Nada exige, mas amedronta". É um "medo" com todas as prerrogativas clássicas da indecisão antropomórfica, com vasto prestígio indeterminado.

Cotaluna é fantasma do rio Gramame. Pelo inverno é uma sereia, meio mulher meio peixe, sem cantar, mas arrebatando os descuidados banhistas e mutilando-os, como o velho Ipupiara do século XVI. "Há quem fale até na sua antropofagia", escreve Ademar Vidal, revelador dessa Pixie tropical. Seu aparecimento, mulher branca, cabelos negros, olhos sedutores, pintam a sereia, a ondina, a Mãe-d'Água, emigrada de terras distantes e aqui amalgamada com o bruto Ipupiara, devorador de afogados. Mulher bonita, com a extremidade ictiforme, diz evidentemente a origem velha do nascimento. A fórmula de seduzir não está claramente fixada. Cantando? Falando? Agarrando? Certo é que não há o elemento sexual porque o Cotaluna invernal espalha indizível terror.

Durante os meses de estio Cotaluna é uma ondina, mulher inteira, atraente, empolgadora, sensual, com aparições raras no dorso da água clara e fina do Gramame. Não promete riquezas nem possui palácios fluviais. Seu encanto é imediato, físico, como o da Alamoa da ilha de Fernando de Noronha. Embriaga os sentidos e o desejo da posse explica a loucura que fere seus namorados. Interessantemente, há quem volte dos braços frios dessa Morgana paraibana. Há quem tenha vivido amorosamente com a Cotaluna e depois voltado. Volta sem memória e sem vontade. Deixou a própria alma nos lábios da Nixe nordestina. A Cotaluna do verão, mito sexual, guarda muitos dos vestígios africanos, mas, tamanha é a influência da Sereia mediterrânea, que a pele continua branca e as feições permanecem da raça colonizadora.

Também, outrora na Amazônia, quem ouvira a Iara ficara desnorteado até lançar-se ao rio para segui-la. A Cotaluna cede. Mas seu preço é a inteira vida mental do namorado.

Flor do Mato é a Caipora com esse nome recendente. É louca pelo fumo. Deixam-no num oco de pau, como uma oferenda. Odeia a pimenta, como o Curupira. A caça obedece a esse nume acolhedor e simples. Nenhuma dificuldade para identificar a Flor do Mato com o Curupira, através do Caapora, que os mestiços caçadores tornaram uma caboclinha entroncada e afetuosa para quem lhe mantenha o tabagismo. Onde a lembrança dos cabelos de fogo do Curupira ainda reponta, incisiva, é ter a Flor do Mato a cabeleira loura. A persistência da própria estatura se conservou na imagem com que a evocam: "uma menina de doze anos..."

Documentário
(algumas lendas locais)

Ninguém sabe como começou. Sabe-se apenas que Mingusoto existe. É invisível, é imponderável, vive em todo canto e por toda parte. Tem um poder apocalíptico. Interessante que não se conhece a sua forma exata de gente. Nem mesmo se desconfia dela. Pelo nome é que se conclui parecer mais de homem que de mulher. Domina as matas, o mar e os rios. É dono dos elementos.

Existe na praia da Camboinha um famoso "cajueiro do Souto". Dizem que foi Mingusoto que o plantou. O seu tronco na verdade é secular. Ninguém toca no referido cajueiro para fazer mal. Apenas os seus frutos são colhidos para comer. Os cajus são doces — e de tão doces são conhecidos pela gente que no fim do ano vai passar a Festa nas praias.

Mingusoto tem mesmo poderes apocalípticos, deve-se repetir. À noite seus gemidos são percebidos ao longe num tom de melancolia bem sentida. Se confundem com as ondas rumorosas de Tambaú. Parece que o barulho vem do fundo móvel do oceano. E então se mistura com os ruídos das matas da Penha. Pela madrugada na cidade se ouve essa manifestação de dor que emociona.

Na rua da Baixa, chamada assim por causa da depressão do terreno, dizem que passa um rio caudaloso — e o fato é que a correnteza das águas subterrâneas se percebe muito bem quando o silêncio domina as horas de descanso. Nesse rio quem manda é o fantasma dos elementos. Ninguém vê ele, mas sente ele, que não ofende e nada exige, mas amedronta. Também é dono das igrejas que se abrem dentro da noite. Muita gente já viu Mingusoto como responsável por essas missas noturnas. Sabe-se que tudo vem de seus fluidos de semideus.

O Carmo já foi visto aberto às duas da manhã para uma procissão disciplinada, onde só se notava o gemido lento do personagem mitológico. O São Francisco tão misterioso à luz da lua apresenta as suas sombras que escondem o ser quimérico da cidade. Outras vezes essas procissões teriam sido ruidosas. As janelas das casas não se abriam. Ninguém via nada, mas tudo sentia. A voz de Mingusoto era domínio, era ação de um medonho terror. Causava pavores extraordinários na população escondida nas casas. O ente humano que estivesse na rua, numa hora assim, ficava estarrecido, imóvel como uma estátua, à passagem da massa de crentes cantando ladainhas com uma voz só, onde unicamente se destacava o vozeirão magoado de Mingusoto. E logo aquilo se sumia, diluindo-se.

Pela rua Direita ele costuma passar nas noites de sexta-feira com o seu carro de boi gemendo langorosamente. Durante o dia dizem que ele está encantado no Galo de ferro de São Francisco ou no Leão de São Bento. Estes bichos simbolizam o fantasma enquanto o sol permanece de fora.

O barulho que se ouve à noite é grandioso. Mas não é sempre. Às vezes se espera e falha. Coisa mesmo de encantamento e mal-assombrado. É barulho de elementos em revolta. Apavora os nervosos que sofrem de insônia e se remexem na cama sem poder achar o sono. Ninguém fica sossegado na casa onde um medroso não consegue dormir. Por todo canto anda Mingusoto na sua imponderabilidade alarmante. As serenatas se realizam em noites de luar porque os cantores de modinhas e tocadores de violão têm medo pavoroso do escuro de um beco ou de uma praça silenciosa e mal iluminada.

Nos pátios de igreja Mingusoto vive também. Todos sentem um arrepio frio correndo pela espinha ao atravessar a escuridão e o silêncio. O fantasma está vigilante, espreitando na sua curiosidade que não dorme. Se uma coruja corta o espaço "rasgando mortalha" é porque ele anda por perto. E assim tudo quanto acontece no sentido de medo procede de Mingusoto. Há principalmente um respeito indisfarçável pela sua influência entre os homens do povo. Quem quiser que duvide de seus poderes misteriosos. O fato é que o fantasma tem sua força de opressão muito acentuada.

No rio Jaguaribe ele costuma aparecer quando não há lua e, então, ninguém toma banho senão quando reina o luar claro. Ainda assim com certa reserva, pois o ruído angustioso vem da mata e no ar fica qualquer coisa de ameaça. Alguma coisa de bom ou de mau que está para acontecer. Na bica de Tambiá vive ele na mata contígua uma vida ótima — e afiançam que ali fora sempre a sua verdadeira residência. Mas parece que é conversa fiada. Mingusoto nasceu e viveu a vida toda na praia de Camboinha, nos arredores do cajueiro secular. Fala a história num Souto Correia que teria sido poderoso proprietário naquelas bandas. Homem muito bom, muito humano, querido de todos, porém, que sofria de um mal desconhecido: gritava e gemia sem que o dinheiro pudesse dar remédio à sua infelicidade.

Quem sabe se a tradição não teria atravessado o tempo destruidor e se fixado no fantasma de uma força tão extraordinária?

A verdade é que Mingusoto infunde pavores incríveis. Ele é autor e responsável por todos os grandiosos e soturnos barulhos da noite. Houve o tempo em que até a cidade nem precisava ser policiada porque os ladrões de galinha só furtavam de dia por causa do medo noturno do fantasma do mar, das matas e dos rios paraibanos. Sua força não se explica de tão poderosa que é. E da classe média para baixo a existência desse mal-assombrado não se discute. Até mesmo entre os importantes a sua autoridade não é lá muito desconhecida.

Vamos ver agora outra história. É uma lenda que tem muito de delicioso.

O rio Gramame quase que ia cortando a capital. Mas desviou-se para um lado e caiu no oceano. É um rio notável onde se costuma tomar banhos com caju e cachaça. Tem uns trechos magníficos e outros bem doentios. Os banhos são tranquilos em certa fase do ano. No verão nada quer dizer: folga-se à vontade e sem o menor receio. Mas no inverno o negócio é outro. Torna-se perigoso. É que existe por lá um fantasma conhecido como dono do rio.

As suas formas interessam porque são mais de mulher muito bonita. Quando chega o inverno *Cotaluna* se desencanta ou melhor: se transforma bastante. Não resta a menor dúvida que se parece com mulher de atrações verdadeiramente sedutoras. É mesmo belíssima à flor d'água, assim dizem. Colo abundante e rígido, muito branco — uma cara perfeita, os braços roliços, os cabelos negros, além de uns olhos cheios de doçura e convite.

A outra metade que fica submersa tem a forma de peixe.

Então, porque se está em plena fase de chuvas, os caboclos e os rapazes extravagantes não costumam tomar banho nas águas do Gramame, mesmo porque Cotaluna passeia com as suas seduções invencíveis, atraindo os fracos com a sua aparência altamente enganadora. Quando ela consegue pegar um, adeus para sempre, até nunca mais. Afunda-se com o namorado nas águas palustres — e lá se vai a vida. Dizem que o infeliz é carregado para a outra margem do rio para lhe serem feitas mutilações atrozes. A sereia tem caprichos sádicos.

Na realidade ainda não voltou um só para semente. Para que diga a história dos fatos que assistira na companhia da moça que tem a outra banda com formas de peixe.

A sua crueldade no inverno não é de brincadeira mata e esfola. Há quem fale até na sua antropofagia. Porém no verão a coisa muda inteiramente. Cotaluna torna-se menos visível. Passa a escolher os namorados. As flores não são agora para todos. E constitui uma verdadeira felicidade para quem consegue atrair o seu gosto porque então a vida se torna um encanto e uma festa sexual permanente.

As coisas da sereia fluvial deixam a todos tremendo de desejo. As feições de beleza permanecem intactas e até se afinam. E o que é mais interessante: as partes inferiores deixam de ser de peixe. Ficam mesmo inteiramente de mulher e então é um prazer em só se espiar tantas linhas bem constituídas. Feliz do moço que pegar a preferência e a simpatia de Cotaluna quando chega o verão com os seus sóis ardentes, com os seus cajus e as suas quase selvagerias esportivas. Porém, se torna difícil. De mil se tira um felizardo. E a ventura que ele experimenta é tão intensa e tão grande que fica amalucado para não recuperar mais o juízo.

O gozo sentido foi desses de acabar com uma vida. O rapaz volta, não há a menor dúvida que volta, mas volta doente, apagado de memória.

Quando se levanta da cama não sabe contar o que viu nem experimentou. Apenas sabe que foi bom, foi mais do que bom, foi ótimo — e tudo passa agora a figurar num mundo de sonhos e venturas impossíveis, porque esses sonhos se prolongam muito e na realidade nem sempre pode ser assim: o cansaço vence a disposição e domina o corpo.

A mocidade boêmia, principalmente os caboclos que vivem à margem do Gramame, todos, tudo que é homem de verdade, se lhes perguntar alguém qual a estação do ano preferível para tomar banho naquele rio impuro, coleante e atormentado, a resposta será imediata: só presta no verão.

Acabava de escrever a história dessas lendas com o fim único de fixação quando vejo o cabra velho Desidério. Sempre gosto de ouvi-lo.

Veio trazer uns ovos de camaleão e, como conversa puxa conversa, contou que havia sido bem-sucedido na sua última caçada, isto porque resolvera agradar *Flor do Mato*. E explicou com a sua voz descansada:

— Quando vou caçar na mata levo sempre um pedaço de fumo pra agradar Flor do Mato. Estou fazendo isso de uns tempos pra cá. É um agrado que posso fazer. Bem que me diziam: sem esse agrado ela persegue o caçador. Tira varas de marmelo e dá surras mortais nos cachorros. E há caçadores malvados que põem pimenta no focinho desses bichos, não pra fazer mal a eles, mas pra aborrecer Flor do Mato, que tem um grande horror à pimenta-malagueta.

Depois de se remexer no banco, prossegue:

— Se o caçador não quer dar presente, vai ver, tem que perder na certa. Perde todas as ocasiões e não mata nem um animal pra semente. E sabe o que Flor faz como defesa? Começa, então, a imitar ao longe ou o canto ou o urro ou qualquer barulho de bicho. E o caçador leva noite e dia a fazer trabalho inútil. Fazendo besteira: correndo praqui e pra-co-lá. Nada consegue apanhar nem vivo nem morto.

Essa autoridade que vive na mata parece que é um tanto egoísta e não tem nada de generosidade. Corresponde gentilezas, hostiliza quando se faz necessário. Só favorece ao pobre caçador quando por sua vez se vê beneficiada em alguma coisa. Não o sendo, fica somítica, irada e se vinga escondendo a caça, afugentando-a para longe — gostando de brincar, debicando ou fazendo com que o homem se canse e nada consiga. Depois assobia, vaiando. Chega até a dar boas e gostosas gargalhadas de deboche.

E prossegue Desidério na sua estranha história de matador certeiro de codornizes e pacas gordas.

— Pra fazer ela mansa, pra fazer Flor boa e ajudando a gente, é necessário levar no bornal uma lembrança qualquer. Serve qualquer coisa como presente que se bota num pé de pau e ela vai buscar. E como sei que Flor do Mato gosta muito de fumo mapinguinho, o fumo é sempre o que eu levo.

Esse mito da mata se apresenta como se fora uma menina de doze anos, toda simpatia, com os cabelos louros e estirados, aparecendo mais comumente nos tabuleiros, quando sai dos seus domínios à procura de mangabas e ameixas adstringentes. É sempre vista pelos caçadores. Em geral estes votam-lhe grande admiração e respeito. As exceções constituem aqueles que se utilizam de pimenta. É coisa que aborrece Flor do Mato. Mas ela sabe vingar-se.

E termina Desidério sentenciando:

— O caçador malvado pode largar a profissão. Não fará mais nada.

Ademar Vidal — *A União*, 10 de outubro de 1938, João Pessoa, Paraíba.

MITOS DE ALAGOAS

Devo ao Dr. Téo Brandão a série de notas fixando os principais mitos alagoanos. Numa rápida visão de resumo, anotei apressadamente o que me parecia necessário a uma mais nítida elucidação.

Lobisomem — É um bicho em figura de cachorro, mas sem cabeça. Suspeita-se que indivíduos amarelos, *empalemados*, de vida retraída e misteriosa sejam vítima de tal encantamento. Diz-se "Fulano está tão amarelo que qualquer dia corre Lobisomem". Para "virar bicho", o fadado procura numa sexta-feira, à meia-noite, um lugar onde tenha se espojado um cavalo, tira a camisa fora do corpo e dá-lhe 7 nós. Esconjura Pai, Mãe, Padrinho, Madrinha, o nome de Deus e de Nossa Senhora. Dá 4 popas, 4 rinchos e então "corre". Em Viçosa de Alagoas havia um sujeito chamado Vitorino que "corria bicho".

É a forma portuguesa do Lobisomem, Lubizôm. J. Leite de Vasconcelos aponta as duas fontes do encantamento. O incesto, filhos de compadre com comadre, padrinho com afilhada, irmão com irmã, e a causa física, opilação, "conhecem-se por uma grande magreza, pois que nunca engordam, e amarelidão na cara". (*Trad. Pops.de Portugal*, p. 263). Também dizem no Minho "correr" como sinônimo da licantropia. Os franceses empregam o conhecido *courir la galipote*. O esconjuramento, renúncia aos favores espirituais dos pais, padrinhos, Deus e Nossa Senhora, são intercorrências católicas. Conserva-se o sete fatídico. Novidade para mim é o número das popas e dos rinchos. Em Alagoas já não há vestígio da licantropia como castigo por uma desobediência a preceito moral. Só o conhecem como explicação fantástica das febres palúdicas.

Fogo Corredor — É a alma dos compadres e das comadres que em vida "não guardaram o respeito da Igreja". "São obrigados por isso a *penar* até que seja cumprida a sentença marcada pelo Criador."

> O mesmo no Nordeste, inclusive a denominação. No Rio Grande do Norte explicaram-me que o Batatão é o fogo parado e o do compadre e da comadre é o corredor. Em Portugal esse castigo pertence ao ciclo do Lobisomem. Ambrosetti regista identicamente (*Supersticiones y Leyendas*, pp. 81/92): *"Si los compadres, olvidando el sacramento sagrado que los une, no hicieran caso de él, faltando la comadre a sus deberes conyugales con su compadre, de noche se transformarán los dos culpables en Mboitatá, es decir, en grandes serpientes o pájaros que tienen en vez de cabeza una llama de fuego. Estos se pelearán toda la noche, echándose chispas y quedose mutuamente hasta la madrugada, para volver a comenzar la noche siguiente, y asi per secula seculorum, aun después de muertos."*

Mula de padre — A mulher que mora com padre, quando morre, vira numa burra que anda com guizos, chocalhos, cascavéis. Só corre em dia de sexta-feira. Nesse dia quando nos engenhos ouvem-se ruídos de cascavéis ou chocalhos, atribui-se o fato a alguma burra de padre.

> Burra ou Burrinha de Padre é a Mula sem Cabeça. No Nordeste o castigo começa em vida da pecadora que se transforma nas noites da sexta-feira. Gustavo Barroso escreve que no Ceará a punição é depois da morte. Tenho entretanto, depoimentos de sertanejos cearenses, idênticos aos do Rio Grande do Norte, Paraíba e Pernambuco. No sul do Brasil, porque a Burrinha leva suas andanças por todo o Brasil, dizem duma e doutra forma. Em Minas Gerais, Rio Grande do Sul, Bahia é penitência em vida. Em São Paulo, depois da morte. A maioria, mesmo na América do Sul, é a punição em vida. *Una mujer casada, que desde hace más de diez años mantiene relaciones amorosas ilícitas, con un cura, la que en castigo de su falta, a determinadas horas de la noche, se convierte en Mula Anima*, informa Rafael Cano, o culto folclorista argentino. Chamam-na, nas terras ibero-americanas, Mula Anima, Alma Mula, Mujer Mula e Mala Mula.
> São Paulo e Mato Grosso já falam numa réplica masculina, o castigo do sacerdote prevaricador, o Cavalo sem Cabeça.

Papa-fígado, Papa-figo — É um homem que sendo doente (ave-maria, ave-maria) da morfeia só se alimenta de fígados de criança. No seu último reaparecimento que se deu no mês próximo passado, constou que era um homem de Recife, atacado da dita cuja (ave-maria, ave-maria) morfeia e que já carregara vários meninos. Contava-se há poucas semanas que o Papa-fígado carregara uma mulher a fim de alimentá-lo com leite de peito.

> É tradição velhíssima que procurei dar explicação plausível num dos temas do ciclo dos monstros. De maio a setembro os jornais de Alagoas ao Ceará noticiaram prisões de negros acusados do furto de crianças. Em Natal houve prisão em flagrante. O leite de peito, leite humano, não consta das minhas notas, ser indicado para a lepra. Era alimento quase único nos casos de debilidade extrema, ou câncer. Há mesmo a lenda do cardeal-rei dom Henrique de Portugal...

Bicho da Usina Uruba — Diz-se que era um bicho que morava dentro do açude da usina Uruba (Município de). Não consegui outros informes.

> A usina Uruba pertence à Companhia Açucareira Alagoana S/A, e fica no município de Atalaia (Craveiro Costa — *Alagoas* em 1931, p. 77. Imp. Oficial. Maceió. MCMXXXII).
> O bicho morando num açude só pode ser a banal serpente encantada ou um monstro, de forma indefinível, comendo gente.

Homem do Surrão — É um negro velho com um surrão nas costas, que vive a pegar as crianças que choram muito, colocando-as dentro do saco. Muito comum mesmo na capital. As mães de família e criadas de menino fazem muito medo às crianças traquinas ou que querem sair de casa.

> O Velho do Surrão, do Saco, o Negro Velho, são todos do ciclo da angústia infantil. O Velho do saco é português.

Anjo corredor — É um homem com um cacete ou cajado que caminha sem parar a vida toda, batendo nas cancelas dos engenhos. As crianças quando ouvem falar trepam-se nas cumeeiras das casas e as mães de família fecham as portas.

> Seria útil uma pesquisa sobre esse curioso Anjo Corredor para o qual convergem os mitos do Judeu Errante, na única materialização que conheço no Brasil. O Anjo Corredor, como se deduz, age apenas percutindo nas porteiras e o rumor anuncia sua aproximação fantástica.

Cachorra da Palmeira — Foi uma moça, residente na cidade de Palmeira dos Índios, que, ao morrer o nosso padrinho padre Cícero, começou a debicar daqueles que botavam luto por ele, dizendo que era mais fácil botar luto por uma cachorrinha que possuía. Virou numa cachorra que vive a dançar e a correr.

Num "Reisado", em Viçosa, cantava-se uma peça sobre a Cachorra da Palmeira, cujo final dizia:

> Meu Santileno
> Para ela não tem carinho,
> Discreiou de meu padrinho,
> Virou cachorra, anda correndo...

Um "coco", também cantado em Viçosa, tomava-a como estribilho:

> Curió, curió, curió,
> A cachorra da Parmeira
> Foi dansá in Maçaió!

O padre Cícero Romão Batista falecido em Juazeiro, Ceará, em 20 de julho de 1934, continua constituindo um dos mais intensos centros de interesse folclórico. Centenas de folhetos, de versos populares, são publicados anualmente descrevendo episódios, sonhos, visões, conselhos do finado sacerdote. Um negro atlético e fanático, o "beato" José Lourenço, fundou mesmo uma irmandade, com mulheres, velhos e crianças, todos em perpétuo luto por alma do "padrinho" comum. A polícia cearense dispersou os grupos. Maiores notas registro no meu livro *Vaqueiros e Cantadores*, onde estudo o ciclo do padre Cícero na poesia social que ele determinou.

A Cachorra da Palmeira dos Índios é uma prova dessa vitalidade. A lenda corre cinco Estados e já possui algumas dezenas de folhetos poéticos. Transcrevo, em lugar deste volume, os trechos mais expressivos. Vide nos Mitos Secundários e Locais.

"Santileno" é Santo Lenho, amuleto de virtudes miríficas e amplas, devidamente estudado noutro volume, o *Etnografia Tradicional do Brasil*.

"Reisado" é um auto popular representado nas festas do Natal até Dia de Reis, 6 de janeiro. "Coco" é a conhecidíssima dança cantada, originária das praias. "Curió" é um pássaro canoro, da família dos Fringílidas gênero *Oryzoborus* e *Sporophila*. Emilia Snethlage indica, entre outros curiós, o *Oryzoborus angolensis brevirostris*, Berl, e o *Sporophila castaneiventris*, Cab.

Caipora — É uma caboclinha de cabelo grande, que usa um chapéu, fuma cachimbo e gosta muito de mingau. Dia de sexta-feira não deixa caçador caçar. Dá surra nos cachorros de modo que todos ficam com medo e nada fazem. Para conseguir alguma coisa, o caçador deve bater com a enxada num cavador e prometer um taco de fumo pra ela. Quando prega uma de suas peças, dá um assovio fino e solta uma risada.

Cotejar com o "Caapora" estudado neste livro. Um detalhe novo para mim é a maneira de chamar o duende, batendo com a enxada num cavador, ferro contra ferro. A Caipora acode atraída pelo som. Por quê?

O processo da femealização do Caapora em Caipora e a explicação dos vícios estão registrados. O assobio lhe vem do saci-pássaro e a risada é bem das bruxas efemeramente vitoriosas.

Rasga-mortalha — É uma ave chamada também "graxadeira". Sua cantiga é como um rasgar de mortalha. Diz-se que quando canta sobre uma casa morre uma pessoa da mesma.

As aves *Strix, Bubonidae, Caprimulgidae*, corujas, mochos, urutaus, têm fama universal de agoureiras. As corujas, pelos seus hábitos misteriosos, seus voos imperceptíveis, a impossibilidade de vê-las durante a luz meridiana, suas rapinagens noturnas, especialmente o canto melancólico, profundo e tenebroso, guardam o segredo duma repulsa que não conhece limites nem idiomas.

Na Europa as corujas são o próprio agouro personalizado. A *Strix bubo* deu nascimento à lenda alemã do caçador maldito. A *Strix scops* é chamada na Suíça Ave-da-Morte. A *Strix aluco* apavora lenhadores e caçadores com sua voz gemente. A *Strix noctua* anuncia o trespasse fatal, aparecendo, inopinadamente, na janela dos doentes. A *Strix flammea* espalha mais superstições que penas possui o corpo.

Com essa tradição terrificante o europeu semeou em campo também preparado pelas aves amedrontadoras do indígena, xoãs, acauãs, urutaus.

A *Strix flammea perlata*, Licht, é uma estrígea apontada como "rasga-mortalha". Seu canto, voando sobre as casas, lembra o brusco rasgar de uma fazenda. Explicam que o doente está perdido porque a coruja, sabedora do futuro como tendo sido ave consagrada à deusa da sabedoria, Minerva, já lhe rasgou a porção do tecido necessária à derradeira *toilette*.

Buraco-feito — É também um passarinho chamado de *peitica* ou *buraco-feito* porque quando canta parece dizer: buraco-feito. Cantando perto de uma pessoa é agouro de morte.

Esse *"buraco-feito", Peitica, Sem-fim, Saci,* é um cuculídeo, a *Tapera naevia*, pertencente ao ciclo do Saci-pererê. Para outros é um *Tyrannidae*, a *Empidonomus varius*, Vieill, também conhecida por *Maria-é-dia*.

Pai do Mato — É um bicho enorme, mais alto que todos os paus da mata, cabelos enormes, unhas de 10 metros, orelhas de cavalo. O urro dele estronda em toda a mata. À noite quem passa na mata ouve também a sua risada. Engole gente. Bala e faca não o matam, é trabalho perdido. Só se se acertar numa roda que ele tem em volta do umbigo.

Em alguns "Reisados", aparece uma "figura" representando o entremeio do Pai do Mato, sob a forma de um sujeito feio, de cabelos grandes. É comum a expressão entre mães de família a propósito dos filhos que estão com cabelos grandes, sem cortar: "Está que é um Pai do Mato", "você quer virar Pai do Mato, menino?".

No "Reisado" canta-se no entremeio do Pai do Mato:

> Ó que bicho feio
> Só é Pai do Mato!...

Com denominação idêntica e materialização, vive o Pai do Mato em Pernambuco, informa-me o poeta Ascenso Ferreira. Roquete Pinto emprega o "Pai do Mato" na tradução que faz dum "ualalocê" dos índios Parecis, em *Rondônia*, p. 84 (ed. do Museu Nacional, vol XX dos *Arquivos*. Rio, 1917).

Compare-se o Pai do Mato com o Canhambora, o Mapinguari, o Bicho-homem, espécimens do ciclo dos monstros.

Zumbi de Cavalo — No lugar em que tenha morrido um cavalo não passa ninguém à meia-noite porque, se passar, aparece o zumbi (alma dos bichos) do cavalo que vai crescendo, crescendo até matar o indivíduo.

Esse Zumbi dos Cavalos, Zumbi sinônimo da alma dos animais, nunca foi, que me recorde, registrado em nosso Folclore. De alguns anos a esta parte estuda-se, nos domínios do espiritismo, a supervivência da imagem do animal depois de sua morte. Imagem é a figura que mais se aproxima do que me foi possível compreender. Com documentação impressionante afirma-se aparições de cavalos, cachorros e gatos, mortos há bastante tempo, e perfeitamente identificados e reconhecidos. Mas o tema é outro. O Zumbi que estira sua estatura até matar de pavor quem viola, na hora da meia-noite, o local onde morreu um cavalo, está aguardando sua inevitável articulação aos estudos que se fazem na Europa. Será um índice da existência da crendice nesta parte da América do Sul.

Manuel Rodrigues de Melo informou-me da existência de um mito semelhante na várzea do Açu (RN). Fala-se no *Cavalo do Engenheiro Gato*, aparição assombradora de valentes. O engenheiro Gates veio dirigir, em 1915, a rodovia que liga Açu a Macau. Andava sempre num cavalo esplêndido. O cavalo morreu e o dono mandou-o enterrar, gesto desconhecido para a região. A sepultura do cavalo ficou ao pé de um umarizeiro, chamado *marizeiro do Felipinho*, na curva do Beco da Ponta da Ilha. Daí em diante o cavalo reaparece, assustando viajantes, fazendo fugir um dos homens reputadamente bravos, Artur Felipe Montenegro, que deu depoimento pessoal ao Manuel Rodrigues de Melo.

Lembro que Vale Cabral menciona um Zumbi que espavoriza as cavalgaduras. Os espíritas afirmam que os animais são sensíveis médiuns, agentes ou percipientes. Ernest Bozzano, escreveu, num curioso ensaio sobre a espécie: *Sur la base des faits recueillis, il était donc permis d'affirmer, sans crainte d'erreur, que le verdict de la science future ne peut qu'être favorable à l'existence dans la subconscience animale des mêmes facultés supranormales, qu'on rencontre dans la subconscience humaine; et comme le fait de l'existence latente, dans la subconscience humaine, de facultés supranormales, indépendentes de la loi d'évolution biologique, constituait la meilleure preuve en faveur de l'existence dans l'homme d'un esprit indépendent de l'organisme corporel, et, par conséquent, survivant à la mort de cet organisme, il était rationnel et inévitable d'en inférer que, puisque dans la subconscience animale on retrouve les mêmes facultés supranormales, la psyché animale est destinée à survivre, elle aussi, à la mort du corp. Manifestations Métapsychiques et les Animaux,* p. 183. Ed. Jean Meyer (B. P. S.) 8-rue Copernic, Paris, 16.

MÍTOS DE SANTA CATARÍNA

Atendendo um SOS, o Dr. Vitor Antônio Peluso Júnior teve a bondade de fazer-me conhecer algumas páginas de Crispim Mira sobre o "Folclore catarinense", retiradas do livro *Terra Catarinense*. Não são muitos os mitos registrados. Nenhum peculiar à região.

O mais impressionante para os catarinenses é o "Boitatá". Escreve Crispim Mira:

> Das abusões catarinenses é a do Boitatá, aliás nacional, a mais generalizada. A mais generalizada e mais assustadora. O quer-que-é somente aparece horas mortas da noite e ninguém ainda pôde descobrir o que vem a ser esse terrível e sinistro monstro. No lugar em que ele surge há de dar-se com toda a certeza, mais cedo ou mais tarde, alguma grande desgraça.
>
> Quem o vir, atravesse logo uma faca na boca, para livrar-se dos seus males.
>
> O que já tem feito o Boitatá!
>
> Quantas famílias ficaram reduzidas à miséria, quantas plantações definharam e morreram somente porque lhe passara por perto! A quanta gente já fez desaparecer, a quanta lágrima, a quanta viuvez, a quanta dor não tem dado oportunidade o fatal duende.
>
> Não há quem possa vencê-lo.
>
> É grande como um touro, com patas como as dos gigantes e com um enorme olho bem no meio da testa, a brilhar, que nem um tição de fogo. Ninguém sabe onde seja o seu antro, nem do que se alimenta. O certo é que ora se mete pelo mar adentro como um cavalo-marinho, ora voa por cima das árvores como um fantástico pássaro infernal. A esse respeito não há a menor dúvida. Os incrédulos têm pago caro a fanfarronice.
>
> Certa vez chegara junto à igreja e ia espojar-se quando o padre o viu e fez o sinal da cruz. Foi o bastante. Ouviu-se um estrondo e o quer-que-é sumiu-se como um relâmpago, deixando grande cheiro de enxofre. O bicho deve ter parte com o "quimbimba", se não é ele em pessoa. Quem sabe lá!

O autor evoca o episódio dos Alvarengas, que deve ser tradicional.

— Fazia escuro como breu. Os Alvarengas estavam de farinhada. Senão quando a forneadeira deu um grito e caiu para trás. Acudiram todos, passaram-lhe vinagre na testa e nos pulsos. Mal a preta abriu os olhos apontou "p'ra riba" do morro, tremendo como uma vara verde. Era o Boitatá. Os escravos baixaram a cabeça rezando. Mas os Alvarengas que eram três irmãos, armaram-se de pistola e facão, e "pincharam-se" no mato. O Boitatá estava ao pé de um jerivazeiro e ali ficou. De vez em quando abria o olho, clareando tudo. Os moços se puseram a atirar: "pu, pu, pupu, pu, pu". O dianho nem conta. E o mais peior, meu irmão em Cristo, é que as balas voltavam e ao depois as armas negaram fogo. Mas os rapazes eram "desgranados". Arrancaram do facão e caíram de golpes no meio da escuridão. De repente ouviu-se um grito e uma gargalhada. O grito era dos Alvarengas que se tinham ferido entre si, e a gargalhada do bicho. Ouviu-se uma voz dizer: "Quem se meter comigo está perdido". Quando o dia clareou os pretos foram encontrar os amos caídos, todos três alanhados de golpes. O mais velho estava desarranjado do juízo e os dois mais moços sem pinga de sangue. Foram indo, foram indo para trás e um belo dia esticaram as canelas. Dois éticos e o outro doido.

O Boitatá catarinense difere de todos os *boitatá, bitatá, biatatá, batatão, batatal, batatá*. A luz misteriosa já não mais é a cobra de fogo mas um ser informe, com grandes patas agigantadas, um olho enorme e faiscante de Ciclope, apagando-se com o sinal da cruz, dotado de voz humana e com o condão de irradiar desgraças. Onde ele passa deixa um rastro de infelicidade. É invulnerável.

Convergiram os mitos do ciclo dos monstros e dos bruxos europeus. Nenhum duende indígena podia dar azar aos caçadores e pescadores. O Caapora, inicialmente, não tinha essa virtude maléfica. Depois da colonização é que aceitou a triste incumbência de justificar, com seu encontro ou falta de oferendas rituais, os caçadores desastrados.

Crispim Mira não o compara a um touro, como o Sr. Joaquim Ribeiro deduziu e aceitei, senão como medida de estatura. O Boitatá de Santa Catarina não tem forma definida. Chamam-no assim de *quer-que-é*. Talvez a imagem fosse associação de ideias com o *boi* português, dando a sabida confusão entre *mboi*, cobra, e boi. Lembrei mesmo, noutro ponto deste livro, que a árdea "Socó-boi" (*Ardea scapularis*, III), vinha de *çoo-có-mboi* (Teodoro Sampaio), Socó-cobra, porque "esconde o corpo debaixo d'água, mostrando só a cabeça e parte do seu extraordinário pescoço, com o que simula uma cobra, surgindo à superfície d'água." (idem, *Tupi na Geografia Nacional*, p. 355).[4]

Para livrar-se dos males irradiados pelo Boitatá há o remédio simples de atravessar a lâmina de uma faca aos dentes. A lâmina de aço é, em toda Europa, o mais poderoso antídoto dos bruxedos tremendos. Em Portugal, como na Itália, Alemanha

---

4   A confusão entre *boi* (latim *bos*) e o *mboi* tupi é recusada, documentadamente, pelo erudito Artur Neiva, *Estudos da Língua Nacional*, pp. 333 e seguintes. Col. Brasiliana, Vol. 178; São Paulo, 1940.

e França, colocam uma faca debaixo do travesseiro da recém-parida para que o filhinho esteja imune de todos os males invisíveis. Na Idade Média revolvia-se a água do primeiro banho com uma espada para que a criança fosse forte e sadia. Na América Central e do Sul quase todos os entes fabulosos temem o aço e fogem de seu contato. A Kefke, ave que é a cabeça de uma bruxa, supremo terror dos indígenas do Peru, cai imediatamente ao ser cravada no solo uma faca. Frederico Alfonso Pezet informa que: *The Kefke beaten by the Indian who in due time has crossed his left foot and planted his knife in the ground falls into lhe bushes and becomes entangled, when he bewails his misery, offering al kinds of rewards if only he will be released. (Proceedings of the Nineteenth Int. Cong. of Americanists,* Washington, 1917, p. 466).

A indeterminação material do Boitatá, apesar das patas de gigante e do olho de fogo, recordará sempre o prudente registro de Joseph de Anchieta, o primeiro anotador do assombro: "Não se vê outra cousa senão um facho cintilante correndo daqui para ali; acomete rapidamente os Índios e mata-os, como os Curupiras: o que seja isto, ainda não se sabe com certeza." (Carta de São Vicente, 31 de maio de 1560.)

MÍTOS DE SERGÍPE

Informou-me o professor Juvêncio Mendonça que o Folclore sergipano não é rico. Conhece os mitos gerais, Lobisomem, a Burra de Padre, o Fogo Corredor ou Batatá, azulado e bonito, surgindo dentro das noites misteriosas, a Caipora e o Zumbi. Esses merecem demora pela originalidade da adaptação.

Em Sergipe a Caipora é casada com o Zumbi. A Caipora é cabocla forte, entroncada, sisuda, vestindo branco. O Zumbi é pequenino, negro, nu ou quase nu, sem carapuça vermelha e sempre com uma chibata de cipó na mão. Vivem juntos mas não aparecem nas estradas. Ficam dentro do mato e aí correm, paralelos aos viajantes que galopam nos caminhos amplos. O Zumbi, e não a Caipora, exige fumo e os mascates e feirantes costumam colocar a oferta no oco das árvores, destinando-a ao duende. Se não fazem esse presente, segura-os o Zumbi em ocasião propícia e surra-os desapiedadamente. Bate-lhes até a morte. Anuncia-se o Zumbi pelo assobio fino, prolongadíssimo, como um *mi* agudo de violino, junto ao cavalete. Ouvindo o sinal toda a gente foge. Os meninos têm-lhe pavor, impossibilitados de cumprir o preceito da oferenda e de fugir com velocidade conveniente.

A Caipora sergipana é, como o Saci-pererê, paulista e mineira, uma decidida amadora de equitação. Gosta de apropriar-se dos cavalos de sela, os melhores ou piores na falta daqueles, saltar-lhe ao lombo e passear a noite inteira, em desabrido galope furioso. Pela madrugada encontram os animais esfalfados, trêmulos de cansaço, molhados de suor, com as crinas entrançadinhas como rendas de almofada.

Clodomir Silva (*Minha Gente* — Rio de Janeiro, 1926) registrou, em contos populares, algumas formas do assombro sergipano. A Mula sem Cabeça é, como em todo nordeste, chamada "Burrinha". Descreve a cena de transformação da "Burrinha", inicial e final. Curiosamente há a perfeita convergência para o "Lobisomem". Escreve Clodomir Silva:

> Meu pai foi quem viu, e você sabe qu'ele non tem duas palavra. Ela foi devagarinho, sem ninguem presinti, cuma quem non qué e quereno e se sonsano samoitou-se na touceira do mato. O véio espiano... Enrolava a roupa toda peça pro peça e ficou im pelo. Se deitou-se no lugá onde os cavalo se espoja e começou a sespoliná cuma quem qué cavá a terra c'o coipo. Daí a pouco, salevantou-se e se sacudiu-se toda, numa trincadêra dos pecado.
>
> Se jogou-se im riba dos cavalo com unhas e dente, ôs coice, e adispois bateu as canela no mundo.
>
> Correu sete freguesia e ante dela chegá, meu pai enrolou a roupa dela e escondeu. Cond'os galos tava ameudando, a trincadêra começou a suviá de longe e daí a pouco ela vortô pô espojadô.
>
> Meu pai, escondido, espiava pelas greta do mato e arreparou. Era uma bistinha melado, bem feitinha, de frente aberta, c'as anca buleada qu'era uma beleza e os casquinho ligeiro. A cabicinha pequena e toda ondeada d'arreio cuma se fosse p'a montaria. Se sacudia toda c'um baruio danado, cuma quem tá cum faniquito. Caiu outra veis no espojadô e cumeçou a se virá p'om lado e p'a outo e daí a pouco s'arrivirou im gente.
>
> Quis se visti, cadê roupa?! Saiu do lugá, veio p'ra junto do véio, chorou, rogou, sajoeiô e enfim, ele teve pena da infiliz e deu a roupa.
>
> No outro dia a muié mandou um presente qu'era um disputismo de bolo, pandeló, manoê, tudo envenenado que matou os cachorro e as galinha lá da casa. Agora ela tá dencanto quebrado (pp. 54/55).

Clodomir Silva também evocou o Lobisomem, chamado em Sergipe *Labizône*.

> ... os ladridos soaram perto, ao passadiço da cerca e, de repente, a cachorrada aos ganidos penetrou o cercado e se encaminhou para a casa de farinha.
>
> Nezinho, o rodador, apavorado, não encontrou por onde fugir.
>
> Um animal volumoso, de cara humana e grandes olhos, orelhas de perdigueiro, sempre em movimento; patas fornidas e rápidas, sem cauda, coberto de peles, atirava-se contra ele violentamente.
>
> Compelido a defender-se, ele deu mão ao cacetinho curado com três dentes de cobra e tentou defender-se.

O animal, porém, saltava de lado, jogando cacete, e sempre investindo. O rapaz desorientava-se.

Na luta caíra, cortara-se de encontro à quina de um cepo, rolara pelo chão.

De relance uma lembrança veio-lhe à mente e a cacerengue de raspar mandioca, ao seu alcance, entrou em cena.

Ao primeiro golpe, a fera recuou.

Umas gotas de sangue pingaram e o bicho abriu em desabalada carreira mato a fora, sempre acompanhado dos cachorros.

Minutos depois, a lua cravava-se no poente — o velho voltou, pálido, cambaleante, com a camisa ensanguentada e a lamentar-se de "ter tido um ataque" e de se ter espetado com a queda num tronco de pau.

Não pôde continuar o serviço. Foi logo à casa e passou dias sem aparecer.

Quando surgiu estava mais corado e mais alegre. Falava a todos. Tinha quebrado o encanto.

De notar, o *Labizône* de Sergipe conserva a fisionomia humana e não tem cauda. Em nenhum depoimento do nordeste consegui saber maiores detalhes do monstro. Todos o descrevem como "um bichão preto", "um bicho grandão, cabeludo, com as orelhas abanando e batendo". Sobre o focinho do Lobisomem diziam-me ser o "mesmo de um porco", a "mesma coisa que um cachorrão". O desenho sergipano, pelo exposto, é original.

Rendo minha homenagem ao professor Juvêncio Mendonça, falecido em Natal a 26 de abril de 1939, com menos de 25 anos. Foi um auxiliar precioso para o meu trabalho graças aos seus conhecimentos musicais, fina inteligência, assimilação imediata e dedicação invulgar.

VON MARTIUS E OS MITOS AMAZÔNICOS[5]

"A dar-se crédito às inúmeras narrações de pessoas simplórias, as profundezas do Amazonas hospedam, além dos grandes anfíbios acima mencionados, ainda uma espécie de cobras-de-água, que são peculiares a esse rio e aos seus maiores afluentes, porém, que evitam as águas das ipueiras e lagoas vizinhas. Têm-se visto enormes serpentes, esverdeadas ou pardas, nadando como se fossem troncos flutuantes, e, segundo dizem, crianças e

---

5 *Viagem pelo Brasil* por J. B. von Spix e C. F. P. von Martius. Tradução de D. Lúcia Furquim Lahmeyer. Terceiro volume. Rio de Janeiro, Imprensa Nacional, 1938.

adultos já foram arrebatados, quando acaso elas saem em terra. A esse monstro os índios dão o nome de Mãe-d'Água (*paranamaia*),[6] temem encontrá-lo e ainda mais medo têm de matá-lo, porque então é certa a própria ruína, bem como a de toda a tribo. Um velho remador de nossa canoa afirmava haver avistado essa terrível cobra-d'água perto do Gurupá, e, dois dias depois, ela enroscou e arrebatou o seu irmão. Este passeava, com a noiva, à margem do rio, e, chegando a um ponto onde havia no fundo um barro preto fino, com que as índias tingem os tecidos de algo-dão, ela pediu-lhe que colhesse uma mão-cheia. O rapaz mergulhou, mas a noiva debalde o esperou por muito tempo. Quando, depois, observou, aflita, mais de perto, o lugar onde ele se sumira, não viu mais a sombra dele no fundo, e, no meio do rio, a Mãe-d'Água sacudia a terrível cauda furiosamente e o noivo lhe tinha sido arrebatado para sempre. Já desde milênios se preocupa a imaginação dos povos com tais ideias de cobras gigantescas, habitantes do fundo das águas, e que só raramente emergem das mesmas, para terror e desgraça dos homens. Na Europa admiramos o primor artístico do Laocoonte, originado dessa lenda; na América, a fan-tasia toma proporções colossais no cenário agigantado, quando delineia esses monstros. O aparecimento, tantas vezes confirmado, da serpente do mar, nas costas norte-americanas, deu ensejo a semelhante crendice acerca das águas, tão cheias de vida, do Amazonas. Cumpre dizê-lo, porém: os índios enfeitam os mais simples fatos com exageros fabulosos. Assim, eles contam que, de quando em quando, aparece a Mãe-d'Água com um dia-dema de brilhantes ou deixa emergir a cabeleira luminosa fora do rio, quando o nível da água baixa em extremo, com isso determinando a pro-pagação das doenças decorrentes. A firme crença, com que os índios con-tam tais lendas, é uma das feições do seu caráter, e o viajante, neste país deve ficar prevenido disso, para descontar a parte da imaginação nos fatos maravilhosos que ouvir da boca dos Peles-Vermelhas. Florear os mais sim-ples fenômenos da natureza com as galas da fantasia, é a única poesia de que é capaz a alma soturna e obscura do índio. De igual modo, quase todos os fatos naturais, que se assinalam por qualquer distintivo, logo se transformam em fábulas. De muitos animais e plantas, os índios contam as maiores extravagâncias. As lendas das Amazonas, de homens sem cabeça e com a cara no peito, de outros que têm terceiro pé no peito ou possuem cauda, do conúbio de índias com os macacos coatás, etc., são idênticos

---

6 *Paraná*, rio, *maia*, mãe, mãe do rio.

produtos da fantasia sonhadora dessa raça de homens" (Capítulo III do Livro Oitavo, pp. 136/137).

O registro de von Martius demonstra que a Mãe-d'Água amazonense é a cobra, a serpente fluvial, a Boiuna, Mboiassu. A Iara, assimilação das ondinas e sereias do Mediterrâneo, é mito europeu. A nota do alemão, em 1819, é endossada por um escritor brasileiro, sabedor do mundo amazônico, o Sr. Abguar Bastos, quase cento e vinte anos depois.

"— E a Mãe-d'Água?

Um dos caboclos chamou o companheiro:

— Olha aqui, Jingo. O moço pergunta pela Mãe-d'Água.

— Mãe-d'Água é uma cobra, sim senhor.

— Não vira mulher?

— Que eu saiba, não senhor.

— E a Uiara?

— Uiara?

— Sim, também não conhecem?

— Que é Uiara entonces?

— Uma jovem, de cabelos compridos, que aparece nos lagos.

— Ah! Isto aqui não é Uiara, não senhor. É visage."

SAFRA, p. 194. Rio de Janeiro, 1937.

Nenhuma formosura, nenhuma atração aparece nessa Mãe-d'Água escura e bruta. É, em sua nudeza feroz, um mito primitivo, severo, hostil, poderoso, impondo o respeito pelo pavor. A Iara dos cabelos doirados, de voz irresistível, é tão ameríndia como seria natural o encontro duma baleia viva num píncaro dos Andes.

Quase por toda parte os índios reconhecem três espécies de espíritos maus: o *jurupari*, o *curupira* e o *uainara*. A palavra *jurupari* encontra-se mais generalizada em todo o Brasil, entre todos os índios que falam a língua geral; onde o uso desse idioma foi abandonado, emprega-se o termo português demônio. Quase todas as tribos ainda selvagens têm na sua linguagem expressões de igual significado. Merece notar-se que esse jurupari, assim como o demônio grego, é, em muitas línguas, a única idêntica designação para espírito ou alma dos homens. A essência dele é o mal, e tem parte em todas as desgraças a que estamos expostos. Epidemias, feras devoradoras, influxos nocivos dos elementos, não são, na crença dos índios, coisas mandadas pelo espírito mau, mas aparições concretizadas dele próprio. Ao Pajé não raro é atribuída a faculdade de comunicar-se com o jurupari e de esconjurá-lo. Esse demônio, contudo, nunca aparece em figura de gente; desvanece-se rápido, e o seu influxo na sorte dos homens é fugaz e fantasmagórico. Essa correspondência e a circunstância de empregarem muitas tribos, quase sempre, o vocábulo jurupari, ou outro de igual significado, na sua língua, quando, segundo a instrução dos padres, procuram expressão para designar a divindade, autoriza depreender--se que essa palavra resume em si toda a concepção de um ser mais alto, espiritual, quanto o pode elevar a tenebrosa estupidez do índio. Chega-se, com mágoa, à conclusão de que o ser todo de amor e confiança, que nos conduz a mais elevado destino, faz-se pressentir na alma desses homens pela sensação de pavor diante da força maligna, adversa. Menos aterrador que o jurupari é o curupira, espírito pirracento das matas, que topa com os índios sob uma forma qualquer, até conversa com eles, despertando ou mantendo inimizade entre indivíduos, e goza, com malignidade, da desventura ou da desgraça dos homens.

....

Além do curupira, que infesta as matas, tornando-as pouco seguras, creem os indígenas que as águas dos grandes rios são povoadas por outros demônios, chamados *ipupiaras*. Este termo, que significa "senhor das águas", é o mesmo de que usam os índios habitantes do *hinterland*, para um monstro de pés virados para trás ou tendo uma terceira coxa a sair-lhe do peito, de quem a gente tanto mais se aproxima, quanto mais crê afastar--se dele, saciando o seu ódio no viandante solitário, a quem arrocha com os braços até sufocá-lo. Quando um índio adormece na canoa e desaparece na água, puxado por algum jacaré, dizem eles que isso é obra do malvado ipupiara. Demônio de casta muito inferior é o *uaiuara* (talvez "senhor da mata"?), que geralmente costuma aparecer aos índios sob a forma de homúnculo ou de cão robusto, de compridas orelhas abanantes. Este deixa-se mais terrivelmente pressentir à meia-noite, como os caçadores de Artur, na lenda alemã. Talvez seja esse duende o lobisomem do imigrante. Também os fogos-fátuos, que os portugueses imaginam com a forma de Mula sem Cabeça, são para eles fantasmas de fogo (*baêtatá*). A imaginação obscurecida dos rudes selvagens da América cerca-os por todos os lados de larvas e seres pavorosos, de cujo influxo a sua mentalidade acanhada nunca se liberta; e em todos os seus atos têm medo e pavor do constante companheiro. Também a sua língua conhece o termo terror (*mocakyjaçaba*). Talvez por causa desse medo de fantasmas costumam eles colocar, num ou noutro ponto da mata solitária, objetos de sua vida diária, por exemplo, armas, molhos de ervas ou de penas de pássaro, quer como silenciosa oferenda expiatória às potências tenebrosas, quer como sinal de encorajamento, indicando que essa solidão, tão cheia de impressões sinistras, já percorrida por seres humanos, está livre do influxo dos malignos demônios. (Capítulo 1º do Livro Nono, pp. 215/218.)

O Jurupari de Martius, como o apresentaram os indígenas, é bem o demônio da catequese, a essência do Mal. Martius, entretanto, clareou-o otimamente. Jurupari é entidade superior, poderoso, invisível, imponderável, sem materialização, tal qual diziam os Tupinambazes a D'Evreux no Maranhão. Essa grandeza, que o próprio medo não conseguiu desvirtuar, colocou Martius em posição de suspeita para um diabo estranho, ilógico e antinatural do mundo selvagem. Da altura moral de Jurupari nota-se a ausência de episódios, de aventuras entre os indígenas. Jurupari não se dignava imiscuir-se na vida diária da indiaria.

Curupira aparece aqui bem típico, alegre, vivo, imprevisto, amando assombrar os indígenas e espalhar inimizades. É o ponto de partida para a convergência com um outro espírito das matas, o Caapora, futura explicação de todas as infelicidades e desastres.

O Ipupiara já estava confuso. Aparece com as características do Curupira, os pés virados e ainda um terceiro a sair-lhe do peito. Com o mesmo nome de Ipupiara os indígenas do interior designavam um outro monstro e era este o portador das anomalias podálicas. Que Ipupiara seria esse? Incoerente na denominação, desambientado, o Ipupiara de pés ao avesso é uma possível confusão de Martius com o Curupira ou um seu sinônimo que não pôde se escrito.

O Uaiuara só ocorre em Martius. Atua como um pigmeu ou como um cão robusto de compridas orelhas abanantes. Martius identificou o cão como sendo o Lobisomem português e não errou. A forma do Lobisomem é lobo, porco ou cachorro. Um dos detalhes universais é o rumor das longas orelhas balouçantes. O Uaiuara homúnculo também podia ser uma "presença" do Curupira pois assim o evocam os indígenas velhos.

Os Fogos-fátuos foram logicamente indicados como sendo o Baetatá do venerável Anchieta, coisa e não cobra (*mbae e não mboi*) de fogo. Martius lembra, com oportunidade, que a Mula sem Cabeça fora o antigo castigo divino dos amores sacrílegos, animais luminosos que se amam ou lutam, durante a noite, como ainda acontece com a *"luz mala"* argentina e uruguaia.

OBRAS DE LUÍS DA CÂMARA CASCUDO

PUBLICADAS PELA GLOBAL EDITORA

Antologia da alimentação no Brasil
Antologia do folclore brasileiro – volume 1
Antologia do folclore brasileiro – volume 2
Câmara Cascudo e Mário de Andrade – Cartas 1924-1944
Canto de muro
Civilização e cultura
Coisas que o povo diz
Contos tradicionais do Brasil
Dicionário do folclore brasileiro
Folclore do Brasil
Geografia dos mitos brasileiros
História da alimentação no Brasil
História dos nossos gestos
Jangada – Uma pesquisa etnográfica
Lendas brasileiras
Literatura oral no Brasil
Locuções tradicionais no Brasil
Made in Africa
Mouros, franceses e judeus – Três presenças no Brasil
Prelúdio da cachaça
Prelúdio e fuga do real
Rede de dormir – Uma pesquisa etnográfica
Religião no povo
Sociologia do Açúcar
Superstição no Brasil
Tradição, ciência do povo
Vaqueiros e cantadores
Viajando o sertão

Obras juvenis

Contos de exemplo
Contos tradicionais do Brasil para jovens
Histórias de vaqueiros e cantadores para jovens
Lendas brasileiras para jovens
Vaqueiros e cantadores para jovens

Obras infantis

A princesa de Bambuluá
Contos de animais
Couro de piolho
Facécias
Maria Gomes
O marido da Mãe-d'Água e *A princesa e o gigante*
O papagaio real

Impressão e Acabamento:

EXPRESSÃO & ARTE
EDITORA E GRÁFICA
www.graficaexpressaoearte.com.br